D0590918

CODE VUURSTORM

Nelson DeMille

CODE VUURSTORM

the house of books

Oorspronkelijke titel
Wild Fire
Uitgave
Warner Books, New York

Vertaling
Henk Popken
Omslagontwerp
Studio Jan de Boer BNO, Amsterdam
Omslagfoto
Image Select
Foto auteur
Sandy Dillingham
Opmaak binnenwerk
ZetSpiegel, Best

ISBN 978 90 443 1914 9
D/2007/8899/146
NUR 332

Voor Bob en Joan Dillingham –
die zulke fantastische dochters hebben

Opmerking van de auteur

Als feiten en fictie worden gecombineerd in een roman, is voor de lezer niet altijd duidelijk wat wat is. Proeflezers van het manuscript van *Code Vuurstorm* hebben me gevraagd wat echt is en wat is ontsproten aan mijn verbeelding. Het leek me een goed idee dat hier te verduidelijken.

De in dit boek (en in andere John Corey-verhalen) opgevoerde Anti-Terrorist Task Force (ATTF) is grotendeels gemodelleerd naar de werkelijk bestaande Joint Terrorist Task Force (JTTF).

Met name in dit boek is er een hoop informatie over ELF, een acroniem voor iets wat in de loop van het verhaal nog wel duidelijk wordt. Alle informatie over ELF is accuraat, voor zover ik kan bepalen.

Wat betreft het geheime plan van de regering dat Vuurstorm werd genoemd: dat is gebaseerd op informatie die ik vooral op het internet ben tegengekomen en die je kunt opvatten als geruchten, feiten, pure fictie of een combinatie daarvan. Ik geloof zelf dat er inderdaad een of andere variant van Vuurstorm (met een andere codenaam) bestaat, en dat, als dat niet het geval is, hij zou moeten bestaan.

Andere onderwerpen in het boek waar mensen me naar gevraagd hebben, zoals NEST, Kneecap en andere acroniemen, zijn feitelijk. Als wat u leest echt lijkt, is het dat waarschijnlijk ook. De werkelijkheid is inderdaad vaak vreemder dan fictie, en dikwijls ook angstaanjagender.

De tot nu toe meest gestelde vraag is: 'Bestaan BearBangers echt?' Ja, die bestaan echt.

De periode waarin dit verhaal zich afspeelt, is oktober 2002, een jaar en een maand na 9/11/01, en de door mij gebruikte koppen en artikelen uit de *New York Times* zijn echt. En dat geldt ook voor de door de overheid genomen veiligheidsmaatregelen of het gebrek daaraan.

Enkelen van mijn lezers die zelf in de rechtshandhaving werken, vinden dat John Corey nogal wat problemen heeft met de grenzen van zijn macht en zijn bevoegdheden. Ik geef toe dat ik me wat dat betreft enige vrijheden heb gepermitteerd, want dat komt mijns inziens het verhaal ten goede. Een John Corey die alles precies volgens het boekje doet, is niet wat wij van een held willen.

Proeflezers van dit boek hebben me verteld dat *Code Vuurstorm* hen uit hun slaap heeft gehouden lang nadat ze het boek hadden dichtgeslagen. Dit is inderdaad een angstaanjagend boek in een angstaanjagende tijd; maar het is ook een waarschuwing voor de wereld na 9/11.

— DEEL I —

Vrijdag

New York City

De FBI doet onderzoek naar aan terrorisme gerelateerde zaken zonder op ras, religie, nationaliteit of geslacht te letten.

Terrorism in the United States
FBI Publications, 1997

1

Ik ben John Corey, voormalig rechercheur Moordzaken bij de NYPD, de New Yorkse politie. Ik ben in diensttijd gewond geraakt, voor driekwart arbeidsongeschikt verklaard (wat vooral een cijfer is om mijn uitkering te bepalen; mijn lichaam functioneert nog voor ongeveer 98 procent) en werk nu als speciaal agent voor de federale Anti-Terrorist Task Force.

De knaap die tegenover me zat in onze werkhoek, Harry Muller, vroeg: 'Wel eens van de Custer Hill Club gehoord?'

'Nee, hoezo?'

'Daar ga ik dit weekend naar toe.'

'Nou, veel plezier dan maar,' zei ik.

'Het is een stel rijke, rechtse idioten die in het noorden van de staat New York een jachtgebied bezitten.'

'Neem alsjeblieft geen hert voor me mee, Harry. En ook geen dode vogels.'

Ik kwam achter mijn bureau vandaan en liep naar het koffiehoekje. Tegen de muur boven de koffiebekers hingen aanplakbiljetten van het ministerie van Justitie met daarop gezochte moslims van voornamelijk het mannelijk geslacht, inclusief de grootste schoft van allemaal, Osama bin Laden.

Op een van de ruim twintig aanplakbiljetten stond een Libiër genaamd Asad Khalil, ook wel bekend als De Leeuw. De foto van die man hoefde ik niet in mijn geheugen te prenten; ik kende zijn gezicht even goed als dat van mijzelf, hoewel ik hem nooit echt ontmoet heb.

Mijn bemoeienis met de heer Khalil dateert van ongeveer twee jaar geleden, toen ik hem in de gaten moest houden en uiteindelijk bleek dat hij mij in de gaten hield. Hij ontsnapte en ik hield er een smerige wond aan over; en, zoals de Arabieren dan waarschijnlijk zouden zeggen: 'Het is voorbestemd dat we elkaar opnieuw ontmoeten om over ons beider lot te beschikken.'

Ik liet koffie in een plastic bekertje druppelen en bladerde door een op de bar liggende *New York Times*. De kop van vandaag, vrijdag 11 oktober 2002, luidde: CONGRES GEEFT BUSH GROENE LICHT VOOR GEBRUIK VAN GEWELD TEGEN IRAK. RUIM MANDAAT.

Een onderkop luidde: *Volgens betrouwbare bron overwegen de VS een bezetting van Irak.*

Het leek erop dat die oorlog al een uitgemaakte zaak was, evenals de overwinning. Het was vanuit dat oogpunt een goed idee om een plan te hebben als die bezetting eenmaal een feit was. Ik vroeg me af of ze dit in Irak ook al wisten.

Ik nam mijn koffie mee terug naar mijn bureau, zette mijn computer aan en las wat interne memo's door. We zijn tegenwoordig een bijna papierloze organisatie en eigenlijk mis ik het paraferen van memo's wel een beetje. Ik voelde de aandrang om met een viltstift mijn computerscherm te paraferen, maar ik koos uiteindelijk toch maar voor de elektronische variant. Zodra ik de leiding over deze organisatie had, zouden alle memo's weer gewoon op papier verschijnen.

Ik wierp een blik op mijn horloge. Het was half vijf 's middags en de meesten van mijn collega's op de vijfentwintigste verdieping van 26 Federal Plaza waren al naar huis. Ik moet misschien even uitleggen dat mijn collega's net als ik deel uitmaken van de Anti-Terrorist Task Force, een vierletterbureau (ATTF) in een wereld van drieletterbureaus.

Dit is de wereld na 9/11, dus de weekends betekenen in theorie gewoon twee extra werkdagen. In werkelijkheid echter is de traditie van de ambtenarenvrijdag – wat vroeger naar huis gaan – nog springlevend, met als gevolg dat de NYPD, de New Yorkse politie, die deel uitmaakt van de Task Force en die toch al gewend is aan rottige werktijden, het fort in de weekends en op de feestdagen verdedigt.

Harry Muller vroeg me: 'Wat doe jij dit weekend?'

Dit was het begin van het lange weekend rond Columbus Day, de viering van de ontdekking van Amerika door Columbus op 12 oktober 1492, maar ik stond helaas ingeroosterd voor de maandag. Ik antwoordde: 'Ik was eigenlijk van plan mee te lopen in de Columbusoptocht, maar ik moet maandag werken.'

'O ja? Was jij van plan mee te lopen?'

'Nee, maar dat is wat ik tegen hoofdinspecteur Paresi heb verteld,' voegde ik eraan toe. 'Ik heb gezegd dat mijn moeder Italiaanse is en dat ik haar rolstoel zou duwen in de optocht.'

Harry lachte en vroeg toen: 'Trapte hij er in?'

'Nee, maar hij bood wel aan om zelf haar rolstoel te duwen.'

'Ik dacht dat jouw ouders in Florida zaten?'

'Dat is ook zo.'

'En dat je moeder Ierse is.'

'Klopt, dus moet ik voor Paresi een Italiaanse moeder zien te vinden die hij over Columbus Avenue kan duwen.'

Harry lachte opnieuw en keerde toen terug naar zijn computer.

Harry Muller houdt zich, net als de meeste leden van de Midden Oosten-afdeling van de Task Force, bezig met het schaduwen en oppakken van personen die onze speciale interesse hebben, wat een politiek correct eufemisme voor moslims is, maar ik doe vooral het beoordelen en aannemen van informanten.

Veel van mijn informanten zijn enorme leugenaars en beroerde toneelspelers die ofwel geld ofwel het staatsburgerschap willen, of die iemand willen verlinken in hun hechte gemeenschap. Heel af en toe krijg ik echt belangrijke informatie, maar dan moet ik die knaap gelijk delen met de FBI.

De Task Force bestaat voornamelijk uit agenten van de FBI en de NYPD, plus voormalige New Yorkse politiemannen zoals ikzelf. Er zijn ons verder mensen toegewezen vanuit andere federale bureaus, zoals de immigratiedienst en federale en lokale politiekorpsen, de havenpolitie en nog zo wat, te veel om op te noemen of me te herinneren.

Verder zitten in onze groep mensen die niet echt bestaan, een soort geesten, maar als ze wel zouden bestaan, zouden ze CIA genoemd worden.

Ik controleerde mijn e-mail en er waren drie berichten. De eerste kwam van mijn baas, Tom Walsh, de bevelvoerende speciaal agent, die het bewind over de ATTF had overgenomen nadat mijn vroegere baas, Jack Koenig, was omgekomen in het World Trade Center. De e-mail luidde: VERTROUWELIJK – HERINNERING – MET HET OOG OP MOGELIJKE VIJANDIGHEDEN M.B.T. IRAK MOETEN WE SPECIALE AANDACHT GEVEN AAN IRAKEZEN DIE IN CONUS WONEN.

'CONUS' betekende 'Continental United States', het Amerikaanse vasteland dus. 'Vijandigheden' betekende 'oorlog'. De rest van het bericht betekende: 'Vind een Irakees die we in verband kunnen brengen met een terroristische aanval op de VS, zodat we het leven voor de mensen in Washington wat vergemakkelijken voordat ze beginnen Bagdad plat te gooien'.

Het bericht ging nog verder: BELANGRIJKSTE DREIGING EN FOCUS BLIJFT UBL, MET HERNIEUWDE AANDACHT VOOR DE LINK UBL/SADDAM. BRIEFING HIEROVER VOLGENDE WEEK – TIJDSTIP VOLGT. WALSH, BSA.

Voor niet ingewijden: 'UBL' staat voor Osama bin Laden. Het zou dus eigenlijk OBL moeten zijn, maar lang geleden vertaalde iemand de Arabische tekst als 'Usama', wat trouwens ook correct is. De media spellen de naam van die rotzak voornamelijk als Osama, terwijl de inlichtingendiensten nog steeds naar hem verwijzen als UBL. Gewoon dezelfde rotzak.

De volgende e-mail kwam van mijn tweede baas, de al eerder genoemde Vince Paresi, een hoofdinspecteur van de NYPD die aan de ATTF is toegewezen om een oogje te houden op de moeilijke agenten die soms niet zo best met hun FBI-vrienden overweg kunnen. Onder wie ik zelf misschien ook wel val. Hoofdinspecteur Paresi was de vervanger van hoofdinspecteur David Stein, die net als Jack Koenig één jaar en een maand geleden werd gedood – vermoord dus eigenlijk – in het World Trade Center.

David Stein was een fantastische kerel en ik mis hem nog iedere dag. Jack Koenig was, ondanks al zijn fouten en onze onderlinge problemen, een harde maar eerlijke chef, een professional, en een patriot. Zijn lichaam is nooit geborgen. En ook dat van David Stein niet.

Een ander lichaam dat nooit geborgen is, samen met de lichamen van nog tweeduizend anderen, was dat van Ted Nash, CIA, een ongelooflijke lul en aartsvijand van ondergetekende.

Ik zou heel graag iets aardigs over deze klootzak zeggen, maar het enige dat ik kan bedenken, is: 'Opgeruimd staat netjes.'

Deze knaap heeft trouwens de gewoonte om te herrijzen uit de dood – hij heeft dat al minstens één keer gedaan – en zonder positieve lichaamsidentificatie houd ik de champagne nog maar even dicht.

Maar goed, de e-mail van hoofdinspecteur Paresi aan al het personeel van NYPD/ATTF luidde: IK WIL VERHOOGDE AANDACHT VOOR MENSEN MET DE IRAAKSE NATIONALITEIT. BENADER IRAKEZEN DIE ONS EERDER BEHULPZAAM ZIJN GE-

WEEST EN ONDERVRAAG IRAKEZEN DIE ALS VERDACHT TE BOEK STAAN. BESTEED SPECIALE AANDACHT AAN IRAKEZEN DIE CONTACT HEBBEN MET MENSEN UIT ANDERE ISLAMITISCHE LANDEN, D.W.Z. SAUDIËRS, AFGHANEN, LIBIËRS ETC. DE SURVEILLANCE VAN MOSKEEËN WORDT OPGEVOERD. BRIEFING VOLGENDE WEEK, TIJDSTIP VOLGT. PARESI, HOOFDINSP. NYPD.

Ik denk hier een patroon in te zien.

Het is nauwelijks te geloven, maar het is nog niet zo lang geleden dat we probeerden te bedenken wat we elke dag verondersteld werden te doen, en memo's kenden toen veel voorzichtiger bewoordingen, om maar niet de indruk te wekken dat we iets tegen islamitische terroristen hadden of dat we ze tegen ons in het harnas wilden jagen. De tijden zijn wel heel snel veranderd.

De derde e-mail was van mijn vrouw, Kate Mayfield, die ik kon zien zitten achter haar bureau aan de overkant van de gapende NYPD/FBI-kloof op de vijfentwintigste verdieping. Mijn echtgenote is een prachtige vrouw, maar zelfs al zou ze dat niet zijn, dan had ik nog van haar gehouden. Aan de andere kant, als ze niet zo mooi was geweest, was ze me waarschijnlijk niet opgevallen, dus het is nogal academisch allemaal.

Het bericht luidde: LATEN WE VROEG NAAR HUIS GAAN OM TE VRIJEN. IK MAAK CHILI CON CARNE EN HOTDOGS VOOR JE KLAAR EN SCHENK JE EEN BIERTJE IN TERWIJL JIJ IN JE ONDERGOED VOOR DE TV ZIT.

Nou ja, eigenlijk stond er iets anders: LATEN WE LEKKER ROMANTISCH WIJN GAAN PROEVEN IN NORTH FORK. IK RESERVEER WEL EEN B&B. LIEFS, KATE.

Waarom moet ik in vredesnaam wijn proeven? Het smaakt allemaal hetzelfde. En bovendien deugen die B&B's niet. Het zijn bijna altijd van die schattige bouwvallen met 19de-eeuwse badkamers en krakende bedden. En dan moet je ook nog ontbijten met de andere gasten, meestal van die vreselijke yuppen uit de Upper West Side die steevast willen praten over iets wat ze gelezen hebben in de culturele bijlage van de *Times*. Zodra ik het woord 'kunst' hoor, heb ik de neiging mijn pistool te trekken.

Ik typte mijn antwoord in: KLINKT FANTASTISCH. FIJN DAT JE DAARAAN GEDACHT HEBT. LIEFS, JOHN.

Net als de meeste mannen word ik nog liever geconfronteerd met de loop van een geweer dan met een pissige vrouw.

Kate Mayfield is FBI-agent, advocaat, en ze maakt deel uit van mijn team, dat verder bestaat uit nog een kerel van de NYPD plus nog een FBI-agent. En af en toe voegen we er naar behoeven nog een paar personen van andere bureaus aan toe, bijvoorbeeld van ICE of de CIA. Onze laatste CIA-teamgenoot was voornoemde Ted Nash, die ik er sterk van verdenk ooit iets met mijn toen nog toekomstige vrouw gehad te hebben. Dat is niet de reden dat ik hem niet mocht – dat is de reden dat ik hem *haatte*. Dat ik hem niet mocht, had beroepsmatige redenen.

Ik zag dat Harry Muller zijn bureau aan het opruimen was en alle gevoelige informatie achter slot en grendel stopte, zodat de schoonmakers, moslims zowel als niet-moslims, die niet konden fotokopiëren of doorfaxen naar de Grote Zandbak. Ik zei tegen hem: 'Je hebt nog twintig minuten tot aan de bel.'

Hij keek naar me op en antwoordde: 'Ik moet nog wat spullen bij de Technische Dienst ophalen.'

'Hoezo?'

'Dat zei ik toch al. Ik doe een surveillance bij die Custer Hill Club.'

'Ik dacht dat je daar als gast was uitgenodigd.'

'Nee, ik ben daar op verboden terrein.'

'Hoe ben je aan die klus gekomen?'

'Weet ik niet. En ik vraag er ook niet naar. Ik heb een camper, een paar laarzen en een pet met oorkleppen, dus ik ben er kennelijk voor gekwalificeerd.'

'Juist, ja.' Zoals ik al zei is Harry Muller net als ik een voormalige politieman van de NYPD. Hij is na twintig dienstjaren, waarvan de laatste tien bij de inlichtingendienst, met pensioen gegaan en is nu door de Feds ingehuurd voor surveillanceklussen, zodat de Pakken, zoals wij de FBI noemen, het hersenwerk kunnen doen.

Ik vroeg hem: 'Hé, wat is dat met dat rechtse gedoe? Jij zat toch bij ons?' 'Ons' wilde zeggen de sectie Midden-Oosten, die tegenwoordig ongeveer 90 procent van de ATTF uitmaakt.

Harry antwoordde: 'Ik weet het niet. En ik vraag er ook niet naar. Ik hoef alleen maar wat foto's te nemen. Ik hoef niet met ze naar de kerk.'

'Heb je de e-mails van Walsh en Paresi gelezen?'

'Ja.'

'Wat denk je, gaan we een oorlog beginnen?'

'Eh, tja... even nadenken.'

'Heeft die rechtse groepering iets te maken met Irak of UBL?'

'Ik weet het niet.' Harry keek op zijn horloge en zei: 'Ik moet nu echt naar de Technische Dienst, anders zijn ze dicht.'

'Je hebt nog tijd zat.' Ik vroeg hem: 'Ga je alleen?'

'Ja. Geen probleem. Ik hoef er ook niet naar binnen, ik moet gewoon de omgeving in de gaten houden.' Hij keek me aan en zei: 'Even onder ons, maar Walsh heeft gezegd dat er gewoon wat bomen moeten sneuvelen – dossiers moeten worden aangelegd, dus. Je weet wel, zodat het lijkt of we niet alleen maar achter de Arabieren aan zitten. We volgen ook groeperingen in eigen land, zoals de neonazi's, militiegroepjes, survivalisten, en meer van die onzin. Dat doet het goed bij de media en het Congres, mocht er ooit iets uit voortvloeien. Ja toch? We hebben het vóór 9/11 ook al een paar keer gedaan, weet je nog wel?'

'Ja, weet ik.'

'En nu moet ik ervandoor. Tot maandag, neem ik aan. Ik moet maandag in ieder geval direct bij Walsh langs.'

'Werkt die dan op maandag?'

'Nou, hij heeft me niet bij hem thuis uitgenodigd voor een biertje, dus ik neem aan dat hij hier is.'

'Oké. Zie je maandag.'

Harry vertrok.

Wat Harry zei over dat dossiers aanleggen, was een beetje onzin. Bovendien hebben we daar de afdeling Binnenlands Terrorisme voor. Ook dat begluren van rijke rechtse conservatieven in een club ergens op het platteland was een beetje vreemd. En ook vreemd was dat Tom Walsh terugkwam op een feestdag om zich door Harry te laten bijpraten over een routineopdracht.

Ik ben heel erg nieuwsgierig – dat is ook de reden dat ik zo'n fantastische rechercheur ben – dus liep ik naar een computer voor algemeen gebruik waarmee ik het internet op kon, waarna ik op Google 'Custer Hill Club' intypte.

Dat leverde geen resultaten op, dus probeerde ik 'Custer Hill'. Het tellertje bovenin gaf meer dan 400.000 hits aan en het aanbod op de eerste pagina – golfbanen, restaurants en diverse historische verwijzingen in South Dakota die te maken hadden met generaal George Armstrong Custers problemen bij de Little Bighorn – maakte al duidelijk dat geen van deze verwijzingen relevant zou zijn. Toch liep ik tien minuten lang de resultaten door, maar er waren geen verwijzingen naar de staat New York.

Ik liep terug naar mijn eigen bureau, waar ik mijn ATTF-code kon gebruiken om toegang te krijgen tot de interne dossiers van het ACS – het Automatic Case System, de FBI-versie van Google.

Hier trof ik wel een Custer Hill Club aan, maar kennelijk was die informatie niet voor mij bedoeld, want onder de titel stonden slechts lange rijen X-sen. Meestal kun je zelfs uit dergelijke dossiers nog wel iets afleiden, de datum van aanmaak bijvoorbeeld, of bij wie je moest zijn om toch toegang tot het dossier te krijgen, of op zijn minst een classificatieniveau. Maar dit dossier was volkomen weggekruist.

Dus het enige wat het me opleverde, was dat ik de griezels van de beveiliging erop attent had gemaakt dat ik had geprobeerd toegang te krijgen tot een verboden dossier dat niets van doen had met waar ik op dit moment aan werkte, namelijk de Irakezen. Om ze toch een beetje in verwarring te brengen, typte ik: 'Massavernietigingswapens van de Iraakse Kamelenclub.'

Geen hits.

Ik sloot mijn computer af, deed mijn bureau op slot, pakte mijn jas en liep naar Kate's bureau.

Kate Mayfield en ik hadden elkaar ontmoet toen we allebei werkten aan de zaak van voornoemde Asad Khalil, een kleine etter die naar Amerika kwam om een heleboel mensen te doden. Dat deed hij ook, waarna hij probeerde mij en Kate te vermoorden en vervolgens ontsnapte. Het was een van mijn minder geslaagde opdrachten, maar ik had er wel Kate aan overgehouden, dus de volgende keer dat ik hem tegenkom zal ik hem daarvoor bedanken alvorens hem neer te schieten en hem langzaam te zien sterven.

Ik vroeg Kate: 'Mag ik je een drankje aanbieden?'

Ze keek glimlachend naar me op – 'Lijkt me gezellig' – om vervolgens haar aandacht weer op haar computer te richten.

Juffrouw Mayfield is een meisje uit het Midden-Westen dat vanuit Washington naar New York werd overgeplaatst, daar eerst niet blij mee was, maar het nu fantastisch vindt om met de mooiste man van het heelal in de mooiste stad op aarde te wonen. Ik vroeg haar: 'Waarom gaan we eigenlijk weg dit weekend?'

'Omdat ik hier gek word.'

Dat effect kunnen grote steden op je hebben. Ik vroeg: 'Waar ben je mee bezig?'

'Ik probeer een B&B in North Fork te vinden.'

'Die zijn waarschijnlijk allemaal al volgeboekt voor dit lange weekend, en vergeet niet dat ik op maandag gewoon moet werken.'

'Hoe zou ik dat kunnen vergeten? Je loopt er al de hele week over te zeuren.'

'Ik zeur nooit.'

Dat vond ze om de een of andere reden heel grappig.

Ik bekeek Kate's gezicht in de gloed van het computerscherm. Ze was nog even mooi als op de dag dat ik haar voor het eerst ontmoette, nu drie jaar geleden. Gewoonlijk worden vrouwen met wie ik ben snel ouder. Mijn eerste vrouw, Robin, zei dat ons één jaar durende huwelijk wel tien jaar leek te hebben geduurd. Ik zei tegen Kate: 'Ik zie je wel bij Ecco.'

'Niet met andere vrouwen aanpappen, hè?'

Ik liep tussen de werkplekken door, die nu bijna allemaal verlaten waren, en ging de hal met de liften in, waar de collega's in de rij stonden.

Ik maakte hier en daar een praatje, zag toen Harry staan en liep naar hem toe. Hij had een grote metalen koffer bij zich, waarin naar ik aannam camera's en lenzen zaten. Ik zei tegen hem: 'Kom mee, dan krijg je een borrel van me.'

'Sorry, maar ik moet zo snel mogelijk op weg.'

'Rijd je er vanavond al heen?'

'Ja. Ik moet er bij het eerste ochtendgloren zijn. Er vindt daar een soort bijeenkomst plaats en ik moet nummerborden en mensen fotograferen als ze daar arriveren.'

'Dat klinkt als die surveillances die wij vroeger bij trouwerijen en begrafenissen van de maffia deden.'

'Zoiets, ja.'

We dromden een lift binnen en daalden af naar de lobby.

Harry vroeg: 'Waar is Kate?'

'Die komt eraan.' Harry was gescheiden, maar hij had wel een vriendin, dus ik vroeg: 'Hoe is het met Lori?'

'Met haar is het fantastisch.'

'Ze zag er goed uit op haar foto op Match.com.'

Hij lachte. 'Je bent een klootzak.'

'Hoe bedoel je? Hé, waar ligt die club?'

'Die club? O... in de buurt van Saranac Lake.'

We liepen naar buiten, Broadway op. Het was een koele herfstdag en op de straten en trottoirs hing dat 'Goddank, het is vrijdag'-gevoel.

Harry en ik namen afscheid van elkaar en ik liep in zuidelijke richting Broadway op.

Lower Manhattan is een compacte verzameling wolkenkrabbers en nauwe straten, en je bent er verzekerd van een minimum aan zonlicht en een maximum aan stress.

Het gebied omvat de Lower East Side, waar ik ben geboren en getogen, plus Chinatown, Little Italy, Tribeca en Soho. De belangrijkste bedrijven en instellingen hier staan lijnrecht tegenover elkaar: het zakenleven en de financiële wereld, vertegenwoordigd door Wall Street, en de overheid, gerepresenteerd door de gerechtsgebouwen, City Hall, gevangenissen, Federal Plaza, Police Plaza, en ga zo maar door. Een onvermijdelijk nevenverschijnsel bij bovenstaande zijn de advocatenkantoren, waarvan eentje mijn ex-vrouw in dienst heeft, een strafpleiter die alleen het chique uitschot verdedigt. Dat was een van de redenen dat we gescheiden zijn. De andere was dat ze dacht dat *cooking* en *fucking* twee steden in China waren.

Een eind voor me uit was een groot stuk lucht te zien; het was de plek waar de Twin Towers ooit hadden gestaan. Voor de meeste Amerikanen, en zelfs voor de meeste New Yorkers, wordt de afwezigheid van de torens slechts ervaren als een hap uit de skyline. Maar als je hier woont of werkt en eraan gewend was die twee kolossen elke dag te zien, is hun afwezigheid nog steeds een verrassing als je over straat loopt en die kant uitkijkt.

Onder het lopen dacht ik aan mijn gesprek met Harry Muller. Eigenlijk was er helemaal niets opzienbarends aan zijn weekendklus. Maar toch leek er iets niet te kloppen. Ik bedoel, we stonden wél op het punt een oorlog tegen Irak te beginnen, we voerden al oorlog in Afghanistan, we waren paranoïde over een nieuwe terroristische aanslag en dan wordt Harry doodleuk het platteland op gestuurd om een bijeenkomst van rijke rechtse conservatieven te begluren, wier bedreiging voor de nationale veiligheid miniem is, dan wel niet bestaand.

En dan was er nog die onzin van Tom Walsh tegen Harry over dossiers aanleggen, voor het geval iemand in het Congres of de media wilden weten of de ATTF de uit eigen land voortkomende terroristen wel in de gaten hield. Dat zou misschien enkele jaren geleden zin hebben gehad, maar sinds 9/11 hebben de neonazi's, de militiegroepjes en dergelijke zich gedeisd gehouden. Ze vonden het eigenlijk wel mooi dat ons land was aangevallen en hoe we het aanpakten, met al die arrestaties en met het doden van de slechteriken. Dan was er ook nog die debriefing op de vrije maandag.

Nou ja, wat zou ik me ook eigenlijk druk maken, hoewel het wel een beetje vreemd bleef. In wezen ging het me niet aan en elke keer dat ik te veel vragen stel over dingen die ik vreemd vind op 26 Federal Plaza, krijg ik moeilijkheden. Of, zoals mijn moeder altijd zei: 'John, Probleem is je tweede naam.' En ik geloofde haar. Tot ik mijn geboorteakte onder ogen kreeg en ik de naam Aloysius las. Geef me dan toch maar Probleem.

2

Ik sloeg Chambers Street in en ging Ecco binnen, een Italiaans restaurant met de sfeer van een saloon – het beste van twee werelden.

De bar stond vol mannen in pakken en vrouwen in mantelpakjes. Ik herkende heel wat gezichten en schudde hier en daar een hand.

Zelfs al zou ik hier niemand kennen, dan zou ik er als goede rechercheur en kenner van het New Yorkse leven nog zonder probleem de duur betaalde advocaten, de ambtenaren, de ordehandhavers en de financiële jongens uit pikken. Ik loop hier ook af en toe mijn ex tegen het lijf, dus een van ons zou hier niet meer moeten komen.

Ik bestelde een Dewar's met soda en kletste wat met de mensen om me heen.

Kate kwam binnen en ik bestelde een witte wijn voor haar, wat me weer mijn weekendprobleem in herinnering bracht. Ik vroeg: 'Heb je het al gehoord, van die wijnrot?'

'Wat voor wijnrot?'

'Nou, in North Fork. Alle druiven daar zijn aangetast door een of andere rare schimmel die ook op mensen kan worden overgedragen.'

Ze hoorde me kennelijk niet en zei: 'Ik heb een leuke B&B in Mattituck gevonden.' Ze beschreef wat er op de website van het betreffende etablissement stond en voegde eraan toe: 'Het klinkt echt heel leuk.'

Tja, dat geldt ook voor de website van Dracula's kasteel in Transsylvanië. Ik vroeg haar: 'Heb je ooit van de Custer Hill Club gehoord?'

'Nee... die heb ik niet gezien op de website van North Fork. Bij welke plaats zou die moeten liggen?'

'Hij bevindt zich in het noorden van de staat.'

'O... is het er leuk?'

'Dat weet ik niet.'

'Wil je daar het volgende weekend heen?'
'Eerst eens kijken wat het nu precies is.'

Kennelijk deed deze naam geen enkel belletje rinkelen bij mevrouw Mayfield, die soms dingen weet die ze niet met mij deelt. Ik bedoel, we zijn dan wel getrouwd, maar zij is van de FBI en ik heb een lagere status dan zij en dus ook een geringere toegang tot geclassificeerd materiaal. Vanuit dat oogpunt bezien vroeg ik me af waarom mevrouw Mayfield dacht dat de term 'Custer Hill Club' stond voor een plek waar je kon logeren en niet – om maar eens wat te noemen – een historisch genootschap of een golfclub, of wat dan ook. Misschien kwam het door de context. Of misschien wist ze donders goed waar ik het over had.

Ik besloot van onderwerp te veranderen en haalde de memo's over Irak aan, waarna we enige tijd over de geopolitieke situatie spraken. Speciaal agent Mayfield was van mening dat een oorlog met Irak niet alleen onvermijdelijk was, maar ook noodzakelijk.

26 Federal Plaza is een Orwelliaans ministerie en de ambtenaren daar zijn zeer gevoelig voor ook maar de kleinste verandering in de partijpolitiek. Toen politieke correctheid aan de orde van de dag was, leek de Anti-Terrorist Task Force wel een soort sociale dienst voor psychopaten met een geringe eigendunk. Nu heeft iedereen het over het doden van islamitische fundamentalisten en het winnen van de 'War on Terror' – 'War on Terrorism' zou grammaticaal gezien trouwens correcter zijn geweest, maar dat bekt kennelijk niet lekker. Mevrouw Mayfield, een goede ambtenaar, heeft nauwelijks eigen politieke overtuigingen, dus ze heeft er totaal geen probleem mee om de ene dag de taliban, Al-Qaeda en UBL te haten, om vervolgens een nog grotere haat te voelen voor Saddam Hoessein, als er van hoger hand een richtlijn dienaangaande rondgaat.

Maar misschien ben ik niet helemaal eerlijk. Ik ben niet echt rationeel als het over Bin Laden en Al-Qaeda gaat. Ik ben op 9/11 heel wat goede vrienden kwijtgeraakt en dankzij God en het vastzittende verkeer zaten wij niet in de noordelijke toren toen die neerging.

Ik was die dag op weg naar een ontbijtvergadering in Windows on the World op de 106de verdieping. Ik was laat en Kate wachtte beneden in de lobby op me. David Stein, Jack Koenig en mijn vroegere partner en misschien wel beste vriend, Dom Fanelli, waren wel op tijd, net als een heleboel andere goeie mensen, plus een paar slechte, zoals Ted Nash. Niemand in het restaurant overleefde de aanslag.

Ik raak niet snel van mijn stuk – zelfs het feit dat ik drie keer ben neergeschoten en bijna doodbloedde op straat heeft geen blijvende invloed gehad op mijn geestelijke gezondheid, of wat daarvoor door moet gaan – maar die dag heeft meer met me gedaan dan ik me op dat moment realiseerde. Ik bedoel, ik stond recht onder het vliegtuig toen het doel trof en als ik nu een vliegtuig laag zie overvliegen –

'John?'

Ik keek Kate aan. 'Wat...?'

'Ik vroeg of je nog een drankje wilde.'

Ik keek naar mijn lege glas.

Ze bestelde nog een whisky voor me.

Ik was me er vaag van bewust dat op de tv aan het eind van de bar het nieuws aan stond, en dat de nieuwslezer verslag deed van de stemming over Irak in het Congres.

Achter in mijn hoofd was het weer 9/11. Ik had geprobeerd me nuttig te maken door de brandweer en de politie te helpen mensen te evacueren uit de lobby, terwijl ik tegelijkertijd op zoek was naar Kate.

Op zeker moment stond ik buiten het gebouw met een draagbaar toen ik opkeek en mensen uit de ramen zag springen en ik dacht dat Kate ook daar boven was en ik dacht dat ik haar zag vallen... Ik keek even opzij en zag haar naast me staan, en ze keek me aan en vroeg: 'Waar denk je aan?'

'Niets.'

En toen vloog het tweede toestel naar binnen en later hoorde ik dat vreemde, rommelende geluid van instortend beton en staal. Ik had zoiets nog nooit eerder gehoord en ik voel nog hoe de grond onder mijn voeten trilde toen het gebouw in elkaar zakte en het glassplinters regende. En net als iedereen rende ik er als een bezetene bij vandaan. Ik kan me nog steeds niet herinneren of ik die draagbaar heb laten vallen of dat die andere knaap hem eerst liet vallen, en of ik eigenlijk wel een draagbaar in mijn handen had gehad.

Ik geloof niet dat ik het me ooit nog zal herinneren.

In de weken na 9/11 was Kate heel teruggetrokken. Ze kon niet slapen, huilde veel en was zelden op een glimlach te betrappen. Het deed me denken aan slachtoffers van verkrachting die ik was tegengekomen, die niet alleen hun onschuld, maar ook een deel van hun ziel waren kwijtgeraakt.

De meelevende bureaucraten in Washington drongen er op aan dat iedereen die bij deze tragedie betrokken was geweest, psychische hulp inriep. Ik ben er niet het type voor om mijn problemen met anderen te bespreken, of dat nu professionele hulpverleners zijn of niet, maar op Kate's aandringen ging ik toch bij een van de zielenknijpers langs die ons door de FBI ter beschikking waren gesteld. De knaap die ik trof was zelf ook nogal in de war, dus dat schoot niet erg op.

Voor mijn volgende sessies ging ik naar mijn buurtcafé, Dresner's, waar Aidan de barkeeper me van wijze raad voorzag. 'Het leven is een puinhoop,' zei Aidan. 'Drink nog wat.'

Kate daarentegen bleef haar psych zes maanden lang bezoeken en ze is er nu een stuk beter aan toe.

Maar er is iets met haar gebeurd wat niet helemaal te genezen valt. En wat dat ook was, het heeft haar geen kwaad gedaan.

Zolang ik haar ken is ze altijd een heel loyale werkneemster geweest, die altijd de regels navolgde en nooit het Bureau of zijn methodes bekritiseerde. Ze bekritiseerde zelfs mij omdat ik het Bureau bekritiseerde.

Naar buiten toe is ze nog steeds de trouwe employée, zoals ik al zei, en ze houdt zich braaf aan de officiële standpunten, maar vanbinnen weet ze dat er een ommezwaai van 180 graden heeft plaatsgevonden en dat besef heeft haar wat cynischer, kritischer gemaakt. Ik vind dat een goede ontwikkeling, want het betekent dat we nu iets gemeen hebben.

Soms mis ik de naïeve cheerleader op wie ik verliefd werd. Maar ik houd ook van de meer door de wol geverfde vrouw die net als ik het kwaad heeft gezien en er niet voor terugdeinst het weer onder ogen te komen.

En nu, een jaar en een maand later, leven we in een staat van voortdurende, door kleuren aangegeven angst. Vandaag is het alarmniveau Oranje. En morgen? Wie zal het zeggen. Eén ding is zeker: het zal tijdens mijn leven nooit meer Groen worden.

— DEEL II —

Zaterdag

UPSTATE NEW YORK

Het is niet handig een draak uit je berekeningen weg te laten als je er vlak naast woont.

J.R.R. Tolkien

3

Rechercheur Harry Muller parkeerde zijn camper langs de rand van een oud bospad en pakte zijn uitrusting van de voorbank. Hij stapte uit, keek op zijn kompas en liep in noordwestelijke richting de bossen in. Hij was gekleed in een camouflagepak in herfstkleuren en droeg een zwarte wollen muts.

Het was niet moeilijk de weg door het terrein te vinden, want het bestond voornamelijk uit wijd uit elkaar staande dennen met daartussen mos en varens. Terwijl hij daar liep, begon het daglicht door de bomen te filteren en vormde zich een dikke grondmist. Vogels zongen en kleine bosdieren scharrelden door het struikgewas.

Het was koud en Harry kon zijn adem zien, maar het maagdelijke bos was prachtig en dat maakte dat hij zich toch meer gelukkig dan ellendig voelde.

Over zijn schouders hingen een verrekijker, een Handycam en een dure Nikon-camera met 12 megapixels en een lange 300mm-lens. Hij had ook een vogelgids bij zich, voor het geval iemand hem zou vragen wat hij hier moest, en een 9mm Glock voor het geval het antwoord hun niet aanstond.

Hij was gebriefd door een knaap die bekendstond als Ed van de TD, die hem had verteld dat het terrein van de Custer Hill Club ongeveer zes bij zes kilometer mat, een stukje privéterrein dus van zo'n zesendertig vierkante kilometer. Het hele terrein was merkwaardig genoeg omgeven door een hoog hek van gevlochten ijzerdraad, wat ook de reden was dat de man van de TD hem de draadtang had meegegeven die Harry nu in een van zijn zakken had zitten.

Hij was binnen tien minuten bij het hek. Het was ongeveer drie meter hoog en bovenop zat prikkeldraad. Om de drie meter stond een metalen bord met daarop in grote letters: PRIVÉTERREIN – STRENG VERBODEN TOEGANG.

Op een ander bord stond: GEVAAR – DIT TERREIN NIET BETREDEN – BEWAKING DOOR GEWAPENDE BEWAKERS EN HONDEN.

Harry wist door jarenlange ervaring dat dit soort waarschuwingsborden meestal niets voorstelden. In dit geval nam hij ze echter toch wat serieuzer. Het baarde hem ook zorgen dat Walsh ofwel niets van die honden en bewakers af wist, of dat hij het wel wist, maar het hem niet had verteld. In beide gevallen zou hij maandagmorgen een hartig woordje met Tom Walsh spreken.

Hij pakte zijn gsm en zette hem op de trilfunctie. Hij zag dat hij een heel goede verbinding had, wat hem enigszins bevreemdde, zo diep het binnenland in. In een opwelling draaide hij het nummer van zijn vriendin Lori. Na vijf keer overgaan hoorde hij haar voicemail.

Harry sprak zachtjes in de telefoon. 'Hoi, schat. Met de enige ware. Ik zit hier in de bergen, dus misschien dat ik hierna een hele tijd geen goede ontvangst meer heb. Maar ik wilde je toch even gedag zeggen. Ik ben hier gisteravond laat aangekomen, heb in de camper geslapen en nu ben ik begonnen aan mijn klus bij dat landgoed van die rechtse idioten. Je moet me dus niet terugbellen, ik bel jou later wel via een vaste verbinding als mijn gsm geen bereik heeft. Oké? Ik moet later vandaag of morgen ook nog iets regelen op het vliegveld hier, dus misschien dat ik hier nog een nacht blijf. Zodra ik meer weet, laat ik het je horen. Ik hou van je.'

Hij hing op, pakte de draadtang, knipte een gat in het hek en glipte er doorheen, het landgoed op. Hij bleef even bewegingloos staan kijken en luisteren, en stopte toen de draadtang weer in zijn zak. Hij liep verder het bos in.

Na ongeveer vijf minuten zag hij een telefoonpaal oprijzen tussen de dennenbomen en hij ging er op af. Aan de paal gemonteerd zat een telefooncel die was afgesloten.

Hij keek omhoog en zag dat de paal ongeveer tien meter hoog was. Op zo'n zeven meter hoogte zaten vier schijnwerpers aan de paal en daarboven liepen vijf bundels draden langs een dwarsbalk. Een van de draden voorzag duidelijk de telefooncel van stroom, en een andere liep naar de schijnwerpers. De andere drie waren heel dikke kabels waar van alles doorheen kon lopen.

Harry zag iets vreemds en richtte zijn verrekijker op de top van de paal. Wat hij had beschouwd als de altijd groene takken van de omringende bomen, waren in werkelijkheid twijgen die vanaf de telefoonpaal wegliepen. Maar deze twijgen, zo wist hij, waren van die plastic gevallen die gsm-providers gebruikten om zendmasten in woonwijken mee te camoufleren of op te leuken. Waarom, zo vroeg hij zich af, hadden ze die hier, midden in de bossen gebruikt?

Hij liet zijn verrekijker zakken, richtte zijn Nikon en nam een paar foto's van de paal, met in zijn achterhoofd de woorden van Tom Walsh: 'Fotografeer auto's, gezichten en nummerborden, en verder alles wat je interessant lijkt.'

Volgens Harry was dit interessant en goed voor de dossiers, dus pakte hij zijn Handycam en schoot tien seconden band vol alvorens verder te lopen.

Het terrein begon langzaam omhoog te lopen en de dennenbomen maakten plaats voor grote eiken, iepen en esdoorns waarvan de nog resterende bladeren de prachtigste kleuren rood, oranje en geel vertoonden. Een tapijt van gevallen bladeren bedekte de grond en ze ritselden als Harry er overheen liep.

Harry wierp een snelle blik op zijn kaart en kompas en besloot dat het huis recht voor hem lag, op nog geen kilometer van hem vandaan.

Hij pakte een ontbijtreep en liep al etend verder, ondertussen genietend van de frisse berglucht van de Adirondacks, maar wel voortdurend alert op eventuele problemen. Hij mocht dan wel een federale agent zijn, het bleef verboden terrein waar hij zich bevond en zonder volmacht had hij niet meer recht om zich op omheind privéterrein te bevinden dan de eerste de beste stroper.

Maar goed, toen hij Walsh om een volmacht had gevraagd, had die gezegd: 'We hebben geen gerede aanleiding voor een surveillance. Waarom zouden we het aan de rechter vragen als het antwoord toch nee is?' Of, zoals de New Yorkse politie altijd zei als de wet enigszins geweld werd aangedaan: 'Je kunt beter achteraf om vergeving vragen dan vooraf om toestemming.'

Harry wist, net als iedereen die met antiterrorisme te maken had, dat de regels ongeveer twee minuten nadat de tweede toren was geraakt waren veranderd, en dat de regels die niet veranderd waren gebroken konden worden. Dat maakte zijn werk meestal een stuk eenvoudiger, maar soms, zoals nu, maakte het de klus ook wat riskanter.

Het bos was dunner geworden en Harry zag een hoop stronken van bomen die waren omgezaagd, ofwel voor brandhout, ofwel uit het oogpunt van veiligheid. Wat de reden ook was, hij had daardoor wel veel minder dekking dan zo'n honderd meter terug.

Een eindje voor zich uit zag hij een open plek en hij naderde die langzaam tussen de ver uit elkaar staande bomen.

Onder de laatste nog overeind staande esdoorn bleef hij staan en bekeek het open land door zijn verrekijker.

Door het veld liep een geplaveide weg omlaag naar het toegangshek, waar hij door zijn verrekijker een houten poortgebouwtje zag. De weg was omzoomd door felle lampen op metalen palen en hij zag ook houten telefoonpalen met vijf kabels uit het bos komen, het veld en de weg kruisen en weer verdwijnen in het bos aan de overkant. Dit, zo nam hij aan, was een voortzetting van wat hij bij het hek had gezien en het zag er naar uit dat deze palen en draden rond het hele terrein liepen, wat betekende dat de hele omtrek van het zesendertig vierkante kilometer grote terrein verlicht was. Hij zei zachtjes tegen zichzelf: *Dit is geen jachtgebied.*

Hij bekeek nogmaals de weg en volgde hem nu omhoog naar een enorme, in Adirondack-stijl opgetrokken berghut van twee verdiepingen die op zo'n tweehonderd meter van hem vandaan tegen de helling lag. Op het grasveld voor het gebouw stond een hoge vlaggenmast waaraan de Amerikaanse vlag wapperde, met daaronder een soort gele wimpel. Achter het gebouw lagen wat bijgebouwen en boven op de heuvel stond iets wat leek op een zendmast. Hij nam er een foto van met zijn Nikon.

De berghut was opgetrokken uit natuursteen en houten balken en spanen, en had aan de voorkant een grote, door pilaren ondersteunde veranda. Uit het uit groene dakspanen bestaande dak staken zes schoorstenen omhoog die allemaal grijze rook de lucht in bliezen. Hij zag licht achter de ramen aan de voorkant en op het gravel voor het huis stond een grote zwarte Jeep. Er was duidelijk iemand thuis en hopelijk verwachtte die iemand gasten, want dat was de reden dat hij hier was.

Hij gebruikte de Nikon om een paar telefoto's te maken van de parkeerplaats voor het huis. Daarna zette hij zijn Handycam aan en filmde het huis en de omgeving.

Hij wist dat hij nog heel wat dichterbij moest zien te komen, wilde hij arriverende auto's, mensen en nummerplaten kunnen vastleggen. Ed van de TD had hem een luchtfoto van het gebouw laten zien en hem er op gewezen dat het terrein weliswaar open was, maar dat er overal rotsige uitsteeksels waren waarachter hij zich kon verbergen.

Harry bekeek de rotspartijen en plande in gedachten een route om van de ene naar de andere rots te sprinten, tot hij een goed uitkijkpunt op zo'n dertig meter van het huis en de parkeerplaats had bereikt. Van daar, zo zag hij, kon hij geparkeerde auto's en arriverende mensen op foto en video vastleggen. Hij zou daar tot laat in de middag moeten blijven, volgens Walsh, om vervolgens naar het vliegveld te gaan om de lijsten met die dag gearriveerde passagiers en gehuurde auto's te controleren.

Hij herinnerde zich weer die zaak betreffende een groep IRA-knapen die hier in de buurt een trainingskamp hadden opgezet. Het Adirondack Forest National Park was even groot als de staat New Hampshire en bestond uit een uiterst dunbevolkte combinatie van openbaar en privéterrein, wat het tot een prima plek maakte om te jagen, te trekken en je illegale wapens uit te proberen.

Deze surveillance verschilde wel enigszins van die IRA-klus, want er waren hier voor zover bekend geen misdaden begaan en de mensen die in dat grote landhuis woonden, trokken waarschijnlijk ook nog aan heel wat touwtjes.

Harry wilde net aan zijn eerste sprintje beginnen toen er plotseling drie zwarte Jeeps van achter het huis verschenen en op hoge snelheid het open land in reden. Ze reden in feite recht op hem af. 'Shit.'

Hij draaide zich om en trok zich terug tussen de bomen. Toen hoorde hij in het bos honden blaffen. 'Foute boel.'

De drie Jeeps reden recht op de bomen af en uit elk voertuig sprongen twee mannen. Ze droegen jachtgeweren.

Uit het bos doken drie mannen met Duitse herders op. De honden rukten grommend aan hun lijnen. De mannen droegen elk een heupwapen, zo zag hij. Harry zag nu ook een vierde man het bos uit komen die erbij liep alsof hij de leiding had.

Harry besefte dat ze zijn positie alleen maar zo nauwkeurig konden bepalen als er bewegings- en geluidssensoren op het terrein waren geplaatst. Deze mensen stelden *echt* prijs op hun privacy.

Hij kreeg het vertrouwde gevoel van spanning, maar voelde geen angst. Dit zou een hoop gedoe met zich meebrengen, maar er was geen direct gevaar.

De bewakers hadden zich in een cirkel om hem heen opgesteld, maar hielden wel zo'n tien meter afstand. Ze droegen allemaal een soort gevechtstenue met op hun schouder een insigne met de Amerikaanse vlag. Elke man droeg een pet met daarop de Amerikaanse adelaar, en naar ieders linkeroor liep een draadje.

De man die de leiding had – een stoer uitziende knaap van middelbare leeftijd – stapte op hem af en Harry zag dat hij een militair aandoend naamplaatje droeg waar CARL op stond.

Carl deelde hem mee: 'Meneer, u bevindt zich op privéterrein.'

Harry zette zijn onnozelste gezicht op. 'Meent u dat nou?'

'Ja, meneer.'

'O, hemeltje. Nou, als u me de weg wilt wijzen – '

'Hoe bent u door het hek heen gekomen, meneer?'

'Het hek? Welk hek?'

'Het hek dat dit terrein omsluit, meneer, en waar allemaal bordjes met "verboden toegang" langs staan.'

'Ik heb geen – O, *dat* hek. Sorry, Carl, maar ik volgde een specht en die vloog over het hek heen en toen kwam ik een gat in het hek tegen en – '

'Waarom bent u hier?'

Het viel Harry op dat Carl inmiddels wat minder beleefd klonk en hij liet ook dat 'meneer' achterwege. Harry antwoordde: 'Ik ben een vogelaar.' Hij liet zijn vogelgids zien. 'Ik spot vogels.' Hij tikte tegen zijn verrekijker.

'Waarom heeft u die camera's bij u?'

'Ik neem *foto's* van die vogels.' *Lulhannes.* 'Dus als u me nu wijst hoe ik dit terrein weer kan verlaten – of beter nog, als u me met een van uw auto's naar buiten brengt – heeft u van mij geen last meer.'

Carl gaf geen antwoord en Harry voelde de eerste voortekenen van naderend onheil.

Toen zei Carl: 'Er zijn hier miljoenen hectares openbaar terrein. Waarom heeft u een gat in het hek geknipt?'

'Ik heb helemaal geen gat in dat stomme hek geknipt, maat. Ik heb een gat *gevonden.* En voor de rest kan je de pot op, Carl.'

Harry, en iedereen om hem heen, realiseerde zich dat hij niet langer als een vogelaar klonk.

Hij stond op het punt om zijn FBI-pasje te voorschijn te halen en deze klootzakken de les te lezen, waarna ze hem naar zijn camper terug konden brengen. Maar bij nader inzien leek het hem toch beter de FBI erbuiten te laten. Waarom hen laten weten dat hij een federale agent was die hier een beetje rond kwam gluren? Walsh zou een rolberoerte krijgen. Harry zei: 'Ik ben weg.' Hij deed een stap in de richting van het bos.

Plotseling werden de geweren geschouderd en kwamen de pistolen uit hun holsters. De drie honden gromden en trokken aan hun riemen.

'Blijf staan, anders laat ik de honden los.'

Harry haalde diep adem en bleef staan.

Carl zei: 'Er zijn twee manieren om dit af te handelen. De makkelijke of de moeilijke manier.'

'Laten we het dan maar op de moeilijke manier doen.'

Carl keek naar de negen andere bewakers, toen naar de honden en daarna naar Harry. Hij sprak nu op een wat meer verzoenende toon. 'Meneer, wij hebben strikte orders om indringers naar het huis te brengen, de sheriff te bellen en het betreffende individu door een agent van het terrein te laten verwijderen. We zullen geen aanklacht indienen, maar u zult van de sheriff te horen krijgen dat als u nog een keer het terrein betreedt, u gearresteerd zult worden. U mag het terrein niet zelf verlaten en wij zullen u er ook niet af zetten. Dat mag alleen de sheriff. We willen niet dat uw veiligheid in gevaar komt.'

Harry dacht hier even over na. Hoewel hij de klus verder op zijn buik kon schrijven, viel er misschien toch nog iets te winnen als hij het huis van binnen kon zien. Misschien kon hij zo nog wat info verzamelen, en misschien kon de plaatselijke sheriff hem ook nog iets wijzer maken. Hij zei tegen Carl: 'Oké, dat moet dan maar.'

Carl gebaarde dat Harry zich om moest draaien en naar de Jeeps moest lopen. Harry nam aan dat ze hem in een van de voertuigen zouden stoppen, maar dat deden ze niet, dus kennelijk namen ze zijn veiligheid echt serieus.

De Jeeps bleven echter wel in zijn buurt toen hij naar de weg werd geleid en vervolgens omhoog naar het huis, begeleid door het hele contingent bewakers.

Onder het lopen dacht hij nog eens na over de tien gewapende bewakers met de honden, de bewaakte toegangspoort, het hoge hek met het prikkeldraad erop, de schijnwerpers en telefoons, en hoogstwaarschijnlijk ook nog de bewegings- en geluidssensoren. Nee, dit was beslist geen doorsnee jacht- of visclub. Hij was plotseling kwaad op Walsh die hem nauwelijks had ingelicht, en nog kwader op zichzelf omdat hij de moeilijkheden niet had voelen aankomen.

Hij wist dat hij niet bang zou moeten zijn, maar zijn door twintig jaar politiewerk en vijf jaar antiterrorismewerk gescherpte instinct zei hem dat er wel degelijk een element van gevaar was.

Om dat te bevestigen, zei hij tegen Carl, die vlak achter hem liep: 'Hé, waarom gebruik je je gsm niet om de sheriff alvast te bellen? Dat scheelt weer wat tijd.'

Carl reageerde niet.

Harry stak zijn hand in zijn zak. 'Je mag mijn gsm wel gebruiken.'

Carl snauwde: 'Houd je handen zo dat ik ze kan zien en verder bek dicht.'

Een koude rilling liep langs Harry Mullers ruggengraat.

4

Harry Muller zat voor een bureau met daarachter een lange, magere man van middelbare leeftijd die zichzelf had voorgesteld als Bain Madox, president en eigenaar van de Custer Hill Club. Dat, zo legde meneer Madox uit, was niet zijn dagelijkse werk, alleen maar een hobby. Bain Madox was tevens president-directeur en eigenaar van Global Oil Corporation (ofwel GOCO), waar Harry wel eens van gehoord had en wat ook de twee foto's aan de muur verklaarde – de een van een olietanker en de ander van een brandend olieveld ergens in een woestijn.

Madox zag Harry's belangstelling voor de foto's en zei: 'Koeweit. De Golfoorlog.' Hij voegde eraan toe: 'Ik vind het afschuwelijk om goede olie te zien verbranden, zeker als niemand me ervoor betaalt.'

Harry gaf geen antwoord.

Meneer Madox droeg een blauwe blazer en een felgekleurd ruitjeshemd. Harry Muller droeg zijn lange thermo-onderbroek. Hij had een nogal vernederende fouillering moeten ondergaan door Carl en twee andere bewakers, die stroomstokken hadden zoals die bij het veedrijven werden gebruikt, en beloofden die ook te gebruiken als hij tegenstribbelde. Carl en een van die knapen stonden nu achter hem, stroomstok in de hand. Er was voorlopig nog geen enkel teken van de sheriff en Harry dacht ook niet dat de man al onderweg was.

Harry keek naar Bain Madox, die onverstoorbaar achter zijn grote bureau in het ruime, gelambriseerde kantoor op de eerste verdieping van het huis zat. Door het raam rechts van hem kon hij de helling achter het huis zien, en de top van de heuvel, met daar bovenop de hoge antenne die hij vanuit het bos had gezien.

Meneer Madox vroeg zijn gast: 'Wilt u misschien een kopje koffie? Of thee?'

'Val dood.'

'Betekent dat nee?'

'Val dood.'

Bain Madox keek Harry strak aan en Harry keek al even strak terug. Madox leek een jaar of zestig, dacht Harry, heel fit, ongewoon bruin voor de tijd van het jaar, achterovergekamd grijs haar, een lange, smalle haakneus als van een adelaar, met bijpassende grijze ogen. Harry vond ook dat deze knaap er rijk uitzag, maar het was niet iemand die ermee te koop liep. Iets aan Madox straalde kracht, macht en intelligentie uit. Het was een man die de zaak onder controle had. En Madox leek er zich totaal niet druk over te maken dat hij een federale agent gevangen hield. Dat was een slechte zaak, besefte Harry.

Madox pakte een sigaret uit een houten kistje op zijn bureau en vroeg: 'Heeft u bezwaar als ik rook?'

'Voor mijn part ga je in rook op. Bel de sheriff. Nu.'

Madox stak de sigaret aan met een zilveren tafelaansteker en blies nadenkend de rook uit. Hij vroeg: 'Wat brengt u hier, rechercheur Muller?'

'Vogels kijken.'

'Ik wil niet grof overkomen, maar dat lijkt me een nogal sullige hobby voor een man die zich bezighoudt met de bestrijding van terrorisme.'

'U bent nog ongeveer één minuut verwijderd van het moment dat ik u arresteer.'

'Nou, dan moest ik die minuut maar goed gebruiken.' Madox bekeek de voorwerpen die op zijn bureau lagen: Harry's gsm, die inmiddels was uitgezet, zijn sleutelring, de Handycam, de Nikon digitale camera, de verrekijker, de Sibley-vogelgids, een topografische kaart van de omgeving, het kompas, de draadtang, Harry's identiteitspapieren en zijn 9mm Glock 26, de zogenaamde Baby Glock, die wat makkelijker te verbergen was. Hij zag dat Madox het magazijn eruit had gehaald, wat wel slim van hem was.

Madox vroeg aan Harry: 'Wat moet ik hieruit opmaken?'

'Je verzint maar wat, maat. Geef mij nou maar gewoon mijn spullen terug en laat me vertrekken, want anders zou je wel eens twintig jaar tot levenslang tegemoet kunnen zien wegens ontvoering van een federale agent.'

Madox trok een gezicht alsof hij wilde aangeven dat hij zich verveelde en ongeduldig werd.

'Kom op, meneer Muller, dat hebben we nu wel gehoord. We moeten verder.'

'Rot op, man.'

Madox opperde: 'Zal ik dan maar de rechercheur spelen? Ik zie hier een verrekijker, een kleine videocamera, een heel dure digitale camera met een telelens en een vogelgids. Ik zou daaruit kunnen concluderen dat u een enthousiaste vogelaar bent. Zo enthousiast zelfs dat u ook een draadtang bij u heeft voor het geval er een hek tussen u en de vogel opdoemt. Plus dan nog dat 9mm vuistvuurwapen voor het geval de vogel niet lang genoeg stil blijft zitten om te fotograferen.' Hij vroeg aan Harry: 'Hoe vindt u dat ik het doe?'

'Niet al te best.'

'Goed, ik zal er nog een schepje bovenop doen. Ik zie hier ook een topografische kaart waarop de omtrek van mijn terrein met rood is aangegeven, plus het poorthuis en dit huis en andere bouwsels. Dat wekt bij mij het idee dat er een luchtfoto is gemaakt van mijn terrein en dat wat daarop is te zien op deze kaart is ingetekend. Klopt dat?'

Harry gaf geen antwoord.

Madox ging verder. 'Ik zie hier op mijn bureau ook dit insigne en een ID-kaart die aangeeft dat u een voormalige rechercheur bij de New Yorkse politie bent. Gefeliciteerd.'

'Val dood.'

'Maar wat me het meest interesseert, zijn dat andere insigne en die andere ID-kaart, die u identificeren als een federale agent die deel uitmaakt van de Anti-Terrorist Task Force. En geen *voormalige* agent.' Hij staarde naar de foto op de ID, keek toen naar Harry Muller en vroeg: 'Bent u vandaag aan het werk?'

Harry besloot nog één keer zijn dekmantel in de strijd te gooien, gewoon voor het geval dat die knaap een reden wilde om hem los te laten. 'Oké, ik zal het nog één keer uitleggen. Ik ben hierheen gekomen voor een weekendje kamperen. Ik bekijk en fotografeer vogels. Ik ben ook een federale agent en ik ben bij wet verplicht mijn ID en mijn wapen bij me te dragen. U moet van twee plus twee geen vijf maken, dat is wat ik u wil zeggen.'

Madox knikte. 'Ik begrijp het. Maar verplaats u nu eens in mijn situatie. Dan zal ik me in uw situatie verplaatsen. Ik ben federaal agent Harry Muller en ik luister naar een man die me vertelt dat al het bewijsmateriaal dat ik voor me zie – bewijzen voor een surveillance – kan worden uitgelegd als vogels kijken. Laat ik u dus gaan? Of eis ik een wat logischer en eerlijker verklaring? Wat zou u in mijn positie doen?'

'Sorry, maar uw opzichtige overhemd leidt me te veel af.'

Meneer Madox glimlachte, sloeg de vogelgids open, zette zijn bril op en zocht een bladzij uit. Hij vroeg aan Harry: 'Wat is de meest waarschijnlijke plek om een zeeduiker te spotten, meneer Muller?'

'Bij het water.'

'Die was te gemakkelijk.' Hij sloeg een paar bladzijden om. 'Wat is de kleur van een purperreiger?'

'Paars.'

Meneer Madox schudde zijn hoofd. 'Een strikvraagje, meneer Muller. Een purperreiger is bruinrood. Nog eentje. Twee van de drie goed betekent dat u geslaagd bent.' Hij bladerde weer door het boek. 'Welke kleur heeft het mannetje van – '

'Hé, sla dat boek dicht, doe er wat vaseline op en stop het in je reet.'

Meneer Madox deed het boek dicht en schoof het terzijde. Hij draaide zich naar zijn computerscherm. 'Hier zijn uw digitale foto's. Er staat zo te zien geen enkele vogel op. Wat ik wel zie is een schijnbare interesse voor een van mijn telefoonpalen en... laat eens kijken... ja, een telefoto van de toren achter mijn huis... close-ups van het huis... aha, daar zie ik toch een vogel op mijn dak zitten. Wat is dat?'

'Een stront zoekende havik.'

Madox pakte de Handycam van zijn bureau, drukte op Replay en keek naar het schermpje. 'Hier is opnieuw die telefoonpaal... u heeft zo te zien ook de plastic twijgjes ontdekt... en daar hebben we het huis weer... mooie beelden vanaf de plek waar u stond... die vogel vliegt net weg. Wat was dat? Ziet eruit als een grote blauwe reiger, maar die had al lang naar het zuiden moeten zijn getrokken. Het is dit najaar ongebruikelijk warm geweest. Zal wel met die zogenaamde opwarming van de aarde te maken hebben.' Hij legde de camcorder neer en vroeg: 'Weet u wat de oplossing is voor die opwarming van de aarde? Nee? Dan zal ik het u vertellen. Een nucleaire winter.' Hij lachte. 'Ouwe grap.'

Madox ging er wat gemakkelijker bij zitten en stak nog een sigaret op. Hij blies perfecte kringetjes rook uit en keek ze na terwijl ze opstegen en langzaam oplosten. 'Dat is een uitstervende kunst.'

Harry Muller keek het vertrek rond terwijl Bain Madox zijn uitstervende kunst beoefende. Hij kon de ademhaling van de twee mannen achter hem horen toen hij zijn blik verlegde naar een muur bedekt met ingelijste diploma's of iets dergelijks. Harry bedacht dat het misschien zou helpen als hij deze kerel een beetje beter kon plaatsen.

Madox zag Harry's blik en zei: 'Dat daar linksboven is mijn getuigschrift voor de Silver Star. Ernaast hangt dat voor de Bronze Star, en daarnaast voor het Purple Heart. Dan is er nog mijn aanstelling als tweede luitenant in het Amerikaanse leger. Op de volgende rij hangen de bekende certificaten die je krijgt voor zoveel jaar trouwe dienst. Ik heb gediend in het Seventh Cavalry Regiment van de First Air Cavalry Division. Seventh Cav was ooit de eenheid van generaal Custer. Dat is ook deels de reden voor de naam van deze club. Misschien dat ik u de andere reden later nog eens vertel, maar als ik dat doe, moet ik u daarna wel doden.' Hij lachte. 'Grapje. Hé, niet zo somber, het was maar een grapje.'

Harry dwong zijn gezicht in een glimlach. *Klootzak.*

'Op de onderste rij hangen mijn getuigschriften van mijn commando-opleiding, van mijn scherpschuttersdiploma, mijn diploma jungletraining en, als laatste, mijn ontslag uit het leger. Ik verliet na acht jaar het leger als luitenant-kolonel. We maakten in die tijd snel promotie. Veel dode officieren, hè, dat schiep ruimte op de promotielijst. Bent u in dienst geweest?'

'Nee.' Harry besloot het spelletje mee te spelen. 'Ik was te jong, en daarna werd de dienstplicht opgeheven.'

'Klopt. Die zouden ze direct weer moeten invoeren.'

'Absoluut,' zei Harry. 'En het zou ook voor vrouwen moeten gelden. Ze willen toch gelijke rechten? Nou, daar horen ook gelijke verplichtingen bij.'

'Daar heeft u volkomen gelijk in.'

Harry was nu in zijn element en ging verder. 'Mijn zoon moest zich nog wel laten registreren, voor het geval de dienstplicht weer zou worden ingevoerd. Mijn dochter hoefde dat niet. Waar slaat dat op?'

'Wat u zegt. U heeft een zoon en een dochter?'

'Ja, inderdaad.'

'Getrouwd?'

'Gescheiden,' antwoordde Harry.

'Aha, ik ook.'

'Vrouwen maken je gek,' zei Harry.

'Alleen als je ze dat toestaat.'

'Nou, wij staan dat toe.'

Madox grinnikte. 'U heeft gelijk. U bent hier aan het spioneren voor de Anti-Terrorist Task Force. Waarom?'

'Hoe lang hebt u in Vietnam gezeten?'

Madox keek Harry enkele ogenblikken aan en zei toen: 'Twee periodes van een jaar en daarna nog een derde die werd bekort door een kogel uit een AK-47 die op een haar na mijn hart miste, mijn rechterlong schampte en bij het uittreden een rib brak.'

'U mag van geluk spreken dat u nog leeft.'

'Dat houd ik mezelf ook elke dag voor. Elke dag is een geschenk. Is er ooit op u geschoten?'

'Vijf keer. Maar ik ben nooit geraakt.'

'Dan mag u ook van geluk spreken.' Madox keek Harry nadenkend aan. 'Het verandert je. Je wordt nooit meer dezelfde. Maar het is niet per se een negatieve verandering.'

'Ik weet het. Ik heb vrienden die wel neergeschoten zijn.' Hij dacht aan John Corey, hoewel hij er tamelijk zeker van was dat de Corey van na het schot nog dezelfde eigenwijze knakker was. Hij zei: 'Soms denk ik wel eens dat ik vrijwillig in dienst had moeten gaan. Vietnam was dan wel voorbij, maar ik had me toch nuttig kunnen maken. Misschien had ik mee kunnen doen aan die invasie van Granada, om maar eens wat te noemen.'

'Nou, rekent u het zichzelf maar niet te veel aan. De meeste Amerikaanse mannen zijn nooit in dienst geweest. En om eerlijk te zijn, is een oorlog een verdomd beangstigende ervaring. En nu zijn we verwikkeld in die oorlog tegen het terrorisme en zit u, meneer Muller, kennelijk in de frontlinie. Ja toch?'

'Eh... ja.'

'En met terroristen bedoelen we voornamelijk islamitische terroristen, ja?'

'Ja... maar –'

'Dus u bent hier op zoek naar islamitische terroristen? Kan ik u misschien van dienst zijn?'

Harry was bezig een antwoord te verzinnen, maar Madox praatte al verder. 'Als er ook maar iets is wat ik kan doen, meneer Muller, moet u het zeggen. Niemand die fanatieker is als het om die oorlog tegen het terrorisme gaat dan ik. Hoe kan ik helpen?'

'Eh... tja... nou goed, ik zal het u uitleggen. Ongeveer vijf jaar geleden was ik op die zaak van die jongens van de IRA gezet – terroristen – ze zaten nog geen vijfentwintig kilometer hier vandaan. Ze hadden er een trainingskamp.' Harry vertelde Madox over die zaak en besloot zijn relaas met: 'We hebben acht van die knapen naar de gevangenis gestuurd voor straffen variërend van drie tot twintig jaar.'

‘Ja, dat herinner ik me, vooral omdat het hier zo dicht in de buurt was.’

‘Precies. En dit is weer net zoiets. We controleren een hele rits privéterreinen om te kijken of er misschien verdachte activiteiten plaatsvinden die met de IRA te maken zouden kunnen hebben. We hebben informatie binnengekregen dat – ’

‘Dus dit heeft niets te maken met islamitische terroristen?’

‘Nee, dit keer niet. Het gaat om de IRA.’

‘Lijkt me nogal een verspilling van tijd en geld, gezien de gebeurtenissen van 9/11.’

‘Nou, dat vind ik eerlijk gezegd ook. Maar we moeten nu eenmaal alles en iedereen in de gaten houden.’

‘Ja, dat zal wel.’ Madox dacht even na en vroeg toen: ‘Dus volgens u is de Custer Hill Club een... ja, wat eigenlijk? Een trainingskamp voor de IRA?’

‘Nou, mijn chefs hebben een tip gekregen over activiteiten in deze regio, en vervolgens werd ik uitverkoren om er een kijkje te gaan nemen. U weet wel, dat mensen misschien uw land gebruikten zonder dat u het wist.

‘Niemand komt zonder mijn medeweten dit terrein op, zoals u daarstraks ook al heeft ontdekt.

‘Ja, dat heb ik gemerkt. Ik zal rapporteren – ’

‘En al zeker geen mensen die zich bezighouden met paramilitaire training.’

‘Ja, ik – ’

‘En dat verklaart nog niet waarom u foto’s heeft genomen van mijn *huis*. U zou door de bossen moeten dwalen op zoek naar die IRA-mensen.’

‘Klopt, ik heb me laten meeslepen door mijn enthousiasme.’

‘Zeg dat wel. Blijft het feit dat u hier op surveillance was.’

‘Eh ja, dat klopt. Ik moet een stuk of tien terreinen hier in de buurt controleren.’

‘Juist. Ik hoef me dus niet bijzonder vereerd te voelen.’

‘Hè?’

‘Ik hoef niet het gevoel te hebben dat ik er specifiek uit ben gepikt?’

‘Nee, het is gewoon een routineonderzoek.’

‘Dat is een hele opluchting. Heeft u trouwens een officiële volmacht of iets dergelijks voor deze activiteiten?’

‘Jawel... maar die heb ik niet bij me.’

‘Hoort u zo’n volmacht niet bij u te dragen?’ Hij wapperde met zijn hand en zei: 'We hebben niets op u gevonden, zelfs niet toen we in uw rectum keken.' Meneer Madox glimlachte.

'Ach, val dood.' Harry kwam overeind. 'Jij bent gewoon een onbetamelijk stuk vreten!'

'Pardon?'

'Stop maar in je reet. Ik ga nu weg, verdomme – ' Hij boog naar het bureau om zijn spullen te pakken en een explosie van pijn schoot door de rechterhelft van zijn lichaam. Hij hoorde een vallend geluid en een bonk en toen niets meer.

Hij realiseerde zich dat hij op de grond lag en zijn lichaam was bedekt met koud zweet. Zijn ogen stonden wazig, maar hij zag wel Carl boven hem uittorenen. Hij tikte met de stroomstok in zijn handpalm alsof hij wilde zeggen: 'Wil je nog een portie?'

Harry probeerde op te staan, maar zijn benen waren als rubber. De andere bewaker kwam achter hem staan, pakte hem onder zijn armen, tilde hem overeind en liet hem in zijn stoel vallen.

Harry probeerde zijn ademhaling en zijn trillende spieren onder controle te krijgen. Hij zag nog steeds niet scherp en alle geluiden klonken van heel ver weg.

Een van de bewakers gaf hem een plastic fles met water, die hij nauwelijks vast kon houden.

Meneer Madox zei: 'Verbazingwekkend wat elektriciteit met iemand doet. En er zijn vrijwel geen zichtbare sporen. Waar waren we gebleven?'

Harry probeerde te zeggen 'Val dood', maar kreeg de woorden niet over zijn lippen.

'Ik geloof dat u me ervan probeerde te overtuigen dat u aan een routineklus bezig was op zoek naar trainingskampen van de IRA. Ik ben niet overtuigd.'

Harry haalde diep adem en zei: 'Maar het is wel de waarheid.'

'Nou goed, laat me u dan verzekeren dat er zich op mijn terrein geen IRA-leden bevinden. Mijn voorouders waren trouwens door en door Engels, meneer Muller, dus voel ik geen enkele affiniteit met de IRA.'

Harry gaf geen antwoord.

Madox zei: 'Oké, laten we dat gelul over die IRA verder vergeten en tot de kern van de zaak komen. Wat denken uw superieuren eigenlijk dat hier precies aan de hand is?'

Harry reageerde opnieuw niet.

'Heb je misschien wat elektrische aansporing nodig om mijn vraag te beantwoorden?'

'Nee... ik weet het niet. Mij hebben ze niets verteld.'

'Maar ze zullen toch wel iets gezegd hebben in de trant van "Harry, we vermoeden dat er in de Custer Hill Club..." wat? Hoe hebben ze deze club en haar leden gekarakteriseerd? Dit is echt heel belangrijk voor me en ik wil dat u het me vertelt. U zult het me uiteindelijk toch wel vertellen. Het is voor iedereen prettiger als u het nu doet.'

Harry probeerde helder over zijn situatie na te denken. Hij had nog nooit aan de verkeerde kant van een ondervraging gezeten en hij had dus ook niet de ervaring of training om met een dergelijke situatie om te gaan.

'Meneer Muller?'

Hij wist niet goed of hij nu aan dat IRA-verhaal moest vasthouden of dat hij die schoft het kleine beetje zou vertellen dat hij wist. Het doel was duidelijk: hier levend wegkomen, hoewel hij eigenlijk nauwelijks kon geloven dat zijn leven in gevaar was.

'Meneer Muller? We hebben het vogeltjes kijken gehad, en vervolgens de IRA – wat trouwens best een goed verhaal is. Maar helaas niet het ware verhaal. U lijkt wat in de war, dus laat me u een beetje helpen. U is verteld dat de Custer Hill Club bestaat uit een verzameling rijke, oude rechtse idioten die samenspannen om mogelijk iets illegaals te gaan doen. Klopt dat?'

Harry knikte.

'Wat hebben ze u nog meer over ons verteld?'

'Niets. Ik hoef ook verder niets te weten.'

'Juist ja. U hoeft dat niet te weten. Hebben ze misschien ook gezegd dat een aantal van onze leden zeer hoge functies bekleedt en zeer invloedrijk is binnen de samenleving en in de regering?'

Harry schudde zijn hoofd. 'Dat hoef ik niet te weten.'

'Nou, ik denk dat u dat wel moet weten. Daarom zit u nu hier, of u het nu wel of niet weet. Feit is dat de leden van deze club een heleboel macht bezitten. Politieke macht, financiële macht en militaire macht. Wist u dat een van onze leden de onderminister van Defensie is? En een ander is een van de belangrijkste veiligheidsadviseurs van de president. Wist u dat?'

Harry schudde zijn hoofd.

'Wij vinden het niet prettig dat een of ander overheidsinstantie een illegale surveillance uitvoert naar onze activiteiten, die trouwens volkomen legaal zijn. Wij jagen, vissen, drinken en bespreken de toestand in de wereld. De grondwet zelf beschermt ons recht om ons te verenigen, evenals ons recht op het vrije woord en op onze privacy. Dat is toch zo?'

Harry knikte.

'Iemand binnen uw bureau is zijn boekje te buiten gegaan en wij zullen ervoor zorgen dat die persoon ter verantwoording wordt geroepen.'

Opnieuw knikte Harry. Hij geloofde Madox. Het zou niet de eerste keer zijn dat een van zijn meerderen een zaak verknalde en surveillance beval van een groep of persoon die zich nergens schuldig aan had gemaakt. Aan de andere kant was dat nu juist waarom ze surveillances deden – om te kijken of een verdenking van criminele activiteiten juist of gerechtvaardigd was. Harry zei: 'Ik denk dat ze er een puinhoop van hebben gemaakt.'

'O, dat weet ik wel zeker. En u bent daar de dupe van.'

'Precies.'

'U bent geen FBI-agent?'

'Nee.'

'CIA?'

'Bewaar me zeg. Nee.'

'Wat bent u dan wel? Een agent op contractbasis?'

'Precies. Ik zat vroeger bij de NYPD. Ik werk nu voor de FBI.'

'Op laag niveau,' opperde meneer Madox.

'Eh... ja.'

'Ik zal ervoor zorgen dat u niet gestraft wordt.'

'Mooi, en bedankt voor die elektrische schok.'

'Ik heb geen idee waar u het over heeft.' Meneer Madox keek op zijn horloge en zei: 'Ik verwacht bezoek.' Hij keek Harry aan. 'Wist u dat ik bezoek verwacht?'

'Nee.'

'U bent heel toevallig op deze dag hierheen gekomen?'

Harry gaf geen antwoord.

'Praat tegen me, meneer Muller. Ik heb nog meer te doen vanochtend.'

'Eh... nou ja, mij is opgedragen om eh... te kijken of er iemand...'

'U is opgedragen om arriverende gasten te observeren, ze te fotograferen, hun nummerborden te noteren, het tijdstip van hun aankomst enzovoort.'

'Ja, dat klopt.'

Hoe wisten die mensen voor wie u werkt dat er vandaag een bijeenkomst zou plaatsvinden?'

'Ik heb geen idee.'
'Waarom heeft u een foto van mijn zendmast gemaakt?'
'Ik zag hem toevallig staan.'
'Wanneer bent u hier aangekomen?'
'Gisteravond.'
'Is er verder nog iemand bij u?'
'Nee.'
'Hoe bent u hierheen gekomen?'
'Ik ben hier met mijn camper heen gereden,' antwoordde Harry.
'En dit zijn de sleutels?'
'Ja.'
'Waar staat die camper?'
'Op een bospad ten zuiden van hier.'
'Vlakbij waar u het terrein bent binnengedrongen?'
'Ja.'
'Verwacht men telefonisch verslag van u?'
Dat was niet het geval, maar hij antwoordde: 'Ja.'
'Wanneer?'
'Zodra ik uw terrein heb verlaten.'
'Juist.' Madox pakte Harry's gsm en zette hem aan. 'Ik zie dat u een bericht heeft.' Hij voegde er aan toe: 'Voor het geval u zich afvroeg waarom u hier in deze wildernis zo'n goede ontvangst heeft, ik heb mijn eigen zendmast.' Hij gebaarde naar het raam. 'Nu weet u wat dat voor mast is en heeft u een onderschrift bij uw foto. U kunt er ook nog bij vermelden dat er een stemvervormer op zit, zodat niemand mijn gesprekken kan afluisteren.' Hij vroeg aan Harry: 'Is het niet fantastisch om rijk te zijn?'
'Ik zou het niet weten.'
'Wat is de code van uw voicemail?'
Harry vertelde het hem en Madox draaide het nummer van zijn voicemail, toetste de code in en zette de gsm op de speaker.
Lori zei: 'Hoi, schat. Ik heb je bericht ontvangen. Ik lag te slapen. Ik ga vandaag winkelen met jouw zus en Anne. Bel me maar als je tijd hebt. Ik heb mijn mobieltje bij me. Oké? Laat me weten als je nog een nacht wegblijft. Ik hou van je en ik mis je.' Ze voegde eraan toe: 'Wees voorzichtig met die rechtse idioten. Ze zijn gek op wapens. Let goed op jezelf.'
Madox had zijn commentaar al klaar. 'Ze klinkt heel aardig. Behalve dan die opmerking over die rechtse idioten met hun wapens.' Hij voegde eraan toe: 'Ze denkt kennelijk dat je hier mogelijk nog

een nachtje blijft. Misschien heeft ze daar wel gelijk in.' Hij zette het toestel uit en zei tegen Harry: 'Ik neem aan dat u weet dat deze apparaten een signaal uitzenden dat kan worden nagetrokken?'

'Ja, dat is mijn werk.'

'Precies. Verbazingwekkend, die technologie. Ik kan mijn kinderen altijd en overal bellen. Natuurlijk antwoorden ze nooit, maar na vijf boodschappen bellen ze terug, of anders als ze iets van me willen.'

Harry dwong zichzelf te glimlachen.

'Goed,' zei meneer Madox, 'u lijkt te zijn wie en wat u zegt dat u bent. Om heel eerlijk te zijn, meneer Muller, dacht ik dat u een agent van een buitenlandse macht was.'

'Wat?'

'Ik ben niet paranoïde. De leden van deze club hebben over de hele wereld vijanden. Het juiste soort vijanden. Wij zijn allemaal patriotten, meneer Muller, en we hebben de vijanden van Amerika zo hier en daar flink in de problemen gebracht.'

'Dat is goed om te horen.'

'Ik dacht al dat u daarmee zou instemmen. En diezelfde mensen zijn uw vijanden. Dus, om een oud Arabisch gezegde te gebruiken: "De vijand van mijn vijand is mijn vriend."'

'Precies.'

'Soms echter is de vijand van mijn vijand ook mijn vijand. Niet omdat hij dat wil, maar omdat we een verschil van mening hebben over hoe we onze gezamenlijke vijand aanpakken. Maar dat is een discussie die we later nog maar eens moeten voeren.'

'Ja, goed, ik zal u volgende week bellen.'

Bain Madox stond op, keek op zijn horloge en zei: 'Ik heb een idee. Aangezien u en uw bureau nogal geïnteresseerd zijn in deze club en haar leden, ga ik iets doen wat ik nog nooit eerder gedaan heb. Ik ga u, een buitenstaander, toestaan om aanwezig te zijn bij de vergadering van het Uitvoerend Comité, die deze middag plaats zal vinden na een welkomstlunch voor onze net aangekomen clubleden. Zou u ons gezelschap willen houden?'

'Ik... Nee, liever niet. Ik moet – '

'Ik dacht dat u hierheen was gekomen om informatie te vergaren? Waarom die haast?'

'Nee, geen haast, maar ik – '

'Ik zal u zelfs foto's laten nemen.'

'Bedankt, maar – '

'Ik denk dat uw aanwezigheid bij de vergadering voor ons allebei voordelen heeft. U steekt er iets van op en ik krijg de kans om te zien hoe u reageert op onze discussie. We lijden soms aan een tunnelvisie, begrijpt u, en dan dreigt de werkelijkheid buiten ons blikveld te blijven en horen we alleen nog onze eigen werkelijkheid. En dat is niet gezond.'

Harry antwoordde niet en Bain Madox begon steeds meer warm te lopen voor zijn idee. 'Ik wil dat u zich vrij voelt om commentaar te leveren, om ons te vertellen dat we klinken als een stelletje oude dwazen – rechtse idioten.' Hij grinnikte. 'We hebben behoefte aan uw eerlijke opinie over ons volgende project. Project Groen.'

'Wat is Project Groen?'

Meneer Madox wierp een blik op de bewakers, liep toen op Harry af en fluisterde in zijn oor: 'Een nucleair armageddon.'

5

Harry Muller werd geblinddoekt en op blote voeten twee trappen af geleid naar wat het souterrain van het huis moest zijn. Het was er koud en vochtig en er klonken geluiden van mechanische en elektrische motoren.

Hij hoorde een deur opengaan en daarna werd hij naar voren geduwd. De deur werd weer dichtgeslagen en hij hoorde hoe er een metalen klink voor werd geschoven.

Hij bleef even staan en zei toen: 'Hé, jij. Ben jij daar?'

Stilte.

Hij luisterde nog even, trok toen de blinddoek af en keek om zich heen. Hij was alleen.

Harry stond in een klein vertrek opgetrokken uit betonblokken die in hetzelfde grijs waren geschilderd als de betonnen vloer. Het lage plafond was bedekt met golfplaten.

Toen zijn ogen enigszins gewend waren geraakt aan het felle licht van een tl-buis zag hij dat er in de kamer slechts een stalen bed stond dat was vastgeklonken aan de vloer. Op het bed lag een dunne matras waarop zijn camouflageshirt en broek lagen, die hij direct aantrok. Hij controleerde zijn zakken, maar ze hadden hem niets teruggegeven.

In een hoek van het vertrek bevonden zich een toilet en een wasbak. Het toilet had geen bril en geen spoelbak. Het had veel weg van een gevangeniscel. Boven de wasbak hing geen spiegel, zelfs niet een van die plastic of stalen spiegels die ze in de gevangenis gebruikten.

Hij liep naar de stalen deur die geen deurknop en geen raam had en duwde ertegen. Er zat geen beweging in.

Hij doorzocht het vertrek op zoek naar iets wat hij als wapen kon gebruiken, maar de kamer was volkomen kaal, afgezien dan van het bed en een roestige radiator die nauwelijks warmte produceerde.

Toen viel hem de kleine draaibare camera op die in een hoek van het plafond gemonteerd zat, met ernaast een in het plafond wegvallende speaker. Hij stak zijn middelvinger op en schreeuwde: 'Val dood!'

Niemand reageerde.

Hij keek om zich heen naar iets waarmee hij de camera en speaker aan gruzels kon slaan, maar er bevond zich behalve hijzelf geen enkel los voorwerp in het vertrek. Hij nam een aanloop, sprong op en gaf met zijn hand een klap tegen de camera. De camera bleef gewoon doorgaan met het bestrijken van het vertrek, maar plotseling snerpte een hoog, keihard geluid door de kamer en Harry sloeg zijn handen tegen zijn oren en liep achteruit, weg van de speaker. Het pijnlijke geluid bleef aanhouden en Harry gilde: 'Oké! Oké!'

Het geluid hield op en een stem zei: 'Zitten!'

'Val dood.' *Stelletje schoften. Wacht maar tot ik hieruit ben.*

Hij was het besef van tijd kwijtgeraakt, maar hij vermoedde dat het een uur of tien, elf 's ochtends moest zijn. Zijn maag rommelde, maar echt honger had hij niet. Alleen maar dorst. En hij moest pissen.

Hij liep naar het toilet en de camera volgde hem. Hij urineerde en liep toen naar de wasbak en draaide de kraan open. Een dun straaltje koud water liep in de wasbak. Hij waste zijn handen en gebruikte ze vervolgens om wat water te drinken.

Er was geen handdoek, dus veegde hij zijn handen maar af aan zijn broek. Hij liep terug naar het bed en ging zitten. Hij dacht aan zijn gesprek met Bain Madox.

Een nucleair armageddon.

Hij zei tegen zichzelf: *Waar heeft die klootzak het in vredesnaam over?*

En wat was dat voor vergadering waar hij voor uitgenodigd was? Het leek allemaal zo onlogisch, tenzij... tenzij het allemaal doorgestoken kaart was.

Hij stond op. 'Dat is het.' *Dit is een van die verdomde trainingskampen!* 'Krijg nou wat!'

Hij dacht aan de hele opdracht, van zijn tien minuten in het kantoor van Tom Walsh, tot aan de knaap van de TD, het doorknippen van het hek, de bewakers en uiteindelijk zijn gevangeniscel in dit huis – deze hele toestand was bedoeld als een test... een van die overlevingscursussen: overleven, ontwijken, weerstand bieden en ontsnappen.

Nou, voor dat ontwijken was hij gezakt, anders zat hij nu niet in deze cel. Hij dacht nog eens na over de ondervraging door die knaap Madox – het onderdeel weerstand – *O shit! Heb ik dat ook verknald?*

Wat heb ik verdomme allemaal gezegd? Ik heb hem gezegd dat hij dood kon vallen en heb aan mijn dekmantel vastgehouden... en daarna kwam ik met dat verhaal over de IRA, wat best slim was... ja toch?

Hij dacht aan de stroomstok. *Zouden ze zoiets doen? Ja... misschien wel.*

En later zou dan het onderdeel ontsnappen volgen, en dan weer het ontwijken en het overleven in de bossen... *Ja! Zo zou het gaan.*

Hij liep in gedachten alles nog eens na, nu vanuit zijn nieuwe overtuiging dat dit een of ander belachelijk opzetje was van de FBI of de CIA. Dat moest het wel zijn. Anders was het gewoon te krankzinnig voor woorden.

Ze hadden iets groots voor hem in petto en dit was de ultieme test. Ze deden dit soort dingen om te kijken wat je aankon. De Custer Hill Club was net zoiets als de CIA Farm in Virginia, ja toch?

Hij zei tegen zichzelf: *Oké, mooi. De eerste test heb ik doorstaan. Straks volgt die vergadering en dan zal het vanzelf wel duidelijker worden. Blijf kalm, Harry. Blijf pissig.* Hij schreeuwde naar de camera: 'Klootzakken! Ik ruk je hoofd eraf en schijt op jullie nek!'

Hij ging op de dunne matras liggen en glimlachte stilletjes. Hij geeuwde en zakte weg in een onrustige slaap.

Het felle licht van de plafondlamp en de kou maakten dat hij droomde dat hij weer buiten was en door het bos liep. Hij nam foto's van vogels, toen kreeg hij ruzie met een paar mannen en daarna had hij een leuk gesprek met meneer Madox, die hem zijn pistool teruggaf en zei: 'Dat zul je nog nodig hebben.' De mannen hieven plotseling hun geweren en er kwamen honden op hem af rennen. Hij haalde de trekker van zijn Glock over, maar het wapen weigerde dienst.

Harry schoot overeind en veegde het koude zweet van zijn gezicht. *Goeie genade...*

Hij viel weer achterover op het bed en staarde naar het ijzeren plafond. Er knaagde iets aan hem. Het was Madox. Iets aan die kerel leek te... echt. *Nee. Het kan niet echt zijn.*

Want als dit wel echt was, dan was zijn leven in gevaar.

De deur ging open en een stem zei: 'Meekomen.'

DEEL III

Zaterdag

North Fork, Long Island

Als liefde het antwoord is, zou u de vraag dan anders willen stellen?

Lily Tomlin

6

Kate en ik arriveerden vlak voor de sluitingstijd van 10.00 uur 's avonds in de B&B in het gehucht Mattituck. We schreven ons in bij de eigenares, een dame die me deed denken aan de lieve matrones die in het jeugddetentiecentrum in de stad werkten.

Het buitenissige oude huis was precies wat ik ervan verwacht had, meer nog eigenlijk. Het was in feite gewoon een ramp.

We sliepen die zaterdagochtend lang uit, dus we misten het eigengemaakte ontbijt en we misten ook een ontmoeting met de andere gasten, van wie we er de afgelopen nacht al twee door de dunne muren heen hadden gehoord. De vrouw was een krijser, maar ze hield het goddank bij één orgasme.

We brachten de zaterdag verder door met een rondje langs de wijngaarden van North Fork, die de aardappelvelden hebben vervangen die ik me uit mijn jeugd herinner. De wijnstokken zijn inmiddels tot volle wasdom gekomen en produceren mooie chardonnays, merlots en wat dies meer zij. We nipten wat gratis wijn bij elk van de wijnboeren en mij bevielen vooral de sauvignon blancs, die droog en fruitig waren, met een vleug van... tsja, aardappelen.

Zaterdagavond bezochten we een restaurant op een boot met een fantastisch uitzicht op Peconic Bay. Het was er heel romantisch, volgens Kate.

We zaten in de bar terwijl we op ons tafeltje wachtten en de barkeeper ratelde een lijstje op met lokale wijnen die per glas te bestellen waren. Kate en de barkeeper – een jonge kerel die eruitzag of een paar weken overlevingskamp hem goed zouden doen – bespraken de witte wijnen en kwamen uiteindelijk uit op eentje die niet al te fruitig was. En ik maar denken dat druiven ook *fruit* waren.

De jonge man vroeg aan mij: 'Leek een van de genoemde wijnen u wat?'

'Allemaal eigenlijk. Doe mij maar een biertje.'

Hij verwerkte die opmerking en schonk vervolgens onze drankjes in.

Er lag een stapel kranten op de bar en mijn oog viel op de kop van de *New York Times*: HET PENTAGON IS VAN PLAN 500.000 MILITAIREN IN TE ENTEN TEGEN POKKEN.

De invasie leek een vaststaand feit, tenzij Saddam inbond. Ik overwoog mijn bookmaker te bellen om te kijken hoe de kansen op een oorlog waren. Ik had eigenlijk vorige week al een weddenschap moeten afsluiten, toen de kans nog wat kleiner leek, maar ik heb inside-information, dus dan zou ik de zaak besodemieteren. Het is bovendien ethisch niet verantwoord om geld aan een oorlog te verdienen, tenzij je voor de overheid werkt.

Ik vroeg aan Kate, die tenslotte advocate is: 'Is de overheid mijn opdrachtgever of ben ik een agent die freelance voor de overheid werkt?'

'Waarom vraag je dat?'

'Ik worstel met een ethisch probleem.'

'Nou, dan zal die worsteling wel meevallen.'

'Wees eens een beetje aardig tegen me. Ik zit erover te denken mijn bookie te bellen en een weddenschap af te sluiten op de oorlog in Irak.'

'Heb jij een bookie?'

'Ja, jij niet dan?'

'Nee, dat is strafbaar.'

'Sta ik nu onder arrest? Kunnen we dan straks leuke dingen gaan doen met handboeien?'

Ze probeerde niet te glimlachen en keek de bar rond. 'Niet zo hard praten.'

'Ik probeer romantisch te zijn.'

De gastvrouw kwam naar ons toe en begeleidde ons naar ons tafeltje.

Kate bestudeerde het menu en vroeg of ik een dozijn oesters met haar wilde delen. Met een grijns voegde ze eraan toe: 'Oesters zijn lustopwekkend.'

Ik deelde haar mee: 'Dat klopt niet helemaal. Ik heb er vorige week twaalf gegeten en maar elf ervan werkten.' Ik voegde eraan toe: 'Ouwe grap.'

'Dat mag ik hopen.'

Zeevruchten waren de specialiteit van het huis, dus bestelde ik Long Island-eend. Die zwemmen ook. Ja toch?

Ik voelde me ontspannen en gelukkig, zo zonder de stress van mijn baan en van de stad. Ik zei tegen Kate: 'Dit was een goed idee.'

'We moesten er even uit.'

Ik moest heel even denken aan Harry daar op het platteland en ik wilde Kate nogmaals vragen naar de Custer Hill Club, maar het doel van onze aanwezigheid hier was nu juist om het werk even te vergeten.

Kate ontfermde zich over de wijnkaart en na een fascinerende discussie met de ober bestelde ze een fles met iets roods er in.

Hij werd ingeschonken en ze proefde hem, verkondigde dat het een volle wijn met een hint van pruimen was en dat hij een goede begeleider van mijn eend zou zijn. Ik had niet het idee dat het mijn eend iets kon schelen.

Maar goed, ze hief haar glas en zei: 'Op piepers die in het weekend zwijgen.'

'Amen.' We klonken en namen een slok. In die van haar moet de pruim hebben gezeten.

Ik hield het glas wijn tegen het kaarslicht en zei: 'Mooie kraag.'

'Mooie *wat*?'

'Manchet?'

Ze sloeg haar ogen ten hemel.

We genoten dus van een heerlijk diner in een prettige omgeving en Kate's prachtige blauwe ogen glinsterden in het kaarslicht en de rode wijn maakte me warm en slaperig.

Het was op dat moment niet moeilijk om te doen alsof alles goed was met de wereld. Dat is het natuurlijk nooit, maar af en toe moet je wat uurtjes stelen en net doen alsof de rest van de wereld niet naar de verdommenis gaat.

Wat dat betreft heeft iedereen die ik ken het er nog steeds over hoe hun leven is veranderd na 11 september, en niet noodzakelijkerwijs ten kwade. Heel veel mensen, inclusief ikzelf, en Kate ook, werden min of meer wakker en zeiden: 'We moeten maar eens ophouden met ons druk te maken om kleine dingen. Het wordt tijd om ons te richten op de mensen die we graag mogen, en de mensen aan wie we een hekel hebben te negeren. We zijn niet dood, dus moeten we leven.'

Mijn vader, een veteraan uit de Tweede Wereldoorlog, probeerde me een keer te beschrijven hoe de stemming in het land was na Pearl Harbor. Hij is niet zo goed met woorden en hij had er nogal moeite mee een beeld te schilderen van Amerika op die eerste Kerstmis na 7 december 1941. Maar uiteindelijk kwam hij er toch uit en hij zei: 'We waren allemaal doodsbang, dus we dronken en neukten veel en we gingen op bezoek bij mensen die we een tijdje niet gezien hadden, en iedereen verstuurde heel veel kaarten en brieven en we kwamen allemaal nader tot elkaar en hielpen elkaar, dus eigenlijk was het helemaal niet zo erg.' En toen vroeg hij me: 'Waarom hadden we daar een oorlog voor nodig?'

Omdat, pa, wij nu eenmaal zo in elkaar steken. En op 11 september vorig jaar hebben mijn ouders twee dagen lang geprobeerd om mij vanuit Florida te bereiken en toen dat eindelijk lukte, vertelden ze me vijftien minuten lang hoeveel ze altijd van me gehouden hadden, wat nogal als een verrassing kwam, maar ik was ervan overtuigd dat ze het meenden.

En zo is het dus nu met ons gesteld, maar als er geen nieuwe aanval op ons land volgt, zijn we over een jaar of twee allemaal weer ons normale, egocentrische, gereserveerde zelf. En dat is ook prima, want ik word eerlijk gezegd en beetje moe van al die vrienden en familie van buiten de stad die me alsmaar vragen hoe het met me gaat. We hebben allemaal ons louterende moment gehad en we hebben allemaal ons leven geëvalueerd en het wordt tijd dat we verdergaan met waar we mee bezig waren en terugkeren naar wie we ooit waren.

Wat me wél aanspreekt, is dat overmatige drinken en neuken; dat mogen we wat mij betreft nog wel even volhouden. Mijn vrijgezelle vrienden vertellen me... oké, dat is een onderwerp voor een andere keer.

Ondertussen zei ik tegen Kate: 'Ik hou van je.'

Ze stak haar hand uit en pakte de mijne. 'Ik hou ook van jou, John.'

En dat is een van de positieve punten die die dag ons opleverde. Ik was op 10 september nou niet bepaald een attente echtgenoot, maar toen ik de volgende dag dacht dat ze dood was, viel mijn leven samen met die torens aan diggelen. En toen ik haar levend terugzag, realiseerde ik me dat ik vaker moest zeggen dat ik van haar hield, want in dit werk en in dit leven weet je nooit wat er de volgende dag gaat gebeuren.

— DEEL IV —

Zaterdag

UPSTATE NEW YORK

De macht denkt altijd een grote inborst te hebben, en inzichten die het bevattingsvermogen van de zwakkeren te boven gaan, en dat ze Gods wil uitvoeren, terwijl ze al Zijn wetten met voeten treden.

John Adams

7

Harry Muller zat geblinddoekt, zijn enkels geboeid, in wat als een comfortabele leren stoel aanvoelde. Hij rook brandend hout en sigarettenrook.

Hij kon mensen op gedempte toon horen praten en hij meende ook Bain Madox' stem te horen.

Iemand schoof de blinddoek omlaag naar zijn hals en toen zijn ogen zich wat hadden aangepast aan het licht, zag hij dat hij aan het uiteinde van een lange grenen tafel zat. Er zaten nog vijf andere mannen aan de tafel: twee aan elke kant en aan het hoofd van de tafel, tegenover hem, zat Bain Madox. De mannen spraken met elkaar alsof hij er niet was.

Elke man had een notitieblok voor zich, enkele pennen, een flesje water en een koffiebeker. Harry zag dat Madox een toetsenbord voor zich had staan.

Hij keek het vertrek rond, dat veel weg had van een bibliotheek of rookkamer. De open haard bevond zich links van hem, geflankeerd door twee ramen waarvoor de gordijnen waren dichtgetrokken zodat hij niet naar buiten kon kijken, maar van zijn geblinddoekte wandeling vanuit de cel wist hij dat hij zich op de begane grond bevond.

Naast de deur stond Carl met nog een andere bewaker. Ze droegen geholsterde pistolen, maar hadden geen stroomstok bij zich.

Hij zag nu ook de enorme, zwarte leren koffer die rechtop in het midden van de kamer stond. Het was een oude koffer en hij zat vastgebonden op een onderstel met wieltjes.

Bain Madox leek hem voor het eerst op te merken en zei: 'Welkom, meneer Muller. Koffie? Thee?'

Harry schudde zijn hoofd.

Madox zei tegen de andere vier mannen: 'Heren, dit is de man over wie ik jullie vertelde – rechercheur Harry Muller, NYPD, met pensioen, werkt momenteel voor de federale Anti-Terrorist Task Force. Maak alstublieft dat hij zich een beetje op zijn gemak voelt.'

Iedereen gaf met een knikje de aanwezigheid van hun gast te kennen.

Harry dacht dat hij twee van die knapen eerder had gezien.

Madox ging verder: 'Zoals u weet, heren, hebben we enkele vrienden bij de Task Force, maar kennelijk is niemand van hen ervan op de hoogte dat meneer Muller vandaag zou langskomen.'

Een van de mannen zei: 'Een aandachtspuntje, lijkt me.'

De anderen knikten eensgezind.

Harry probeerde door dit gewauwel heen te kijken en zijn overtuiging te sterken dat het hier om een misschien wat ver doorgevoerde test ging. Maar ergens in zijn achterhoofd begon de hoop te verflauwen, hoezeer hij zich er ook aan vastklampte.

Madox maakte een gebaar naar de bewakers, die daarop de kamer verlieten.

Harry keek naar de mannen aan tafel. Twee waren ongeveer van Madox' leeftijd, eentje was ouder en degene rechts van hem was jonger dan de rest. Ze droegen allemaal een blauwe blazer en een ruitjeshemd als dat van Madox, alsof dat voor vandaag hun uniform was.

Harry concentreerde zich op de twee mannen die hem bekend voorkwamen; hij wist zeker dat hij ze op tv of in de kranten gezien had.

Madox volgde Harry's blik en zei: 'Mijn verontschuldigingen dat ik mijn Uitvoerend Comité niet even aan u heb voorgesteld – '

Een van de mannen onderbrak hem. 'Bain, namen zijn niet nodig.'

Madox antwoordde: 'Ik denk dat de heer Muller toch wel sommigen van jullie herkent.'

Niemand gaf antwoord, behalve Harry: 'Ik hoef geen namen te hebben – '

'Jawel, die moet u wel hebben,' zei Madox. 'Anders weet u niet in welk illuster gezelschap u zich bevindt.' Madox knikte naar de man direct rechts van hem – de oudste persoon in het vertrek en degene die bezwaar had gemaakt. 'Harry, dit is Paul Dunn, adviseur van de president inzake kwesties van nationale veiligheid en tevens lid van de Nationale Veiligheidsraad. Je zult hem misschien al herkend hebben.'

Madox wendde zich tot de persoon naast Dunn, dichter bij Harry, en zei: 'Dit is generaal James Hawkins, United States Air Force en lid van de verenigde chefs van staven. Die je ook zou kunnen kennen, hoewel Jim zo min mogelijk op de voorgrond treedt.'

Madox gebaarde naar de man links van hem. 'Dit is Edward Wolffer, de onderminister van Defensie, die graag in de schijnwerpers staat. Ga nooit tussen Ed en een nieuwscamera staan, want dan kun je een dreun verwachten.' Madox glimlachte, maar hij was de enige. Madox voegde eraan toe: 'Ed en ik zijn van dezelfde lichting op de officiersopleiding van de infanterie, Fort Benning, Georgia. We zijn allebei in april 1967 afgestudeerd. We hebben samen in Vietnam gediend. Hij heeft sinds die tijd nogal furore gemaakt, politiek gezien, terwijl ik ondertussen heel veel geld heb verdiend.'

Wolffer glimlachte niet om wat volgens Harry zo langzamerhand een heel oude grap moest zijn.

Madox praatte verder. 'En rechts van jou, Harry, zit Scott Landsdale van de Central Intelligence Agency, die beslist niet van camera's houdt en die tevens de verbindingsman van de CIA voor het Witte Huis is.'

Harry keek even naar Landsdale. Hij leek wat verwaand en arrogant, net als de meeste CIA-mensen met wie Harry tot zijn ongenoegen had moeten samenwerken.

Madox zei: 'Dit is het Uitvoerend Comité van de Custer Hill Club. De rest van onze leden – ongeveer een tiental mannen dit weekend – is aan het wandelen of op vogeljacht, wat je hopelijk niet al te veel tegen de borst stuit.' Hij legde aan de andere mannen uit: 'Meneer Muller is een vogelaar.'

Harry wilde zeggen 'Val dood', maar hield zijn mond. Hij begreep nu dat de kerels in deze kamer niet vanuit Washington hierheen waren gekomen om te testen of Harry aan een grotere en betere klus toe was.

Madox zei tegen Harry: 'Dit lange weekend was eigenlijk gewoon bedoeld om wat wereldproblemen door te nemen, informatie uit te wisselen en van elkaars gezelschap te genieten. Maar jouw aanwezigheid hier heeft me genoodzaakt om deze spoedvergadering van het Uitvoerend Comité bijeen te roepen. Ik weet dat dit je op dit moment nog niets zegt, maar dat komt nog wel.'

Harry zei: 'Ik wil dit allemaal niet horen.'

'Ik dacht dat je een rechercheur was.' Hij keek Harry strak aan en zei: 'Ik heb mijn tijd gebruikt om jou na te trekken bij onze vrienden binnen de ATTF en je lijkt te zijn wie je zegt dat je bent.'

Harry gaf geen antwoord, maar hij vroeg zich af wie Madox' vrienden binnen de ATTF waren.

Meneer Madox deelde mee: 'Als je een agent van de FBI was geweest, of van de CIA, hadden we ons veel grotere zorgen gemaakt.'

Scott Landsdale, de CIA-man, zei: 'Bain, ik kan je verzekeren dat meneer Muller geen CIA-agent is.'

Madox glimlachte. 'Nou ja, jij zal het wel weten.'

Landsdale sprak gewoon verder. 'En ik ben er behoorlijk zeker van dat meneer Muller ook niet van de FBI is. Hij is wat hij lijkt – een gewone agent die voor de FBI een surveillance doet.'

'Bedankt voor je bevestiging,' zei Madox.

'Niets te danken. En nu wil ik ook enige bevestiging, Bain. Je was niet erg duidelijk over wanneer meneer Muller als vermist zal worden beschouwd.'

Madox antwoordde: 'Vraag het meneer Muller. Hij zit naast je.'

Landsdale wendde zich tot Harry. 'Wanneer beginnen ze zich af te vragen waar u uithangt? En geen leugens alstublieft. Ik weet hoe ze werken bij 26 Fed. En wat ik niet weet, kan ik achterhalen.'

Harry dacht na. *Een typische CIA-klootzak. Die pretenderen altijd meer te weten dan ze echt weten.* Harry antwoordde: 'Nou, probeer dat dan zelf maar te achterhalen.'

Landsdale ging verder zonder er op te reageren, als een door de wol geverfde ondervrager. 'Zal iemand u bellen?'

'Hoe moet ik dat weten? Ik ben geen helderziende.'

Madox kwam ertussen. 'Ik controleer zo om het halfuur zijn gsm en pieper. De enige boodschap is van ene Lori. Dat is zijn vriendin. Ik stuur haar later nog wel een sms'je met meneer Mullers gsm.'

Landsdale knikte. 'God verhoede dat iemand van de Task Force hun lange weekend verpest.' Hij vroeg aan Harry: 'Wanneer wordt u verwacht terug te keren naar 26 Fed?'

'Als ik daar arriveer.'

'Wie heeft u uw opdracht gegeven? Walsh of Paresi?'

Harry vond dat deze knaap wel erg veel van de Task Force wist. Hij antwoordde: 'Ik krijg mijn orders via een geluidsbandje dat zichzelf vernietigt.'

'Ik ook. En wat stond er op dat bandje?'

'Dat heb ik al verteld. IRA surveillance.'

'Dit schiet niet op,' zei Landsdale tegen de anderen. 'Meneer Mullers opdracht kwam waarschijnlijk uit Washington en het is in het spionagewereldje van oudsher gebruik om niemand meer te vertellen dan men vindt dat hij moet weten. Dat was helaas ook een van de redenen dat 9/11 kon gebeuren. Er is een en ander veranderd, maar oude gewoontes zijn moeilijk af te leren en soms zijn het ook geen slechte gewoontes. Meneer Muller bijvoorbeeld kan ons niet vertellen wat hij niet weet.' Hij voegde eraan toe: 'Ik ben er vrij zeker van dat we ons de komende achtenveertig uur geen zorgen hoeven te maken. Zijn vriendin zal hem waarschijnlijk veel eerder missen dan zijn meerderen.' Hij richtte zich weer tot Harry. 'Heeft zij banden met de politie of de inlichtingendiensten?'

'Ja. Ze is een CIA-agent. Voormalig prostituee.'

Landsdale lachte. 'Dan ken ik haar geloof ik.'

Madox zei: 'Bedankt, Scott, voor je bijdrage.' Hij zei tegen Harry: 'Jouw bezoek hier, zelfs als laag ingeschaalde surveillanceagent, heeft ons enige zorgen gebaard.'

Harry gaf geen antwoord, maar keek naar de andere mannen, die inderdaad ergens mee leken te zitten.

Madox ging verder. 'Maar misschien dat dit toch nog iets positiefs oplevert. We zijn al lange tijd bezig met het plannen van Project Groen en ik ben bang dat de planning tot uitstel heeft geleid. Dat gebeurt wel vaker als er een zwaarwegende beslissing moet worden genomen.' Hij keek zijn Uitvoerend Comité aan, waarvan er twee knikten en twee zich leken te ergeren.

Madox ging verder. 'Harry, ik denk dat jouw lichamelijke aanwezigheid in dit vertrek ons er weer eens aan doet herinneren dat er groeperingen binnen de overheid zijn die wat al te nieuwsgierig zijn naar wie wij zijn en wat wij doen. Ik denk dat de tijd begint te dringen.' Hij keek naar de andere vier mannen, die bijna met tegenzin knikten.

Madox zei: 'Dus, heren, als u er verder geen bezwaar tegen heeft, blijft meneer Muller in ons midden, zodat we een oogje op hem kunnen houden.' Hij keek Harry aan. 'Ik wil u nog eens heel duidelijk maken dat hoewel u hier wordt vastgehouden, u geen kwaad zal worden gedaan. We moeten u gewoon hier houden totdat Project Groen begint. Misschien twee of drie dagen. Begrepen?'

Harry Muller begreep dat hij binnen twee of drie dagen dood kon zijn. Maar toch, als hij zo eens naar deze mannen keek, die vanuit zijn oogpunt als politieman geen moordenaarstypes waren, zou Madox ook wel eens de waarheid kunnen vertellen. Hij kon niet geloven – of zichzelf doen geloven – dat kerels als deze hier hem zo maar zouden vermoorden. Hij keek nog eens naar Landsdale, die er eigenlijk als enige in het vertrek uitzag alsof hij wel eens gevaarlijk kon zijn.

'Meneer Muller? Begrijpt u wat ik zeg?'

Harry knikte. 'Ja hoor.'

'Mooi. Laat u niet meevoeren door uw verbeelding. Wat u de komende paar uur te horen krijgt, zal sowieso uw verbeeldingskracht te boven gaan.'

Harry keek naar Madox, die nog steeds heel kalm en gewiekst overkwam, maar Harry kon zien dat hij toch wat opgewonden was en zich ergens zorgen over maakte.

Harry bekeek de vier andere mannen nog eens en dacht bij zichzelf dat hij nog nooit zulke machtige mannen zo bezorgd had gezien. De oudere man, Dunn, de adviseur van de president, zag bleek en Harry zag dat Dunns handen trilden. Hawkins, de generaal, en Wolffer, de man van Defensie, keken behoorlijk grimmig. Alleen Landsdale leek ontspannen, maar Harry kon zien dat dit maar een pose was.

Wat hier ook gaande was, dacht Harry, het was maar al te reëel en het was iets wat al deze knapen zo ongeveer in hun broek deed schijten. Harry putte wat troost uit het feit dat hij niet de enige in dit vertrek was die het in zijn broek deed.

8

Bain Madox ging staan en zei: 'Ik verklaar deze spoedvergadering van het Uitvoerend Comité van de Custer Hill Club voor geopend.'

Nog steeds staand voegde hij eraan toe: 'Heren, zoals u weet heeft het Bureau voor de Binnenlandse Veiligheid, omdat het één jaar geleden is dat de aanslag op de Twin Towers plaatsvond, de Alarmfase Oranje uitgeroepen. Het doel van deze bijeenkomst is om te bepalen of we doorgaan met Project Groen, dat de alarmfase zal terugbrengen tot diezelfde kleur. *Voorgoed.*' Madox keek Harry aan. 'Dat zou je wel aanstaan, niet?'

'Zeker.'

'Het zou je wel je baan kunnen kosten.'

'Maakt me niet uit.'

'Mooi. Goed, als dit comité ermee instemt, wil ik Harry erbij betrekken. We zouden allemaal ons voordeel kunnen doen met een wat andere invalshoek voor we een beslissing nemen.' Hij keek naar Harry en vroeg: 'Ken je de term MAD, *Mutually Assured Destruction*, ofwel Gegarandeerde Wederzijdse Vernietiging?'

'Ik... ja...'

'Als tijdens de Koude Oorlog de Sovjets hun atoomraketten op ons zouden hebben afgestuurd, zouden wij zonder verder overleg ons arsenaal aan atoomwapens op hen hebben laten neerkomen. Er zouden dan duizenden atoomkoppen op beide landen zijn neer geregend en dat zou wederzijdse vernietiging hebben betekend. Herinner je je dat nog?'

Harry knikte.

Madox ging verder. 'Paradoxaal genoeg was de wereld in die tijd een stuk veiliger. Geen aarzeling van onze kant en geen politieke debatten. Deze strategie was van een wondermooie eenvoud. De radarbeelden van duizenden atoomraketten die onze kant opkwamen, zou betekenen dat wij ten dode waren opgeschreven. De enige morele vraag – als die er al was – was: doden wij eerst nog tientallen miljoenen Russen voor we zelf sterven? Jij en ik weten wat het antwoord daarop was, maar er waren wat warhoofden in Washington die vonden dat wraak geen rechtvaardiging was om een groot deel van de planeet te verwoesten – dat er geen enkel doel werd gediend met het uitroeien van onschuldige mannen, vrouwen en kinderen wier regering zojuist tot de uitroeiing van ons volk had besloten. Nou, de doctrine van de Gegarandeerde Wederzijdse Vernietiging – MAD – maakte dat dankzij onze automatische reactie dergelijke vragen niet langer relevant waren. We waren niet afhankelijk van een president die plotseling niet durfde of in een morele crisis verzeild raakte, of die aan het golfen was of ergens werd gepijpt.'

Er klonk wat besmuikt gegrinnik.

Madox ging verder. 'De belangrijkste reden dat MAD werkte, was dat het ondubbelzinnig en symmetrisch was. Beide partijen wisten dat een nucleaire aanval van de een direct zou worden beantwoord met een even krachtige of nog krachtiger aanval van de ander, wat de beschaving van beide naties zou vernietigen.' Hij voegde eraan toe: 'Dat zou maken dat landen als Afrika, China en Zuid-Amerika zouden erven wat er van de aarde over was. Een nogal deprimerend idee, vind je ook niet?'

Harry herinnerde zich hoe de wereld was voor de ineenstorting van het sovjetrijk. Een atoomoorlog was behoorlijk angstaanjagend, maar hij had eigenlijk nooit geloofd dat het ervan zou komen.

Madox leek zijn gedachten te lezen en zei: 'Maar dat is nooit gebeurd en het zou ook nooit gebeurd zijn. Zelfs de meest krankzinnige sovjetdictator zou zo'n scenario nooit overwegen. Ondanks het gejammer van linkse pacifisten en wereldvreemde intellectuelen was MAD juist de enige garantie dat de wereld nooit een nucleair armageddon zou meemaken. Ja toch?'

Harry dacht: *Waar wil die vent in vredesnaam heen?*

Bain Madox ging zitten, stak een sigaret op en vroeg aan Harry: 'Heb je ooit gehoord van *Code Vuurstorm*?'

'Nee.'

Madox keek hem eens goed aan en verklaarde toen: 'Een geheim overheidsprotocol. Je hebt deze term nooit in het voorbijgaan gehoord, in geen enkele context?

'Nee.'

'Dat dacht ik al. Dit geheime protocol is slechts bekend bij de allerhoogste overheidsinstanties. En bij ons. En nu ook bij jou – als je tenminste oplet.'

Paul Dunn, de adviseur van de president, kwam ertussen. 'Bain, moeten we het hier in het bijzijn van de heer Muller wel over hebben?'

Bain Madox keek Dunn strak aan en antwoordde: 'Zoals ik al zei is dit een goede oefening voor ons allemaal. We zullen op heel korte termijn een beslissing moeten nemen die de wereld zoals wij die kennen zal veranderen, en die de geschiedenis voor de komende eeuw zal herschrijven. Het minste dat we kunnen doen is ons nader verklaren tegenover meneer Muller, die tenslotte de natie vertegenwoordigt die wij zeggen te willen redden. Om nog maar te zwijgen van het feit dat we ons ook tegenover onszelf nader moeten verklaren, nu we op dit cruciale punt beland zijn.'

Landsdale, de CIA-man, zei tegen iedereen: 'Je zult het Bain toch op zijn eigen manier moeten laten aanpakken. Dat zouden jullie zo langzamerhand moeten weten.'

Edward Wolffer deed ook een duit in het zakje. 'Ik zou bovendien willen benadrukken dat dit een transformerend moment is in de wereldgeschiedenis en ik zou niet willen dat Bain, of wie dan ook, achteraf het idee zou krijgen dat we er niet de tijd aan hebben besteed die zoiets belangrijks verdient.'

Madox wendde zich tot zijn oude vriend. 'Bedankt, Ed. Niemand zal misschien ooit weten wat hier vandaag gebeurd is, maar wij weten het, en God weet het ook. En als op een dag de wereld het ook weet, zullen we ons moeten rechtvaardigen tegenover God en tegenover de mensheid.'

Landsdale merkte droogjes op: 'Misschien kunnen we het God maar beter niet vertellen.'

Madox negeerde hem en nam een trek van zijn sigaret. 'De eerste islamitische terroristische aanslag stamt uit de jaren zeventig, zoals jullie je allemaal nog zullen herinneren.'

Bain Madox begon met de slachtpartij tijdens de Olympische Spelen in München en ratelde toen een lijst af van dertig jaar vliegtuigkapingen, bomaanslagen, ontvoeringen, executies en massamoorden door islamitische jihadisten.

De mannen in het vertrek zwegen tijdens zijn opsomming, maar een enkeling knikte bij de herinnering aan weer een terroristische aanslag.

Harry Muller herinnerde zich ook bijna elke aanslag die Madox noemde. Wat hem daarbij vooral verbaasde, was het aantal aanslagen dat de afgelopen dertig jaar was gepleegd. En het verbaasde hem ook dat hij er zoveel alweer vergeten was – zelfs de grote aanslagen, zoals de aanslag met een autobom op de marineonderkomens in Libanon, waarbij 241 Amerikanen omkwamen, of de bom aan boord van PanAm vlucht 103 bij Lockerbie, waarbij honderden mensen werden gedood.

Harry merkte dat hij bij elke aanslag die werd opgenoemd kwader werd en hij bedacht dat als er nu een terrorist – of om het even welke moslim – de kamer binnen zou worden gebracht, hij door alle aanwezigen hier zou worden gevierendeeld. Madox wist hoe hij een menigte moest ophitsen.

Madox keek nu trouwens de tafel rond en zei: 'Iedereen hier heeft wel een vriend gehad die in het World Trade Center of het Pentagon om het leven is gekomen.' Hij richtte zich tot generaal Hawkins. 'Jouw neef, kapitein Tim Hawkins, stierf in het Pentagon.' Vervolgens sprak hij Scott Landsdale aan. 'Jij hebt twee CIA-collega's die in het WTC zijn gestorven. Ja toch?'

Landsdale knikte.

Madox wendde zich tot Harry. 'En jij? Heb jij iemand verloren op die dag?'

Harry antwoordde: 'Mijn baas... hoofdinspecteur Stein en nog wat andere knapen die ik kende stierven in de noordelijke toren...'

'Mijn condoleances,' zei Madox, die vervolgens verderging met zijn litanie over de wreedheden, het geweld en de aanslagen die tegen Amerika en het Westen waren gericht. 'Dit was allemaal heel nieuw voor ons en noch de wereld noch de Verenigde Staten wisten hoe ze moesten reageren. Veel mensen dachten dat het vanzelf wel weer over zou gaan. Nou, dat is duidelijk niet het geval. Het is alleen maar erger geworden. Het Westen was gewoon niet voldoende toegerust om deze terroristische aanvallen te pareren en ons leek ook de wil te ontbreken om te reageren op deze mensen die ons vermoordden. Zelfs toen de VS werden aangevallen op hun eigen grondgebied – de bom in het WTC in 1993 – deden we *niets*.' Hij keek Harry aan. 'Dat klopt toch?'

'Ja... maar er veranderde daarna wel iets – '

'Dat is mij dan ontgaan.'

Harry zei: 'Nou, 9/11 heeft echt alles veranderd. We zitten er nu veel meer bovenop en – '

'Zal ik je eens wat vertellen, Harry? Jij en je vriendjes van de ATTF, en de hele FBI, de CIA, de inlichtingendienst van het leger, de Britse MI5 en MI6 en de rest van die volkomen nutteloze Europese inlichtingendiensten kunnen de rest van hun leven achter islamitische terroristen aanjagen zonder dat het verdomme ook maar enig verschil maakt.'

'Ik weet niet – '

'Nou, ik wel. Vorig jaar waren het het WTC en het Pentagon. Volgend jaar komen het Witte Huis en het Capitol aan de beurt.' Madox zweeg even, blies wat rookkringeltjes en zei toen: 'En op een gegeven moment zal het een hele Amerikaanse stad zijn. Een atoombom. Of twijfel jij daaraan?'

Harry gaf geen antwoord.

'Harry?'

'Nee, daar twijfel ik niet aan.'

'Mooi. Dat geldt trouwens voor iedereen hier aan tafel. Dat is ook de reden dat we hier zitten.' Hij vroeg aan Harry: 'Hoe zou jij dat willen voorkomen?'

'Nou... ik werk zo af en toe ook voor het NEST – het Nuclear Emergency Support Team. Zegt je dat iets?'

Bain Madox glimlachte. 'Harry, je zit hier met de onderminister van Defensie, een van de belangrijkste veiligheidsadviseurs van de president van de Verenigde Staten, een lid van de verenigde chefs van staven en de contactpersoon van de CIA voor het Witte Huis. Het zou me zeer verbazen als er iets was wat wij niet wisten.'

'Waarom stel je me dan al die vragen?'

Madox leek enigszins geïrriteerd. 'Ik zal *jou* eens iets over het NEST vertellen, ook wel bekend als het vrijwillige brandweerkorps van het atoomtijdperk. Een heel vage club, en navenant effectief. Een stuk of duizend vrijwilligers afkomstig uit de wetenschap, de overheid en de misdaadbestrijding, die zichzelf soms vermommen als toerist of zakenman. Ze lopen of rijden rond in Amerikaanse steden en bij andere mogelijke doelen, zoals dammen, kerncentrales en dergelijke, en hebben detectieapparatuur verstopt in hun aktetas, golftas, bierkoeler of wat dan ook. Ja toch?'

'Ja, dat klopt.'

'Heb je ooit een atoombom gevonden?'

'Nog niet.'

'En die zul je ook nooit vinden. Er zou zich een vuile bom of een ander nucleair explosief in een appartement aan Park Avenue kunnen bevinden, met de tijdklok geactiveerd, en de kans dat het NEST of Harry Muller zo'n bom zou vinden, is nul komma nul. Heb ik gelijk?'

'Ik weet niet. Soms heb je geluk.'

'Dat klinkt niet erg geruststellend, Harry,' zei Madox. 'De vraag is: hoe kan de Amerikaanse regering voorkomen dat een massavernietigingswapen – en dan met name een atoomwapen, ingezet door terroristen – een Amerikaanse stad wegvaagt?' Hij keek Harry aan en zei: 'Ik zou graag zien dat je een les leert uit de Koude Oorlog-strategie van de Gegarandeerde Wederzijdse Vernietiging en me vertelt hoe we terroristen ervan kunnen weerhouden om een atoombom in een Amerikaanse stad te plaatsen en te laten exploderen. Dit is geen retorische vraag. Ik zou graag zien dat je er antwoord op gaf.'

Harry antwoordde: 'Oké, ik neem aan dat we het op dezelfde manier aanpakken als toen met de Russen – als zij weten dat we hen zullen bombarderen, laten ze het wel uit hun hoofd om ons te bombarderen.'

Madox antwoordde: 'Klopt, maar we hebben nu met een ander soort vijand te maken. Het wereldwijde terroristische netwerk is iets heel anders dan die goeie ouwe Sovjet-Unie. Dat was een rijk met een regering, steden, harde doelen, zachte doelen, die allemaal onderdeel uitmaakten van een door het Pentagon uitgewerkt aanvalsplan dat ook bij de Sovjets bekend was. Het islamitische terrorisme daarentegen is heel amorf. Als een islamitische terroristische organisatie een atoombom tot ontploffing brengt in New York of Washington, tegen wie moeten we onze vergeldingsactie dan richten?' Hij keek Harry strak aan. 'Tegen wie?'

Harry dacht even na. 'Bagdad?'

'Waarom Bagdad? Hoe kunnen wij weten of Saddam Hoessein iets te maken heeft met een atoomaanval op Amerika?'

Harry antwoordde: 'Wat maakt het uit welke Arabische stad je neemt? Het gaat om de boodschap die ervan uit gaat.'

'Dat is waar, maar ik heb een beter plan. Tijdens de regering Reagan heeft de Amerikaanse overheid dat geheime protocol, Vuurstorm, uitgedacht en uitgewerkt. Vuurstorm behelst de nucleaire vernietiging van de *hele* islamitische wereld middels Amerikaanse atoomraketten, dit in reactie op een nucleaire aanval op Amerika. Hoe klinkt je dat in de oren?'

Harry reageerde niet.

'Je kunt vrijuit spreken. Je bent onder vrienden. Zou je, diep in je hart, niet het liefst zien dat die hele zandbak daar verandert in een zee van gesmolten glas?'

Harry keek de tafel rond en antwoordde toen: 'Ja.'

Bain Madox knikte. 'Kijk, nou komen we ergens. Harry Muller, in veel opzichten een doorsnee Amerikaan, zou graag zien dat de hele islam wordt weggevaagd in een nucleaire holocaust.'

Harry Muller had er geen moeite mee om mee te gaan met deze onzin, want dat was precies wat het was. Gelul. Fantasieën van dolgedraaide ultrarechtse idioten waar deze knapen waarschijnlijk een stijve van kregen. Hij zag geen enkel verband tussen wat Madox zei en waar Madox toe in staat was. Het deed hem denken aan zijn tijd bij de inlichtingendienst van de New Yorkse politie, toen hij linkse radicalen moest ondervragen die het hadden over de wereldrevolutie en het verheffen van de massa, wat dat verdomme ook mocht betekenen. Zijn baas noemde dat altijd natte dromen. Hij keek nog eens de tafel rond. Bij nader inzien leken deze knapen toch niet echt van die rukkers. Ze zagen er eigenlijk heel serieus uit en het waren belangrijke mannen.

Madox verstoorde Harry's gedachten door te zeggen: 'Hoe kunnen we ervoor zorgen dat de Amerikaanse regering snel een eind aan het terrorisme maakt, en aan die duidelijke dreiging van een nucleaire aanval op het Amerikaanse vasteland? Nou, dat zal ik je vertellen. De regering zal Vuurstorm moeten ontketenen. Heb ik gelijk?'

Harry gaf geen antwoord en Bain Madox deelde hem mee: 'Er ontbreken ongeveer zeventig nucleaire kofferbommen uit de voorraad van de voormalige Sovjet-Unie. Wist je dat?'

Harry antwoordde: 'Zevenenzestig.'

'Bedankt voor de informatie. Heb je je ooit afgevraagd of er misschien niet eentje van in handen van islamitische terroristen is geraakt?'

'Wij denken dat ze dergelijke bommen bezitten.'

'Nou, dat hebben jullie dan goed gezien. Die bezitten ze inderdaad. Ik zal je eens iets vertellen wat je nog niet weet – iets wat nog geen twintig mensen op deze wereld weten – namelijk dat een van deze kofferbommen vorig jaar in Washington is ontdekt. En dan niet door een NEST-team dat een gelukkige dag had, maar door de FBI, die achter een tip aanging.'

Harry reageerde niet, maar hij dacht er wel over na en er liep een koude rilling over zijn ruggengraat.

Madox ging verder. 'Ik ben ervan overtuigd dat er nog wel een paar nucleaire kofferbommen dit land zijn binnengesmokkeld, mogelijk via onze niet-bestaande grens met Mexico.' Hij keek Harry glimlachend aan. 'Misschien staat er wel eentje in een appartement tegenover jouw kantoor.'

'Nou, dat denk ik niet, want we hebben dat hele gebied schoongeveegd.'

'Nou ja, bij wijze van spreken dan. Neem me niet te letterlijk. De vraag is: waarom is er nog geen vermiste sovjetbom tot ontploffing gebracht in een Amerikaanse stad? Of denk jij dat islamitische terroristen misschien ethische bezwaren hebben tegen het wegvagen van een Amerikaanse stad en het doden van een miljoen onschuldige mannen, vrouwen en kinderen?'

'Nee.'

'Ik ook niet. Niemand trouwens, na 9/11. Maar ik zal je vertellen waarom het niet gebeurd is en waarschijnlijk ook niet zal gebeuren. Want wil Vuurstorm een geloofwaardig afschrikmiddel zijn, net zo overtuigend als MAD dat was, dan mag het niet volkomen geheim zijn. Sinds het plan voor Vuurstorm werd gelanceerd, zijn dan ook alle islamitische regeringen op de hoogte gebracht, door opeenvolgende Amerikaanse regeringen, dat een aanval op een Amerikaanse stad met een massavernietigingswapen automatisch leidt tot vergelding tegen vijftig tot honderd steden en andere doelen in de islamitische wereld.'

Harry zei: 'Dat is mooi.'

Bain Madox praatte gewoon door. 'Zoals de heren hier kunnen bevestigen, Harry, wordt Vuurstorm door de Amerikaanse overheid gezien als een heel sterk motief voor deze landen om de terroristen onder hen in toom te houden, en om deze landen ertoe aan te sporen om informatie te delen met Amerikaanse inlichtingendiensten en er alles aan te doen om te voorkomen dat ze weggevaagd worden. Die tip over de atoombom in Washington kwam trouwens van de Libische regering. Het lijkt dus te werken.'

'Fantastisch.'

Madox voegde eraan toe: 'Clubjes zoals NEST zijn een bijna pathetisch antwoord op nucleair terrorisme. Vuurstorm is een proactieve reactie. Het is een pistool tegen het hoofd van de islamitische landen – een pistool dat af zal gaan als ze er niet in slagen hun terroristische vrienden ervan te weerhouden het nucleaire pad op te gaan. Ik twijfel er niet aan of de meeste, zo niet alle terroristische organisaties zijn hiervoor gewaarschuwd door de islamitische regeringen die hen onderdak bieden en contact met hen hebben. Of de terroristen het geloven, is een andere vraag. Voorlopig lijkt dat het geval te zijn, wat waarschijnlijk de reden is dat we nog niet zijn bestookt met massavernietigingswapens. Wat denk jij, Harry?'

'Het klinkt logisch.'

'Ja, dat vind ik ook. De islamitische regeringen is ook meegedeeld dat Vuurstorm een autonoom project is – dat wil zeggen dat geen enkele zittende Amerikaanse president deze vergelding tegen de islam kan beïnvloeden of tegenhouden. Dat weerhoudt onze vijanden ervan om elke president te analyseren om te kijken of hij – of zij – er wel de ballen voor heeft. De president staat eigenlijk volkomen buitenspel als er in Amerika een atoombom ontploft. Net als tijdens de Koude Oorlog.' Hij richtte zich tot Paul Dunn en vroeg: 'Dat is toch zo?'

Dunn antwoordde: 'Dat klopt, ja.'

Madox keek weer naar Harry. 'Je lijkt in gedachten verzonken. Waar denk je aan?'

'Nou... ik neem aan dat de overheid daar ook al aan heeft gedacht, maar zouden vijftig of honderd atoombommen in het Midden-Oosten niet de hele oliehandel verzieken?'

Een paar mannen glimlachten en ook Madox grinnikte wat. Hij wierp een blik op Edward Wolffer en zei: 'De onderminister van Defensie heeft me verzekerd dat er geen olievelden op de lijst met te bombarderen doelen staan. Geen raffinaderijen en geen oliehavens. Die zullen allemaal intact blijven, maar ze krijgen wel een nieuwe directie.' Hij glimlachte. 'Ik moet ook nog ergens van leven, Harry.'

'Ja, nou goed dan. Maar hoe zit het met het milieu en zo? Je weet wel, fall-out, een nucleaire winter?'

'Ik zei al dat het antwoord op de opwarming van de aarde een nucleaire winter is. Grapje. Kijk, de gevolgen van vijftig of zelfs honderd nucleaire explosies her en der in het Midden-Oosten zijn uitgebreid bestudeerd door de overheid. Het zal allemaal wel meevallen.' Hij voegde eraan toe: 'Ik bedoel, voor hen gaat natuurlijk het licht uit, maar wat de rest van de planeet betreft, gaat het leven gewoon verder.'

'O ja?' Er zat Harry nog iets dwars. 'Nou ja, het zal toch wel niet gebeuren, want zoals je al zei, als de terroristen hiervan ook op de hoogte zijn... Ik bedoel, denken jullie, of hebben jullie gehoord, dat ze ons met atoomwapens gaan bestoken?'

'Ik heb niets gehoord, Harry. Jij wel? Mijn collega's hier denken zelfs dat Vuurstorm zo'n doeltreffend afschrikmiddel is dat de kans heel klein is dat islamitische terroristen een Amerikaanse stad nucleair zullen aanvallen. Daarom moeten we het zelf doen.'

'*Wat?*'

'Wij, Harry, de mannen hier in deze kamer, hebben Project Groen ontwikkeld – het plan om een atoomwapen tot ontploffing te brengen in een Amerikaanse stad. Wat vervolgens zal leiden tot het activeren van Vuurstorm, ofwel de nucleaire vernietiging van de islam.'

Harry wist niet of hij het wel goed verstaan had en boog zich naar Madox toe.

Madox maakte oogcontact met Harry en vervolgde: 'En het mooie ervan is dat de regering niet eens zeker hoeft te weten dat de atoomaanval op Amerika door islamitische terroristen is uitgevoerd. Men is bij voorbaat al zo overtuigd van de schuld van islamitische jihadisten dat er geen overtuigend bewijs nodig is om Vuurstorm in gang te zetten. Briljant, vind je ook niet?'

Harry haalde diep adem en zei: 'Zijn jullie wel goed bij je hoofd?'

'Hoezo? Zien we er dan uit alsof we dat niet zijn?'

Harry vond de anderen er vrij normaal uitzien, maar Madox was duidelijk een beetje krankjorum. Harry haalde nogmaals diep adem en vroeg: 'Hebben jullie een atoomwapen?'

'Natuurlijk hebben we dat. Waarom denk je dat we hier zitten? We hebben er zelfs vier. In feite...' Madox stond op, liep naar de zwarte leren koffer en klopte er liefkozend op, '... is dit er eentje.'

☢

9

Bain Madox stelde een korte pauze voor, waarna iedereen de kamer verliet, met uitzondering van Scott Landsdale en Harry Muller.

Landsdale stond aan het hoofd van de tafel die het verst bij Harry weg was en beide mannen namen elkaar op. Landsdale zei: 'Haal zelfs niet in je hoofd waar je nu aan denkt.'

'Ik kan je niet verstaan. Kom wat dichterbij.'

'Hou alsjeblieft op met dat machogedoe, rechercheur. De enige manier om hier weg te komen, is als wij besluiten jou te laten gaan.'

'Daar zou ik mijn zijden CIA-ondergoed maar niet onder verwedden.'

'Als jij een paar vragen voor mij beantwoordt, kunnen we misschien samen iets uitwerken.'

'Dat klinkt als wat ik altijd tegen mijn verdachten zei. Ik loog dan ook.'

Landsdale ging daar niet op in en vroeg: 'Toen Tom Walsh jou deze opdracht gaf, wat heeft hij je toen verteld?'

'Hij zei dat ik iets warms moest aantrekken en mijn bonnetjes moest bewaren.'

'Goed advies. En bedankt dat je hebt bevestigd dat het Walsh was.' Hij vroeg: 'Wat werd je verondersteld met die digitale schijfjes te doen?'

'Een CIA-man zoeken om ze in zijn reet te stoppen.'

'Was het ook een deel van je opdracht om naar Adirondack Airport te gaan?'

Harry realiseerde zich dat Landsdale heel goed was in wat hij deed. Die CIA-knapen waren klootzakken, maar dan wel heel professionele. Harry antwoordde: 'Nee, maar dat is eigenlijk wel een goed idee. Ik durf te wedden dat ik jouw naam ook op de lijst met gearriveerde passagiers aantref.'

'Harry, ik heb meer identiteitsbewijzen dan jij schone sokken in je kast hebt.' Hij vroeg: 'Wie weet er verder nog van jouw opdracht af op 26 Fed?'

'Hoe moet ik dat verdomme weten?'

'Ik heb het hier nog niet eerder over gehad, maar een van mijn vriendjes op 26 Fed vertelde me dat je hebt gepraat met je bureaumaat John Corey, in de lifthal, en dat je een metalen koffertje van de TD bij je had. Heeft Corey je gevraagd wat je ging doen?'

'Waarom ga je jezelf niet aftrekken?'

Landsdale negeerde die suggestie en zei: 'Ik probeer je te helpen, Harry.'

'Ik dacht dat jij van de CIA was.'

Hij vroeg: 'Wil je hier meer van weten, Harry?'

'Ja, natuurlijk. Ik sta aan jouw kant.'

'Dat meen je nu misschien niet, maar als dit voorbij is, zul je zien dat dit de enige manier was om dit aan te pakken.'

'Moet je niet pissen of zoiets?'

'Nee, maar ik heb een vraag voor je waar je maar eens over na moet denken: denk jij dat je er misschien ingeluisd bent?'

'Hoe bedoel je?'

'Ik bedoel, Walsh kreeg te horen, waarschijnlijk van iemand in Washington, dat hij iemand hierheen moest sturen – iemand van de NYPD – om foto's te nemen van mensen die bij deze club arriveerden. Dat klinkt niet als iets van wereldbelang, toch? Maar de mensen die hiervoor de opdracht gaven – en misschien Walsh zelf ook – wisten dat je nog niet op een kilometer van het huis kon komen voordat je werd opgepakt.'

'Ik ben anders heel wat dichterbij gekomen.'

'Gefeliciteerd. Wat ik nu dus denk, Harry, is dat jij het lam bent dat geofferd wordt. Kun je me volgen?'

'Nee.'

'Ik bedoel, dit is zo onhandig gedaan allemaal dat jij alleen maar hierheen gestuurd kunt zijn om ons de stuipen op het lijf te jagen, zodat we Project Groen voorlopig in de ijskast zetten. *Of*, om het juist versneld uit te voeren. Wat denk jij zelf?'

'Ik heb met de CIA samengewerkt en wat ik denk is dat jullie overal een samenzwering in zien, behalve in zaken waar het echt om een samenzwering gaat. Dat is ook de reden dat bij jullie altijd alles misgaat.'

'Daar zou je gelijk in kunnen hebben, maar ik zal toch mijn paranoia met jou delen. Jij bent hierheen gestuurd door mensen in de hogere regionen, via Walsh, met als doel ons tot actie te dwingen *of* om de FBI een huiszoekingsbevel te verschaffen om jou te komen zoeken, om zo de vier kofferbommen te vinden waarvan zij vermoeden dat die zich hier bevinden.'

Harry gaf geen antwoord, maar dacht er wel over na.

Landsdale ging verder. 'Laten we om te beginnen aannemen dat iemand ons tot actie wil aanzetten. Wie zou dat kunnen zijn? Nou, mogelijk mijn eigen mensen. Of misschien wil het Witte Huis zelf een excuus om Vuurstorm te lanceren.'

Harry dacht ook daarover na, maar gaf opnieuw geen antwoord.

Landsdale vervolgde zijn verhaal. 'Maar het zou ook die andere mogelijkheid kunnen zijn – dat jij hierheen bent gestuurd om te verdwijnen zodat de FBI een huiszoekingsbevel kan krijgen om de zaak hier eens grondig uit te spitten. In feite de enige echt bezwarende omstandigheden hier zijn die vier atoombommen en jij, en noch de bommen noch jij zullen hier nog veel langer aanwezig zijn. Die ELF-zender is niet illegaal, hoogstens wat moeilijk te verklaren. Ja toch?'

Harry Muller voelde zich alsof hij een van die psychiatrische inrichtingen hier in de omgeving was binnengestapt en dat hij was gearriveerd tien minuten nadat de patiënten de controle hadden overgenomen. En wat was verdomme een elfzender? Hoe verzend je een elf? En waarom zou je dat willen?

Landsdale vroeg hem: 'Je weet waar ELF voor staat?'

'Ja, dat zijn de hulpjes van de Kerstman.'

Landsdale glimlachte en keek Harry toen aan. 'Misschien dat je het toch niet echt weet.' Hij legde het uit. 'Extreem Lage Frequentie. ELF. Zegt je dat misschien iets?'

'Nee.'

Landsdale wilde nog iets zeggen, maar op dat moment ging de deur open en kwamen Madox en de andere drie mannen binnen.

Landsdale ving Madox' blik op en knikte naar de deur.

Madox zei tegen de anderen: 'Willen jullie ons even excuseren?'

Hij en Landsdale verlieten het vertrek en Madox zei tegen Carl, die net buiten de deur stond: 'Hou jij even een oogje op meneer Muller.'

Carl stapte de kamer in en deed de deur dicht.

Landsdale liep een eindje de gang in en Madox volgde hem. Landsdale zei: 'Oké, ik heb met Muller gesproken en hij lijkt echt nergens van af te weten, behalve dan van zijn opdracht. Muller is niet gebrieft door Walsh of wie dan ook, wat trouwens ook de standaardprocedure is bij dergelijke surveillanceopdrachten.'

Madox antwoordde: 'Dat weet ik ook wel. Waar wil je heen?'

Landsdale zweeg even en zei toen: 'Ik twijfel er niet aan dat wie Harry Muller hier ook heen heeft gestuurd, ervan overtuigd was dat hij zou worden gepakt. Mee eens?'

Madox gaf geen antwoord.

Landsdale ging verder. 'Ik ben er vrij zeker van dat de CIA weet waar je mee bezig bent, Bain, en dat geldt ook voor het ministerie van Justitie en de FBI.'

'Daar geloof ik niets van.'

'Maar ik wel. En ik denk – gebaseerd op mijn informatie – dat Justitie en de FBI op het punt staan jou aan te pakken.' Landsdale keek Madox aan en zei toen: 'Maar jij hebt fans en vrienden bij de overheid, en dan met name bij de CIA, die willen dat jij dit afmaakt. Volg je me?'

'Ik denk niet dat iemand bij de overheid ook maar iets van Project Groen af weet, behalve dan de mensen hier, en – '

'Bain, laat dat opgeblazen ego van je verdomme eens wat leeglopen. Je wordt gemanipuleerd en gebruikt en – '

'Gelul.'

'Niks gelul. Kijk, jij hebt een fantastisch plan. Maar je hebt er te lang op zitten broeden. De braveriken bij Justitie en bij de FBI hebben je in de smiezen en ze willen het juiste doen en deze samenzwering verijdelen. Maar de CIA heeft er een heel andere kijk op. De CIA vindt jouw plan helemaal te gek en absoluut briljant, alleen duurt het allemaal veel te lang, verdomme.'

Madox vroeg aan Landsdale: 'Weet je dit allemaal zeker? Of sla je er maar een slag naar?'

Landsdale dacht even na over zijn antwoord en zei toen: 'Een beetje van allebei.' Hij voegde eraan toe: 'Luister eens, als de CIA-verbindingsman voor het Witte Huis val ik een beetje buiten het Langley-kringetje. Maar ik heb vroeger veldwerk gedaan en ik hoorde al over jou lang voordat jij ooit van mij gehoord had.'

Madox zei niets, dus ging Landsdale verder. 'Elke geheime dienst heeft zijn legendarische medewerkers, mannen en vrouwen die bijna mythische proporties hebben aangenomen. Ik heb met zo'n knaap gewerkt en die heeft me een keer verteld over Vuurstorm, en toen kwam ook jouw naam ter sprake, Bain, als een privépersoon die de capaciteiten had om Vuurstorm te activeren.'

Madox leek zich niet op zijn gemak te voelen met deze informatie en vroeg: 'Is dat hoe en waarom ik kennis met jou heb gemaakt?'

Landsdale gaf niet direct antwoord, maar zei: 'Dat is hoe en waarom ik werd gedetacheerd in het Witte Huis.' Hij voegde eraan toe: 'Jouw kleine samenzwerinkje hier heeft een vergelijkbare samenzwering op gang gebracht bij bepaalde personen binnen de CIA en het Pentagon... en mogelijk ook binnen het Witte Huis zelf. Met andere woorden, er zijn anderen in Washington, behalve jouw Uitvoerend Comité, die je achter de schermen helpen. Ik weet zeker dat je dat begrijpt. En ook dat als jij niet zou bestaan, de mensen bij de overheid die Vuurstorm in gang willen zetten, hun eigen atoombommen in Amerikaanse steden zouden hebben moeten plaatsen.' Hij glimlachte wat geforceerd en zei: 'Maar we houden in dit land nu eenmaal van persoonlijke initiatieven.'

'Wat wil je nu eigenlijk zeggen, Scott?'

'Het punt is, Bain, dat degene die Harry Muller hierheen heeft gestuurd, wie dat dan ook mag zijn, ons tot een snelle beslissing wil dwingen. Als het de FBI was, dan sta je op het punt gearresteerd te worden. Als het de CIA was, dan willen ze je duidelijk maken dat je snel moet handelen.' Hij voegde eraan toe: 'Ik twijfel er niet aan dat beide organisaties weten waar de ander mee bezig is en dat het een race is geworden om te kijken wiens idee over het beveiligen van Amerika het gaat winnen.'

Madox staarde zwijgend voor zich uit en zei toen: 'Ik heb nog achtenveertig uur nodig, meer niet.'

'Ik hoop dat je zoveel tijd krijgt,' zei Landsdale. 'Ik heb een contact bij de Anti-Terrorist Task Force waar Muller voor werkt en die heeft me verteld dat Muller een jongen van de afdeling Midden-Oosten is en dat hij niet voor Binnenlandse Veiligheid werkt, en dat het dus heel ongebruikelijk is dat ze hem voor deze klus hebben uitgekozen. Maar hij heeft me ook verteld dat een knaap genaamd John Corey, ook voormalige NYPD, net als Muller, en ook van de sectie Midden-Oosten, eigenlijk de eerste keus was voor deze surveillance. Hij was er speciaal uitgepikt. Waarom? Dat is de vraag. Wat kan het voor verschil maken wie hier als lam geofferd wordt?' Hij stak een sigaret op en vervolgde: 'Toen herinnerde ik me dat de CIA-knaap die me als eerste over Vuurstorm vertelde ooit verbonden was aan de ATTF en dat hij daar een knallende ruzie kreeg met die knaap Corey. Dat is trouwens nog zacht uitgedrukt – ze wilden elkaar echt vermoorden.'

Madox keek op zijn horloge.

Landsdale vervolgde zijn verhaal. 'Een van hun vele problemen leek veroorzaakt door Coreys huidige vrouw, een FBI-agente die aan de Task Force is uitgeleend.' Hij glimlachte en zei: 'Het gaat altijd over vrouwen.'

Madox glimlachte ook en zei: 'Seksuele jaloezie is de wild card van de geschiedenis. Er zijn hele wereldrijken te gronde gegaan omdat Pietje met Marietje neukte en Marietje ook met Jan.' Hij vroeg: 'Maar waar wil je heen?'

'Nou, het lijkt mij gewoon meer dan toeval dat Corey werd verondersteld te zitten waar Muller nu zit, wachtend op zijn dood.'

Madox merkte op: 'Soms, Scott, is toeval niet meer dan dat. En wat maakt het trouwens uit?'

Landsdale aarzelde, en antwoordde toen: 'Maar als het *geen* toeval is, dan zie ik hier de hand van de meester in – de knaap die me als eerste vertelde over Vuurstorm en die me ook mijn baan in het Witte Huis bezorgde, en die me introduceerde bij de Custer Hill Club... maar dat is onmogelijk, want die knaap is dood. Althans, men gaat ervan uit dat hij dood is.' Hij voegde eraan toe: 'Hij is omgekomen in het World Trade Center.'

Madox zei: 'Mensen zijn of dood, of ze zijn dat niet.'

'Deze kerel is de ultieme spion. Dood als dat zo uitkomt, en levend als hij weer nodig is. Het punt is dat als het deze man is die achter Mullers aanwezigheid hier zit, ik een veel beter gevoel heb over onze kansen om Project Groen binnen de komende achtenveertig uur op te starten. En dan lijkt me ook de kans groter dat de regering als reactie Vuurstorm initieert.'

Madox keek Landsdale aan en zei: 'Het doet me deugd dat je dat een beter gevoel geeft, Scott. Maar waar het in wezen om gaat, meneer Landsdale, is niet wat er in Washington speelt, maar wat er *hier* gebeurt. Ik werk nu al bijna tien jaar aan dit plan en ik zal zorgen dat het slaagt.'

'Niet als ze je de komende paar dagen te grazen nemen,' zei Landsdale. 'Je kunt maar beter dankbaar zijn dat je vrienden in Washington hebt, en zelfs heel erg dankbaar als die knaap over wie ik het had jou beschermt.'

'Nou, als jij het zegt... misschien dat als dit allemaal voorbij is, ik die man een keertje kan ontmoeten, als hij tenminste nog onder ons verkeert, om hem een hand te geven.' Madox vroeg: 'Hoe heet hij eigenlijk?'

'Ik kan je zijn naam niet geven, zelfs als hij inderdaad dood zou zijn.'

'Oké, maar mocht je hem ooit nog een keer tegenkomen – levend – en als hij mijn beschermengel was bij dit project, bedank hem dan uit mijn naam.'

'Dat zal ik doen.'

Madox gebaarde naar de deur. 'Laten we verdergaan met de vergadering.'

Terwijl Landsdale naar de deur liep, knikte Madox, blij met de wetenschap dat er zo positief werd gedacht over deze mysterieuze man. De man in kwestie was namelijk niet gestorven op 11 september, zoals Madox wist. Integendeel, hij was op dit moment onderweg naar de Custer Hill Club. De heer Ted Nash, een oude vriend van Bain Madox, had vlak voor de bijeenkomst van het Uitvoerend Comité gebeld om te vragen of John Corey door Madox werd vastgehouden. Toen Madox zei dat hij in plaats daarvan ene meneer Muller in zijn net had, leek Nash nogal teleurgesteld en had hij gezegd: 'Verkeerde vis', om er optimistisch aan toe te voegen: 'Ik zal zien wat ik kan doen om Corey naar de Custer Hill Club te lokken... Je zal hem wel mogen, Bain. Het is een egoïstische klootzak en bijna net zo slim als wij zijn.'

Bain Madox volgde Landsdale de kamer in, liep naar het hoofd van de tafel en begon: 'De vergadering wordt hervat.' Hij wees naar de zwarte koffer die in het midden van de kamer stond en zei: 'Dat ding daar, dat jullie vandaag voor het eerst zien, is een door de Sovjets vervaardigde RA-155, gewicht ongeveer dertig kilo, met als inhoud ongeveer twaalf kilo zeer hoogwaardig plutonium, plus een detonator.'

Harry staarde naar de koffer. Toen hij nog voor NEST werkte hadden ze hem nooit verteld waar hij precies naar moest zoeken – kleine atoomwapens waren er in alle soorten en maten, en zoals de instructeur had gezegd: 'Er zal geen atoomsymbool op het apparaat staan, of een doodskop met gekruiste botten, of wat dan ook. Jullie moeten gewoon vertrouwen op je detectoren.'

Madox sprak verder. 'Dat kleine ding heeft een kracht van ongeveer vijf kiloton, zeg maar de helft van de explosieve kracht van de bom op Hirosjima. Omdat dit al oudere apparaten zijn, die voortdurend onderhoud vergen, kan de explosieve kracht iets zijn afgenomen. Maar dat is een kleine troost als je de pech hebt er vlak naast te zitten.' Hij grinnikte.

Landsdale merkte op: 'Wat dus voor ons het geval is.' Hij grapte: 'Misschien moest je maar niet meer roken, Bain.'

Madox negeerde hem. 'Te uwer informatie, heren, dat kleine ding zou half Manhattan met de grond gelijkmaken en ongeveer een half miljoen doden opleveren, gevolgd door nog eens zo'n half miljoen door de fall-out.'

Madox liep op de grote koffer af en legde er een hand op. 'Ongelooflijke technologie. Je vraagt je af wat God dacht toen Hij atomen schiep die door stervelingen konden worden gesplitst of gefuseerd om een dergelijke bovennatuurlijke energie vrij te maken.'

Harry Muller maakte met grote moeite zijn blik los van de atoombom. Hij leek nu voor het eerst de fles water voor hem te zien staan en nam met onvaste hand een slok.

Madox zei tegen hem: 'Je ziet er beroerd uit.'

'Nou, jullie zien er anders ook niet al te best uit, en waar heb je verdomme die bom vandaan?'

'Dat was in feite nog het eenvoudigst. Het was gewoon een kwestie van geld, net als alles in het leven, plus mijn privéjets om ze vanuit een van de voormalige sovjetrepublieken hierheen te vliegen. Ik heb – uit eigen zak – tien miljoen dollar betaald, als je het wilt weten. Dat was voor alle vier de bommen – niet per stuk dus. Je kunt je dus wel voorstellen hoeveel bommen mensen als Bin Laden al hebben gekocht.'

Harry dronk zijn flesje water leeg en pakte toen dat van Landsdale, tegelijk met Landsdale's pen, die hij in zijn zak stopte. Niemand merkte het terwijl Madox weer het woord nam.

Madox wendde zich tot Harry en zei: 'Wij zijn geen monsters, meneer Muller. Wij zijn fatsoenlijke lieden die de westerse beschaving willen redden, onze gezinnen, ons land, en onze God.'

Harry vroeg, tegen beter weten in: 'Door miljoenen Amerikanen te doden?'

'Anders zullen de islamitische terroristen dat wel doen, Harry. Het is alleen maar een kwestie van tijd. Het is beter als wij ze voor zijn. En als wij de steden uitkiezen, en niet zij.'

'Zijn jullie allemaal gek geworden, verdomme?'

Madox beet hem toe: 'Beheers je, Harry! Daarstraks had je geen enkel probleem met het wegvagen van de islamitische wereld – mannen, vrouwen, kinderen, plus de westerse toeristen en zakenlui, en wie weet wie er volgende week nog meer in het Midden-Oosten rondlopen – '

'Volgende week?'

'Ja. En zoals ik al zei, je mag jezelf en jouw organisatie daarvoor bedanken. Vandaag was alleen jij het die hier rondneusde. Morgen, of de dag daarop, zullen het federale agenten zijn, of komen hier misschien zelfs wel troepen uit Fort Drum binnenvallen om naar jou op zoek te gaan... om vervolgens *dit* te vinden.' Hij tikte op de koffer.

Harry sprong bijna op uit zijn stoel.

'We zullen jou dus moeten verstoppen en de koffers naar hun uiteindelijke bestemming moeten transporteren.' Hij zei tegen het Comité: 'Ondertussen zullen wij verdergaan met de lopende zaken.' Hij liep terug naar de tafel en drukte een toets in op zijn toetsenbord. De lichten werden gedimd en tegen de muur lichtte een flatscreen monitor op, waarop een kleurenkaart van het Midden-Oosten en het Verre Oosten te zien was. 'We zullen om te beginnen eens een kijkje nemen in de wereld van de islam die we op het punt staan te vernietigen.'

10

Bain Madox begon. 'Daar, heren, ligt het land van de islam. Het strekt zich uit van de Atlantische kust van Noord-Afrika, via het Midden-Oosten, helemaal tot in het Verre Oosten, eindigend bij het dichtstbevolkte moslimland, Indonesië, wat tevens het meest recente strijdtoneel is van de oorlog tegen het terrorisme.'

Hij zweeg even, voor een optimaal effect, en zei: 'Er leven vandaag de dag meer dan een *miljard* moslims in deze landen. Ergens volgende week zullen dat er heel wat minder zijn.'

Madox liet dat even bezinken, klikte toen een leeslamp aan en zei: 'Ed heeft ons een lijst gegeven met de islamitische steden die doelwit zijn van Vuurstorm...' Hij keek even op het vel papier dat voor hem lag en grapte: 'Dit lijkt mijn verlanglijstje voor Kerstmis wel.'

Niemand lachte en Madox zei: 'Ed zal ons wat details over Vuurstorm geven.'

De onderminister van Defensie, Edward Wolffer, nam het woord. 'Er zijn in feite twee lijsten – de A-lijst en de B-lijst. De A-lijst omvat het gehele Midden-Oosten – het Arabische hart van de islam – plus wat specifieke doelen in Noord-Afrika, Somalië, Soedan, moslimgebieden in Centraal-Azië en een paar doelen in het Verre Oosten. De lijst is de afgelopen twintig jaar niet noemenswaard veranderd, maar zo af en toe voegen we een doelwit toe, zoals het noordelijke deel van de Filippijnen, wat een broeinest van het moslimfundamentalisme is geworden. Ik moet er ook bij zeggen dat we af en toe doelwitten schrappen. Zo is bijvoorbeeld als gevolg van onze bezetting van Afghanistan het grootste deel van dat land van de lijst afgevoerd, net als sommige plaatsen in de Golf-regio, Centraal-Azië en Saudi-Arabië, waar op dit moment Amerikaanse troepen zijn gestationeerd.'

Iedereen knikte en een paar mannen maakten aantekeningen.

Wolffer ging verder. 'We hebben ook nieuwe doelwitten toegevoegd in het zuiden van Afghanistan, met name in het Tora Bora-gebied en de aangrenzende grensgebieden met Pakistan, waar wij denken dat Bin Laden zich schuilhoudt.' Hij voegde eraan toe: 'Als die schoft dit overleeft, zal hij koning zijn van een nucleaire woestenij.'

Een paar mannen lachten beleefd.

Scott Landsdale vroeg: 'Waarom twee lijsten?'

Wolffer legde het uit. 'Er komen twee mogelijke vergeldingsacties in het plan Vuurstorm voor. De A-lijst is daarbij een vaste waarde en het toevoegen van de B-lijst is afhankelijk van de aard en de heftigheid van een terroristische aanval op Amerika. Als die aanval bijvoorbeeld biologisch of chemisch is, dan zullen alleen de doelen op de A-lijst worden vernietigd. Als de aanval nucleair van aard is, en er één of meer Amerikaanse steden worden verwoest, dan wordt de B-lijst toegevoegd aan de vergeldingsactie – zonder verdere discussie.'

Madox zei: 'Nou, wij weten dat de aanval op Amerika nucleair van aard zal zijn, omdat wij degenen zijn die de bommen zullen plaatsen.'

Er viel een stilte in het vertrek en toen zei Paul Dunn: 'Bain, je kunt daar wel wat minder enthousiast over doen.'

'Sorry, Paul. Maar dit is niet zo'n politiek correcte vergadering van de Nationale Veiligheidsdienst. Hier kunnen we gewoon zeggen wat we denken.'

Paul Dunn gaf daar geen antwoord op en Wolffer ging verder met zijn verhaal. 'Er is altijd enige zorg geweest over de mate van radioactieve fall-out en eventuele klimaatveranderingen... vandaar het bestaan van een hoofdlijst en een reservelijst. Plus natuurlijk dat niet alle islamitische landen terroristen herbergen of zich onvriendelijk opstellen tegenover de VS. Maar Vuurstorm neemt veel van die discussie weg door de reactie af te laten hangen van de aard van de aanval op de VS. Als dus een chemische of biologische aanval slechts, zeg twintigduizend mensen in New York of Washington zou doden, dan zou onze reactie het wegvagen van alleen de tweeënzestig doelen op de A-lijst behelzen.' Hij voegde eraan toe: 'We willen niet dat de mensen denken dat we overreageren.'

Landsdale lachte om de absurditeit van die uitspraak, maar geen van de anderen leek er de humor van in te zien.

Wolffer ging verder. 'Momenteel staan op beide lijsten samen in totaal honderdtwintig doelwitten. We gaan daarbij uit van ongeveer tweehonderd miljoen directe slachtoffers en mogelijk nog eens zo'n honderd miljoen doden binnen zes maanden, als de radioactieve straling zijn tol eist.' Hij voegde er als terloops aan toe: 'En dan hebben we de effecten van ziektes, hongersnood, zelfmoord, burgeroorlogen enzovoort nog niet eens meegerekend. Die zijn trouwens moeilijk in te schatten.'

Niemand gaf commentaar.

Ed Wolffer zei: 'De mensen die Vuurstorm hebben bedacht, begrepen dat het noodzakelijk was dat geen enkele toekomstige president of regering strategische of morele keuzen zou hoeven maken. Als X gebeurt, reageren we met lijst A. Als Y gebeurt, voegen we er lijst B aan toe. Simpeler kan niet.'

Harry Muller wendde zich af van de verlichte landkaart en bekeek de vier mannen aan weerszijden van de tafel. In het licht van de monitor leken deze vier knapen, die een halfuur geleden nog wat nerveus overkwamen, nu tamelijk op hun gemak. Ze leken iets te hebben van: *Oké, zo staan de zaken. Laten we ons concentreren op wat ons te doen staat.*

Hij wierp een blik op Madox, die naar de monitor staarde, en zag dat hij een vreemde grijns op zijn gezicht had, alsof hij naar een pornofilm zat te kijken. Madox merkte dat Harry naar hem keek en gaf hem een knipoog.

Harry draaide zich om in zijn stoel en keek zelf ook weer naar het scherm. *Allemachtig. Dit is echt. God sta ons bij.*

Wolffer ging verder met zijn verhaal. 'Vuurstorm is gewoon een variant op MAD. Vuurstorm is trouwens ook voorgesteld, ontwikkeld en geïnstalleerd door een groep oude diehards uit de Koude Oorlog tijdens de regering Reagan.'

Hij zweeg even en zei toen op eerbiedige toon: 'Dat waren nog eens kerels. Ze stonden oog in oog met de Sovjets en de anderen knipperden als eersten. Ze hebben ons een belangrijke les en een prachtige erfenis nagelaten. We zijn het aan deze mannen, die ons een wereld hebben geschonken die vrij is van het sovjetterrorisme, verplicht om de islamitische terroristen aan te doen wat die mannen bereid waren de Sovjet-Unie aan te doen.'

Er viel opnieuw een stilte in het vertrek, en toen merkte generaal Hawkins op: 'De Russen hadden tenminste nog enig eergevoel en een gezonde afkeer van de dood, en het zou doodzonde zijn geweest hun steden en bevolking te vernietigen. Die andere schoften – de islamieten – verdienen alles wat we voor ze in petto hebben.'

Madox zei tegen Edward Wolffer: 'Vertel ons wat ze te wachten staat.'

Wolffer schraapte zijn keel en zei: 'Wat hun te wachten staat zijn honderdtweeëntwintig atoomkoppen in wisselende aantallen kiloton, die met name zullen worden gelanceerd vanaf atoomonderzeeërs uit de Ohio-klasse die gestationeerd zijn in de Indische Oceaan – plus wat langeafstandsraketten die vanuit Noord-Amerika zullen worden gelanceerd.' Hij voegde er aan toe: 'De Russen zullen ongeveer één minuut voor de lancering op de hoogte worden gesteld, dit als blijk van eerbied en uit voorzorg.'

Generaal Hawkins voegde er nog wat technische details aan toe. 'Deze atoomkoppen maken slechts een klein deel uit van ons arsenaal. Er zullen nog duizenden atoomkoppen over zijn, mochten we die nodig hebben voor een tweede aanval op de islam, of als de Russen of Chinezen rare ideeën mochten krijgen.'

Wolffer knikte en zei: 'Op de A-lijst staan vrijwel alle hoofdsteden in het Midden-Oosten – Cairo, Damascus, Amman, Bagdad, Teheran, Islamabad, Riaad enzovoort – plus andere belangrijke steden, bij ons bekende terroristenkampen en militaire installaties.'

Hij wierp een blik in zijn notities en zei: 'Oorspronkelijk stond Mogadishu in Somalië op de B-lijst, maar sinds Black Hawk Down is die stad op de A-lijst geplaatst, als wraak voor dat vernederende debacle. Hetzelfde geldt voor de havenstad Aden in Jemen – de USS *Cole* zal ook gewroken worden.'

Madox merkte op: 'Ik ben blij te horen dat deze lijst aan de veranderde omstandigheden is aangepast. We hebben nog heel wat rekeningen te vereffenen.'

Wolffer antwoordde: 'Inderdaad, ja. Maar hoe graag we ook het bombarderen van de marineonderkomens in Beiroet zouden vergelden, die hoofdstad staat toch niet op de lijst. De helft van de bevolking is christelijk en Beiroet zal een bruggenhoofd voor ons worden in het nieuwe, verbeterde Midden-Oosten. Merk ook op dat Israël niet langer door vijanden zal zijn omgeven – het zal zijn omgeven door een woestenij.'

Landsdale vroeg: 'Zijn de Israëli's op de hoogte van Vuurstorm?'

Wolffer antwoordde: 'Ze weten wat onze vijanden weten. Het is hun voorgesteld als een mogelijkheid. Ze zijn niet echt blij met het vooruitzicht dat ze zullen worden bedekt met een laag radioactieve stof, maar ze zijn op alles voorbereid en zullen het wel uithouden tot de lucht weer is opgeklaard.'

Scott Landsdale informeerde met een glimlach: 'Ed, wat denk je, kan ik met Pasen een reisje naar het Heilige Land boeken?'

Wolffer antwoordde: 'We hebben het over een geheel Nieuwe Wereld, Scott. Een wereld waarin de beveiliging op vliegvelden weer het niveau van de jaren zestig zal hebben. Een wereld waarin je familie en vrienden je weer gewoon bij de gate kunnen uitzwaaien en waarin bagagekluizen niet langer iets uit het verleden zijn. Een wereld waarin niet elke passagier wordt behandeld als een potentiële terrorist en waarin de veiligheid van het vliegen nog slechts een kwestie is van goed onderhoud, en niet van terroristen met schoenzoolbommen. Een wereld waarin Amerikaanse toeristen of zakenlieden niet langer potentiële terroristische doelwitten zijn. In deze Nieuwe Wereld, heren, zal elke Amerikaan met eerbied worden bejegend, en met enig ontzag – zoals dat het geval was met onze vaders en grootvaders die Europa en Azië van het kwaad hebben verlost. Dus ja, Scott, boek gerust met Pasen een reisje naar het Heilige Land. Je zult er voorkomend behandeld worden en je hoeft niet bang te zijn voor zelfmoordaanslagen in druk bevolkte cafés.'

Het was heel stil in het vertrek terwijl Wolffer verderging met zijn verhaal, nu over de heilige plaatsen. 'De belangrijkste doelwitten omvatten ook voor moslims heilige plaatsen als Medina, Fallujah, Qum en dergelijke. Dat alleen al zal het hart uit de islam wegnemen. Hun heiligste plek, Mekka, zal gespaard worden – niet uit eerbied voor die religie, maar om te dienen als een soort gijzelstad die zal worden vernietigd als eventueel nog overlevende terroristen een vergeldingsactie op touw willen zetten.' Hij eindigde met: 'De regeringen in het Midden-Oosten weten dat en hebben ons ook gevraagd Medina te sparen, mocht het ergste gebeuren. Ons antwoord was nee.'

'Een goed antwoord,' zei Madox. Hij voegde eraan toe: 'Ik heb heel wat vervelende akkevietjes gehad met de koninklijke familie in Saudi-Arabië. Volgende week zijn ze geschiedenis en het enige positieve aan dat land – de olie onder het zand – zal op ons liggen wachten.'

Edward Wolffer negeerde dat en ging verder met zijn verhaal. 'De andere heilige moslimplek die niet zal worden vernietigd is, natuurlijk, Jeruzalem, want dat beschouwen wij christenen en ook de joden als hun heiligste plek. We verwachten dat na Vuurstorm de Israëli's de moslims uit Jeruzalem, Bethlehem, Nazareth en ander heilige plaatsen die onder hun gezag vallen, zullen schoppen. En als zij het niet doen, doen wij het wel.'

Madox merkte op: 'Wat die steden betreft die gespaard zullen worden: ik zie een aantal Turkse steden op de lijst staan, maar Istanbul is daar niet bij.'

Wolffer legde het uit. 'Istanbul is een historisch erfgoed dat geografisch gezien in Europa ligt, en het zal opnieuw Constantinopel gaan heten. De moslims zullen er uit verbannen worden.' Hij voegde er aan toe: 'In feite, heren, bestaat er een politiek plan voor de periode na Vuurstorm en daarin worden op de kaart enkele lijnen opnieuw getrokken en zullen er volkeren worden verplaatst uit gebieden waar we hen niet willen. Jeruzalem, Beiroet en Istanbul staan me wat dat betreft bij, maar ik ben niet volledig op de hoogte van de politieke plannen.'

Madox merkte op: 'Nou ja, hoe het ook zij, we kunnen het aan Buitenlandse Zaken overlaten om daar een potje van te maken.'

Generaal Hawkins zei 'Amen' en merkte toen op: 'Als Bagdad en het grootste deel van Irak zijn verwoest, hoeven we ook geen oorlog tegen Saddam Hoessein te beginnen.'

Wolffer antwoordde: 'Nee, en ook niet tegen Syrië of Iran, of welk ander vijandig land ook dat niet langer zal bestaan.'

Madox zei: 'Klinkt goed. Vind je ook niet, Harry?'

Harry aarzelde en antwoordde toen: 'Ja, als je massamoord goed vindt klinken.'

Madox keek Harry even strak aan en zei toen: 'Ik heb een zoon, Harry – Bain Junior, die reserveofficier is in het Amerikaanse leger. Als wij in oorlog raken met Irak, zal hij opgeroepen worden voor actieve dienst en zal hij misschien sterven in Irak. Wat ik maar wil zeggen, is dat ik liever iedereen in Bagdad dood zie dan dat ik moet horen dat mijn zoon daar gesneuveld is. Is dat egoïstisch?'

Harry gaf geen antwoord, maar dacht: *Ja, dat is egoïstisch*. Madox vergat bovendien maar even voor het gemak de Amerikaans zonen en dochters die hij in Amerika zou wegvagen.

Bain Madox zei tegen Harry, en tegen de anderen: 'Soms kan een grap iets verduidelijken waar mensen niet aan willen. Dus ga ik je een mop vertellen, meneer Muller, die je gezien jouw werk misschien al eerder gehoord hebt.' Madox glimlachte op de manier van iemand die een heel goeie gaat vertellen. 'De president – de baas van de heer Dunn – en de minister van Defensie – de baas van de heer Wolffer – hebben een meningsverschil over een politieke kwestie, dus roepen ze er een ondergeschikte bij en de minister van Defensie zegt tegen de ondergeschikte: "We hebben besloten een atoombom te gooien op een miljard Arabieren en één prachtige blonde meid met enorme tieten. Wat vind jij daarvan?" En de jonge medewerker vraagt: "Excellentie, waarom zou u een prachtige blonde meid met enorme tieten bombarderen?" En de minister wendt zich tot de president en zegt: "Zie je wel? Ik zei toch al dat niemand die één miljard Arabieren iets kan schelen?"'

Er klonk wat beleefd en ingehouden gelach rond de tafel en ook Harry glimlachte om deze oude grap, die hij al meer dan eens gehoord had.

Madox vroeg aan Harry: 'Duidelijk?'

Edward Wolffer pakte de draad weer op en zei: 'Wat Irak betreft, een grondoorlog is kostbaar in termen van mankracht, materieel en geld. En grondoorlogen hebben altijd onbedoelde gevolgen. Ik kan jullie uit de eerste hand vertellen – en Paul kan dit staven – dat deze regering vastbesloten is een oorlog met Irak uit te lokken, en vervolgens met Syrië en uiteindelijk Iran. Niemand van ons is daar denk ik ook tegen. Maar degenen onder ons die in Vietnam gevochten hebben – Bain, Jim en ik – kunnen met enig recht van spreken zeggen dat als je eenmaal dat pad op gaat, je al snel de controle kwijtraakt. De schoonheid van een nucleaire aanval is dat het snel en goedkoop is. We hebben al een enorme hoop geld in ons nucleair arsenaal gestoken – we hebben op dit moment ongeveer zevenduizend atoomkoppen – en dat staat er voorlopig nutteloos bij. Voor een fractie van de kosten van deze atoomkoppen kunnen we enorme resultaten boeken. De resultaten van een nucleaire aanval zijn onmiskenbaar.' Hij grinnikte en voegde er aan toe: 'De *New York Times* en de *Washington Post* hoeven zich niet langer het hoofd te breken over het feit of wij de oorlog tegen het terrorisme wel kunnen winnen.'

Iedereen lachte en Bain Madox vroeg retorisch: 'Je bedoelt dat ik geen hartverscheurende verhalen in de *Times* hoef te lezen over een klein meisje en haar grootmoeder die gewond zijn geraakt door Amerikaanse kogels?'

Opnieuw lachte iedereen en Wolffer zei: 'Ik denk niet dat de *Times* of de *Post* verslaggevers naar de nucleaire as zullen sturen voor een zogenaamd diepmenselijk achtergrondverhaal.'

Madox grinnikte en keek toen weer naar de landkaart op het scherm. 'Ik zie op de lijst ook de Aswan-stuwdam staan.' Hij bewoog de cursor naar Egypte en de zuidelijke Nijl. 'Dat is, neem ik aan, de moeder aller doelwitten.'

Wolffer antwoordde: 'Inderdaad. Een raket met meerdere atoomkoppen zal de dam verwoesten en daarmee miljoenen liters water de vrije loop geven. Daardoor zal Egypte in feite van de kaart geveegd worden en zullen er waarschijnlijk veertig tot zestig miljoen mensen sterven als het water door de Nijldelta naar de Middellandse Zee stroomt. Dit zal het grootste eenmalige verlies aan levens en bezittingen betekenen – en er zijn daar geen olievelden. Helaas zullen we ook het verlies van duizenden westerse toeristen, archeologen, zakenlui en wat dies meer zij moeten accepteren, plus het verlies van al die historische plekken daar.' Hij voegde er aan toe: 'De piramides zullen het trouwens wel overleven.'

Madox zei: 'Ed, ik zie dat verschillende Egyptische steden langs de Nijl op de lijst staan. Aangenomen dat de vloedgolf van de Aswandam al die steden zal wegvagen, zijn die raketten dan niet overbodig? Of vertegenwoordigen ze een soort bijbelse wraak?'

Wolffer keek zijn vriend aan en antwoordde: 'Daar heb ik eigenlijk nooit bij stilgestaan.' Hij dacht even na en zei toen: 'Ik neem aan dat de vloedgolf de branden in de steden zal doven.'

Madox zei: 'Dat zou jammer zijn.'

Wolffer ging verder. 'Nadeel van de hele actie is, zoals ik al even heb aangestipt, dat een groot aantal westerlingen zal omkomen tijdens de aanval. Toeristen, zakenlui, ambassadepersoneel en dergelijke. Dat aantal zou gemakkelijk tot honderdduizend kunnen oplopen, onder wie veel Amerikanen.'

Niemand had commentaar op die vaststelling.

Wolffer vervolgde zijn relaas. 'Ook een probleem is dat we niet weten wanneer die gebieden weer bewoonbaar of sociaal stabiel genoeg zullen zijn om de olie weer te laten stromen. Een analyse van het ministerie van Defensie voorspelt echter dat er geen wereldwijde tekorten zullen ontstaan omdat de landen die de olie leveren er zelf niet langer gebruik van zullen maken. Daarom zou olie uit andere bronnen, samen met de aangelegde reserves, voldoende moeten zijn om op korte termijn aan de behoeften van Amerika en West-Europa te voldoen.' Hij voegde eraan toe: 'De Saudische olie zal waarschijnlijk als eerste weer beschikbaar komen – binnen twee jaar.'

Madox viel hem in de rede. 'Jullie regeringsmensen zouden je oor wat meer te luisteren moeten leggen bij ons, privépersonen. Mijn analyse is dat de Saudische olie al over een jaar in tankers onderweg naar ons is. Ik denk dat we zo'n honderd dollar per vat kunnen vangen, als we de postnucleaire problemen van het oppompen en verschepen wat overdrijven.'

Wolffer aarzelde en zei toen: 'Bain, het ministerie van Defensie denkt eerder in termen van twintig dollar per vat, aangezien we het hele proces van oppompen en verschepen in eigen hand zullen hebben. Het idee is dat we goedkope olie nodig zullen hebben om de Amerikaanse economie nieuw leven in te blazen, want die zal volgens onze voorspellingen een flinke knauw krijgen als twee Amerikaanse steden door een atoombom worden vernietigd.'

Bain Madox wapperde met zijn hand en zei: 'Ik denk dat ook dat zwaar overdreven wordt. Je zult een crash op de aandelenmarkt van enkele duizenden punten zien, maar dat zal hoogstens een jaar duren. Sommige steden zullen gedurende enkele maanden een uitstroom van de bevolking kennen, zoals ook in New York is gebeurd direct na 9/11. Maar zodra duidelijk is dat de vijand dood en begraven is, zullen we een Amerikaanse renaissance zien die de wereld versteld zal doen staan.' Hij zei tegen Wolffer: 'Wees niet te pessimistisch. Als de ineenstorting van de Sovjet-Unie de Amerikaanse eeuw inluidde, dan zal het wegvagen van de islam het begin zijn van een millennium van Amerikaanse vrede, voorspoed en vertrouwen. En niet te vergeten: macht zonder weerga. Het Amerikaanse millennium zal het Romeinse Rijk doen lijken op een derdewereldland.'

Niemand reageerde, dus ging Madox door. 'Alles zal veranderen. De laatste wereldwijde dreiging voor Amerika zal verdwenen zijn en de hele natie zal zich achter de regering scharen, net zoals dat gebeurde na 9/11 en na Pearl Harbor. De interne vijanden van Amerika, inclusief de groeiende moslimpopulatie, zullen worden aangepakt zonder dat er enig protest te horen zal zijn. En er zullen geen antioorlogsdemonstraties meer zijn, niet in Amerika of waar dan ook. En die schoften elders in de wereld die na 9/11 in de straten dansten, zullen dood zijn of onze voeten kussen.'

Hij haalde diep adem en sprak toen snel verder. 'En de Europeanen zullen voor de verandering ook eens hun mond houden, en dan is het de beurt aan Cuba, en dan aan Noord-Korea. En de Russen zullen ook hun bek houden. Want als we eenmaal het nucleaire pad zijn opgegaan, weet iedereen dat we het net zo makkelijk nog een keer doen. En als de tijd er rijp voor is, zullen we het probleem China in de kiem smoren, nog voor het de kans krijgt echt een probleem te worden.'

Terwijl Madox doorging met zijn tirade keek Harry Muller naar de andere mannen. Het leek Harry dat de anderen zich niet helemaal op hun gemak voelden nu Madox afdwaalde van het probleem van de islamitische terroristen en nieuwe vijanden zocht om te doden. En dan was er nog dat gedoe rond de olie, wat, naar Harry vermoedde, voor Bain Madox en zijn Global Oil Corporation minstens zo belangrijk was als het uitschakelen van de terroristen. Harry wist inmiddels dat deze knaap gestoord was, maar hij zag nu pas *hoe* gestoord – en dat zagen Madox' vriendjes ook.

Madox stond op en zijn stem werd schel. 'En als Vietnamveteraan kan ik jullie ook verzekeren dat we onze verloren eer zullen terugwinnen als Amerikaanse troepen Saigon en Hanoi binnenmarcheren zonder ook maar een piep van China of wie dan ook.'

Hij keek naar zijn vier collega's en besloot met: '*Geen* atoomoorlog beginnen – gewoon doorgaan met het bestrijden van onze vijanden langs conventionele en diplomatieke weg, met grote verliezen aan levens en geld, zonder uitzicht op een eventuele overwinning – *dat* is moreel verkeerd. We hebben door het inzetten van atoomwapens die we toch al bezitten de mogelijkheid om hier snel, goedkoop en voor altijd een eind aan te maken. Het *niet* gebruiken van die wapens tegen mensen die ze wel tegen ons zouden gebruiken als ze dat konden, betekent nationale zelfmoord, een strategische blunder, een aanslag op het gezonde verstand en een belediging jegens God.'

Bain Madox ging zitten.

Het was stil in het vertrek.

Harry Muller bestudeerde in het gedempte licht de gezichten en zei tegen zichzelf: *Ja, ze weten dat hij gek is. Maar het kan ze niet schelen, want hij zegt wel precies wat zij denken.*

Bain Madox stak een sigaret op en zei op nonchalante toon: 'Oké, laten we dan nu maar eens kijken welke Amerikaanse steden moeten worden opgeofferd, en hoe en wanneer we dat gaan doen.'

— DEEL V —

Zaterdag

NORTH FORK, LONG ISLAND

Nassau Point, Long Island, 2 augustus 1939
F.D. Roosevelt, president van de Verenigde Staten
Witte Huis, Washington, D.C.

Meneer... het zal misschien mogelijk worden een nucleaire kettingreactie teweeg te brengen in een grote massa uranium, waardoor grote hoeveelheden energie en enorme aantallen nieuwe, radiumachtige elementen vrijkomen... waarmee, mijn geliefde president, het misschien mogelijk zal worden een immense vernietigende kracht te ontketenen.

Albert Einstein

11

Na het diner in het scheepsrestaurant reden Kate en ik naar Orient Point, op het oostelijke uiteinde van de North Fork van Long Island.

Het was enigszins bewolkt, maar ik kon de sterren zien, wat in Manhattan zelden het geval is.

De North Fork is een winderig stukje land, in al zijn gestrengheid best mooi, en omgeven door de Long Island Sound in het noorden, Gardiner's Bay in het zuiden en de Atlantische Oceaan in het oosten.

Omdat de omringende wateren de zomerhitte vasthouden, is de herfst er ongebruikelijk warm voor deze breedtegraad. Dit microklimaat was trouwens, mogelijk samen met de opwarming van de aarde, de oorzaak van de hier nieuw aangeplante wijngaarden en de daarmee samenhangende explosie van het toerisme, wat de sfeer hier nogal heeft veranderd.

Als kind bracht ik hier met mijn ouders de zomervakantie door, samen met andere minder gefortuneerde gezinnen die zich de Hamptons niet konden permitteren, of die per se de mensenmassa's van de Hamptons wilden ontlopen.

Een van die onverschrokken types was Albert Einstein, die in 1939 de zomer doorbracht in een gehucht genaamd Nassau Point. En aangezien er daar weinig te beleven viel, had hij waarschijnlijk tijd genoeg om veel na te denken. Dus schreef hij op een dag, op aandringen van andere natuurkundigen, een brief aan Franklin Roosevelt – tegenwoordig bekend als de Nassau Point-brief – waarin hij de president ten sterkste aanraadde de atoombom verder te ontwikkelen, omdat anders de nazi's er als eersten eentje zouden hebben. De rest is wat ze noemen geschiedenis.

Denkend aan het microklimaat en de opwarmende aarde, zei ik tegen Kate: 'Laten we een duik nemen.'

Ze keek me even aan en antwoordde: 'Het is oktober, John.'

'We moeten ons voordeel doen met die opwarming van de aarde voordat iedereen ermee begint. Over tien jaar staan hier palmbomen in plaats van druiven en komen hier in oktober duizenden mensen naartoe om van de zon te genieten.'

'Laten we dan over tien jaar terugkomen voor een duik.'

Ik reed verder naar het oosten over Route 25, een oude, uit het koloniale tijdperk stammende weg die vroeger, toen de Britten het hier nog voor het zeggen hadden, bekendstond als de King's Highway. Langs de weg, op de steile kliffen in het noorden, stonden witte, uit planken opgetrokken landhuizen en onlangs gebouwde zomerhuizen van cederhout en glas. Ik heb nooit echt het verlangen gehad om rijk te zijn, maar zo af en toe speel ik met de gedachte een revolutie te ontketenen, zodat ik het zomerhuis van een of andere effectenmakelaar kan onteigenen. Ik bedoel, ik zou het na een paar jaar weer teruggeven, en iedereen zou zijn voordeel kunnen doen met deze ervaring.

We waren nu vlak bij Orient Point en voor ons lag de terminal van de ferry naar New London, Connecticut, en daarachter het verboden gebied waar de regeringsferry vertrok naar het uiterst geheime Centrum voor Zieke Dieren op Plum Island.

Dit deed me vanzelfsprekend terugdenken aan de zomer dat ik hier herstellende was van mijn schotwonden en betrokken raakte bij een bizarre dubbele moord, terwijl ik verwacht werd te kijken hoe mijn kogelgaten weer dichtgroeiden. Ik raakte ook betrokken bij een dame die Beth Penrose heette, de plaatselijke rechercheur Moordzaken die op deze zaak was gezet – Beth was de voorganger van Kate, of mogelijk overlapten ze elkaar een beetje, dus de moordzaak op Plum Island en de naam Beth Penrose kwamen niet al te vaak ter sprake als Kate en ik het over oude zaken hadden.

Het was ook tijdens het werken aan die zaak dat ik voor het eerst de heer Ted Nash van de Central Intelligence Agency ontmoette, en deze ontmoeting zou verstrekkende gevolgen hebben voor mijn verdere leven en, zoals zou blijken, ook voor het zijne. Zijn leven eindigde eerder dan het mijne, dus hij zal niet veel meer aan me denken, hoewel ik zo af en toe nog wel eens aan hem denk.

En, door een andere rare kronkel van het lot, kende Ted Nash Kate voordat ik haar leerde kennen en ik denk echt dat ze iets hadden voordat ik in beeld kwam.

Daarom heb ik soms die fantasie dat Nash in werkelijkheid het World Trade Center heeft overleefd en dat hij en ik elkaar opnieuw zullen ontmoeten. Vervolgens gaat de fantasie verder met een woordenwisseling die ik win, natuurlijk, gevolgd door een fysieke confrontatie – geen wapens – waarbij ik hem van een klif gooi, of een wolkenkrabber, of hem soms ook gewoon de nek breek en kijk hoe hij ligt te kronkelen.

Kate vroeg me: 'Waar denk je aan?'

Ik ontwaakte uit mijn aangename dagdromen en antwoordde: 'Aan hoe mooi de wereld toch eigenlijk is.'

Ze vroeg: 'Hoe was je naam ook alweer?'

'Wees eens wat aardiger. Ik probeer in de stemming te komen voor... nou ja, wat dan ook.'

'Mooi.' Ze opperde: 'Laten we teruggaan naar de B&B om te vrijen.'

Ik maakte onmiddellijk een U-bocht op twee wielen op de verlaten weg en trapte het gaspedaal in.

'Niet zo snel.'

Ik haalde mijn voet van het gaspedaal. Zoals het aloude gezegde gaat: 'Vrouwen hebben een reden nodig om te vrijen; mannen hebben alleen maar een plek nodig.' Dus met dat in gedachten sloeg ik plotseling linksaf bij een bord met daarop: ORIENT BEACH STATE PARK.

'Waar ga je heen?'

'Een romantisch plekje.'

'John, laten we teruggaan naar de B...'

'Dit is dichterbij.'

'Kom op, John. Ik hou niet van vrijen in de open lucht.'

Mij kon het niet schelen *waar* ik het deed, zolang ik het maar deed. En mijn zakraket had duidelijk in de richting van deze weg gewezen.

Ik reed verder over de donkere, smalle weg die door lisdodden en zeegras een smal schiereiland opliep. Het land werd breder en ik zag een opening in de begroeiing links van me en sloeg een pad in dat omlaag liep naar het water. Ik zette de Jeep in zijn vierwielaandrijving en reed over een stuk zompig land tot we een smal zandstrand aan Gardiner's Bay bereikten.

Ik zette de motor uit, we stapten uit de Jeep, trokken onze schoenen en sokken uit en liepen naar de rand van het water.

In het oosten konden we de mysterieuze kust van Plum Island zien, en in het zuiden lag Gardiner's Island, wat al sinds de zeventiende eeuw in bezit was van de familie Gardiner en waar Kapitein

Kidd zijn schat begraven zou hebben, maar daar hadden de Gardiners het nooit over.

Verder zuidwaarts over de baai heen zagen we de lichtjes van de Hamptons, wier zomergasten meer schatten hadden dan welke piraat ook kon hopen te stelen in een leven lang plunderen en roven.

Maar goed, ik dwaal af van waar het om gaat, namelijk mijn verschrikkelijke geilheid. Ik zei: 'Kom op, laten we een duik nemen.' Ik trok mijn jasje uit en gooide het in het zand.

Kate stak haar teen in het water. 'Het is echt koud.'

'Het is warmer dan de lucht.' Ik trok mijn overhemd en broek uit. 'Kom op.' Ik stapte uit mijn boxershort en liep het water in. *Jezus.* Mijn stijve zakte omlaag als een koude sliert vermicelli.

Kate zag het en zei: 'Misschien is het beter als je eerst even afkoelt.' Ze gaf me een duw. 'Hup, Tarzan.'

Goed, dit was mijn idee, en met in gedachten de jaarlijkse Nieuwjaarsduik slaakte ik een bloedstollende kreet, rende het water in en dook onder.

Ik dacht dat ik een hartstilstand kreeg en in ieder geval schoten mijn testikels recht omhoog mijn buikholte in, terwijl mijn daarstraks nog zo pronte lid verschrompelde tot een komma in een telefoonboek.

Ik bleef onder zolang ik kon, stak toen mijn hoofd boven water en begon te watertrappelen. Ik riep naar Kate: 'Als je er eenmaal door bent, gaat het best!'

'Mooi, blijf er dan maar in. Ik ga terug naar de B&B. Dag!'

Ik schreeuwde terug: 'Ik dacht dat FBI-agenten van die stoere types waren! Jij bent een watje!'

'En jij bent een idioot. Kom eruit voordat je doodvriest.'

'Oké... o... verdomme... ik krijg kramp...' Ik ging kopje-onder, kwam weer boven, spuwde wat water uit en gilde: 'Help!'

'Hou op met die grapjes.'

'Help!'

Ik hoorde haar zeggen 'Verdomme', of misschien zei ze 'Verdrink'. Ze trok haar kleren uit, haalde diep adem en rende tot haar middel het water in alvorens naar voren te duiken en op me af te zwemmen.

Ik vulde mijn longen met lucht en dreef op mijn rug, opkijkend naar een magnifieke avondhemel. Ik geloof dat ik door de vliedende wolken heen Pegasus zag.

Kate had me inmiddels bereikt en bleef een meter van me vandaan watertrappelen. 'Klootzak.'

'Pardon?'

'Als je verdomme niet nu verdrinkt, dan toch wel binnen een minuut.'

'Ik heb toch niet gezegd dat ik verdronk?' Ik opperde: 'Ga op je rug liggen, dan zal ik je Pegasus laten zien.'

'Ik kan verdomme niet geloven dat je dit gedaan hebt. Ik *bevries*.'

'Het water is warmer dan – '

Ze legde haar hand op mijn gezicht en duwde mijn hoofd onder water. En hield het daar. Heel lang.

Ik zwom onderwater weg en kwam achter haar weer omhoog. Haar prachtige naakte kont was nu vlak voor me – dus hoe kon ik de verleiding weerstaan om haar een liefdesbeetje in haar rechterbil te geven?

Ze schoot recht omhoog en toen ik boven water kwam, zwom ze in een kringetje rond en probeerde in het donkere water te turen.

Ik riep: 'Ik heb net een wittekonthaai gebeten.'

Ze draaide zich naar me om en schreeuwde een heleboel woorden die niet zo aardig klonken. Ik dacht onder andere de term 'Stomme idioot' op te vangen.

Nou ja, genoeg voorspel. Ik zei: 'Ik ga terug. Blijf jij er nog in?'

Ze antwoordde niet en zwom met een krachtige crawl terug naar de kant.

Ze was snel, maar ik haalde haar in en we hitsten elkaar op om als eerste het strand te bereiken. Ik denk dat we allebei erg competitief zijn en dat houdt onze relatie ook zo interessant. Bovendien is eentje van ons een nooit volwassen geworden idioot en de ander niet, dus vullen we elkaar min of meer aan, als een alfamannetje bij de bavianen en zijn vrouwelijke oppasser.

Ik geloof wel dat Kate een beetje kwaad op me was, dus liet ik haar als eerste de kust bereiken, en toen ik het strand op liep, stond ze zich af te drogen met mijn broek en jasje.

Het was echt koud, zo uit het water, met dat koele briesje, en mijn tanden klapperden toen ik tegen haar zei: 'Dat was een verfrissende duik.'

Geen reactie.

Ik probeerde een andere benadering. 'Hé, jij kunt fantastisch zwemmen. Wil je vrijen?'

Ze was bezig haar kleren van het zand op te rapen en leek me niet te horen.

'Kate? Hallo?'

Ze draaide zich naar me om. 'Ik heb in mijn hele leven nog geen volwassen man gehad die zo kinderachtig is, zo stom, zo *imbeciel*, zo onbezonnen, zo roekeloos, zo – '

Ik onderbrak haar. 'Dus een potje pijpen zit er niet in?'

'Een *wat*? Ben je gek geworden?'

'Nou ja... ik dacht dat je zei – '

'Praat niet tegen me.'

'Oké.'

En daar stonden we dan, op dat kleine strand, allebei naakt en ze zag er verdomme fantastisch uit, ondanks haar natte haren en blauwe lippen. Ze heeft een van die atletische en toch welgevormde lichamen, met borsten die de wet van de zwaartekracht lijken te ontkennen en een buik zo plat en stevig als een barblad, lange benen die mooier zijn dan ik ooit heb gezien, inclusief die van mezelf, en een plukje schaamhaar waar ik helemaal gek van word. Plus dat ze een kont heeft die zo stevig is dat ik er nauwelijks mijn tanden in kan zetten.

Ze keek ook naar mij en ik wist dat ze ondanks de buitentemperatuur een beetje heet begon te worden. We voelen ons echt lichamelijk tot elkaar aangetrokken en het klikt seksueel gezien, dus zelfs als ze niet met me wil praten, wat ongeveer twee keer per week voorkomt, kunnen we toch nog met elkaar vrijen. En om u de waarheid te vertellen, vind ik dat soms helemaal niet erg.

Goed, ik bewoog als eerste en zij aarzelde, liet toen haar kleren vallen en deed een stap in mijn richting.

Ik voelde wat warm bloed in de richting van mijn verschrompelde pielemans stromen.

We stonden enkele decimeters van elkaar vandaan, recht tegenover elkaar, en toen staken we allebei onze handen uit en streelden elkaar. Big John stak zijn kopje op en ze pakte hem in haar hand en zei: '*Dat* is heet.'

Ik schoof mijn vingers tussen haar benen. 'Daar ook trouwens.'

We waren inmiddels allebei zo heet als een net afgevuurd pistool, wat maar weer eens bewees dat je bij een ruzie met je partner beter het gesprek kunt overslaan en gelijk aan de seks kunt beginnen.

We liepen dichter naar elkaar toe en ik kon haar borsten tegen mijn borst voelen, en haar dijen tegen de mijne, en haar handen op mijn billen die me dichter tegen zich aantrokken.

Ik viel op mijn knieën en kuste haar blonde pruikje en ik wilde me net op mijn rug laten vallen zodat zij me kon berijden, toen ze zich plotseling omdraaide en zei: 'Kus me waar je me gebeten hebt.'

Oké, ik herinnerde me niet meer waar ik haar gebeten had, dus bestreek ik het hele gebied.

Toen draaide ze zich opnieuw om en zei op strenge toon: 'Zeg dat het je spijt.'

Dus zei ik, nog steeds op mijn knieën gezeten: 'Het spijt me.'

'Kus mijn tenen.'

Nou ja, oké. Ik kuste haar zanderige tenen.

'Ga op je rug liggen.'

Ik rolde op mijn rug en lag op het zand.

Kate knielde tussen mijn benen en nam Big John in haar hand, met de opmerking: 'Aan deze knaap moet nog wat gewerkt worden.' Ze legde haar andere hand op mijn scrotum. 'Waar zijn die gebleven?'

'Ergens op een warm plekje.'

Ze stopte haar hoofd tussen mijn benen en binnen enkele minuten waren testikel A en B weer neergedaald op hun vertrouwde plekje terwijl Big John recht overeind stond en naar Pegasus wees.

Kate liet zich op me zakken, strekte haar rug en bewoog haar heupen in haar eigen tempo tot ze een van haar kalme, maar hevige orgasmes had.

Ze rolde van me af, stond op en begon zich aan te kleden.

Ik voelde me nogal gebruikt. 'Ik geloof dat je mij vergeten bent.'

Ze verwijderde het zand uit haar beha. 'Je bent veel aardiger voor me als je geil bent.'

'Nou, ik kan anders behoorlijk gemeen worden als ik geil ben.'

Ze glimlachte. 'Nee hoor, jij bent echt een jonge hond.'

Ik ging overeind zitten. 'Ik ben er bijna. Ik heb nog maar een minuutje van je tijd nodig.'

Ze trok haar rok en sweater aan en zei: 'Als je kunt wachten tot we onder een lekker hete douche staan, zal ik zorgen dat het het wachten waard was.'

'Afgesproken.' Ik kwam snel overeind en trok mijn vochtige kleren aan.

We stapten weer in de Jeep en Kate zette de verwarming vol aan.

We reden het staatspark uit en sloegen vervolgens in westelijke richting af, terug naar de B&B.

Kate zei: 'Als ik een longontsteking heb opgelopen, is het jouw schuld.'

'Ik weet het. Het spijt me.'

'Ik dacht echt dat ik door een haai werd gebeten.'

'Ik weet het. Dat was stom. Het spijt me.'

'En je mag *nooit, nooit* meer doen alsof je verdrinkt.'

'Dat was onvergeeflijk, ik weet het. Het spijt me.'

'Je bent volkomen gestoord.'

'Weet ik. Zullen we neuken?'

Ze lachte.

Dus reden we over de verlaten snelweg, hielden elkaars hand vast en luisterden naar een of ander radiostation uit Connecticut dat Johnny Mathis, Nat King Cole en Ella Fitzgerald draaide.

We kwamen terug bij de B&B en toen leek die stomme sleutel niet te werken zodat ik bijna de deur intrapte, maar Kate kreeg hem van het slot en we renden de trap op als twee tieners die net een uur geleden de seks hadden ontdekt.

En niet om het een of ander, maar de hete douche was beter dan de koude baai en Kate hield haar woord en maakte het wachten de moeite waard.

— DEEL VI —

Zaterdag

UPSTATE NEW YORK

Amerika is, met de hulp van de joden, de leider wat betreft corruptie en het afbreken van normen en waarden, of dat nu morele, ideologische, politieke of economische corruptie is. Het zet via de goedkope media aan tot walgelijkheid en wellust.

Suleiman Abu Ghaith
Woordvoerder van Osama bin Laden

12

De leden van het Uitvoerend Comité en Harry Muller zwegen terwijl Bain Madox zijn gedachten ordende. Toen begon Madox te praten. 'We zullen allereerst een tijdsschema voor Project Groen moeten vaststellen. De kofferbommen' – hij gebaarde naar de rechtopstaande koffer – 'hebben periodiek onderhoud nodig om te garanderen dat ze optimaal werken. Het is allemaal heel ingewikkeld en heeft te maken met de plutoniumkern, maar het goede nieuws is dat ik een atoomdeskundige ken die dit al eerder heeft gedaan. De naam van dit heerschap is Mikhail, een Rus die in Amerika werkt. Ik heb contact met hem opgenomen en hij zal hier in de loop van morgen arriveren. Morgenavond zullen de bommen, ijs en weder dienende, op scherp staan.'

Scott Landsdale informeerde: 'Weet Mikhail iets van Project Groen? Of van Vuurstorm?'

'Natuurlijk niet,' antwoordde Madox. 'Hij denkt dat de bommen zullen worden geplaatst in steden in het Midden-Oosten. Dat kan hij begrijpen en meer hoeft hij ook niet te weten.'

'Waar is hij nu?'

'Hij woont aan de oostkust en werkt voor een Amerikaanse universiteit. Dat is alles wat *jullie* hoeven te weten. Hij begrijpt dat dit nogal urgent is.' Madox glimlachte en zei: 'Hij krijgt vijftigduizend dollar voor zijn bezoekje, dus ik denk dat hij niet weet hoe snel hij hierheen moet komen.'

'En jij vertrouwt die knaap?' vroeg Landsdale.

'Nee, totaal niet. Maar ik heb hem een miljoen dollar in het vooruitzicht gesteld als en wanneer die bommen exploderen. Alles naar ratio natuurlijk, gebaseerd op hoeveel er ontploffen en hoever de gemiddelde reikwijdte is.' Hij voegde eraan toe: 'Mikhail weet waarvoor hij het doet.'

Landsdale vroeg: 'En als ze afgaan in Amerikaanse steden – in plaats van in steden in het Midden-Oosten – hoe zal Mikhail daar dan op reageren?'

'Ik heb geen idee. Doet dat er wat toe?'

'Wat gebeurt er met Mikhail na de ontploffingen?'

'Je stelt wel veel vragen, Scott,' zei Madox.

'Ik ben nu eenmaal erg gespitst op veiligheid. Ik krijg het vervelende idee dat die Mikhail na een wodka te veel aan iemand gaat vertellen dat zijn bijbaantje inhoudt dat hij atoombommen moet onderhouden op de Custer Hill Club.'

'Ik ben niet van plan dat te laten gebeuren.'

'Betekent dat dat jij verder zorg zult dragen voor Mikhail?'

Madox keek naar de drie andere leden van het Comité en zei toen tegen Landsdale: 'Maak je daar nu verder maar niet druk over.'

Harry Muller luisterde naar een conversatie tussen heren over het vermoorden van een getuige. Als Mikhail, die maar een fractie van de waarheid kende, uit de weg zou worden geruimd, zou Harry Muller helemaal weinig kans maken, hoewel hij wist dat zijn kansen toch al nul komma nul waren.

Madox vervolgde: 'Een en ander is duidelijk in een stroomversnelling geraakt sinds het onverwachte bezoek van rechercheur Muller, maar ik zie geen reden waarom we Project Groen niet de komende paar dagen kunnen opstarten.' Hij wierp een blik op Landsdale en vervolgde toen zijn relaas. 'In feite, heren, zijn we voor een voldongen feit gesteld en kunnen we nu alleen nog maar voorwaarts.'

Paul Dunn, de adviseur van de president, zei: 'Bain, ik denk dat we die atoombommen misschien beter op een veilige plek kunnen opbergen tot zich een betere gelegenheid – '

'Die gelegenheid, Paul, doet zich nu voor. Ik heb het idee – op grond van recente informatie – dat er mensen binnen de regering zijn die iets beginnen te vermoeden en we moeten door voordat zij hier komen rondneuzen. Die atoombommen moeten binnen een dag of twee op hun plaats van bestemming zijn en jij moet terug naar Washington, naar de president, zodat als wij Project Groen initiëren, hij Vuurstorm opstart.' Madox vroeg aan Paul Dunn: 'Hoe ziet de agenda van de president er uit op laten we zeggen maandag en dinsdag?'

Dunn keek op een vel papier dat voor hem lag. 'De president zal op maandagochtend – Columbus Day – in het Witte Huis zijn en daarna vliegt hij naar Dearborn, Michigan, waar hij rond half vier die middag op Oakland County International Airport zal landen. De verkiezingen zijn zoals je weet nog maar drie weken weg, dus zal de president een toespraak houden om de kandidatuur van Dick Posthumus voor het gouverneurschap van Michigan te ondersteunen. Dan gaat hij met een motorescorte naar het Ritz-Carlton in Dearborn, waar hij een dinertoespraak houdt om Thaddeus McCotter te steunen in zijn poging congreslid voor dat district te worden. Daarna vertrekt hij weer met de Air Force One en zal hij rond tien uur 's avonds landen op Andrews Air Force Base, vanwaar hij per helikopter naar het Witte Huis vertrekt, om rond half elf op de South Lawn te arriveren.'

Madox verwerkte die informatie en zei toen: 'Maandag, Columbus Day, zou een aannemelijke dag zijn voor islamitische terroristen om atoombommen in Amerikaanse steden tot ontploffing te brengen.'

Paul Dunn zei: 'Een feestdag is om diverse redenen geen goede dag om... dit te doen.' Hij legde het uit. 'Om te beginnen zal Ed noch ik de president vergezellen op zijn tocht en Scott zal ook niet in het Witte Huis zijn.' Hij keek naar Landsdale voor bevestiging.

Scott Landsdale zei: 'Ik heb een bedrijfspicknick en een softballwedstrijd op maandag.'

Madox lachte. 'Nou, dan zullen we de atoomaanval op Amerika moeten uitstellen.' Hij wendde zich tot Edward Wolffer. 'Misschien hebben we wat informatie over JEEP nodig om ons te helpen een besluit te nemen.'

Wolffer knikte en antwoordde: 'Jullie weten waarschijnlijk allemaal al een en ander af van JEEP – het Joint Emergency Evacuation Plan. Tijdens de Koude Oorlog is er een plan bedacht om de president en een selecte groep militaire en politieke leiders zo snel mogelijk – per auto of helikopter – naar ofwel Andrews ofwel National Airport te brengen, dit afhankelijk van waar de president zich op dat moment bevindt.' Hij vervolgde: 'Op het betreffende vliegveld staat altijd een E-4B straaltoestel gereed om op te stijgen. Dit vliegtuig wordt de National Emergency Airborne Command Post – NEACP – genoemd, bekend onder de codenaam Kneecap, en in de wandelgangen ook wel de Doomsday-jet genoemd.'

Wolffer keek het vertrek door en ging toen verder. 'De president zou natuurlijk de nucleaire voetbal bij zich hebben en hij kan dan een vergeldingsactie opstarten vanuit de vliegende commandopost. Maar er is een post-9/11-variant van JEEP en Kneecap, die in werking treedt als de aanval op Amerika niet wordt uitgevoerd met intercontinentale raketten. Als blijkt dat de aanval is opgezet door terroristen, wordt ervan uitgegaan dat we niet de tien of vijftien minuten respijt hebben die een op ons afgevuurde raket ons zou geven, en dat er elk moment een verborgen bom in Washington tot ontploffing kan worden gebracht. De reactie is daarom anders – de president zal zo spoedig mogelijk in de helikopter op het grasveld van het Witte Huis moeten stappen en hij zal vervolgens met die helikopter naar een veilige locatie worden gevlogen, ergens ver weg van Washington, dat natuurlijk een potentieel doelwit voor terroristen is.'

Madox zei: 'Goed, *wij* weten dat het niet een van de steden op onze lijst is, dit om voor de hand liggende redenen.' Hij glimlachte en voegde eraan toe: 'Al was het maar omdat jullie, heren, op het beslissende moment allemaal in die stad zullen zijn. Jullie kunnen je allemaal als een held gedragen door tijdens de paniek en verwarring volgend op de nucleaire ontploffingen netjes op je post te blijven. Jullie drieën – Ed, Paul en Scott – zullen de gebeurtenissen enigszins moeten sturen.'

Wolffer merkte op: 'In wezen hebben we dat al gedaan door deze variant van JEEP er doorheen te drukken.' Hij legde uit: 'De helikopter van de mariniers is minder goed dan de Air Force One of de E-4B Doomsday-jet toegerust om grote hoeveelheden gecodeerde berichten te verwerken, zodat de tijd tussen de aanval en de reactie daarop grotendeels in beslag zal worden genomen door evacuatieprocedures, wat weer minder waarschijnlijk maakt dat de president boodschappen ontvangt of adviezen krijgt die hem ertoe brengen de initiatie van Vuurstorm nog eens te heroverwegen.' Wolffer besloot met: 'De tijd die de president doorbrengt aan boord van de mariniershelikopter is altijd een periode van onvolledige bevelvoering, controle en communicatie.'

Madox zei: 'Wat voor ons natuurlijk tamelijk ideaal is.' Hij vroeg aan Paul Dunn: 'En hoe ziet de agenda van de president er op dinsdag uit?'

'De president,' antwoordde Dunn, 'zal dan de hele dag in het Witte Huis verblijven. Om twee uur 's middags zit hij een vergadering voor over huisvesting voor minderheden. De rest van de dag zal hij in de Oval Office zijn. Het diner is met vrienden, een selecte groep medewerkers en de First Lady.' Dunn voegde eraan toe: 'Scott is als het goed is die dag tot laat bezig in het West Wing-kantoor en Ed zal de hele dag in de buurt van de minister van Defensie rondhangen. Jim zal zich in het Pentagon bevinden, waar hij de bezigheden van de verenigde chefs van staven op de voet volgt. Ikzelf zal dineren op het Witte Huis,' besloot hij.

Bain Madox leek in gedachten verzonken en zei toen: 'Oké... Dinsdag lijkt de beste dag om Project Groen te initiëren. Dat geeft ons wat extra speelruimte om datgene uit te voeren wat nog gedaan moet worden.' Hij verklaarde zich nader. 'Om te beginnen moet Mikhail hier aanwezig zijn, en hij zal misschien wat tijd nodig hebben om de kofferbommen na te kijken. Ten tweede moet ik er zeker van zijn dat mijn vliegtuigen hier klaarstaan om te vertrekken. Ten derde moeten de dieselgeneratoren worden klaargemaakt om de ELF-antenne van stroom te voorzien. Dan zal de ELF-zender zelf moeten worden gecontroleerd, wat ik persoonlijk op me zal nemen... en dan is er nog de logistiek van de twee vluchten naar de uitgekozen steden.'

Harry luisterde naar Madox, maar begreep niet goed waar de man het over had, hoewel de rest dat wel leek te snappen.

Madox ging verder. 'Goed, laten we het dan op dinsdag vroeg in de avond houden. Ik weet dat de president zich vroeg terugtrekt en ik wil niet dat hij uit bed moet worden gehaald en in zijn pyjama in de helikopter gezet.' Hij grinnikte. 'Laten we zeggen, ergens tijdens het diner, als Paul en de First Lady bij hem zijn, wat de evacuatie per helikopter voor iedereen een stuk makkelijker zal maken. De exacte tijd zal door mij bepaald worden en vervolgens worden doorgegeven aan Scott en Ed, die de betreffende avond nog laat op kantoor zullen zijn.' Hij keek naar generaal Hawkins en zei: 'En jij, Jim, zal tot laat in het Pentagon aan het werk zijn.'

Hawkins knikte.

Madox rondde zijn relaas af. 'Mooi, heren, de Nieuwe Wereld begint op dinsdagavond – drie dagen en ongeveer drie uur van nu. En jullie zullen allemaal met elkaar in contact staan. En jij, Scott, zal de gemoederen wat tot bedaren brengen door aan te kondigen dat je uit betrouwbare bron hebt vernomen dat de steden die een bomaanval te verduren hebben gekregen, ook de enige steden zullen zijn die dit lot ondergaan.'

Landsdale knikte. 'Ik zal mijn best doen, maar er zijn tegenwoordig nog maar weinig mensen die de CIA geloven.'

'Het Witte Huis gelooft jullie ook wat betreft die massavernietigingswapens in Irak. Die trouwens volgens mij helemaal niet bestaan.'

Landsdale glimlachte en antwoordde: 'Misschien wel, misschien niet. Het zal hoe dan ook na Vuurstorm een academische vraag zijn, wat voor iedereen maar beter is ook.'

Madox knikte en wendde zich tot Wolffer. 'Hoe treedt Vuurstorm eigenlijk precies in werking? Kun je ons dat uitleggen?'

Edward Wolffer nam het woord. 'Nadat is gemeld en bevestigd dat een Amerikaanse stad of steden zijn aangevallen met een massavernietigingswapen – dat in dit geval nucleair van aard zal zijn – zal de minister van Defensie een gecodeerd bericht sturen naar Colorado Springs, met de simpele mededeling: "Vuurstorm activeren", gevolgd door het reactieniveau: de A-lijst, of de A- en B-lijst.' Hij keek de tafel rond en zei: 'Als Washington zelf wordt vernietigd en/of er is geen bericht van de minister of de president, dan zal Vuurstorm toch effectief worden.'

Niemand had daar commentaar op, dus ging Wolffer verder. 'De protocollen en ingebouwde beveiligingsmechanismen zijn vergelijkbaar met die voor MAD, en hoewel Vuurstorm een minder delicate reactie is dan MAD, is dit een van die zeldzame gevallen waarbij het gezonde verstand de overhand heeft. Met andere woorden, zodra de mensen in Colorado Springs weten – uit welke betrouwbare bron dan ook – dat een Amerikaanse stad door een atoombom is vernietigd, zullen ze een gecodeerd bericht sturen naar de raketsilo's die zijn aangewezen voor Vuurstorm, en naar de marinebases in Norfolk en Pearl Harbor, die de onderzeevloot zullen inseinen. Deze onderzeeërs en silo's krijgen vervolgens een pre-lanceerbevel. Vuurstorm kent een dertig-minuteninterval tussen de pre-lancering en de daadwerkelijke lancering.'

Wolffer keek iedereen afzonderlijk aan. 'Gedurende die tijd wachten de mensen in Colorado Springs op eventuele aanvullende gecodeerde berichten van de president waarin de lancering wordt aangepast of afgeblazen.'

Landsdale zei: 'Ik dacht dat de president Vuurstorm niet kon afblazen?'

Wolffer antwoordde: 'Dat kan hij wel, maar *alleen* als hij overtuigend bewijs heeft dat de nucleaire aanval niet door islamitische terroristen is uitgevoerd. En hij heeft slechts dertig minuten om daar achter te komen. En als hij in de helikopter zit, onderweg naar een veilige locatie, is er een stuk minder kans dat hij dergelijke informatie zal ontvangen. Zoals we al eerder hebben besproken, is er een sterke vooronderstelling van schuld jegens islamitische terroristen, zeker na 9/11. Het zal er alle schijn van hebben dat de kofferbommen de vingerafdrukken van Al-Qaeda dragen. En zonder aanwijzing als zou de aanval zijn opgezet door bijvoorbeeld Noord-Korea, of – hoe onwaarschijnlijk dat ook klinkt – door een of andere binnenlandse groepering die van het bestaan van Vuurstorm afweet' – hij glimlachte – 'zal Vuurstorm het land van de islam bestoken. We schieten in feite eerst en stellen daarna pas vragen. Als we het bij het verkeerde eind hadden wat betreft de bron van de aanval, hebben we in ieder geval een waardevol doel bereikt.'

Madox zei: 'Ik heb van Paul begrepen dat deze president niet zal proberen Vuurstorm af te blazen.'

Paul Dunn reageerde. 'De president is direct na 9/11 nog eens gewezen op Vuurstorm, en vervolgens nog een keer bij de eenjarige herdenking. Hij lijkt zich er helemaal in te kunnen vinden en begrijpt dat het enige wat hij moet doen nietsdoen is.'

Wolffer zei: 'Als Colorado Springs na dertig minuten nog niets van de president gehoord heeft, betekent die stilte een bevel tot lancering. Dus zeg maar binnen een uur na de atoomaanval op Amerika zullen we de nucleaire vernietiging hebben voltooid van hen die verantwoordelijk zijn.'

Landsdale merkte droogjes op: 'Ik mag hopen van niet. *Wij* zijn verantwoordelijk.'

Madox zag er de humor niet van in en antwoordde: 'Nee, Scott, de islamitische extremisten zijn uiteindelijk verantwoordelijk voor de vernietiging van hun thuisland. Ze hebben al te lang met ons gesold en wie met vuur speelt, moet op de blaren zitten.'

Landsdale merkte op: 'Als je je daar prettig bij voelt...' Hij vroeg aan Madox: 'Hoe is de logistiek om deze kofferbommen te krijgen waar ze horen?'

'Ik heb twee Citation-jets, die helaas op dit moment niet hier zijn, maar ik heb contact opgenomen met de piloten en de vliegtuigen zijn onderweg naar Adirondack Regional Airport. In de loop van morgen, of op zijn laatst maandag, als Mikhail me vertelt dat de kofferbommen op scherp staan, zullen de piloten en copiloten de vier koffers in twee Jeeps naar het vliegveld vervoeren en ze aan boord van mijn twee vliegtuigen brengen.' Madox keek even naar de zwarte koffer en zei: 'Het worden kofferbommen genoemd, maar zoals jullie zien lijken ze in de verste verte niet op de bekende Samsonite-koffers, dus voordat we ermee de straat op gaan, stoppen we ze elk in een hutkoffer met sloten van koolstofstaal.' Hij pauzeerde even. 'Vervolgens zullen de piloten en copiloten naar twee verschillende steden vliegen, waar ze een taxi nemen naar vooraf bepaalde hotels – met hun koffers – om daar nieuwe instructies af te wachten.'

Landsdale vroeg: 'Zijn die knapen te vertrouwen?'

'Ze zijn al heel lang bij mij in dienst en het zijn allemaal oud-militairen. Ze volgen orders op.'

'Wordt ze verteld wanneer ze hun kamers moeten verlaten?'

Madox antwoordde: 'Ze zullen helaas nog in hun kamer zijn als de koffers ontploffen. Ze weten natuurlijk niet wat er in die koffers zit, maar ze weten wel dat de inhoud heel kostbaar is en dat ze niet uit het oog mogen worden verloren.'

Harry Muller hoorde het allemaal aan. Hij was al enige tijd het spoor bijster wat het aantal slachtoffers betrof, maar hij wist dat zijn kansen om hier levend uit te komen inmiddels tot nog wat verder onder nul waren gedaald.

Hij strekte zijn enkelboeien en drukte toen met zijn voet op de ketting. Hij realiseerde zich dat hij die boeien nooit zou kunnen verbreken, maar zijn handen waren vrij en ervan uitgaand dat geen van deze mannen gewapend was, zou hij misschien kunnen uitbreken. Harry wierp een steelse blik op de deur, en vervolgens op de door gordijnen aan het oog onttrokken ramen.

Madox zag het en zei tegen hem: 'Vervelen we je? Moet je ergens heen?'

Harry antwoordde: 'Val dood.'

Paul Dunn zei: 'Bain, we hebben hem hier niet langer nodig, als we dat al ooit hadden.'

Madox antwoordde: 'Ik ben bang dat dit voorlopig de beste plek is voor de heer Muller. We willen toch niet dat hij tegen zijn bewakers gaat praten en ze ongerust maakt met krankzinnige praatjes over atoombommen?' Hij keek Muller aan en zei toen tegen de anderen: 'Er is een slaapmiddel onderweg naar hier. De heer Muller zal tot dinsdag moeten slapen.'

Niemand reageerde, behalve Harry, die tegen de andere vier mannen zei: 'Die schoft gaat me vermoorden, realiseren jullie je dat wel?'

Niemand zei iets of keek Harry aan, behalve Scott Landsdale, die Harry op de schouder klopte. 'Niemand gaat jou kwaad doen.'

Harry duwde Landsdale's arm weg en snauwde: 'Jullie zijn verdomme stuk voor stuk ordinaire moordenaars.'

Madox onderbrak hem. 'Harry, je maakt je nodeloos druk. Misschien moet je dat slaapmiddel nu maar meteen innemen. Of ga je nu je mond houden, zodat je ook de rest kunt horen?'

Harry gaf geen antwoord en Madox zei tegen zijn Comité: 'Zoals ik daarnet al zei, zullen de piloten en copiloten op hun post blijven en ergens in de loop van dinsdag, als Paul me heeft verteld dat de president en zijn vrouw in het Witte Huis aan het diner zitten, activeer ik de ELF-zender hier en zend het gecodeerde radiosignaal uit dat alle vier de bommen tot ontploffing zal brengen.' Hij vervolgde met: 'Tegen de tijd dat de president zijn salade naar binnen heeft gewerkt, zal hem het verschrikkelijke nieuws bereiken en zal de klok aftellen naar Vuurstorm, terwijl de president en zijn vrouw per helikopter naar een veilige plek worden overgebracht.' Hij vroeg: 'Staat een van jullie op de nominatie om samen met hem te worden geëvacueerd?'

Paul Dunn antwoordde: 'Ja, ik, maar alleen als ik bij hem in de buurt ben.'

'Nou,' zei Madox, 'veel dichter dan aan dezelfde tafel kun je niet bij hem zijn.'

Generaal Hawkins schraapte zijn keel en zei tegen Madox: 'Ik weet dat we een keer de plaatsing van de atoombommen hebben besproken, maar nu de tijd daar is, zou ik graag precies willen weten wat je in gedachten hebt. Je had het over twee steden, maar we hebben vier kofferbommen.'

Bain Madox zei: 'Zoals ik al zei, zijn dit wapens met een beperkt bereik, en mogelijk niet zo betrouwbaar als we wel zouden willen. Het plan is daarom, na overleg met Mikhail, om in elk van de twee steden twee bommen te plaatsen. Als er dus eentje niet zou werken, hebben we altijd de andere nog. Als ze allebei met maximaal effect ontploffen, hebben we een mooiere explosie.'

Hij keek de tafel rond en zei toen: 'Dus stel dat we bijvoorbeeld San Francisco als een van de steden zouden kiezen, dan gaat de piloot met zijn koffer naar het ene hotel, en de copiloot met de andere koffer naar een tweede, in de buurt gelegen hotel. We hebben dan dus twee ontploffingscentra die binnen het bereik van elkaar liggen, zodat als er maar één bom af zou gaan, die het hotel met de andere bom zou wegvagen. Dat is belangrijk omdat zo naderhand geen onontplofte koffer – en een stomverbaasde piloot – zal worden aangetroffen in een hotelkamer die kan worden gekoppeld aan... nou ja, aan mij. Met andere woorden, één explosie zal de sporen van een mogelijke blindganger – en de piloot – op de andere locatie vernietigen. Als geen van beide bommen tot ontploffing komt, zal ik mijn piloten bellen met nieuwe instructies.'

Generaal Hawkins vroeg: 'Hoe betrouwbaar zijn die bommen eigenlijk?'

Madox antwoordde: 'Mikhail heeft me verzekerd dat elke bom voor negentig procent betrouwbaar is wat de explosie betreft. Wat hun maximale bereik betreft, dat zullen we pas weten als ze zijn ontploft.' Hij legde het verder uit. 'Zoals ik al zei, zijn ze behoorlijk oud

– ze stammen ongeveer uit 1977 – en omdat het minibommen zijn, zijn ze in wezen geavanceerder en complexer dan, laten we zeggen, een atoomkop van één megaton. Maar ze zijn onderhouden door Mikhail, die me heeft verteld dat aan het ontwerp niets mankeert en dat het ontstekingsmechanisme en de plutoniumkern in uitstekende conditie verkeren.'

Generaal Hawkins merkte op: 'Wapens, en met name atoomwapens, zijn bij uitstek het terrein waarop de Sovjets excelleerden.' Hij glimlachte en voegde eraan toe: 'Tijdens de Koude Oorlog grapten we altijd dat we niet bang hoefden te zijn voor sovjetkofferbommen, omdat de Sovjets geen koffers konden maken.'

Enkele mannen grinnikten en Madox wierp een blik op de koffer. 'Hij ziet er inderdaad wat sjofel uit.' Hij lachte en keek de anderen aan. 'En nu dan misschien wel de moeilijkste beslissing die we moeten nemen – eentje die we nog niet echt hebben besproken – maar waar we het nu toch echt over moeten hebben. Welke twee Amerikaanse steden moeten worden opgeofferd opdat Amerika en de wereld bevrijd zullen worden van de islamitische terreur? Heren?'

13

Bain Madox drukte op een knop op zijn console en de kaart op het scherm veranderde van die van de wereld van de islam in die van de Verenigde Staten. Hij zei: 'Vergeet voor even dat jullie Amerikanen zijn. Verplaats je in de gedachten van een islamitische terrorist. Je bent in staat twee Amerikaanse steden te vernietigen. Welke twee zullen Allah het meest plezier doen?'

Madox stak een sigaret op en keek hoe de rook opsteeg langs de verlichte kaart van de Verenigde Staten.

Hij zei: 'Goed, dan zal ik beginnen. Als ik een islamitische terrorist was, zouden mijn eerste en tweede keus New York en Washington zijn. *Opnieuw*. Maar ik ben niet echt een islamitische terrorist, dus Washington staat niet op onze lijst. En New York zal ook niet op onze lijst staan vanwege de effectenbeurs en het belang daarvan voor de wereldeconomie, plus dat ik geloof dat wij allemaal – inclusief de heer Muller – vrienden en familie hebben in New York en omstreken.'

Landsdale zei: 'En vergeet je appartement aan Park Avenue niet, Bain.'

'Scott, ik heb belangen in vele steden. Dat is geen overweging. Het enige dat we in overweging zullen nemen, zijn vrienden en familie in de steden die wij als doelwit aanwijzen. Indien nodig zullen we proberen sommige mensen via een of andere smoes uit de tot doelwit bestempelde steden te krijgen. Maar dat zien we wel als we eenmaal zover zijn.'

Landsdale informeerde: 'Waar woont je ex?'

Madox antwoordde op geërgerde toon: 'Palm Beach. En dat is nu niet bepaald een aannemelijk doelwit voor islamitische terroristen.'

Landsdale glimlachte en zei: 'Als ik jouw alimentatie moest betalen, zou ik me er toch heel sterk voor maken.'

Madox zei: 'Oké, ik denk dat we alle steden aan de Oostkust van de potentiële lijst met doelwitten moeten halen. Een nucleaire explosie in welke stad dan ook tussen Boston en Baltimore zou serieuze gevolgen hebben voor de nationale economie, en dat moeten we te allen tijde zien te vermijden. Aan de andere kant moeten we, zoals ik al zei, de illusie in stand houden dat dit een islamitische aanval is.'

Harry Muller luisterde terwijl de vijf mannen spraken over welke twee Amerikaanse steden met een atoombom bestookt moesten worden. Ze klonken daarbij als zakenlieden die erover discussieerden of ze nu in deze of in die stad een fabriek zouden sluiten. Dat was zo onwerkelijk dat Harry zelf dreigde te vergeten waar ze het eigenlijk over hadden.

Bain Madox zei: 'Ik denk dat we serieus moeten overwegen om Detroit op de lijst te plaatsen. Die stad stelt toch al niet veel meer voor, hij heeft een grote moslimpopulatie en hij ligt vlak bij Canada, een uitermate irritant pacifistisch en socialistisch land. Het zou een goed signaal zijn in de richting van onze Canadese bondgenoten.'

Edward Wolffer reageerde daarop. 'Detroit mag dan hoog op onze lijst staan, maar het het zou, om redenen die je zojuist al hebt aangestipt, Bain, nooit hoog op de lijst van een islamitische terroristische groepering staan.'

'Ik weet het, maar het is zo'n verleidelijk doelwit.'

Landsdale herinnerde hem aan zijn eigen adagium: 'Denk als een moslimterrorist. Ik zeg Miami, met zijn grote joodse populatie. De stad is wel van enige economische importantie vanwege de haven en het toerisme. Maar we kunnen ook best zonder. Bovendien kunnen we dan nog voor de volgende verkiezingen afrekenen met een stelletje van die warrige kiezers daar.'

Iemand lachte en toen zei Paul Dunn: 'Er is een grote Cubaanse populatie in Miami die heel erg achter... sommige overheidsplannen staat. Zij zullen nog van pas komen als we het probleem Cuba aanpakken.'

Iedereen knikte en generaal Hawkins opperde: 'Disney World. Zijn er al niet eens islamitische dreigementen jegens Disney World geweest?' Hij keek de zwijgende tafel rond en vervolgde: 'Het is een perfect doelwit. Geen industrie, geen vitale economische of militaire belangen. Ver van de grote steden...'

Bain Madox staarde generaal Hawkins aan. 'Wil jij suggereren dat wij Mickey Mouse vermoorden?'

Iedereen lachte. 'Minnie, Goofy... wie nog meer? Jim, dat is gewoon... wreed. Om het nog maar niet over de kinderen te hebben.' Hij voegde eraan toe: 'We zijn geen monsters.'

Harry Muller was daar niet van overtuigd. Toch pasten deze knapen ook niet in zijn criminele profiel van psychopaten, sociopaten of gewoon krankzinnige en gewelddadige mannen. Het begon Harry te dagen dat deze knapen toch vooral normale, goed opgeleide en succesvolle kerels waren met goede banen, met gezinnen, vrienden en mensen die tegen hen opkeken. Deze mannen waren nog het best te vergelijken met de mensen van het Ierse Republikeinse Leger met wie hij te maken had gehad. Dus was niets van wat zij deden verkeerd – net als bij die IRA-knaap die hij een keer had ondervraagd en die als lunch een tonijnsandwich bestelde omdat het vrijdag tijdens de vasten was. En in Belfast had hij in koelen bloede twee agenten neergeschoten. Dat soort knapen was angstaanjagender dan straatcriminelen.

Bain Madox had het woord weer genomen. 'Chicago is ook van te vitaal belang voor de VS en het heeft geen speciale betekenis voor de islamitische terroristen. Goed, laten we terzake komen. Ik heb drie uitermate geschikte kandidaten – Los Angeles, San Francisco en Las Vegas. Sodom. Gomorra en... wat?

Landsdale zei behulpzaam: 'Babylon.'

'Dank je. Eerst San Francisco. Het heeft enig economisch belang, maar dat wordt tenietgedaan door het feit dat deze stad een zwerende, etterende steenpuist is op de kont van Amerika. Een broeinest van linkse idioten, seksuele perversiteiten, anti-Amerikaanse waarden, politieke correctheid, defaitisme en pacifistische halfzachtheid.'

Landsdale zei: 'Waarom vertel je ons niet hoe je echt over San Francisco denkt?'

Madox negeerde hem en vroeg: 'Heeft er hier iemand een argument om San Francisco *niet* op de hotlist te zetten?'

Edward Wolffer antwoordde: 'Ja, ik. Om te beginnen woont mijn dochter daar, hoewel ik er wel voor kan zorgen dat ze morgen, zogenaamd vanwege een zieke in de familie, het vliegtuig neemt. Maar het is ook... nou ja, architectonisch gezien een prachtige stad. En ik denk dat San Francisco in het nieuwe Amerika ofwel tot inkeer komt en zo niet, dan kan het worden beschouwd als een curiositeit – een soort sociaal laboratorium. Het zou interessant zijn om te zien hoe die stad reageert als twee andere Amerikaanse steden worden vernietigd, gevolgd door de vernietiging van een groot deel van de islamitische wereld.'

Iedereen dacht daarover na en toen zei Madox: 'Ik ben niet geïnteresseerd in hun reactie of verlossing. Ik zie ze liever in rook opgaan.'

Paul Dunn waarschuwde: 'Dat is een heel egoïstische en bevooroordeelde houding, Bain. Dit gaat niet om jouw persoonlijke oordeel over San Francisco, een stad die voor islamieten geen hoge prioriteit als doelwit zal hebben. Er zijn nooit echt bedreigingen geuit tegen die stad – '

'Nee, waarom ook?' snauwde Madox. 'Als ik een islamitische terrorist zou zijn, of voor mijn part een marxist, of Osama bin Laden zelf, zou het vriendelijke San Francisco wel de laatste stad zijn die ik zou willen bedreigen.'

'En dat,' zei Wolffer, 'is ook precies de reden waarom deze stad *geen* doelwit zou moeten zijn.'

Madox leek geïrriteerd dat zijn eigen argumenten tegen hem gebruikt werden en hij sloeg met zijn hand op tafel en zei: 'San Francisco gaat op de lijst.'

Landsdale zei: 'Bain, zit jij deze vergadering voor, of neem je het over?'

Madox haalde diep adem en antwoordde: 'Mijn verontschuldigingen voor mijn managementstijl. Maar dit is geen overheidscommissie. Dit is een bijeenkomst van een Uitvoerend Comité waarbij enkele snelle, harde en definitieve beslissingen moeten worden genomen. Jullie bijdragen zijn waardevol en jullie daden op dinsdag zullen zelfs van onschatbare waarde zijn voor het succes van Vuurstorm. Ik wil graag consensus, maar ik heb nog meer behoefte aan richting en duidelijkheid.' Hij voegde eraan toe: 'Zoals Friedrich Nietzsche al schreef: "De meest voorkomende vorm van menselijke stupiditeit is vergeten wat je probeert te bereiken".'

Landsdale zei: 'Bedankt, maar ik denk dat wij heel goed weten wat we willen – een eenzijdige atoomoorlog beginnen door de illusie te wekken dat wij werden aangevallen. Dat lijkt me vrij duidelijk.' Hij voegde eraan toe: 'Zoals je je misschien nog herinnert, hebben heel veel mensen in de Zandbak ons ervan beschuldigd dat wij zelf de Twin Towers en het Pentagon hebben aangevallen, zodat wij daarna bij hen vergelding konden zoeken. Ze begrijpen het idee, ook al hadden ze het op dat moment bij het verkeerde eind. Deze keer zullen ze wel gelijk hebben. Wij moeten dan echter wel doelwitten uitkiezen die perfect kloppen, zodat hopelijk niemand – zeker de eerste paar uur niet – zal denken dat wij dit onszelf aandeden om het vervolgens ook hen te kunnen aandoen. Laten we dus op rationele en weloverwogen manier onze doelwitten kiezen.' Hij glimlachte. 'Dat is wat Nietzsche zou hebben gezegd.'

Bain Madox negeerde hem en ging verder. 'De volgende twee steden die we in overweging moeten nemen, zijn Los Angeles en Las Vegas. Laten we ons eerst eens op LA richten. Het is een economische reus, maar de stad is zo enorm groot dat ik niet denk dat twee atoombommen van vijf kiloton meer schade of ontwrichting zullen veroorzaken dan hun periodieke aardbevingen of rellen. Ik zou me daarom met name willen richten op het gebied van Hollywood en Beverley Hills. Moet ik me nog nader verklaren?'

Generaal Hawkins zei: 'Ik denk dat we wat deze stad betreft allemaal de neuzen in dezelfde richting hebben.'

Madox knikte. 'En vergeet niet dat er heel specifieke dreigementen en openbare uitspraken zijn geweest van de islamitische terroristen tegen Hollywood. Ze schijnen te denken dat het daar een poel des verderfs is. Dat is nogal conservatief gedacht en ik schaam me te moeten bekennen dat ik het met hen eens ben.'

Een paar mannen grinnikten.

Madox keek even in zijn aantekeningen en zei: 'Een zekere meneer Suleiman Abu Ghaith, een officiële woordvoerder van Bin Laden, heeft gezegd, en ik citeer: "Amerika is, met de hulp van de joden, de leider wat betreft corruptie en het afbreken van normen en waarden, of dat nu morele, ideologische, politieke of economische corruptie is. Het zet via de goedkope media aan tot walgelijkheid en wellust".'

Madox voegde eraan toe: 'Er is mogelijk bij de vertaling een en ander verloren gegaan, maar ik geloof dat hij het over Hollywood had.'

Er klonk opnieuw gegrinnik.

Madox drukte op een paar toetsen op zijn console en er verscheen een kaart van Los Angeles op het scherm. Hij zei: 'Dit is een alsmaar uitdijend stedelijk gebied en als we ons concentreren op Hollywood' – hij zoomde in op een deel van de kaart en vervolgde zijn relaas – 'en het nabijgelegen Beverly Hills, zien we dat de actieradius van onze twee atoombommen elkaar maar nauwelijks overlapt. Wat ons weer bij het probleem brengt dat dit tot ons te herleiden zou kunnen zijn als een van de twee bommen niet afgaat. Maar ik geloof dat we in dit geval het risico moeten nemen omdat het resultaat zo fantastisch is.'

Paul Dunn nam het woord. 'Ik denk dat dit op de een of andere manier toch wel op ons valt terug te voeren, Bain. Er zullen één of twee locaties zijn waar de bommen ontploffen en die zullen worden geïdentificeerd als hotels, en vroeg of laat zal de FBI een lijst hebben van iedereen die in die hotels verbleef. Uiteindelijk zullen de gastenboeken van deze vier hotels de namen onthullen van jouw vier piloten en verder onderzoek zal ze leiden naar de vluchtschema's en de landingen op de luchthavens van die steden. Ik geloof niet dat de FBI – of de CIA – dit als toeval zal beschouwen.'

Madox dacht even na en keek toen naar Harry Muller. 'Harry, wat denk jij?'

'Ik denk dat jullie volkomen gestoord zijn.'

'Dat weten we, ja. Ik wil graag een professionele mening.' Hij voegde eraan toe: 'Alsjeblieft.'

Harry aarzelde en zei toen: 'Als ik op deze zaak zou worden gezet, zou ik het binnen een week rond hebben. Je begint met de plaats delict – de hotels die zijn geïdentificeerd als de plekken waar de bommen tot ontploffing zijn gebracht – en vervolgens ga je naar de gastenlijsten die op een reserveringscomputer ergens anders staan, waarna je die vierentwintig uur per dag doorploegt tot er een patroon zichtbaar wordt.'

Madox vroeg: 'Zou het uitmaken als mijn piloten inchecken onder valse naam en met nepcreditkaarten?'

'Ja... maar – '

'Nou, dat is precies wat ik van plan ben, Harry. Paul. Zo stom ben ik nu ook weer niet.'

Harry, die toch nog wat twijfel wilde zaaien, vroeg: 'Is het toevallig dat je twee vliegtuigen hebt staan in de steden die worden vernietigd en dat je na de aanval vier piloten mist?'

'Weet je wel hoeveel toevalligheden zich bij de Twin Towers hebben voorgedaan?' antwoordde Madox. 'Het risico, als dat er al is, dat dit met ons in verband wordt gebracht, met een miljoen doden, is nihil en acceptabel. En zal ik je nog eens wat vertellen? Als de FBI bij mij aan de deur komt kloppen, zal dat waarschijnlijk zijn om me te feliciteren.'

Harry antwoordde: 'Jullie eindigen allemaal in de gevangenis.'

Madox negeerde hem en sprak verder. 'En als de FBI of wie dan ook bij de overheid tot de ontdekking komt dat de Custer Hill Club iets van doen heeft met deze aanvallen op Amerika die leidden tot het activeren van Vuurstorm, denk jij dan dat ze dat wereldkundig zullen maken? Wat moeten ze zeggen? "Sorry, we hebben ons vergist?" Gevolgd, vanzelfsprekend, door een spijtbetuiging voor de tweehonderd miljoen dode moslims, en een oprechte verontschuldiging jegens de verbijsterde overlevenden, samen met de belofte dat het niet weer zal gebeuren?'

Dat leek op iedereen indruk te maken en Madox zei: 'Laten we verdergaan. Ik heb me al enigszins verdiept in Los Angeles als doelwit en heb vastgesteld dat de beste hotels voor de piloot en copiloot het Beverly Wilshire in Beverly Hills en het Hollywood Roosevelt Hotel zouden zijn.' Hij legde uit: 'Ik zal met een nepcreditkaart in elk hotel een kamer voor hen reserveren en om een kamer op de hoogste verdieping vragen, omdat die het beste uitzicht bieden en, niet helemaal toevallig, de beste hoogte voor de explosie. En bovendien geldt dat hoe hoger je gaat, hoe onwaarschijnlijker het wordt dat een daar toevallig in de buurt ronddwalend NEST-team gammastralen of vrij rondzwevende neutronen oppikt.' Hij keek naar Harry. 'Dat klopt toch?'

'Ach, maak je daar maar geen zorgen om, Bain. Die NEST-teams stelden toch al niks voor, weet je nog wel?'

Landsdale lachte, maar hij was de enige.

Madox leek op het punt te staan iets onaardigs tegen Harry te zeggen, maar hield zich in. 'Als ik het goed heb berekend, en als de bommen hun maximale kracht bereiken, zouden de beide vernietigingsgebieden elkaar moeten overlappen. Het gebied in Beverly Hills dat volkomen dan wel gedeeltelijk vernietigd zal worden, zal ons gelijk van een flink aantal ongetalenteerde filmsterren, overbetaalde filmbazen en diverse andere salonsocialisten afhelpen.' Hij vroeg, retorisch: 'Mooi meegenomen, toch?'

Landsdale merkte op: 'Ik hoop niet dat Demi Moore daar in de buurt woont.'

'Ik zal je een sterrenkaart van Hollywood geven, Scott. Oké, het tweede vernietigingsgebied; Hollywood, omvat diverse filmstudio's, waaronder die van Paramount en Warner, plus de tv-studio van ABC. En als extra bonus hebben we dan ook nog het gebouw van de vakbond van filmsterren.' Madox zei: 'Ik denk dat we voorlopig alleen maar dvd's en herhalingen zullen zien.'

Een paar mannen glimlachten beleefd.

Paul Dunn zei: 'Los Angeles is een van de belangrijkste steden van het land, met een inwonertal van meer dan vijftien miljoen. Als je twee atoombommen tot ontploffing brengt in Hollywood en Beverly Hills, zal dat chaos en paniek in de rest van de stad veroorzaken. Miljoenen mensen zullen proberen te vluchten en de gevolgen zullen catastrofaal zijn.'

Madox antwoordde: 'Paul, jij weet ook overal een pessimistische draai aan te geven. Denk positief. Zie dit als de oplossing van het probleem van de illegale arbeiders. Ze weten allemaal in welke richting Mexico ligt.'

Dunn zei streng: 'Dat is een racistische opmerking.'

Madox trok een schijnheilig gezicht en zei: 'Het spijt me oprecht. En ik zie je punt. Ik bezit trouwens zelf een grote olieopslag en raffinaderij in het zuiden van LA. Maar ik ben zo optimistisch om te denken dat de situatie daar binnen een jaar weer min of meer normaal is. Belangrijker is het feit dat de islamieten echt Hollywood willen vernietigen. Dus dit doelwit gaat op de shortlist.'

Iedereen knikte.

Madox ging verder. 'En *last but not least*, Las Vegas.' Hij drukte een paar toetsen in en er verscheen een luchtfoto van nachtelijk Las Vegas op het scherm. Madox zei: 'Dit is voor mij het perfecte doelwit. Een van drugs vergeven broeinest van zondigheid en immoraliteit, bevolkt door derderangs artiesten, goddeloze mannen, losgeslagen vrouwen – '

'Ho eens even,' onderbrak Landsdale hem. 'Er zijn er onder ons die van losgeslagen vrouwen houden.'

Madox antwoordde: 'Ik geef je alleen maar de visie van de islam.' Hij pakte de draad weer op. 'Dit is een stad die maar één industrie kent en hoewel ik zelf ook vaak genoeg in die casino's ben geweest, vind ik wel weer een andere plek om mijn geld te verliezen. Ik zie in ieder geval alleen maar voordelen in het met de grond gelijkmaken van een deel van deze stad. Hij ligt ver van andere dichtbevolkte gebieden en hij staat bovenaan de lijst van islamitische doelwitten, dus hoort hij ook bovenaan ons lijstje te staan.'

De vier mannen knikten.

Madox gebaarde naar de luchtfoto, een oase van fonkelende lichtjes te midden van een donkere woestijn en zwarte heuvels. Hij zei: 'Het zou trouwens economisch wel eens helemaal niet zo slecht kunnen zijn om deze plek te bombarderen. De stad groeit te snel en gebruikt veel te veel elektriciteit en schaars water.'

Niemand reageerde.

Madox ging verder. 'Wat ik voorstel, is één kofferbom in een hoog hotel langs de strip – Caesars Palace bijvoorbeeld, dat precies halverwege de strip ligt – en de andere in het oude centrum. Zo zou je in één klap alle casino's wegvagen en zouden de omliggende voorsteden intact blijven.' Hij legde uit: 'De voorsteden stemmen overwegend

Republikeins.' Hij glimlachte, drukte op een toets, en het scherm was leeg.

De lichten in het vertrek gingen aan en Madox zei: 'Volgens mij hebben we dus drie kandidaten voor twee posities. Zullen we stemmen?'

Paul Dunn antwoordde: 'Ik denk dat het moeilijk voor ons zou zijn om... om echt daadwerkelijk de twee steden aan te wijzen die voor nucleaire vernietiging in aanmerking komen. Ik bedoel, we hebben er drie uitgekozen... maar het zou misschien makkelijker zijn als we voor de uiteindelijke twee gewoon lootjes trokken.'

Madox keek iedereen afzonderlijk aan en ze knikten allemaal instemmend. Hij scheurde drie reepjes papier af van zijn blocnote en schreef daar de namen van de drie steden op. Toen hij klaar was, liet hij de drie strookjes zien en zei: 'Opdat jullie niet denken dat ik San Francisco twee keer heb genoteerd.' Hij grinnikte, vouwde de papiertjes op en stopte ze in een lege koffiemok. Hij schoof de mok over de tafel en zei: 'Harry, jij bent God. Pik er Sodom en Gomorra maar uit.'

'Val dood.'

'Laten we het dan andersom doen – kies de stad uit die *niet* zal worden vernietigd.' Hij voegde eraan toe: 'God zal je leiden.'

'Zak in de stront.'

Landsdale leek wat ongeduldig te worden en pakte de mok. Hij trok twee lootjes, stak ze toen met zijn aansteker in brand en gooide de brandende papiertjes in zijn asbak. Iedereen staarde naar de brandende asbak en toen zei Landsdale: 'Dat zijn de twee verliezers in de Nationale Nucleaire Loterij.' Hij viste het overgebleven papiertje uit de mok en zei: 'De stad die aan nucleaire verwoesting zal ontsnappen, is...'

'Niet kijken,' beval Madox. 'Stop hem in je zak en laat hem ons later zien. Ik wil niet dat er tijdens deze bijeenkomst mensen teleurgesteld, bezorgd of afgeleid raken.'

Landsdale stopte de naam van de stad die gespaard zou worden in zijn zak en zei tegen Harry: 'Nu zul je het pas weten als het voorbij is.'

Harry dacht niet dat hij het ooit te weten zou komen.

14

Harry Muller luisterde hoe de vijf mannen de finesses van Project Groen en Vuurstorm bespraken.

Ergens diep in zijn hart moest Muller toegeven dat het ontploffen van 122 atoombommen in de Grote Zandbak niet eens zo'n beroerde gedachte was. Het waren de vier bommen in Amerika die hem echt dwarszaten en dat leek ook het geval bij Wolffer, Hawkins, Dunn en Landsdale. Maar zij legden zich er zo te zien bij neer. Hij hoorde Madox zeggen: 'Als ik echt mijn eigen tijdstip had mogen bepalen, had ik heel graag LA tijdens de Academy Awards gebombardeerd.'

Eigenlijk, dacht Harry, *neemt Madox het allemaal wat al te gemakkelijk op.*

Generaal Hawkins keerde terug naar het prettiger onderwerp van Vuurstorm en zei, bijna weemoedig: 'Rond het tijdstip van de Academy Awards zou trouwens ook het enorme stuwmeer achter de Aswandam zijn hoogste niveau hebben bereikt.'

Bain Madox knikte en zei: 'Nou, bedankt, meneer Muller, dat we niet de luxe hebben om zelf ons tijdstip uit te kiezen.' Hij keek Harry aan en zei toen: 'Ook al staan de planeten, de maan en de sterren op dinsdag niet in één baan, dan nog denk ik dat de komst van meneer Muller hier een teken van God was dat we eindelijk onze drol moeten leggen, of anders van de pot stappen.' Hij begon helemaal warm te lopen voor zijn onderwerp en zei: 'Alles hoeft ook niet perfect te zijn om zo'n honderd atoombommen te gooien. De bommen creëren zelf hun perfecte wereld. Ze zijn transcendentaal. Goddelijk.'

Scott Landsdale vroeg aan Madox: 'Bain, heeft iemand voordat jij rijk en machtig was ooit wel eens de woorden krankzinnig en jouw naam in dezelfde zin gebruikt?'

Madox schonk zich een glas water in terwijl hij Landsdale strak aankeek. Ten slotte zei hij: 'Ik laat me af en toe meeslepen door Vuurstorm. Ik bedoel, het komt in de geschiedenis van het menselijk ras niet zo vaak voor dat een overweldigend probleem een simpele oplossing kent. Het is zelfs nog zeldzamer dat het lot de oplossing heeft gelegd in de hoofden en handen van een paar goede mannen. Dat windt me op.'

Niemand, zelfs Scott Landsdale niet, reageerde hierop.

Madox ging verder. 'Nog wat operationele details. Om te beginnen zullen jullie allemaal in de loop van morgen moeten vertrekken. De rest van de clubleden zal op maandag vertrekken, zoals al gepland. Ik heb voor morgenochtend vervoer naar de kerkdienst geregeld en – '

Harry zei: 'Ik zou graag naar de kerk gaan.'

Madox keek hem aan en zei: 'Jij slaapt morgen uit.' Hij zweeg even. 'Het spreekt voor zich dat niemand hier de agenda van deze besloten bijeenkomst van het Comité met andere leden bespreekt. Jullie moeten je volkomen normaal gedragen. Zoals jullie misschien weten, woont Steve Davis in San Francisco en Jack Harlow en Walt Bauer wonen in LA. Kijk niet naar ze alsof ze op het punt staan om te sterven.' Hij voegde eraan toe: 'Niemand van ons weet trouwens nog welke twee steden we hebben gekozen, dus dat zal jullie misschien helpen.'

Niemand zei iets.

Madox opperde: 'Als je denkt dat je acteertalenten niet toereikend zijn, zeg je maar dat we het hebben gehad over de ophanden zijnde oorlog in Irak, wat inderdaad nogal zorgelijk is. En kijk alsjeblieft uit dat jullie niet te veel drinken. Begrepen?'

Iedereen knikte.

Madox ging verder. 'Wat onze communicatie betreft, we hebben allemaal niet-traceerbare gsm's, net als al die drugsdealers, en we zullen alleen die telefoons gebruiken. Plus dat ik, zoals jullie weten, mijn eigen zendmast heb, die ook nog eens voorzien is van een stemvervormer. Maar bel alleen als en wanneer ik van jullie moet horen. Het meeste van wat ik moet weten van Project Groen, kan ik wel van het nieuws op de tv halen.' Hij dacht even na en ging toen verder. 'Ergens rond etenstijd zal elk radio- en tv-station in Amerika – met uitzondering van die in de twee steden – onderdeel uit gaan maken van het Noodplan Radio en TV.'

Niemand zei iets en Madox vervolgde zijn relaas. 'Ongeveer een uur later verwacht ik het eerste nieuws te horen over de Amerikaanse nucleaire reactie op de atoomaanval op Amerika. Dat klopt toch, Paul? Ed?'

Ed Wolffer antwoordde: 'Ja, Vuurstorm zal aan de natie en de wereld bekendgemaakt worden. Er is geen reden het geheim te houden, aangezien het niet meevalt een massale raketlancering en honderdtweeëntwintig atoomexplosies erg lang geheim te houden.' Hij voegde eraan toe: 'Ergens gedurende die avond zal de president de natie toespreken vanuit zijn veilige locatie en het bestaan van Vuurstorm onthullen. Hopelijk heeft dat een kalmerend effect op het land. Het is in ieder geval goed voor het nationale moreel.'

'Nou,' zei Bain Madox, 'het is in ieder geval goed voor mijn moreel. Na 9/11 was iedereen in mineur toen we niet direct reageerden, maar dit keer kunnen de Amerikanen de regering er niet van beschuldigen dat ze te terughoudend is.'

Generaal Hawkins reageerde daarop. 'Dat is waar, maar dit keer zullen we een hoop over ons heen krijgen omdat we te overdreven reageren.'

'Dit keer, Jim,' zei Madox, 'zullen de rest van de wereld en de media zich in geschokt stilzwijgen hullen. Je zult nog geen piepje horen. Nog geen piepje, verdomme.'

De leden van het Comité knikten, en dat deed Harry ook.

Madox zei: 'Het belooft een interessante avond te worden. Ik zal natuurlijk hier blijven om het ELF-signaal te versturen dat de bommen tot ontploffing zal brengen.' Hij liep opnieuw op de rechtopstaande koffer af en legde zijn handen op het zwarte leer. Hij keek de anderen aan en zei: '*Ik*, heren, zal op de nucleaire knop drukken waardoor twee Amerikaanse steden zullen worden verwoest, en als ik dat doe, zal ik God om vergeving vragen. *Jullie* zullen erop toezien dat als vergelding daarvoor Vuurstorm zal worden geïnitieerd.'

Generaal Hawkins vroeg: 'Tot hoe lang na dinsdag blijf jij hier, Bain?'

Madox liep terug naar zijn stoel en antwoordde: 'Dat weet ik niet. Hoezo?'

'Nou, je moet wel begrijpen dat er grote paniek zal uitbreken in Amerika als de bommen in beide steden afgaan. De mensen zullen denken dat als de vijand een paar bommen heeft, ze er ook nog wel meer zullen hebben. Ze zullen uit de steden wegvluchten, wat tot chaos zal leiden en helaas ook tot nogal wat gewonden en doden. Onze familie en vrienden lopen ook enig risico... en ik kan en wil niet alle mensen die ik ken opbellen om te zeggen dat ze kalm moeten blijven. We kunnen alleen hopen dat de vergeldingsactie – het wegvagen van de islam – de mensen wat zal kalmeren. Maar ondertussen –'

'Jim, waar wil je heen?'

'Nou ja... nu het eindelijk zo ver is... begin ik te beseffen... en ik geloof dat dat voor ons allemaal geldt... wat er eigenlijk op ons af komt.'

Madox antwoordde: 'Ik weet dat dit nogal plotseling komt, Jim, maar daar had je aan moeten denken na 9/11, toen we Project Groen begonnen op te zetten.'

'Ja, ik weet het. Maar ik stel me nu zo voor dat jij hier in Gods uitverkoren land zit terwijl wij vieren in Washington zitten en onze vrienden en familie over heel Amerika verspreid zijn, waar het een grote chaos zal zijn. Waar zal jouw familie uithangen?'

'Waar ze op dat moment ook maar zijn. Ik ga in ieder geval niemand bellen.' Hij voegde eraan toe: 'Mijn kinderen beantwoorden mijn telefoontjes toch al nooit.'

'Dat is jouw beslissing. Maar ik denk dat je zo snel mogelijk nadat het gebeurd is terug moet gaan naar New York.'

'Waarom?'

Hawkins antwoordde: 'Om de ervaring te delen, Bain.'

'Oké... ik zal mijn best doen om zo snel mogelijk naar New York te gaan. Maar ik zal me toch eerst van de ELF-zender moeten ontdoen, gewoon voor het geval er iemand met een huiszoekingsbevel langskomt. Dat is *mijn* taak. *Jullie* taak, heren, is om in Washington te blijven – of op de jullie toegewezen beveiligde locatie – om de gebeurtenissen te beïnvloeden. Mee eens?'

Iedereen knikte.

Harry bestudeerde opnieuw de gezichten rond de tafel. Het leek er op dat de realiteit tot hen begon door te dringen. Hij moest weer denken aan de radicale groeperingen die hij de afgelopen jaren had gevolgd. Ze kwamen vaak nooit in actie omdat ze diep vanbinnen helemaal hun leven niet wilden riskeren door ergens een bom te plaatsen, een agent neer te schieten, een bank te beroven of iemand te ontvoeren. Alleen in de gevallen dat ze een Bain Madox als leider hadden, wilde hun lafheid nog wel eens in daden resulteren. En in de helft van die gevallen verklapte iemand uit de groep het plan aan de politie, of gaf zichzelf na de misdaad aan om strafvermindering te krijgen.

Harry keek naar de gezichten rond de tafel. Misschien dat, nu de tijd gekomen was, een van deze knapen vóór dinsdag tot rede zou komen. De adviseur van de president, Dunn, zag er nogal bangelijk uit en misschien dat hij uit de school zou klappen. De generaal leek ook niet helemaal op zijn gemak, maar Harry kende dat soort types – hij zou meedoen, om zich mogelijk na afloop voor het hoofd te knallen. De knaap van Defensie, Wolffer, stond helemaal achter het plan en hij zou van geen wijken weten.

En dan was er nog Landsdale. Harry herinnerde zich Ted Nash, Coreys aartsvijand bij de CIA, inmiddels niet langer onder ons. Corey had ooit over Nash gezegd: 'Het enige wat je een CIA-agent moet nageven, is dat ze tegen iedereen even hard liegen.' Als Landsdale tijdens deze bijeenkomst overal braaf mee had ingestemd, zou Harry hebben gedacht dat hij hier als dubbelspion was. Maar Landsdale had Madox af en toe behoorlijk te kakken gezet, dus stond Landsdale vermoedelijk ook volledig achter het programma, ook al was hij dan geen vriend van Madox. Harry dacht dat Madox dat ook wel begreep, maar hij moest Landsdale hebben vertrouwd, anders zou die knaap hier nu niet zitten. Landsdale stond volgens Harry zelfs op betere voet met Madox dan de anderen.

En dan had je natuurlijk Madox zelf nog. Dit was toch een knaap die alles had, en toch dreef iets hem ertoe dat alles op het spel te zetten. Het ging niet echt over olie, of geld, of macht. Het ging om haat, zoals altijd bij dit soort knapen, of het nu Hitler, Stalin of Bin Laden was, of al die mensen die Harry had ondervraagd en gearresteerd sinds hij zich met antiterrorisme bezighield. En het draaide ook een beetje om krankzinnigheid, wat trouwens tot haat leidde. Of was het net andersom?

Madox keek Harry aan alsof hij wist dat Harry Muller negatieve gedachten over hem had en vroeg: 'Wilde je iets zeggen, behalve je gebruikelijke "val dood"?'

'Ja. Als federaal gezagshandhaver wil ik iedereen hier eraan herinneren dat een samenzwering tot moord een misdaad is – '

Madox onderbrak hem. 'We hebben het hier over *oorlog*, rechercheur Muller, niet over moord. Generaals offeren soms hun troepen op – burgers zelfs – zodat andere troepen verder kunnen vechten.'

'Gelul.'

Madox maakte een wegwerpgebaar met zijn hand en richtte zijn aandacht weer op de leden van het comité. 'Heren, op 11 september 2001 waren er negentien islamitische vliegtuigkapers die geen enkele fatsoenlijke reden hadden om ons kwaad te doen, en die niet van het kaliber waren van de mannen die hier rond de tafel zitten, die *hun* plan ten uitvoer brachten. Niet een van hen deserteerde of lapte de anderen erbij – en ze gingen doelbewust op hun dood af. Ik vraag niemand van ons om zijn leven op te offeren – ik vraag alleen dat wij, als vaderlandslievende Amerikanen, onze vijanden aandoen wat zij ons hebben aangedaan.' Hij besloot met: 'Als zij het *kunnen* doen, zullen wij het *moeten* doen.'

Een paar hoofden gingen op en neer.

Madox zei: 'Ik zou graag zien dat elk van jullie, op dit moment, een "ja" of een "nee" geven aan Project Groen.' Hij wendde zich tot de onderminister van Defensie. 'Ed?'

Ed Wolffer kwam overeind en zei: 'Heren, wat wij op het punt staan te doen, vergt moed en vastberadenheid, en dat is hier voldoende aanwezig, dunkt me. En ik ben ervan overtuigd dat eenieder hier in zijn hart weet dat wat hij gaat doen noodzakelijk en juist is.' Hij zweeg even en ging toen verder. 'Dit is niet het moment om aan onszelf te denken, en aan de persoonlijke risico's die we nemen. Dit is een moment om onze nek uit te steken ten bate van ons land – zoals onze mannen en vrouwen in uniform elke dag doen.' Hij besloot met: 'Ik stem voor de implementatie van Project Groen.'

Generaal Hawkins kwam ook overeind en zei: 'Als militair heb ik gezworen de Grondwet te eerbiedigen en te verdedigen, net als jullie allemaal. Ik heb ook gezworen de de president, onze opperbevelhebber, te gehoorzamen. Ik neem deze beloften serieus en na ampele overwegingen heb ik besloten dat ik in goed geweten kan stemmen voor de voortgang van Project Groen.'

Paul Dunn ging staan en zei: 'Ik zou liever hebben gezien dat we wat meer tijd hadden gehad om het plan helemaal naar wens af te stemmen, maar we moeten nu onze kaarten op tafel leggen. Ik stem voor doorgaan.'

Scott Landsdale bleef zitten en zei: 'Ik heb het sterke gevoel dat dit de enige kans is die we zullen krijgen. Harry Muller is hier niet heen gestuurd om vogels te kijken. Onze beste verdediging tegen verdere interesse van de overheid in onze activiteiten – en mogelijke aanklachten wegens samenzwering – is om in de aanval te gaan. Als we de bommen nu niet gebruiken, zijn we ze kwijt.' Hij zei: 'Ik stem voor.'

Bain Madox stond op en staarde zwijgend en diep in gedachten verzonken naar de muur tegenover hem. Toen keek hij zijn Comité aan. 'Bedankt voor jullie moed en loyaliteit. Jullie zijn ware strijders in dienst van de beschaving.'

Harry zei: 'Goede soldaten vermoorden geen burgers. Heb jij burgers vermoord in Vietnam? Hebben ze je daarom die Silver Star gegeven?'

Madox keek Harry met samengeknepen ogen aan en toonde voor het eerst enige woede. 'Houd je bek. Jij mag pas iets zeggen als er tegen je gepraat wordt. Begrepen?'

'Nog één laatste opmerking – val dood.'

Bain Madox negeerde hem en begon: 'Heren, wij hier zijn het kleine leger dat de verspreiding van het islamitische fundamentalisme en de terreur kan en zal tegengaan. Wij vormen een nieuwe, en misschien laatste, schakel in een lange rij van goede christelijke mannen en vrouwen die het geloof en de westerse beschaving tegen de islam hebben verdedigd. Wilt u alstublieft weer gaan zitten.'

Madox drukte een paar toetsen in en op de monitor verscheen een kaart van Europa en het Midden-Oosten. 'De Spanjaarden en de Fransen hebben – in de tijd dat ze nog ballen hadden – de moslims bestreden in het Westen. De Kruisvaarders brachten de oorlog naar het thuisland van de moslims. De christenen op de Balkan hebben een half millennium tegen de Turken gevochten.'

Hij zweeg even en ging toen verder. 'Misschien hebben jullie wel eens het verhaal gehoord van de Poolse koning Jan III Sobieski die in de zeventiende eeuw, toen de moslimhordes klaarstonden om een wig te drijven in het christelijke Europa, dat die man zonder daar door wie dan ook om gevraagd te zijn, zijn leger meenam uit Polen en de moslims voor de poorten van Wenen versloeg.'

Madox keek de tafel rond om zich ervan te verzekeren dat iedereen luisterde en ging toen verder. 'Niemand heeft ons gevraagd de westerse beschaving te redden, maar wij zien het gevaar en wij zullen doen wat gedaan moet worden. Ik geloof dat de Heilige Geest onze gedachten en onze daden stuurt, net zoals God koning Jan leidde, die weinig te winnen en alles te verliezen had toen hij zijn christelijke broeders in Wenen te hulp kwam. Omdat koning Jan wist, heren, dat als hij de Turken niet bij Wenen tegenhield, heel Europa aan de islam ten prooi zou vallen. En bedenk wel dat verder niemand in Europa de belegerde stad te hulp kwam – heel Europa verkoos zijn hoofd in het zand te steken en te bidden dat zij niet het volgende slachtoffer zouden worden. Klinkt dat jullie bekend in de oren? Maar de Heilige Geest, heren, trad in het hoofd en het hart van koning Jan en vertelde hem wat hem te doen stond, vertelde hem dat het juist en noodzakelijk was en dat zijn overwinning op de islam God vreugd zou doen. En gewapend met de aanwezigheid van de Heilige Geest, terwijl hij minder manschappen en wapens had dan de vijand, versloeg koning Jan van Polen de moslim-Turken en redde zo het christelijke Europa. Deze man vroeg noch kreeg enige dank of beloning voor alles wat hij had gedaan.'

Landsdale vroeg: 'Zelfs geen leuke oliebron?'

Bain Madox negeerde hem en praatte verder. 'Wij, heren, zijn als koning Jan. Wij zijn de enige buffer tussen de westerse beschaving en de vijand voor onze poorten. God heeft ons naar deze plek geleid en ditmaal met een duidelijk doel. Door twee Amerikaanse steden op te offeren – die, net als Sodom en Gomorra, toch al niets waard waren – kunnen wij voorkomen dat de vijand andere Amerikaanse steden vernietigt. Wij redden in wezen Washington, New York, Seattle, Chicago, Atlanta, Dallas... Palm Beach... Ik wil dat jullie dat allemaal heel goed begrijpen, dat jullie daarvan overtuigd zijn, zodat jullie vannacht met een gerust hart kunnen slapen.'

Hij keek opnieuw elke man afzonderlijk aan. 'Als Jezus Christus zelf hier aanwezig was geweest, had hij gezegd: "Kom op, jongens, ga ervoor".'

De andere vier mannen keken elkaar zijdelings aan, maar niemand leverde commentaar op Madox' toespraak, of zijn denkbeeldige boodschap van Jezus Christus.

Bain Madox nam een slok water, waarvan Harry begon te vermoeden dat het pure wodka was.

Madox besloot met: 'Oké, ik heb mijn zegje gedaan. Nu wil ik jullie vragen je hoofd te buigen in een stil gebed en de Heer te vragen om kracht, leiding en misschien enige absolutie voor het geval Hij toch wat moeite met onze plannen heeft.' Hij riep over de tafel heen: 'Jij ook, Harry. Bid met ons mee.'

Bain Madox boog zwijgend zijn hoofd en met enige aarzeling volgden de anderen zijn voorbeeld.

Harry Muller bad dat een van deze knapen tot inkeer zou komen of in paniek zou raken, of mogelijk een betere goddelijke boodschap doorkreeg dan Madox had ontvangen.

Na ongeveer een minuut zei Madox: 'Amen', waarna hij zei: 'De borrel is om vijf uur in de bar, de kleding is informeel. Poker in de spelkamer, mocht iemand daarin geïnteresseerd zijn. We hebben een nieuw dartbord met Saddams gezicht er op. Het diner begint om half acht. Jasje, dasje, alsjeblieft. Gebruik de open haard voor je notities als je dit vertrek verlaat. De vergadering van het Uitvoerend Comité is hiermee beëindigd. Bedankt voor jullie aanwezigheid.'

De vier mannen pakten hun spullen bij elkaar en verlieten stilletjes het vertrek.

Bain Madox en Harry Muller keken elkaar over de lengte van de tafel heen aan.

Madox zei: 'Nu zijn alleen wij tweeën nog over, Harry.'

Harry Muller nam de situatie in zich op. Als hij Madox zou weten te overmeesteren, zou het raam zijn beste vluchtweg zijn. Maar als hij met die twee griezels buiten de deur zou kunnen praten en hun vertellen wat hier aan de gang was, zou dat misschien een betere optie zijn.

Madox vroeg hem: 'Waar denk je aan?'

'Ik zit te bedenken dat dit plan eigenlijk zo gek nog niet is.'

'Gelul. Hé, hoe heb ik het er vanaf gebracht?'

'Oké.'

'Alleen maar oké?'

'Nou, bij dat verhaal over koning Jan ben ik eerlijk gezegd afgehaakt.' Harry schatte dat hij binnen drie seconden bij Madox zou kunnen zijn, zelfs met zijn boeien om.

Madox zei: 'Het baart me zorgen dat jij het niet begrijpt. Wil je dan dat die verdomde oorlog tegen het terrorisme doorgaat tot je kleinkinderen oud zijn?'

'Luister, maat, als zij ons raken, slaan wij terug. Maar als zij niet nucleair gaan, hoeven wij dat ook niet te doen. Jij begrijpt de bedoeling van Vuurstorm niet.'

'Juist wel. Punt is dat het te goed werkt.'

'Ja, dat is verdomme precies het punt.'

'Je moet het zo zien, Harry – als de berg niet naar Mohammed komt, zal Mohammed naar de berg moeten. Ja toch?'

'Wat je zegt, maat.' Hij pakte de zware metalen asbak die Landsdale had gebruikt en smeet hem naar Madox. Toen Madox wegdook om het ding te ontwijken, sprong Harry overeind.

Harry legde de drie meter binnen de twee seconden af, maar Madox stond al overeind en liep achterwaarts naar de muur. Harry bewoog zo snel als hij met de boeien om kon, maar Madox bewoog sneller en haalde een pistool onder zijn jasje vandaan.

Harry dook op Madox af, die van dichtbij op hem schoot. Harry bleef staan, verbaasd dat hij geen kogel voelde, en zich ervan bewust dat het pistool nauwelijks enig geluid had gemaakt.

Bain Madox liep nog wat verder bij hem vandaan en beide mannen keken elkaar aan. Harry deed een stap in de richting van Madox, maar voelde zijn benen zwaar worden, terwijl ook de kamer begon te draaien.

Madox zei: 'Je moet hoognodig rust hebben.'

Harry voelde zijn benen bezwijken en viel op zijn knieën. Hij zag nu dat er iets uit zijn borst stak en legde zijn hand er omheen.

'Een verdovingspijltje,' zei Madox, 'dat we normaal gesproken voor beren gebruiken. We mogen ze buiten het jachtseizoen niet doden.'

Harry trok het pijltje uit zijn borst en zag dat er bloed aan de naald zat.

'En het is me ook niet toegestaan een federale agent te doden, dus zul je op een andere manier moeten sterven. Misschien wel bij een jachtongeluk.'

De deur ging open en een van de bewakers vroeg: 'Is alles in orde, meneer Madox?'

'Ja hoor, Carl. Wil je de heer Muller alsjeblieft naar zijn kamer brengen.'

Er verscheen nog een bewaker en hij en Carl liepen op Harry af.

Harry, op zijn knieën, kon nauwelijks overeind blijven en het werd steeds donkerder in het vertrek, maar hij haalde diep adem en zei: 'Atoom...' Hij wist dat hij zich niet moest bewegen, zodat het verdovende middel niet te snel in zijn bloed werd opgenomen. 'Ze gaan... de koffer... opblazen.'

De bewakers hesen hem overeind, Carl bukte zich en nam hem in de brandweergreep, waarna hij naar de deur liep.

Bain Madox stond al bij de deur en zei tegen Harry: 'Eigenlijk mag ik je wel. Je hebt lef. En je hebt me een grote dienst bewezen. Dus wat mij betreft, even goede vrienden.'

Harry begreep nauwelijks wat Madox zei, maar hij slaagde er in te fluisteren: 'Val dood...'

'Dat denk ik niet.' Hij zei tegen Carl: 'Zorg dat hij verdoofd blijft. Ik ga later nog wel even bij hem kijken.'

Ze vertrokken en Bain Madox sloot de deur. Hij ergerde zich aan de sigarettenpeuken op het oosterse tapijt en ruimde ze op.

Daarna liep hij naar de zwarte koffer en liet zijn handen over het gladde, glanzende leer glijden. Hij fluisterde: 'Alstublieft, God, zorg dat het werkt.'

— DEEL VII —

Zondag

North Fork, Long Island, & New York City

Wij hebben het recht om vier miljoen Amerikanen te doden – onder wie twee miljoen kinderen – en er tweemaal zoveel te verbannen en honderdduizenden te verminken en te verwonden.

Suleiman Abu Ghaith
Woordvoerder van Osama bin Laden, mei 2002

15

Kate en ik waren zondagochtend op tijd beneden voor het ontbijt en onze medegasten bleken niet voor al te grote verrassingen te zorgen: de gebruikelijke verzameling wijnafficionado's uit Manhattan – in dit geval drie stellen van onduidelijke sekse die alles veel te serieus namen, alsof ze auditie deden voor de publieke omroep. Ik kon niet vaststellen of ze elkaar kenden of wie met wie was, of dat ze elkaar pas onlangs hadden ontmoet bij een anti-testikelbijeenkomst.

Ze zaten te kletsen en gaven elkaar katerns uit de *Sunday Times* door alsof ze heilige teksten hadden gevonden, opgerold in hun servetringen.

We stelden ons allemaal aan elkaar voor en Kate en ik namen plaats op de twee lege stoelen aan de eetkamertafel. De gevangenisbewaarster bracht ons koffie en sinaasappelsap en beval de hete havermoutpap aan. Ik vroeg: 'Heeft u ook bagels?'

'Nee.'

'Maar ik kan de *Times* niet lezen zonder een bagel. Havermoutpap hoort bij de *Wall Street Journal*. Heeft u een *Wall Street Journal* voor me?'

Kate onderbrak me. 'Havermout lijkt me prima, dank u.'

Mijn ontbijtgezellen wezen elkaar op juweeltjes uit de verschillende katerns van de *Times* – kunst, vrije tijd, boeken, reizen, enzovoort. Had ik dat soms teweeggebracht?

Kate en ik hadden na de seks nog een fles wijn soldaat gemaakt en ik had een lichte rodewijnkater, wat me knorrig maakte. Ik nam dan ook nauwelijks deel aan de conversatie, hoewel Kate haar deuntje meeblies.

Ik droeg mijn kleine Smith & Wesson voor buiten kantoortijd in mijn enkelholster en ik dacht erover mijn servet te laten vallen, mijn wapen te pakken en te schreeuwen: 'Geen beweging! Ik ben een barbaar! Houd je bek en eet je havermout!' Maar ik weet hoe Kate op dergelijke grappen reageert.

Maar goed, het gesprek ging inmiddels over de kop op de voorpagina van de krant – RUMSFELD WIL HERZIENING OORLOGSPLANNEN VOOR SNELLERE ACTIE – en mijn tafelgenoten waren het er allemaal over eens dat een oorlog met Irak onvermijdelijk was, gegeven de obsessies van de huidige regering.

Als ik een gokker was – wat ik eigenlijk ook ben – zou ik inzetten op januari, of misschien februari. Maar ik zou waarschijnlijk een hogere inzet krijgen als ik op maart wedde.

Een van de mannen, Owen, merkte dat ik niet erg bij de les was en vroeg me: 'Wat denk jij, John? Waarom wil deze regering een oorlog beginnen tegen een land dat ons nauwelijks kwaad heeft gedaan?'

De vraag leek enigszins beladen, net als de vragen die ik aan verdachten stel, zoals: 'Wanneer ben je opgehouden je vrouw te slaan en ging je voor Al-Qaeda werken?'

Ik antwoordde Owen, geheel naar waarheid: 'Ik denk dat we een oorlog kunnen voorkomen als we Saddam en zijn psychopathische zoons door een team scherpschutters of een paar kruisraketten uit de weg laten ruimen.'

Er viel een korte stilte, waarna een van de mannen, Mark, zei: 'Dus... jij bent niet vóór een oorlog... maar je vindt wel dat we Saddam Hoessein moeten doden?'

'Zo zou ik het aanpakken. Oorlog moet je bewaren voor als we hem echt nodig hebben.'

Een van de vrouwen, Mia, vroeg retorisch, denk ik: 'Kun je ooit een oorlog nodig hebben?'

Ik vroeg haar: 'Wat zou jij hebben gedaan toen het WTC en het Pentagon werden aangevallen? De Dixie Chicks op een vredesmissie naar Afghanistan sturen?'

Kate zei: 'John neemt graag uitdagende standpunten in.'

Ik dacht dat ik een eind aan het gesprek had gemaakt, wat ik prima zou vinden, maar Mark leek in me geïnteresseerd. 'Wat voor werk doe jij, John?'

Ik vertel de mensen meestal dat ik bij de insectenbestrijding werk, maar ik besloot die onzin dit keer achterwege te laten. 'Ik ben federaal agent en werk voor de Anti-Terrorist Task Force.'

Na enkele seconden stilte vroeg Mark: 'Echt?'

'Echt. En Kate is speciaal agente bij de FBI.'

Kate zei: 'We werken samen.'

Een van de dames, Alison, merkte op: 'Wat interessant.'

De derde knaap, Jason, vroeg me: 'Denk jij dat het alarmniveau – we zitten inmiddels op oranje – reëel is, of wordt het door de politiek gemanipuleerd?'

'Jeetje, Jason, dat weet ik echt niet. Wat zegt de *Times* erover?'

Hij hield aan. 'Hoe reëel is de dreiging op dit moment?'

Kate antwoordde: 'De dreiging van terrorisme in Amerika is heel reëel. Ik kan echter wel zeggen, zonder daarbij geheime informatie prijs te geven, dat we geen specifieke informatie hebben over een ophanden zijnde aanval.'

'Waarom,' vroeg Jason, 'bevinden we ons dan in alarmcode Oranje, wat toch duidt op een verhoogd risico van een terroristische aanval?'

Kate antwoordde: 'Dat is gewoon uit voorzorg, vanwege de eenjarige herdenking van 9/11.'

'Dat ligt alweer achter ons,' zei Mark. 'Ik denk dat het gewoon een manier is om het land in de greep van de angst te houden, zodat de regering zijn binnenlandse veiligheidsagenda er doorheen kan jassen, wat in wezen een ontoelaatbare aantasting is van onze burgerlijke vrijheden.' Hij keek mij aan en vroeg: 'Ben je het daarmee eens, John?'

'Absoluut. Om je de waarheid te zeggen, Mark, zijn speciaal agent Mayfield en ik hierheen gekomen om onderzoek te doen naar subversieve elementen en ik moet je waarschuwen dat alles wat je zegt bij een militair tribunaal tegen je gebruikt kan worden.'

Mark wist een flauw glimlachje te produceren.

Alison zei tegen me: 'Ik geloof dat je weer uitdagend begint te worden.'

'Dat moet mijn aftershave zijn.'

Alison giechelde zowaar. Ik denk dat ze me wel zag zitten. En ik had ook het sterke vermoeden dat zij die giller van afgelopen vrijdagavond was.

De derde vrouw, Pam, vroeg aan ons allebei: 'Hebben jullie ooit een terrorist gearresteerd?'

Het leek een normale vraag, maar afgaand op Pams stem, en ook gezien de algehele context, kon je het net zo goed anders opvatten, wat Kate dus deed.

Kate antwoordde: 'Als je een islamitische terrorist bedoelt, nee, maar – ' Ze ging staan en trok haar trui omhoog, zodat een lang, wit litteken zichtbaar werd dat begon onder haar linkerribbenkast en omlaag liep tot boven aan haar buik, en ze zei: 'Een Libische heer genaamd Asad Khalil heeft me te pakken genomen met een scherpschuttersgeweer. Hij nam John ook te grazen.'

Mijn litteken liep over mijn rechterheup en tenzij ik mijn broek liet zakken, kon ik dat moeilijk in gemengd gezelschap laten zien.

Kate deed haar trui weer omlaag en zei: 'Dus nee, ik heb nog nooit een terrorist gearresteerd, maar ik ben er wel door eentje neergeschoten. En ik was bij de Twin Towers toen ze geraakt werden.'

Het werd stil in het vertrek en ik dacht dat misschien iedereen zat te wachten tot ik mijn litteken liet zien. Ik had bijvoorbeeld de drie kogelgaten van de Latijns-Amerikaanse meneer die een eind hadden gemaakt aan mijn carrière bij de NYPD. Twee van die gaten zaten op een nogal indecente plek, maar ik had er ook eentje in mijn borst waarvan ik best kon zeggen dat die van de Libiër kwam, want ik wilde maar wat graag mijn overhemd losknopen om Alison mijn wond te laten zien.

'John?'

'Hè?'

'Ik zei dat ik klaar was.'

'Ik ruik gebraden worstjes.'

'Ik wil er graag vroeg op uit.'

'Oké.' Ik stond op en zei tegen iedereen: 'We moeten naar Plum Island. Je weet wel, dat lab waar ze onderzoek doen naar biologische oorlogvoering. Er wordt zo'n acht liter antrax vermist en wij moeten uitzoeken waar dat is gebleven.' Ik voegde eraan toe: 'Het zou heel vervelend zijn als een sproeivliegtuigje dat over de wijngaarden verspreidde, of – ' Ik kuchte tweemaal en zei: 'Excuseer. Nog een prettige dag verder.'

We verlieten het wonderlijke huis en liepen naar mijn Jeep.

Kate zei: 'Het is niet gepast om dergelijke dingen te zeggen.'

'Wat voor dingen?'

'Dat weet je best.' Ze lachte, wat ze voor 9/11 of tot zes maanden erna niet zou hebben gedaan. Maar ze was, zoals ik al zei, inmiddels een andere persoon geworden, veel losser, en ze wist eindelijk mijn messcherpe grappen en subtiele humor naar waarde te schatten. Ze merkte op: 'Je bent ook zo verdomd onvolwassen.'

Dat was nu niet precies mijn idee. We stapten in de Jeep en gingen op weg.

Ze sprak met diepe stem, wat naar ik aannam een imitatie van mijn stem moest voorstellen. 'Er wordt zo'n acht liter antrax vermist.'

'Heb je een koutje opgelopen?'

Ze ging verder. ' Het zou heel vervelend zijn als een sproeivliegtuigje dat over de wijngaarden verspreidde.' Ze kuchte tweemaal. 'Excuseer, maar ik geloof dat ik antrax heb.'

'Dat heb ik niet gezegd.'

'Waar haal je het toch steeds weer vandaan?'

'Ik weet het niet. Het komt gewoon in me op.'

'Angstaanjagend.'

'Antrax is nu eenmaal angstaanjagend.'

'Jouw hoofd, bedoel ik.'

'Ook goed. Waar gaan we heen?' vroeg ik.

'Ik ken een fantastische antiekwinkel in Southold.'

'Laten we naar de kerk gaan. Dat is goedkoper.'

'Southold. Hier naar links.'

Dus brachten we de zondagmorgen door tussen de antieke spulletjes. Ik ben geen grote fan van antiek, want dat staat naar mijn mening toch vooral voor wormstekig hout, bekleed met van bacteriën vergeven lappen stof. Als ik mocht kiezen, zou ik de voorkeur geven aan antrax.

Nodeloos te zeggen dat we niets kochten. Kate merkte zelfs op: 'Waarom zou ik een antiek voorwerp kopen? Ik ben er met eentje getrouwd.'

We lunchten in een eetcafé waar ik dan eindelijk mijn bagel kreeg, plus de eieren met worstjes die ik bij het ontbijt was misgelopen.

Na de lunch deden we nog wat wijngaarden aan, waar we een stuk of twaalf flessen wijn scoorden die we in Manhattan voor dezelfde prijs hadden kunnen kopen, en daarna belandden we bij een stalletje met boerenproducten.

We eten zelden thuis – zij kan niet koken, en ik ook niet en ik eet geen fruit of groente – maar we kochten een ton van dat spul met bladeren en vuil eraan, plus een zak met vijfentwintig kilo echte Long Island-aardappelen. Ik vroeg: 'Wat moeten we met al deze troep?'

'Als jij nu een hert aanrijdt, maak ik een wildragout.'

Dat was eigenlijk best grappig. Waarom had ik dat niet bedacht?

We haalden onze spullen op in de B&B, voldeden de rekening en gingen op weg terug naar de stad.

Ze vroeg me: 'Heb je een leuk weekend gehad?'

'Jazeker. Behalve dan dat ontbijt.'

'Het kan geen kwaad om met andersdenkenden te praten.'

'Dat doe ik al. Ik ben getrouwd.'

'Grappig hoor.' Ze vroeg: 'Zullen we volgende week de natuur in gaan?'

'Goed idee.' Wat me op de volgende vraag bracht: 'Wat weet jij van de Custer Hill Club? Je vorige antwoord sloeg nergens op.'

Ze overwoog de vraag en mijn opmerking en antwoordde: 'Ik weet dat jij bijna dit weekend daar zou hebben doorgebracht.'

'Hoe bedoel je?'

'Nou... Tom Walsh vroeg me of ik er bezwaar tegen had als hij jou daar voor een surveillance heen zou sturen.'

'Echt? Wat zei jij toen?'

'Ik zei ja, ik heb er bezwaar tegen.' Ze vroeg me: 'Hoe weet jij van de Custer Hill Club?'

'Van Harry Muller, die nu de opdracht heeft.'

'Wat heeft *hij* jou verteld?'

'Ik stel hier de vragen. Waarom heb je mij hier niets over gezegd?'

'Tom vroeg me om dat niet te doen. Maar ik was toch wel van plan het je te vertellen.'

'Wanneer?'

'Nu, op de weg terug naar huis.'

'Juist ja. Waarom wilde je niet dat ik daarheen ging?'

'Ik keek erg uit naar dit weekend met jou.'

'Daar wist ik ook al niets van, tot vrijdagmiddag half vijf.'

'Ik had er al over lopen denken.'

'Je moest verdomme je uiterste best doen om op zo'n korte termijn nog ergens onderdak te vinden.' Ik deelde haar mee: 'Je hebt het tegen *mij*, schat. En zo'n briljante rechercheur houd je met dergelijke praatjes niet voor de gek.'

Daar dacht ze even over na. 'Nou ja... ik vond die opdracht niet prettig klinken... dus zei ik tegen Tom dat we al plannen voor het weekend hadden, waarna ik dus als de wiedeweerga plannen moest gaan maken.'

Ik verwerkte deze informatie en vroeg toen: 'Hoe bedoel je, dat je die opdracht niet prettig vond klinken?'

'Ik weet het niet... instinct, denk ik... iets in Toms houding...'

'Kun je niet wat specifieker zijn?'

'Nee, dat kan ik niet... maar als ik eraan terugdenk, heb ik misschien zijn woorden niet helemaal goed geïnterpreteerd. Bovendien wilde ik dit weekend niet in mijn eentje doorbrengen.'

'Waarom heb je niet voorgesteld om er samen met mij heen te gaan?'

'John, laat nu maar. Het spijt me dat ik tegen je heb gelogen en het spijt me dat ik het niet eerder tegen je verteld heb.'

'Verontschuldiging geaccepteerd, als jij me vertelt wat die Custer Hill Club nu eigenlijk is.'

'Dat weet ik niet precies. Maar Tom zei dat het een soort herenclub voor rijke en machtige mannen was.'

'Ik had daar een prachtige tijd kunnen hebben.'

'Jij werd verondersteld foto's te nemen van – '

'Dat weet ik allemaal al. Wat ik niet weet, is waarom die mannen in de gaten moeten worden gehouden.'

'Dat weet ik ook niet, echt niet. Die informatie wilde hij niet met me delen.' Ze voegde eraan toe: 'Je kunt ervan uitgaan dat ze politiek gezien conservatief zijn, en dat is misschien nog zacht uitgedrukt.'

'Dat is geen misdaad.'

'Meer weet ik er ook niet van.'

Ik zat inmiddels op de Long Island Expressway en reed in westelijke richting op de ondergaande zon af. De Jeep rook als een Koreaanse supermarkt en de flessen wijn stonden achter me te rinkelen.

Ik dacht aan wat Kate had gezegd, maar ik had niet genoeg feiten om conclusies te trekken. Er sprongen echter wel een paar dingen uit, zoals de politieke overtuiging van de Custer Hill Club en het exclusieve lidmaatschap. De rechtse idioten die zich inlaten met criminele activiteiten, komen bijna altijd uit de lagere sociale klassen. Hun clubhuis, als ze dat al hebben, is een benzinestation of een hut in de bossen. Deze groep was kennelijk van een heel ander allooi.

En dat was zo ongeveer alles wat ik op dit moment had, en als ik slim was, was het ook alles wat ik hoefde te weten, en als ik meer wilde weten, kon ik het de volgende ochtend aan Harry vragen.

Kate zei: 'Ik geloof dat je kwaad op me bent omdat ik niet heb verteld dat Tom en ik over jouw eventuele opdracht hebben gepraat.'

'Helemaal niet. Ik ben blij dat mijn carrière in zulke goede handen is. Ik vind het eigenlijk wel ontroerend, dat beeld van jou en Tom Walsh die bespreken of kleine Johnny wel weg mag voor het weekend.'

'John – '

'Misschien had je moeten zeggen dat het wat jou betreft oké was, maar dat hij eerst even met *zijn* vrouw moest overleggen of zij het ook oké vond.'

'Houd op met dat kinderachtige gedoe.'

'Ik begin net een beetje warm te draaien.'

'Vergeet het. Het is volkomen onbelangrijk. Ga maar tegen Walsh vertellen dat ik het je verteld heb en dat je niet blij bent met zijn manier van leidinggeven.'

'Dat is precies wat ik van plan ben.'

'Wees niet te confronterend. Probeer een beetje diplomatiek te zijn.'

'Ik zal heel diplomatiek zijn.' Ik vroeg: 'Kan ik hem in een hoofdklem nemen?'

We reden enige tijd zwijgend verder. Ik realiseerde me dat ik eerst met Harry moest praten voordat ik morgenochtend Walsh aanpakte. Ik toetste het nummer van Harry's mobiel in op mijn handsfreetelefoon.

Kate vroeg: 'Wie bel je?'

'Mijn emotionele-stresstherapeut.'

Na zes keer overgaan hoorde ik Harry's stem. 'Dit is rechercheur Harry Muller. Spreek na de pieptoon uw boodschap in en het telefoonnummer waaronder u te bereiken bent.' Piep.

Ik zei: 'Harry, met Corey. Kate wil een jachtschotel maken. Ik heb aardappels, groente en rode wijn. Een van ons tweeën moet nog even een hert doodrijden voor de rest van het recept. Bel me zsm.'

Ik hing op en zei tegen Kate: 'Die surveillance had wel eens heel goed voor mijn carrière kunnen zijn, als ik tenminste niet door een beer zou worden opgegeten.'

'Misschien dat Tom daarom wel wilde dat jij zou gaan.'

'Vanwege mijn carrière of vanwege die beer?'

'Moet je dat nog vragen?'

Ik glimlachte. We pakten elkaars hand vast en zij zocht op de radio een station met rustige muziek. We babbelden wat op weg terug naar de stad.

Toen we de Midtown Tunnel naderden, doemde de verlichte skyline van Manhattan voor ons op. Noch Kate noch ik zei iets over de ontbrekende Twin Towers, maar we wisten allebei wat de ander dacht.

Ik herinner me dat een van mijn eerste coherente gedachtes na het instorten van de torens was dat een man die een mes tegen je trekt, geen pistool heeft en ik herinner me dat ik tegen een agent naast me zei: 'God zij gedankt. Dit betekent dat ze geen atoombom hebben.'

De agent antwoordde: 'Nog niet.'

— DEEL VIII —

Maandag

NEW YORK CITY

In Amerika zijn er facties,
maar geen samenzweringen.

Alexis de Tocqueville
Democracy in America (1835)

16

Het was Columbus Day, de dag waarop een dode blanke man werd herdacht die op dit continent stuitte terwijl hij eigenlijk naar iets anders op weg was. Ik heb vergelijkbare ervaringen gehad als ik uit Dresner's Bar kwam.

We waren vandaag informeel gekleed; ik had makkelijke instappers aan, zwarte jeans, een poloshirt en een leren jack. Kate droeg ook jeans, met laarzen, een coltrui en een suède jack. Ik zei: 'Je tasje past niet bij je holster.'

'Nou, dan moet ik vandaag maar eens een nieuw tasje kopen.'

Ik moest eens leren mijn mond te houden.

Kate en ik verlieten ons appartement aan East 72nd Street en Alfred, onze portier, hield een taxi voor ons aan.

Er was op deze vrije dag weinig verkeer in Manhattan en we waren binnen de kortste keren op 26 Federal Plaza.

Het was een prachtige, heldere, tintelende herfstdag en ik neuriede een paar noten van 'Autumn in New York'.

Kate vroeg me: 'Weet je of Tom Walsh vandaag op kantoor is?'

'Nee, maar als je een paar noten neuriet, herken ik het misschien.'

'Je bent onmogelijk.'

'Dat is geloof ik algemeen bekend.'

De taxichauffeur, een knaap genaamd Ziad Al-Shehhi, sprak Arabisch in zijn gsm.

Ik legde mijn vinger op mijn lippen en boog naar voren. Ik fluisterde tegen Kate: 'Hij praat met zijn celleider van Al-Qaeda... hij zegt iets over de uitverkoop vandaag bij Bergdorf.'

Ze zuchtte.

De heer Al-Shehhi hing op en ik vroeg hem: 'Weet u wie Christoffel Columbus is?'

Hij wierp een blik in zijn achteruitkijkspiegel en antwoordde: 'Columbus Circle? Columbus Avenue? Waar wilt u naartoe? U zei toch Federal Plaza?'

'Heeft u nooit gehoord van de *Niña*, de *Pinta* en de *Santa Maria*?'

'Meneer?'

'Koningin Isabella dan? Loopt u vandaag mee in de Columbus Day Parade?'

'Meneer?'

'John, zo is het wel genoeg.'

'Ik probeer hem alleen maar te helpen met zijn inburgeringsexamen.'

'Hou ermee op.'

Ik leunde achterover en neuriede 'Autumn in New York'.

Aangezien het een nationale feestdag was, draaide de Anti-Terrorist Task Force op een laag pitje, maar Kate had besloten om toch maar mee te gaan, deels om mij gezelschap te houden, deels om wat achterstallig papierwerk weg te werken. We zouden samen lunchen en daarna zou ze vertrekken om nog iets van de uitverkoop mee te maken.

Zelfs als we hetzelfde rooster hebben, reizen we niet altijd samen naar ons werk. Soms heeft de een te veel tijd nodig voor de make-up en dan wordt de ander ongeduldig en vertrekt.

Kate had de *Times* in haar aktetas zitten en ik vroeg of ik de sportpagina's mocht hebben, maar in plaats daarvan gaf ze me de voorpagina.

De kop luidde: RUMSFELD VOOR HARDE ACTIES OM AANVAL AF TE WENDEN. In het bijbehorende artikel werd uitgelegd dat de VS tijdig in actie moesten komen tijdens de 'pre-crisisperiode' om een aanval op de natie af te wenden. Het leek mij dat als Saddam de *Times* las, hij nu zijn bookmaker zou bellen om op een invasie aan het einde van januari in te zetten.

Het andere hoofdartikel ging over een autobom die was ontploft bij een nachtclub op Bali die vooral door buitenlanders werd bezocht. Dit leek een nieuw front in de oorlog tegen het wereldwijde terrorisme. Het dodental stond op 184, met meer dan 300 gewonden, het grootste verlies sinds 11 september 2001.

De *Times* meende dat de aanslag waarschijnlijk het werk was van islamitische 'extremisten'. Leek me een goede gok. Ook een echt *New York Times*-woord trouwens. Waarom zou je ze terroristen of moordenaars noemen? Dat was zo kort door de bocht. Adolf Hitler was ook een extremist geweest.

Wij zouden die oorlog tegen het terrorisme pas winnen als we de oorlog tegen de woorden hadden gewonnen.

Ik bladerde naar de kruiswoordpuzzel en vroeg aan Kate: 'Wat is de definitie van een gematigde Arabier?'

'Geen idee.'

'Een knaap die geen munitie meer heeft.'

Ze schudde haar hoofd, maar Ziad lachte.

Humor overbrugt echt de kloof tussen verschillende culturen.

Kate merkte op: 'Dit gaat weer een heel lange dag worden.'

En daar bleek ze gelijk in te hebben.

17

Harry zat niet achter zijn bureau toen we om vijf voor negen bij 26 Federal Plaza arriveerden, en hij was er ook niet om 09:15 en 09:30. En volgens mijn laatste gesprek met hem, zou hij toch vandaag bij Walsh langsgaan. Walsh was er wel, Harry niet.

Het was voor de verandering eens rustig op het kantoor en ik telde drie man van de NYPD aan hun bureau en eentje van de FBI – Kate. Verder zat er nog minstens één dienstdoende agent in het commandocentrum, verderop op de 26ste verdieping, om de telefoons, radio's en het internet in de gaten te houden. Hopelijk waren de terroristen dit lange weekend aan het navelstaren in New England.

Ik belde om 09:45 naar Harry's gsm en liet een boodschap achter, waarna ik naar zijn huis in Queens belde en een boodschap op zijn antwoordapparaat insprak. Toen piepte ik hem op, wat in onze branche als officiële oproep geldt.

Om vijf over tien kwam Kate naar me toe en zei: 'Tom Walsh wil ons spreken.'

'Waarom?'

'Ik heb geen idee. Heb jij hem al gesproken?'

'Nee.' Kate en ik liepen naar Walsh' kantoor in de hoek. De deur stond open en we gingen naar binnen.

Walsh stond op en kwam ons halverwege tegemoet, wat meestal een teken is dat je niet al te diep in de nesten zit. Hij gebaarde ons naar de ronde tafel bij het raam en we gingen zitten. De tafel was bezaaid met papieren en mappen, heel anders dan toen Jack Koenig hier nog de scepter zwaaide.

Op zijn grote panoramaraam, ongeveer op de plek waar je ooit de Twin Towers kon zien staan, zat een zwart stuk plakplastic in de vorm van de torens, met eronder de woorden 9/11 –VERGEET HET NOOIT!

Het was, zoals ik al zei, een mooie herfstdag, net als op die dag, één jaar en één maand geleden, dat de aanslag plaatsvond. Als hij niet naar die bijeenkomst in Windows of the World had gehoeven, had Jack waarschijnlijk hier in zijn kantoor gezeten en het voor zijn ogen zien gebeuren. David Stein zou het ook hebben gezien, vanuit zijn hoekkantoor. Maar helaas hadden ze het van wat al te dichtbij gezien.

Tom Walsh begon: 'John, de mensen van Computerbeveiliging vertelden me dat jij afgelopen vrijdag je wachtwoord hebt gebruikt om te proberen toegang te krijgen tot een vertrouwelijk dossier.'

'Dat klopt.' Ik keek Walsh aan. Hij was jong om hier de leiding te hebben – tegen de veertig, een zwartharige Ier die er niet slecht uitzag, en ongetrouwd. Hij had de reputatie een vrouwenliefhebber te zijn, en geheelonthouder. Heel vreemd voor een Ier – een kerel die vrouwen prefereerde boven whisky.

Hij vroeg me: 'Vanwaar jouw belangstelling voor dat dossier?'

'O, dat weet ik niet, Tom. Ik kon er niet in komen, dus weet ik niet of ik er interesse in had.'

Hij keek me strak aan en ik meende iets van ongeduld te bespeuren.

Ik dacht vroeger altijd dat ik niet van Jack Koenigs Teutoonse stijl hield, en ik had gedacht dat ik Walsh wel mocht, aangezien ik zelf ook half-Iers was, maar dit was een geval van de baan die de man vormt.

Hij zei: 'Wat is verdomme "Massavernietigingswapens van de Iraakse Kamelenclub"?'

'Ach, gewoon een geintje.' Ik keek even naar Kate, maar die keek niet geamuseerd, alleen maar verward.

'Juist.' Hij keek naar Kate, zijn keurige FBI-collega, en vroeg haar: 'Heb jij het met John over die surveillance gehad?'

'Ja, maar pas op zondag.'

Walsh zei tegen mij: 'Dus heeft Harry Muller je erover verteld.'

Je lapt er *nooit* een collega bij, dus antwoordde ik: 'Harry Muller? Wat heeft hij van doen met de custard... Hoe heet het ook al weer?'

'Ach, laat ook maar. Het is niet belangrijk.'

'Daar ben ik het helemaal mee eens. En nu ik hier toch ben, wil ik gelijk formeel bezwaar laten aantekenen tegen het feit dat jij mijn vrouw toestemming hebt gevraagd om mij op een klus de binnenlanden in te sturen.'

'Ik vroeg haar geen *toestemming*, ik wilde jullie allebei gewoon een dienst bewijzen. Jij bent getrouwd en ik wilde weten of dit jullie eventuele plannen voor het weekend doorkruiste.'

'Vraag het de volgende keer maar aan mij.'

'Oké. Punt gemaakt.'

'Waarom kwam mijn naam in jouw hoofd op?'

Walsh leek het daar liever niet over te hebben, maar hij antwoordde: 'Ik dacht kennelijk dat jij de beste man voor deze klus was.'

'Tom, voor zover je het nog niet wist, maar de laatste surveillance op het platteland die ik heb uitgevoerd, was in Central Park, en toen was ik twee dagen zoek.'

Hij glimlachte beleefd en zei toen: 'Nou, ik dacht eigenlijk meer aan andere aspecten van de surveillance.'

'Zoals?'

'Zoals bijvoorbeeld dat deze surveillance inhield dat je zonder gerechtelijk bevel privéterrein moest betreden, wat echt iets voor jou is. Bovendien heeft de betreffende plek – de Custer Hill Club – een goede beveiliging en er was een gerede kans dat de surveillerende persoon zou worden tegengehouden en ondervraagd door bewakingspersoneel, en ik wist dat jij daar wel raad mee weet.' Hij voegde eraan toe: 'De leden van deze club zijn mensen met enige politieke invloed in Washington.'

Ik begon te begrijpen waarom niemand een rechter had willen benaderen voor een huiszoekingsbevel. Maar dat even daargelaten, leek er ook een discrepantie te bestaan tussen wat Harry Muller me had verteld – routinesurveillance, dossiers aanleggen en dat soort dingen – en wat Tom Walsh net had gezegd. Aangezien Harry nooit tegen me zou liegen, concludeerde ik dat Harry niet volledig op de hoogte was gesteld door Walsh.

Ik zei tegen Walsh: 'Dus je had, kort gezegd, een agent nodig om de klappen op te vangen als het uit de hand liep?'

'Dat is beslist onwaar. Maar laten we ter zake komen.' Tom Walsh keek ons allebei aan en zei: 'We hebben niets meer van Harry Muller vernomen.'

Ik had al bedacht dat dit de reden was waarom we hier met zijn allen zaten, maar ik had gehoopt dat ik het mis had. 'Werd je dan verondersteld iets van hem te horen?'

'Alleen als er problemen waren.'

'Soms, Tom, is een probleem juist de oorzaak dat je niets hoort.'

'Bedankt voor je inzicht. Oké, laat me vertellen wat ik weet.'

Hij begon: 'Harry Muller vertrok hier, zoals je weet, vóór vrijdagmiddag vijf uur. Hij ging naar de TD, kreeg wat hij nodig had en ging naar de garage om zijn camper op te halen, die hij vooruitlopend op zijn opdracht had meegenomen naar zijn werk. Jennifer Lupo kwam hem toevallig tegen in de garage. Ze wisselden een paar woorden en dat was de laatste persoon die hem voor zover wij weten nog gezien heeft.' Hij vervolgde met: 'De eerstvolgende keer dat er iets van hem vernomen werd, was toen hij zaterdagochtend om zeven uur achtenveertig met zijn gsm belde naar zijn vriendin Lori Bahnik.'

Op de tafel stond een opnameapparaat en Walsh drukte een knop in. Harry's stem zei: 'Hoi, schat. Met de enige ware. Ik zit hier in de bergen, dus misschien dat ik hierna een hele tijd geen goede ontvangst meer heb. Maar ik wilde je toch even gedag zeggen. Ik ben hier gisteravond laat aangekomen, heb in de camper geslapen en nu ben ik begonnen aan mijn klus bij dat landgoed van die rechtse idioten. Je moet me dus niet terugbellen, ik bel jou later wel via een vaste verbinding als mijn gsm geen bereik heeft. Oké? Ik moet later vandaag of morgen ook nog iets regelen op het vliegveld hier, dus misschien dat ik hier nog een nacht blijf. Zodra ik meer weet, laat ik het je horen. Ik hou van je.'

Walsh merkte op: 'Dus we weten dat hij daar is aangekomen, en we weten dat hij in de buurt van het betreffende landgoed was. Om negen uur zestien 's ochtends belde ze hem terug en liet een boodschap achter op zijn gsm, die we via de telefoonmaatschappij hebben kunnen achterhalen.' Hij drukte opnieuw de knop in en nu klonk Lori Bahniks stem: 'Hoi, schat. Ik heb je bericht ontvangen. Ik lag te slapen. Ik ga vandaag winkelen met jouw zus en Anne. Bel me maar als je tijd hebt. Ik heb mijn mobieltje bij me. Oké? Laat me weten als je nog een nacht wegblijft. Ik hou van je en ik mis je. Wees voorzichtig met de rechtse idioten. Ze zijn gek op wapens. Let goed op jezelf.'

Ik zei tegen Walsh: 'Je hebt haar kennelijk gesproken.'

'Ja, vanochtend. Ze vertelde me dat ze rond vier uur die zaterdagmiddag een sms van Harry ontving met de volgende tekst...' Hij keek even op een vel papier dat op tafel lag en las het toen voor: 'Sorry dat ik je telefoontje heb gemist – slechte ontvangst hier – heb wat vrienden ontmoet – vissen en wandelen – zie je maandag.'

Niemand sneed het overduidelijke punt aan dat deze sms ook van iemand anders dan Harry had kunnen komen. Maar kennelijk dacht Lori dat het van hem afkomstig was, want Walsh zei: 'Ze was niet blij. Ze belde hem toen ze het sms'je kreeg en hij reageerde niet. Ze bleef bellen en boodschappen achterlaten en ze probeerde hem ook een keer of vier, vijf op te piepen. Haar laatste bericht aan hem was van zondagavond. Ze omschreef tegen mij haar berichten als steeds kwader en emotioneler. Ze vertelde hem dat als hij haar telefoontjes niet beantwoordde, hij het verder kon vergeten.'

Ik vroeg hem: 'Wanneer veranderde haar kwaadheid in bezorgdheid?'

'Om ongeveer tien uur zondagavond. Ze had het nummer voor na kantoortijd van hier en belde dat. Ze sprak met de dienstdoende FBI-agent – Ken Reilly – en vertelde hem dat ze zich zorgen maakte.'

Ik knikte. Ik heb dat soort telefoontjes gehad van vriendinnetjes, vriendjes, echtgenoten en echtgenotes. Je doet je best om vast te stellen of er inderdaad reden is tot bezorgdheid. In ongeveer 100 procent van die gevallen was de beminde niet dood, maar zou hij of zij dat wel zijn zodra ze thuis waren.

Walsh ging verder. 'Ken probeerde haar gerust te stellen, maar vriendinnen krijgen nu eenmaal niet dezelfde behandeling als echtgenoten of directe familie, dus bood hij verder niet veel hulp. Hij noteerde haar nummer en zei haar dat hij terug zou bellen als hij iets hoorde. Hij heeft ook echt Harry's gsm en pieper geprobeerd, maar kreeg geen antwoord.' Walsh voegde eraan toe: 'Hij maakte zich geen zorgen.'

Daar was in feite ook geen reden toe, behalve dan dat niet beantwoorden van Harry's pieper. Aan de ene kant was het weekend en agenten vergaten wel vaker hun pieper, of ze bevonden zich in een luidruchtige bar of een rustig bed waar de pieper misschien niet werd opgemerkt of als zodanig herkend, om het zo maar eens te zeggen. Aan de andere kant was Harry wel aan het werk. Ik zei: 'Misschien is het probleem inderdaad de slechte ontvangst.'

Walsh knikte en ging verder. 'Toen ik hier om acht uur arriveerde, pakte ik de weekendrapporten van de dienstdoende agent en zag Ken Reilly's notitie over Lori Bahnik en Harry Muller. Ik was niet bezorgd, maar belde toch naar Harry's gsm, naar zijn huis, en naar zijn pieper. Vervolgens belde ik mevrouw Bahnik en haar kreeg ik wel aan de lijn. Daarna pleegde ik nog wat telefoontjes, inclusief eentje naar het FBI-kantoor in Albany. Ik vroeg de bevelvoerende agent in Albany, Gary Melius, om een vermiste-agentactie te beginnen en hij zei dat hij dat zou doen, hoewel ik de indruk kreeg dat hij zich afvroeg of Harry Muller wel echt tijdens een opdracht werd vermist of dat hij gewoon doelbewust was verdwenen. Hoe dan ook, Gary lichtte de staatspolitie in en die gaven het op hun beurt door aan de plaatselijke politie, die weliswaar het gebied kent maar weinig mankracht heeft. Ze lopen de ziekenhuizen in de omgeving na, maar voorlopig zijn er nog geen opnames onder die naam gevonden, en ook geen ongeïdentificeerde opnames.'

Hij keek naar Kate en mij, in een poging, naar ik aannam, om te zien hoe wij dit opnamen en daaruit voortvloeiend, hoe zijn verhaal bij mensen hoger in de pikorde zou vallen.

Hij praatte verder. 'De staatspolitie haalde Harry's naam door de computer en ze hebben het merk, het model, de kleur en het kenteken van zijn camper. Vijftien minuten geleden bleek het voertuig nog steeds niet boven water gekomen... maar het is daar een enorme wildernis en het kan dus nog wel even duren voor ze het vinden, als het daar tenminste nog is.'

Kate vroeg: 'Geeft zijn gsm of pieper geen signalen af?'

'De telefoonmaatschappij werkt daar nog aan, maar voorlopig is het antwoord nee.'

Uit mijn gesprek met Harry wist ik dat hij verondersteld werd hier vanmorgen te zijn, maar Walsh had het daar nog niet over gehad, dus vroeg ik hem: 'Werd Harry verondersteld zich vandaag te melden?'

'Ja. Hij zou niet later dan vanochtend negen uur zijn uitrusting en de disks van zijn digitale camera bij de TD inleveren, om daarna bij mij langs te komen voor de debriefing.'

'En toch ben je nog niet op het punt aanbeland dat je je zorgen gaat maken?'

'Ik maak me wel zorgen. Maar het zou me ook niet verbazen als hij nu zou bellen of binnen kwam lopen.'

'Mij wel. Harry Muller zou nooit een afspraak met een meerdere willen missen.'

Walsh reageerde niet.

Ik was niet zo blij met Tom Walsh' nogal terughoudende manier van opereren, maar iemand die net nieuw was in een functie wilde natuurlijk niet voor elk wissewasje naar de directeur van de FBI.

En natuurlijk was er nog die andere dimensie aan dit probleem, namelijk de Custer Hill Club zelf. Als Harry Muller achter Abdul Salami was aangegaan daar in die bossen en vervolgens was verdwenen, zou de reactie heel anders zijn geweest.

En als Harry van de FBI was geweest, om het maar eens heel cynisch te zeggen, in plaats van de NYPD, zou de reactie ook wat vlotter zijn geweest, lang weekend of niet. Dan zou FBI-agent Ken Reilly

Tom Walsh waarschijnlijk op zondagavond zelf gebeld hebben. Niet dat de veiligheid van een gewone agent minder belangrijk is dan die van een FBI-agent; het heeft meer te maken met de ongelukkige en deels ook wel terechte reputatie van de New Yorkse politiemannen als nogal eigenzinnige types.

Ik vroeg aan Walsh: 'Denk je dat Harry's verdwijning in direct verband staat met zijn opdracht?'

Walsh had zijn antwoord al klaar. 'Ik wil niet speculeren over de aard van deze verdwijning, maar zou ik dat wel doen, dan zou ik de mogelijkheid van een ongeluk wat betreft Harry Muller niet uitsluiten. Het is daar één grote wildernis in dat gebied en het is mogelijk dat hij is verdwaald of gewond geraakt. Hij kan zijn been hebben gebroken, in een berenklem zijn gestapt, of zelfs door een beer zijn aangevallen. En uit wat de FBI in Albany me vertelde, blijkt dat de mensen daar soms ook buiten het jachtseizoen jagen. Harry droeg hoogstwaarschijnlijk camouflagekleding en hij kan per ongeluk zijn neergeschoten door een jager.' Hij voegde eraan toe: 'Er zijn nu eenmaal allerlei gevaren in de wildernis. Daarom heet het ook wildernis.'

Kate merkte op: 'Daarom is het ook geen goed idee daar iemand in zijn eentje heen te sturen. Hij had een partner moeten hebben.'

Walsh antwoordde: 'Achteraf gezien heb je misschien gelijk. Maar ik heb tientalen surveillances op het platteland laten uitvoeren door één agent. De Adirondacks zijn nu ook weer niet de Afrikaanse jungle.'

'Maar je zei net – '

'Ga me nu niet achteraf bekritiseren. Dit is een standaardprocedure en je hebt dat onderwerp ook niet aangesneden toen we erover spraken om John daarheen te sturen. Laten we ons tot het probleem in kwestie beperken.'

Mij leek Walsh het probleem in kwestie, dus richtte ik me tot hem. 'Tom, wat is precies die Custer Hill Club?'

Hij dacht even na en zei toen: 'Ik zie het verband niet zo met Harry's verdwijning, maar als je per se een antwoord wilt... wat ik ervan weet, en dat is niet veel, is dat het een heel besloten en heel exclusieve jacht- en visclub is, met voornamelijk heel rijke, of machtige – of allebei – leden.'

'Je zei ook dat ze nogal wat politieke invloed hadden.'

'Dat is wat mij is verteld. Laten we zeggen dat de leden half Washington en half Wall Street zijn.'

'Waar heb je die informatie vandaan?'

'Ik ben daarover ingelicht. Meer hoef je niet te weten.' Hij voegde eraan toe: 'Ik weet ook dat de ledenlijst niet publiekelijk bekend is, en dat is ook de reden waarom iemand bij het ministerie van Justitie een surveillance wilde bij deze bijeenkomst.'

'Wie heeft je gebeld?'

'Dat gaat je toevallig geen moer aan.'

'Goed antwoord.' Denkend aan Harry's telefonische boodschap aan zijn vriendin, vroeg ik aan Walsh: 'Wat werd Harry verondersteld op dat vliegveld te doen? Welk vliegveld?'

Walsh aarzelde even alvorens te antwoorden, maar zei toen: 'Adirondack Regional Airport. Sommigen van de mensen die dit weekend naar de club zouden gaan arriveerden waarschijnlijk met een vliegtuig – er landen daar binnenlandse vluchten. Harry zou zaterdag of zondagochtend vroeg naar het vliegveld gaan om daar uitdraaien van de passagierslijsten te bemachtigen.'

Ik knikte. Walsh vergat te vermelden dat passagierslijsten ook op de computers van de betreffende luchtvaartmaatschappijen stonden en dus gewoon vanuit 26 Federal Plaza konden worden opgevraagd. Harry's opdracht op het vliegveld was dus om te kijken wie er met een privé- of gecharterd vliegtuig arriveerde. En dan had je natuurlijk ook nog de autoverhuur, en een kopie van dergelijke huurcontracten kon heel nuttig zijn om te achterhalen wie die bijeenkomst had bezocht. Ik begon te denken dat ik dat misschien zelf maar eens moest uitzoeken.

In ieder geval veranderde Tom Walsh nu van onderwerp. 'De staatspolitie heeft verkenningsvliegtuigen met infraroodsensoren om grote levende – of recentelijk overleden – organismes op te sporen. Ze zijn er speciaal voor opgeleid om in de bossen vermiste personen terug te vinden.'

'Dat is mooi.' Het was nu mijn beurt om van onderwerp te veranderen en ik zei tegen Walsh: 'Jij lijkt te suggereren dat dit een routineopdracht was en toch ben jij hier op je vrije dag om Harry op te vangen. En kennelijk is de TD ook open om zijn digitale foto's en videobanden in ontvangst te nemen, die naar ik aanneem zo spoedig mogelijk naar Washington zullen worden doorgezonden, samen met wat hij verder nog op dat vliegveld is tegengekomen.'

'Waar wil je heen?'

'Wat voor dringende noodzaak schuilt er achter deze opdracht?'

'Ik heb geen idee. Ik volg gewoon orders op, net als jij... Nou ja, jij volgt misschien geen orders op, maar ik wel.' Hij adviseerde me: 'Je hoeft alleen maar vragen te stellen die je helpen je opdracht te voltooien.' En hij voegde daaraan toe: 'Onze taak is om inlichtingen te vergaren. Soms weten we waarom. Soms weten we dat niet. Soms wordt ons verteld dat we naar die informatie moeten handelen – soms laten we dat aan anderen over.'

'Hoe lang is dit al aan de gang?'

'Al een flinke tijd.'

Er was zoals altijd weer die lichte wrijving tussen de FBI en de politie, wat volgens mij voor alle partijen behoorlijk frustrerend is.

Kate zei tegen Walsh: 'Tom, ik heb met heel wat mensen van de NYPD gewerkt sinds ik bij de Task Force zit en ik heb een hoop van ze geleerd, en zij hebben een hoop van ons geleerd.'

Ik heb eerlijk gezegd zo goed als niets van de FBI geleerd, hoewel de CIA wel interessant is.

Kate ging verder. 'We moeten sinds 9/11 anders denken, elke vraag stellen die we willen stellen, en onze meerderen uitdagen als we niet tevreden zijn met wat ze ons vertellen.'

Walsh keek haar even aan en merkte toen op: 'Ik denk dat er hier iemand het slechte voorbeeld voor jou geeft.'

'Nee. Wat er een jaar geleden is gebeurd heeft mijn denken veranderd.'

Daar reageerde Walsh niet op. 'Laten we terugkeren naar het onderwerp van de vermiste –'

Kate onderbrak hem en nam haar advocatenhouding aan. 'Tom, ik begrijp nog steeds niet *waarom* deze groep onder surveillance moest worden geplaatst. Van welke illegale activiteit of misdaad worden ze verdacht?'

'Waar ze ook van verdacht worden heeft niets van doen met Harry Mullers verdwijning en het is daarom niet nodig dat je dat weet.'

Ik mengde me nu ook in het gesprek. 'Dit is een reactionaire groep. Ja? Van die fanatieke rechtse rakkers.'

Hij knikte.

'Goed, dat wetende, en in de wetenschap dat die zogenaamde jachtclub leden met veel politieke en financiële invloed heeft, zou het best wel eens kunnen dat we het hier over een samenzwering hebben met de bedoeling een staatsgreep te plegen.'

Hij glimlachte en antwoordde: 'Dat hebben ze volgens mij met de verkiezingen al voor elkaar gekregen.'

'Die zit. Maar ondertussen zouden wij toch heel graag weten wat het Hoofdkwartier jou verteld heeft.'

Walsh dacht weer even na. 'Oké, voor wat het waard is, maar mij is verteld dat dit iets te maken heeft met een samenzwering om de olieprijzen op te drijven. De knaap die zo te zien die club runt, is Bain Madox. Misschien heb je die naam wel eens gehoord. Hij is eigenaar en president-directeur van Global Oil Corporation. GOCO.' Hij voegde eraan toe: 'Dat is al meer dan je hoeft te weten.'

Ik verwerkte de informatie. De naam klonk me bekend in de oren. En het proberen opdrijven van de olieprijzen kwam ook wel vaker voor. Toch verklaarde dat nog niet helemaal het bestaan van de Custer Hill Club, en trouwens ook niet het soort clubleden. Er ontbrak nog iets en Tom Walsh zou me de ontbrekende schakel niet geven, als hij dat al kon.

Toch zei ik tegen hem: 'Ik heb je memo gelezen.'

'Dat is bemoedigend.'

Ik verklaarde me nader. 'Ik dacht dat de Irakezen op dit moment onze onverdeelde aandacht hadden?'

'Dat is ook zo.'

'Nou? Wat heeft die Custer Hill Club dan met de Irakezen of de komende oorlog te maken?'

'Niets, voor zover ik weet. Harry's opdracht kwam voort uit het feit dat er dit weekend een bijeenkomst was van die club, wat kennelijk niet al te vaak gebeurt. Kun je het nog een beetje volgen?'

'Sorry. Ik stond na jouw memo klaar om in actie te komen en een theedoek om mijn hoofd te wikkelen en rond te hangen bij een Iraakse coffeeshop.'

'Vergeet het maar. Laten we terugkeren tot het onderhavige probleem. Ik heb eerlijk gezegd de vermiste agent nog niet gerapporteerd aan het Hoofdkwartier, maar er zal al heel snel iemand vragen naar de informatie waar ze om verzocht hebben. Als dat gebeurt, zal ik moeten uitleggen dat ik het contact met mijn agent ter plekke tijdelijk heb verloren. Dat zal geen vrolijk gesprek worden, maar als we tussen nu en dat moment kunnen uitvogelen wat er aan de hand is, hebben we misschien toch wat positief nieuws voor ze.'

Ik zei: 'Kate en ik zouden graag naar het noorden gaan om daar te helpen bij het zoeken.'

Ik was ervan overtuigd dat ik niet Tom Walsh' eerste keus was voor deze opdracht, maar ik had vandaag dienst, plus dat hij wist dat Harry en ik vrienden waren. En hij wilde ook zo snel mogelijk een FBI-agent ter plekke hebben en Kate had de fout gemaakt om op haar vrije dag een halve dag te komen werken, en voilà, Walsh kon Washington vertellen dat er al een team onderweg was naar het noorden.

Walsh zei tegen mij en Kate: 'Ik dacht al dat jullie dat zouden willen doen, dus het is allemaal geregeld.'

'Mooi, dan vertrekken we zo snel mogelijk.'

Hij keek op zijn horloge. 'Jullie vertrekken al over vijf minuten. Beneden staat een auto voor jullie klaar die jullie naar de heliport in Downtown Manhattan zal brengen. Een FBI-helikopter zal jullie vervolgens naar het Adirondack Regional Airport brengen. De reistijd bedraagt ongeveer twee uur. Op het vliegveld zal een Hertz-huurauto klaarstaan, op Johns naam. Bel me als jullie daar zijn gearriveerd, dan krijgen jullie verdere instructies.'

Kate vroeg: 'Hebben we een contactpersoon daar?'

'Mogelijk.' Hij voegde eraan toe: 'Agenten uit Albany en van hier zullen zich vanavond of morgen bij jullie voegen.'

Ik informeerde: 'Hebben we een huiszoekingsbevel voor de Custer Hill Club?'

'Het laatste wat ik gehoord heb van ons kantoor in Albany, is dat ze op deze vrije dag op zoek waren naar een advocaat, die op zijn beurt weer een federale rechter moet zien te vinden die op deze dag wil werken.'

'Hebben ze de cafés al geprobeerd?'

Walsh ging gewoon verder met zijn verhaal. 'De advocaat zal de rechter ervan moeten overtuigen dat dit een federale zaak is en dat hij of zij een huiszoekingsbevel moet afgeven voor het landgoed van de Custer Hill Club – wat ongeveer zesendertig vierkante kilometer beslaat – maar niet voor het huis zelf. Dat laatste krijgen we niet zonder gerede vermoedens en we hebben geen reden om te denken dat Harry Muller zich in dat huis bevindt.'

Kate zei: 'We hebben geen volmacht nodig als er onmiddellijk gevaar bestaat dat iemands leven op het spel staat.'

Daar was Walsh het mee eens. 'De eigenaar, de heer Madox, zal ongetwijfeld instemmen met een zoektocht naar een persoon die mogelijk op zijn terrein gewond geraakt of verdwaald is. We volgen dus eerst die route. Maar als Madox niet wil meewerken, of gewoon niet bereikbaar is, en een werknemer van die club niet weet wat hij moet doen, dan zullen we de volmacht gebruiken voor een zoektocht op het landgoed.'

Ik vroeg: 'En hoe denk je aan de heer Madox uit te leggen dat er misschien een federaal agent zoek is op zijn landgoed?'

'Hij hoeft niet te weten dat het om een federale agent gaat. We laten het doorzoeken van het landgoed over aan de politie.' Hij voegde eraan toe: 'We moeten natuurlijk alles doen wat we kunnen, maar we mogen de heer Madox niet alarmeren dat hij onder surveillance staat.'

Ik verduidelijkte: 'Als Harry door het bewakingspersoneel van de club in de kraag is gegrepen, weet Madox al dat hij in de gaten wordt gehouden, Tom.'

'Om te beginnen is er geen enkele aanwijzing, en ook geen reden, om aan te nemen dat Harry op de Custer Hill Club wordt vastgehouden. Maar als dat wel zo is, zal hij zich aan zijn dekmantel hebben vastgehouden.'

'En die is?'

'Een verdwaalde vogelaar.'

'En jij denkt dat ze daar in trappen? Vlieg nou gauw op. Oké, sorry voor de woordspeling.' Ik vroeg: 'En als die bewakers hem nou eens hebben gefouilleerd? Was hij schoon toen hij daar naar binnen ging?'

Walsh aarzelde en antwoordde toen: 'Nee. Maar hoe waarschijnlijk is het dat privébewakingspersoneel iemand fouilleert? Of dat Harry dat zou toestaan?'

'Ik weet het niet, Tom. Maar ik zou er niet graag op de moeilijke manier achter komen. Als ik daar naar binnen was gegaan, zou ik in ieder geval niet mijn Fed-pasje en mijn Glock bij me hebben.' Ik herinnerde hem eraan: 'Agenten die zich voordoen als drugsdealers hebben ook nooit hun badge en hun wapen bij zich.'

Walsh leek deze les niet op prijs te stellen. Hij zei tegen me: 'Om te beginnen is de Custer Hill Club geen drugspand, dus hou je NYPD-analogieën maar voor je. En laten we bovendien aannemen dat Harry *niet* werd tegengehouden, opgesloten, of door privébewakers van de Custer Hill Club gefouilleerd.'

'Oké, laten we aannemen dat hij is verdwaald of gewond is geraakt op het terrein van de club. De politie daar zou op dit moment al aan een zoektocht bezig moeten zijn. Waar wachten we eigenlijk op?'

'We wachten niet, John. We doen dit stap voor stap. En ze zoeken op dit moment al in het bosgebied buiten het landgoed.' Hij keek ons aan en zei: 'Ik persoonlijk denk niet dat we Harry op dat landgoed zullen vinden. En dat denken jullie ook niet, als je alles nog eens goed in overweging neemt. We moeten wel reëel blijven en onze bezorgdheid om Harry afwegen tegen onze behoefte om de heer Madox in het duister te laten tasten omtrent onze bedoelingen.'

Ik antwoordde: 'Ik zie zelf anders ook nog niet veel licht in de duisternis.'

'Dit verschilt in niets van andere opdrachten. Je krijgt zoveel licht als je nodig hebt om de volgende stap in het duister te zetten.'

'Dat klinkt wel erg vrijblijvend.'

'Het is anders wel onze officiële politiek.'

Kate zei: 'John, we moeten op weg.'

Walsh kwam overeind, en wij volgden zijn voorbeeld. Hij zei: 'Als er nieuwe ontwikkelingen zijn, zal ik jullie via de helikopterradio op de hoogte stellen.'

We schudden elkaar de hand en Walsh zei: 'Als je daar vannacht moet blijven, neem dan ergens een kamer.'

Ik antwoordde: 'Verwacht niet ons terug te zien voor we Harry hebben gevonden.'

'Veel geluk.'

We verlieten Walsh' kantoor, keerden terug naar onze eigen bureaus, sloten onze computers af en pakten onze spullen, waarna we de lift omlaag naar de lobby namen.

Buiten stond een chauffeur op ons te wachten en op weg naar de heliport vroeg Kate mij: 'Wat denk jij ervan?'

'Ik denk dat jij nooit naar kantoor had moeten komen op je vrije dag. Goedheid wordt altijd gestraft.'

'Ik heb geluk gehad dat ik er was.' Ze vroeg: 'Ik bedoel, wat denk jij van Harry?'

'Afgaand op mijn ervaringen en op de statistieken, is de meest waarschijnlijke verklaring voor een dergelijke verdwijning, met name als het een volwassen man betreft, een ongeluk dat nog niet is ontdekt, een zelfmoord, of een vooraf geplande verdwijning. Er is zelden sprake van vuil spel.'

Ze dacht daarover na en vroeg toen: 'Denk jij dat hij een ongeluk heeft gehad?'

'Nee.'

'Zelfmoord?'

'Niet bij Harry.'

'Denk je dat hij ergens de bloemetjes buitenzet?'

'Nee.'

'Dus...?'

'Ja.'

De rest van de rit deden we er het zwijgen toe.

18

Er stonden diverse helikopters op het platform, maar de onze was makkelijk te vinden omdat hij FBI-kentekens had, wat de meeste FBI-vliegtuigen niet hebben. Ik reis en arriveer liever met anonieme vervoermiddelen, maar de piloot legde uit dat dit de enige heli was die op korte termijn beschikbaar was. Nou ja, vooruit dan maar.

We stapten aan boord van de helikopter – een Bell JetRanger – en hij steeg op van zijn platform langs de East River en volgde de rivier in noordelijke richting. Links van mij zag ik de hoog oprijzende skyline van Manhattan Island en rechts de mysterieuze laaglanden van Brooklyn en Queens, waar ik me zelden in begeef.

We vlogen verder in noordelijke richting en volgden de majestueuze vallei van de rivier de Hudson.

Binnen tien minuten vlogen we over de Tappan Zee Bridge en enkele minuten later verscheen links en rechts van de vallei open land. Ik ben niet echt een natuurliefhebber, maar vanaf hierboven gezien bood het landschap een spectaculair panorama van kleine stadjes, boerderijen en bomen wier herfstbladeren opgloeiden in het heldere zonlicht.

Kate zei: 'We zouden hier ergens een weekendhuisje moeten nemen.'

Ik wist wat er ging komen. Waar we ook heengaan, wil zij een weekendhuis, of een strandhuis, of een zomerhuis, of een skihut, of wat dan ook. De teller staat inmiddels op zo'n veertien huizen, geloof ik. Ik gaf het antwoord dat ik altijd gaf: 'Fantastisch idee.'

De Hudson, de Amerikaanse Rijn, glinsterde in het zonlicht en we konden landhuizen en kasteeltjes langs de hoge rivieroevers zien liggen. Ik zei: 'Daar staat een leuk kasteel te koop.'

Ze negeerde dit en zei: 'Soms denk ik er wel eens over om alles op te geven, een huisje op het platteland te kopen en een normaal leven te leiden. Denk jij daar ooit wel eens aan?'

Ook dit had ik eerder gehoord, niet alleen van Kate, maar van meer mensen na 9/11. De mediatherapeuten legden dit uit als een posttraumatische stress, angst voor een oorlog of voor een nieuwe aanval, de angst voor antrax, en meer van die onzin. Ik antwoordde: 'Ik was er vorig jaar aan toe om mijn biezen te pakken, zoals je misschien nog weet, maar na de aanvallen wist ik dat ik zou blijven. Ik ben nu extra gemotiveerd.'

Ze knikte. 'Dat kan ik begrijpen. Maar... ik blijf maar denken dat het nog een keer gaat gebeuren, en de volgende keer zou het wel eens een stuk erger kunnen zijn. Misschien antrax, of gifgas, of een nucleaire aanval...'

Ik gaf geen antwoord.

Ze zei: 'Er zijn mensen de stad uit gegaan, John.'

'Ik weet het. Het is tegenwoordig een stuk makkelijker om een taxi te krijgen, of een restaurant te reserveren.'

'Dit is niet grappig.'

'Nee, het is niet grappig.' Ik kende trouwens zelf ook mensen die na 9/11 een huis in de provincie hadden gekocht, of een boot om snel weg te kunnen, of ze waren gewoon naar Dubuque verhuisd. Ik vond dat geen gezonde ontwikkeling, hoewel het misschien wel slim was.

Ik zei tegen Kate: 'Ik ben ouder dan jij en ik herinner me een tijd dat het allemaal nog anders was. Ik vind het geen prettig idee dat die schoften zo ons leven kunnen bepalen. Ik wil graag lang genoeg leven om te zien dat alles beter wordt en ik wil graag meehelpen om het beter te maken.' Ik voegde eraan toe: 'Ik wil niet weglopen.'

Daar had ze geen antwoord op en we staarden allebei uit de raampjes omlaag naar het aangename herfstlandschap.

Op de westelijke oever van de Hudson kwam nu de militaire academie van West Point in zicht, met zijn hoge gotische, door de zon beschenen spitsen. Ik kon een formatie cadetten op het exercitieterrein zien staan.

Kate zei: 'Er zal gedurende jouw of mijn leven niets ten goede veranderen.'

'Je weet maar nooit. En ondertussen kunnen we niet meer dan ons best doen.'

Ze dacht daar even over na en zei: 'Dat gedoe met Harry... het heeft niets van doen met islamitisch terrorisme, maar het maakt wel deel uit van hetzelfde probleem.'

'Hoe bedoel je?'

'Het gaat allemaal over mensen die verwikkeld zijn in een of andere machtsstrijd. Religie, politiek, oorlog, olie, terrorisme... de wereld is onderweg naar iets veel ergers dan we tot nu toe ooit gezien hebben.'

'Mogelijk. Maar laten we ondertussen toch maar proberen Harry te vinden.'

Ze staarde weer uit het raam.

Kate is fysiek dapper, zoals ik heb gezien toen de heer Khalil ons gebruikte als schietschijf voor zijn scherpschuttersgeweer, maar het afgelopen jaar had wat betreft haar mentale weerbaarheid zijn tol geëist.

En in onze branch werd je geestelijk ook niet echt beter van het lezen van de geheime memo's die we elke dag kregen over deze of die binnenlandse dreiging. Dat, plus de dreigende oorlog met Irak, begon op de zenuwen te werken van sommigen van mijn collega's.

Kate had haar goede en slechte dagen, zoals wij allemaal. Vandaag was geen goede dag. Eigenlijk was 10 september 2001 de laatste echte goede dag geweest.

— DEEL IX —

Maandag

UPSTATE NEW YORK

Gegeven de reikwijdte van de federale reactie op een vermoed WMD-incident, kunnen de betrokken personen terughoudend zijn om de mechanismen in beweging te zetten die deze reactie moeten bewerkstelligen.

Terrorism in the United States
FBI Publications, 1997

19

Twee uur en vijftien minuten nadat we de heliport in Manhattan hadden verlaten, vlogen we over de provinciestad Saranac Lake. Een paar minuten later kwamen drie lange landingsbanen in zicht die samen een driehoek vormden, omgeven door bossen. Ik dacht aan de rand van de open plek beren te zien.

Toen we daalden, zag ik enkele opzichtige zakenjets op het platform geparkeerd staan, hoewel er maar eentje het logo van een bedrijf op de staart had staan. Bij zakenvliegtuigen was het niet handig om reclame te maken, deels uit veiligheidsoverwegingen, deels omdat het verkeerd zou kunnen vallen bij de aandeelhouders. Toch zocht ik naar een jet met het GOCO-logo, maar die zag ik niet terwijl we steeds lager kwamen.

De piloot sprak met iemand over de radio en direct daarop zette hij de heli op het plaveisel achter een lang, houten gebouw dat eruitzag als een Adirondack-blokhut. Het gebouw leek enigszins misplaatst op een vliegveld, maar ik wist van mijn spaarzame tochtjes naar deze bergen dat de lokale bevolking dit rustieke gedoe nogal serieus nam en het verbaasde me dat niet ook de hangars er als blokhutten uitzagen.

Hoe dan ook, de piloot zette de motor van de heli uit en het geluidsniveau daalde dramatisch.

De copiloot sprong uit de cockpit, gooide de deur van de cabine open en pakte Kate's hand toen ze eruit sprong. Ik volgde zonder de hand van die knaap vast te houden en vroeg boven het geluid van de langzaam tot stilstand komende rotorbladen uit: 'Heb jij ook beren gezien?'

'Hè?'

'Laat maar. Blijven jullie hier?'

'Nee. We tanken bij en gaan dan terug naar New York.' Terwijl hij sprak, zag ik een tankwagen in onze richting komen, wat een snellere service is dan ik bij mijn eigen benzinestation krijg. Het zal wel iets te maken hebben gehad met dat FBI-logo op de heli.

Ik draaide me om en bekeek het bijna lege platform. De zakenjets stonden keurig op een rijtje geparkeerd op een zwarte reep asfalt een eind verderop en daarachter zag ik nog wat her en der verspreide lichtere vliegtuigjes. Er was geen noemenswaardige activiteit.

Het was hier veel kouder dan in New York en ik kon mijn adem zien, een aanblik die me niet blij maakte om half twee 's middags op een zonnige dag in begin oktober.

Kate zei: 'Moet je die lucht hier ruiken.'

'Ik ruik niets.'

'De berglucht, John. En dan die bomen, en die bergen.'

'Waar zijn we in vredesnaam?'

'In Gods eigen land.'

'Mooi. Ik heb nog een paar vragen voor hem.'

De Adirondack-blokhut bleek de passagiersterminal en we liepen eromheen naar de vooringang, die een overdekte veranda had, omgeven door een rustieke reling. Op de veranda stonden een picknicktafel en een Pepsi-automaat, en er zat een bewaker die een sigaret rookte. Niemand zou deze plek abusievelijk voor JFK International Airport aanzien.

Kate zei tegen me: 'Ik zal Tom bellen.'

'Waarom?'

'Misschien dat we hier door iemand worden opgehaald.'

'Nou, ik zie niet in hoe ze ons kunnen missen.' Er was in feite geen levende ziel te bekennen en er stonden niet meer dan een tiental auto's op de parkeerplaats, waarvan de helft waarschijnlijk was achtergelaten door mensen die een enkele reis hadden geboekt uit deze godverloren wildernis.

We gingen de terminal binnen, waar het een stuk warmer was dan in die bevroren bergvallei buiten. Het interieur van de terminal was klein, functioneel en rustig.

Zo klein en afgelegen als deze plaats was, hadden ze toch een beveiligingspunt, compleet met doorloopmetaaldetector en bagagescanner. Er stonden geen beveiligingsmensen bij het controlepunt, en ook geen passagiers trouwens, dus nam ik aan dat er geen vliegtuig op het punt van vertrekken stond.

Kate bekeek de lege terminal en zei: 'Ik zie niemand die op ons zou kunnen staan wachten.'

'Hoe kun je dat nu zien met al die mensen.'

Ze negeerde me en merkte op: 'Daar zijn de balies van de autoverhuurders... er is een restaurant en er zijn toiletten. Waar wil je beginnen?'

'Hier.' Ik draaide me om naar de enige balie van een luchtvaartmaatschappij, waarboven een bord hing waarop stond: CONTINENTAL COMMUTAIR.

Kate vroeg: 'Wat ben je van plan?'

'Laten we eens zien wat Harry werd verondersteld hier te vinden.'

'Dat is niet wat Tom – '

'Tom kan doodvallen.'

Dat moest ze even verwerken en toen zei ze instemmend: 'Ja, laat hem doodvallen.'

Ik liep op de kleine balie af, waarachter een imposante dame van middelbare leeftijd en een jongeman ons vanaf krukken bekeken. Ze leken broer en zus en ik ben bang dat hun ouders dat ook waren. De dame, wier naamplaatje BETTY vermeldde, begroette ons. 'Goedemiddag. Kan ik u ergens mee van dienst zijn?'

Ik antwoordde: 'Ik wil een kaartje naar Parijs.'

'Wilt u via Albany of Boston?'

'Wat dacht u van geen van beide.'

Betty verduidelijkte: 'Meneer, er zijn hiervandaan alleen directe vluchten naar Albany en Boston.'

'Meent u dat? En binnenkomende vluchten?'

'Zelfde recept. Albany en Boston. Met Continental CommutAir. Twee vluchten per dag. U hebt net de laatste vlucht naar Boston gemist.' Ze wees met haar duim naar de aankomst- en vertrektijden aan de muur achter haar en deelde ons mee: 'We vertrekken om drie uur vanmiddag naar Albany.'

Eén luchtvaartmaatschappij, twee steden, twee vluchten naar elke stad. Dat maakte mijn taak een stuk eenvoudiger en sneller. Ik zei tegen haar: 'Ik zou graag de manager spreken.'

'Daar spreekt u mee.'

'Ik dacht dat u de kaartjes verkocht.'

'Dat doe ik ook.'

'Ik hoop niet dat u ook nog de piloot bent.'

Kate leek wat ongeduldig te worden van mijn onnozele gedoe en pakte haar identiteitsbewijs. 'FBI, mevrouw. Ik ben speciaal agent Mayfield en dit is rechercheur Corey, mijn assistent. Kunnen we u even onder vier ogen spreken?'

Betty keek ons aan en zei: 'O... u bent de mensen die zojuist met die helikopter geland zijn.'

Groot nieuws verspreidde zich hier snel, zo te horen. 'Ja, mevrouw. Waar moeten we zijn om de passagierslijsten in te zien?'

Ze gleed van haar kruk, vroeg haar assistent, Randy, om het fort te bewaken en zei toen tegen ons: 'Wilt u me volgen?'

We liepen om de balie heen en gingen door een geopende deur een klein, onbemand kantoor binnen dat vol stond met bureaus, computers, faxapparaten en andere elektronische apparatuur.

Ze ging aan een van de bureaus zitten en vroeg aan Kate – ik geloof niet dat ze mij mocht: 'Wat wilt u precies?'

Kate antwoordde: 'Ik heb een lijst nodig van de passagiers die hier op donderdag, vrijdag, zaterdag, zondag en vandaag zijn gearriveerd. En ook van de vertrokken passagiers voor die dagen. En voor morgen.'

'Oké...'

Ik vroeg haar: 'Is hier de afgelopen dagen verder nog iemand geweest, of heeft er iemand gebeld over die passagierslijsten?'

Ze schudde haar hoofd. 'Nee.'

'En als er iemand had gebeld of hier langs was geweest in uw afwezigheid, zou u dat dan weten?'

Ze knikte. 'Jazeker. Jake, Harriet of Randy zou me het hebben verteld.'

Misschien had Kate gelijk en zou ik moeten doen wat veel van mijn collega's hebben gedaan, namelijk een baantje nemen als hoofd van de politie in een kleine plaats waar iedereen alles van iedereen afweet. Kate zou dan een baantje kunnen nemen als klaar-over, ik zou mijn tijd verslijten in de plaatselijke taveerne en zij zou een affaire hebben met een boswachter.

Ik zei tegen Betty: 'Oké, zou u die passagierslijsten kunnen uitprinten?'

Betty draaide haar stoel om en begon op het toetsenbord te meppen.

Toen de printer papier begon op te hoesten, bekeek ik een paar pagina's en zei: 'Er zitten niet bepaald veel passagiers op die vluchten.'

Betty antwoordde onder het typen door: 'Het zijn maar kleine vliegtuigjes. Maximaal achttien passagiers.'

Dat was goed nieuws. Ik vroeg haar: 'En dit zijn alle aangekomen en vertrokken passagiers van de dagen in kwestie?'

'Tot nu toe, ja. Ik kan nog niet zeggen wie er om drie uur op het vliegtuig naar Albany stappen, of wie met de vluchten van morgen vertrekken, maar ik zal u de reserveringslijsten voor die vluchten geven.'

'Mooi. Heeft u ook een lijst van de binnenkomende en vertrekkende privévliegtuigen?' vroeg ik haar.

'Nee, dit is een *luchtvaartmaatschappij*. Privévliegtuigen vallen daar niet onder. Daarvoor moet u op de burelen van het vliegveld zelf zijn.'

'Ach, natuurlijk. Waar ben ik met mijn gedachten? En waar kan ik die burelen vinden?'

'Aan de andere kant van het vliegveld.'

Voordat ik kon zeggen dat het hier niet groot genoeg was om een andere kant te hebben, voegde Betty eraan toe: 'Zij houden alleen de binnenkomende en vertrekkende vliegtuigen bij die hier een nacht overblijven of brandstof hebben getankt.'

Dat is wat ik zo fijn vind aan deze baan – je leert elke dag wel weer iets bij over zaken die je de rest van je leven nooit meer nodig zult hebben.

Kate vroeg: 'Kunt u deze gegevens voor ons opvragen?'

'Ik zal Randy langs sturen om een kopie voor u te halen.'

Ze pakte de telefoon en zei tegen haar assistent: 'Doe me een plezier, liefje, en ga even naar het bureau van de luchthaven.' Ze legde uit wat ze nodig had, hing op en zei tegen ons allebei: 'Mag ik u vragen waar u deze lijsten voor nodig heeft?'

Kate antwoordde: 'We hebben niet de vrijheid om u dat te vertellen en ik moet u vragen hier verder met niemand over te spreken.'

Ik voegde eraan toe: 'Zelfs niet met Jake, Harriet of Randy.'

Betty knikte afwezig en maakte intussen in gedachten al een lijst van alle mensen die ze zou vertellen over dit bezoek van de FBI.

Enkele minuten later kwam Randy binnen en overhandigde een paar vellen papier aan Betty, die ze vervolgens aan Kate gaf. We keken beiden naar de vellen. Er waren op de betreffende dagen enkele tientallen privévliegtuigen geregistreerd, maar de enige informatie op de uitdraai waren de fabrikant, het model en het registratienummer van de vliegtuigen. Ik vroeg aan Betty: 'Weet u of er ook ergens informatie is over de eigenaars van deze vliegtuigen?'

'Nee, maar daar kun je achter komen via de staartnummers.'

'Oké. Kan ik er ook achter komen wie er aan boord was?'

Nee. Bij privévluchten wordt er niet bijgehouden wie er meevliegt. Daarom worden het ook privévluchten genoemd.'

'Juist, ja. God zegene Amerika.' Ondertussen kon Osama bin Laden in zo'n privévliegtuig zitten zonder dat ook maar iemand daar vanaf wist. En nu, een jaar na 9/11, bestond er nog steeds geen controle op privévliegtuigen, terwijl passagiers van commerciële maatschappijen, inclusief baby's, bemanning en kleine oude dametjes, werden beklopt en bevoeld, zelfs op kleine forensenvliegtuigen. Snapt u het, snap ik het.

Kate pakte de uitdraaien bij elkaar en stopte ze in haar aktetas.

Ik stelde Betty de standaardvraag: 'Is u nog iets ongewoons opgevallen dit weekend?'

Ze draaide rond in haar stoel. 'Zoals?'

Waarom vragen ze dat toch altijd? 'Ongewoon,' zei ik, 'niet gewoon dus.'

Ze schudde haar hoofd. 'Nee, ik zou niets kunnen bedenken.'

'Zijn er meer mensen gearriveerd dan gebruikelijk?'

'Eh, ja, in dit soort lange weekenden komen altijd meer mensen deze kant op. In de zomer en de winter is het hier sowieso behoorlijk druk. Maar de herfst wordt ook steeds populairder met al die bladerkijkers. En daarna begint het jachtseizoen en dan Thanksgiving, en dan de kerst, en skiën en – '

Ik onderbrak haar voordat ze de hele rits feestdagen kon afwerken en vroeg: 'Waren er ook passagiers bij die er anders dan normaal uitzagen?'

'Nee, maar weet u wat?'

'Nou?'

'Er is wel zo'n bobo uit Washington ingevlogen.'

'Was hij verdwaald?'

Ze keek Kate aan alsof ze wilde zeggen: wie is die klootzak die je bij je hebt?

Kate retourneerde de bal. 'Wie was hij?'

'Dat weet ik niet meer. Een of andere minister of zoiets. Zijn naam zou op de passagierslijst moeten staan.'

'Hoe is hij hierheen gekomen?'

'Met CommutAir vanuit Boston. Ik geloof dat het op zaterdag was. Ja, zaterdag. Hij arriveerde met de vlucht van elf uur en een van de beveiligingsmensen herkende hem.'

Kate vroeg: 'Heeft hij een auto gehuurd?'

'Nee. Ik herinner me dat hij werd opgevangen door een knaap van de Custer Hill Club – dat is een privéclub zo'n vijftig kilometer hier vandaan. Er zaten drie andere kerels in dat vliegtuig en ze leken bij elkaar te horen.'

'Hoe,' vroeg ik, 'wist u dat die kerel die de minister of zoiets opving van deze club was?'

'De chauffeur had een uniform van de Custer Hill Club aan. Ze komen zo af en toe hierheen om passagiers op te pikken.' Ze voegde eraan toe: 'Alle vier de passagiers pakten hun bagage en gingen naar buiten, waar een busje van de club op hen stond te wachten.'

Ik knikte. Er ontsnapte maar weinig aan de aandacht in kleine stadjes. 'Heeft dat busje van de Custer Hill Club nog passagiers van andere vluchten opgehaald?'

'Dat weet ik niet. Het kan dat ik toen geen dienst had.'

'Heeft het busje ook vertrekkende passagiers afgeleverd?'

'Dat weet ik niet. Ik kan niet altijd zien wat er buiten gebeurt.'

'Juist.' Ik wilde niet al te veel interesse tonen in de Custer Hill Club, dus schakelde ik bij wijze van dekmantel over naar een ander onderwerp en zei: 'Wat wij moeten weten is of u of een van uw collega's iemand heeft gezien die eruitzag als... hoe kan ik dat verwoorden zonder te klinken alsof ik racistisch bezig ben? Iemand die eruitzag als, nou ja, alsof zijn of haar vaderland ergens lag waar ze veel kamelen hebben?'

Ze knikte begrijpend, dacht even na en antwoordde toen: 'Nee, ik denk dat zo iemand er direct uit zou springen.'

Ja, daar durfde ik wat om te verwedden. 'Zoudt u ons een plezier willen doen en het straks ook aan de anderen willen vragen?'

Ze knikte enthousiast. 'Ja, dat wil ik graag doen. Zal ik u daarna bellen?'

'Ik bel u wel, of ik kom even langs.'

'Oké, ik zal het aan mijn collega's vragen.' Ze stond op en keek ons aan. 'Waar gaat dit over? Gaat er iets gebeuren?'

Ik liep wat dichter naar Betty toe en zei op lage toon: 'Dit heeft te maken met de Olympische winterspelen in Lake Placid. Maar vertel dat niet verder.'

Betty moest dat even verwerken en zei toen: 'Die spelen waren in 1980.'

Ik keek naar Kate en zei: 'Verdomme, dan zijn we te laat.' Ik vroeg aan Betty: 'Hé, is er nog iets gebeurd toen?'

Kate schonk me een vuile blik en zei tegen Betty: 'Dat is rechercheur Corey's manier om te zeggen dat we niet in de positie zijn om dat te vertellen. Maar we zouden uw hulp goed kunnen gebruiken.'

Normaal is dit het moment dat je de brave burger je kaartje geeft, maar we probeerden nu juist een rookgordijn op te werpen en Kate was helemaal in haar element en vroeg Betty naar haar visitekaartje. 'We bellen u nog. Bedankt voor uw medewerking.'

'Geen dank hoor.' Ze voegde eraan toe: 'Als die mensen hier iets proberen, weten wij daar wel raad mee.'

Ik antwoordde in mijn John Wayne-accent: 'Dat is *onze* taak, mevrouw. Neemt u alstublieft niet het recht in eigen hand.'

Ze produceerde een snuivend geluid en zei toen tegen ons: 'Nu u hier toch bent, kunt u misschien gelijk eens een kijkje nemen bij die Custer Hill Club.'

'Hoezo?'

'Er gebeuren daar vreemde dingen.'

Ik voelde me alsof ik in een B-film meespeelde, waarin de man uit de grote stad door de lokale bevolking wordt gewaarschuwd voor dat griezelige huis op de heuvel, om vervolgens het advies in de wind te slaan, wat precies was wat ik in het tweede bedrijf zou doen. Ik antwoordde neutraal: 'Bedankt. Hoe is het eten in het restaurant?'

'Redelijk goed, maar enigszins prijzig. Ik kan u de dubbele cheeseburger met extra bacon aanbevelen.'

Betty zag eruit alsof ze die zelf al heel vaak had genomen.

Ze liet ons uit en ik zei op onheilspellende toon tegen Kate: 'Wat je ook doet, juffie, ga *niet* naar de Custer Hill Club.'

Ze glimlachte en zei: 'Bestel *geen* dubbele cheeseburger met extra bacon.'

Dat was nu precies het eerste riskante wat ik zou doen alvorens naar de Custer Hill Club te gaan.

20

Terug in de terminal zei ik tegen Kate: 'Ik ga eerst even naar het toilet.'

'Ja, dat zou ik maar doen. Je zit vol shit.'

'Ja hoor. Ik zie je wel bij de autoverhuurbalie.'

We gingen elk ons weegs en ik friste me wat op en was binnen vier minuten bij de balie van het autoverhuurbedrijf. Vrouwen hebben iets langer tijd nodig.

Er waren twee balies waar je auto's kon huren – Enterprise en Hertz – en de een lag achter de ander in een smalle doorgang aan de zijkant van de terminal. De jongeman achter de balie van Enterprise zat een boek te lezen. Achter de balie van Hertz stond een jonge vrouw die een spelletje deed op haar computer. Op het groot uitgevallen kaartje op haar borst stond MAX, wat naar ik aannam haar naam was, en niet haar cupmaat. Ik zei: 'Hoi, Max. Ik heb een auto gereserveerd onder de naam Corey.'

'Ja, meneer.' Ze vond mijn reservering en we namen de formulieren door, wat maar een paar minuten duurde. Ze overhandigde me de sleutels van een Ford Taurus en vertelde me waar ik de parkeerplaats kon vinden, waarna ze me vroeg: 'Heeft u nog aanwijzingen nodig?'

'Voor mijn leven, bedoelt u?'

Ze giechelde. 'Nee, aanwijzingen hoe u moet rijden. Wilt u een wegenkaart?'

'Graag.' Ik nam de kaart aan en zei: 'Ik zoek eigenlijk nog onderdak.'

Ze antwoordde: 'Daar staat een rekje met folders. Overnachting, restaurants, bezienswaardigheden, u weet wel.'

'Prachtig. Wat is de beste plek om te overnachten?'

'Het Punt.'

'Wat is het punt?'

Ze glimlachte. 'Weet ik niet, John. Wat is het punt?' Ze lachte. 'Je bent niet de eerste die daarmee komt.'

'Dat geloof ik graag. Punt voor jou. Maar wat beveel je me aan?'

'Het Punt.'

'Oké...'

'Het is echter wel behoorlijk duur.'

'Waar moet ik aan denken? Honderd dollar?'

'Nee, eerder duizend.'

'Per jaar?'

'Per nacht.'

'Dat meen je niet.'

'Nee, echt. Het is echt, je weet wel, heel exclusief.'

'Echt.' Ik dacht niet dat de afdeling Boekhouding dit leuk zou vinden, maar ik was in een roekeloze bui. 'Hoe kom ik bij Het Punt?'

'Door er niet omheen te draaien.' Ze lachte hard en sloeg op de balie. 'Geintje.'

'Hé, jij bent echt uitgekookt.' *Waaraan had ik dit verdiend?*

Max wist zichzelf te beheersen. 'Hé, wil je daar echt heen?'

'Waarom niet? Ik heb een rijke oom.'

'Dat moet wel. Ben je zelf ook rijk?'

'Ik ben John.'

Ze glimlachte beleefd. 'Da's een goeie.'

Max gaf me een wegenkaart waarop, zo zag ik, een heleboel smalle, kronkelige weggetjes stonden die door onbewoonde gebieden leidden, met slechts hier en daar een stad of dorp. Ik dacht aan Harry, die graag naar de Adirondacks ging, en ik vroeg God om dit keer eens het goeie te doen.

Max zette een X op de kaart. 'Het Punt ligt aan Upper Saranac Lake, hier ongeveer. Je moet daar de richting nog maar eens vragen. En je kunt ook beter eerst bellen voor een reservering. Ze zitten bijna altijd vol.'

'Voor duizend piek per nacht?'

'Ja, niet te geloven toch?' Ze pakte een telefoonboek onder de balie vandaan, vond het nummer van Het Punt en schreef het op de wegenkaart, terwijl ze tegen mij zei: 'Je zult in het rek geen brochure over deze zaak vinden.'

'O nee?'

Ik stopte de kaart in mijn zak en Max zei tegen me: 'Dus jij komt uit New York City?'

'Klopt.'

'Ik ben gek op New York. Wat brengt je hierheen?'

'Een helikopter.'

Ze begon te glimlachen, toen ging er een lampje aan in haar hoofd en ze zei: 'O, dus jij bent die kerel die in die FBI-helikopter zat.'

'Precies. Fuller Brush Incorporated.'

Ze lachte. 'Nee... FBI. Zoals in Federal Bureau of Investigation.'

Kate verscheen met twee koppen koffie en vroeg me: 'Amuseer je je een beetje?'

'Ik ben een auto aan het huren.'

'Ik kon je in het restaurant horen lachen. Wat is de grap?'

'Wat is het punt?'

Max lachte. Kate niet. Ik zei: 'Het is een lang verhaal.'

'Kort het maar in, dan.'

'Oké, er is hier een tent... een soort hotel – '

'Een grand hotel,' zei Max behulpzaam.

'Precies. Een grand hotel dat Het Punt heet. Dus zei Max – dat is de jongedame hier – o nee, ik vroeg eerst: "Waar kun je hier goed overnachten?" en zij zegt: "Wat is het punt – ?"'

'Nee,' onderbrak Max. 'Ik zei: "Het Punt", en toen zei jij: "Wat is het punt" en ik zei – '

'Oké,' zei Kate. 'Ik begrijp het.' Ze zette mijn koffie op de balie. 'En op welk punt zijn we nu aanbeland?'

Ik antwoordde, heel professioneel: 'Ik stond op het punt me te identificeren als federaal agent.'

Kate was me te vlug af en liet haar ID zien. Ze zei tegen Max: 'Ik heb fotokopieën nodig van alle autoverhuurcontracten vanaf donderdag tot nu, inclusief de voertuigen die weer zijn ingeleverd. Kijk of je dat binnen tien minuten lukt. Wij zitten in het restaurant.' Kate liep naar de volgende balie, Enterprise Rent-a-Car, en sprak met de jongeman daar.

Ik zei tegen Max: 'Dat is mijn vrouw.'

'Jeetje, dat zou ik nou nooit gedacht hebben.'

Ik pakte de koffie en liep naar het restaurant, dat in wezen niet meer dan een klein café was. De muren en het plafond waren in een afschuwelijk hemelsblauw geschilderd, compleet met een model witte wolken die ik nog nooit op deze planeet heb aanschouwd. Aan het plafond hingen plastic schaalmodellen van dubbeldekkers en foto's van diverse vliegtuigen droegen bij aan de sfeer. Er was een lunchcounter met vier krukken, die allemaal onbezet waren, en een tiental lege tafels waaruit ik kon kiezen. Ik ging aan een tafel zitten bij een raam dat uitzicht bood op de startbaan.

Een aantrekkelijke serveerster kwam op me af met een menukaart en vroeg: 'En hoe is het met u vanmiddag?'

'Fantastisch. Ik ben gelukkig getrouwd. Heeft u misschien nóg een kaart? Mijn vrouw is over enkele minuten ook hier.'

'Natuurlijk...' Ze legde het menu neer en verdween om er nog eentje te halen.

Mijn gsm ging en de nummerherkenning meldde 'Privé', wat in negentig procent van de gevallen het kantoor betekent, dus liet ik hem overgaan op de voicemail.

Kate kwam het café binnen en zei: 'Mijn gsm ging daarnet.'

'Waarschijnlijk de firma Bergdorf die op zoek is naar jou.'

Ze ging zitten en luisterde naar haar voicemail. 'Tom Walsh – wil dat ik terugbel.'

'Wacht nog een paar minuten.'

'Oké.' Ze haalde de stapel CommutAir uitdraaien uit haar aktetas en legde ze op tafel. Ik nam de helft voor mijn rekening en begon er doorheen te bladeren terwijl ik ondertussen een nummer intoetste op mijn gsm.

'Wie bel je?'

'Het Punt.'

Een man die Charles heette nam op en ik zei: 'Ik zou graag een kamer reserveren voor vanavond.'

'Ja, meneer. Er is enige beschikbaarheid.'

'Heeft u ook kamers?'

'Ja, meneer. We hebben de Mohawk-kamer in het hoofdgebouw, de Uitkijk in het Adelaarsnest, het Weerstation in het Gastenverblijf – '

'Niet zo snel, Charles. Wat hebben jullie voor rond de duizend pietermannen?'

'Niets.'

'Niets? Zelfs geen brits in de keuken?'

Hij somde wat tarieven op voor de beschikbare kamers en ik werd genoteerd voor de Mohawk voor twaalfhonderd dollar, wat de goedkoopste beschikbare kamer was. 'Die kamer heeft toch wel verwarming en elektriciteit, mag ik hopen?'

'Ja, meneer. Hoeveel nachten bent u van plan te blijven?'

'Dat weet ik nog niet, Charles. Laten we beginnen met twee.'

'Ja, meneer.' Om eraan toe te voegen: 'Mocht u ook op woensdagavond nog bij ons verblijven: avondkostuum vereist bij het diner.'

'Wilt u me vertellen dat ik een smoking nodig heb om in het bos te eten?'

'Ja, meneer.' Hij legde het uit. 'William Avery Rockefeller, de vroegere eigenaar van dit etablissement, placht iedere avond in smoking te dineren met zijn gasten. Wij proberen onze gasten die ervaring op de woensdag- en zaterdagavond te laten herbeleven.'

'Het kan zijn dat ik die ervaring aan me moet laten voorbijgaan. Kan ik wel roomservice in mijn ondergoed krijgen?'

'Ja, meneer. Hoe wilt u uw reservering bevestigen?'

Ik gaf hem mijn naam en het nummer van mijn zakelijke creditkaart, we streken nog wat details glad en ik vroeg hem: 'Heeft u daar ook beren?'

'Ja, meneer. We hebben een bar in de – '

'*Beren*, Charles, *beren*. Je weet wel, *Ursus horribilis*.'

'Eh... we... er leven beren in deze streek, maar – '

'Voeder de beren vanavond, Charles. Tot straks.' Ik hing op.

Kate zei: 'Heb ik dat goed gehoord?'

'Ja, beren verdomme.'

'De kamerprijs.'

'Ja, we zitten in de Mohawk-kamer. Het Weerstation voor tweeduizend dollar per nacht leek me wat extravagant.'

'Ben je gek geworden?'

'Waarom vraag je dat? Hé, na twee nachten in dat B&B-krot van jou verdienen we wel een keer iets goeds.'

'Ik geloof dat we een vergoeding van honderd dollar per dag krijgen voor het gebied rond Albany.' Ze voegde er dreigend aan toe: 'Wij... *jij* zal het verschil moeten bijpassen.'

'Dat zien we nog wel.'

Kate's pieper ging en ze keek er op. 'Tom.'

'Laat hem nog maar een paar minuten wachten.'

Misschien hebben ze Harry gevonden.'

'Dat zou mooi zijn.' Ik bladerde door de uitdraaien op zoek naar iets wat er uitsprong.

Ook Kate concentreerde zich op haar uitdraaien en even later zei ze: 'Ik heb hier de elf uur-vlucht van CommutAir vanaf Boston op zaterdag... wauw.'

'Wat wauw?'

'Edward Wolffer. Weet je wie dat is?'

'Ja, dat was die middenvelder van – '

'Dat is de onderminister van Defensie. Een echte havik, die de oorlog in Irak erdoorheen probeert te duwen. Hij staat heel dicht bij de president. Is ook heel vaak op tv.'

'Dan zal dat de knaap zijn die door iemand is herkend.'

'Ja, en hier heb ik nog een naam op diezelfde vlucht – Paul Dunn. Hij is presidentieel adviseur – '

'Betreffende zaken van nationale veiligheid, en lid van de Nationale Veiligheidsraad.'

'Precies. Hoe wist jij dat?'

'Het gaat toch altijd om de gevaren die ons bedreigen?'

'Waarom doe je je altijd zo dom voor?'

'Dat is een goede dekmantel voor als ik echt dom ben,' zei ik. 'Dus Wolffer en Dunn arriveerden op zaterdag, plus twee andere kerels, volgens Betty, en ze stapten allemaal in het busje van de Custer Hill Club.'

Kate keek nog eens naar de passagierslijst voor de vlucht van zaterdag elf uur vanaf Boston en zei: 'Er zaten negen andere mannen in dat vliegtuig, maar geen van die andere namen zegt me iets, dus weten we niet wie die andere twee mannen in het busje waren.'

'Juist.' Ik bleef ondertussen zelf ook door mijn passagierslijsten bladeren. 'Wolffer en Dunn vertrokken gisteren met de eerste vlucht naar Boston, met een verbinding naar Washington.'

Ze knikte bedachtzaam en vroeg toen: 'Betekent dat iets?'

'Nou, op het eerste gezicht betekent het weinig. Een hoop rijke en machtige mannen zijn voor een lang weekend bijeen geweest in een berghut die eigendom is van een oliemiljardair. Veel mensen, en ook de media, speculeren dan over allerlei duistere praktijken die daar gaande zijn – gerommel met de olieprijzen, financiële en politieke koehandel, samenzweringen om de planeet over te nemen, en meer van die dingen. Maar soms is het gewoon niet meer dan wat het is: een groepje rijke patsers die samen wat lol trappen, kaarten, over vrouwen praten en vieze moppen vertellen.'

Daar dacht Kate even over na. 'Soms is dat zo,' zei ze. 'Maar iemand bij het ministerie van Justitie heeft opdracht gegeven die bijeenkomst in de gaten te houden.'

'*Dat* is het punt.'

Ze ging gewoon door. 'En het komt niet iedere dag voor dat het ministerie van Justitie de onderminister van Defensie, een presidentieel adviseur en wie weet wie er daar nog meer zaten, in het oog wil houden.'

Ik merkte op: 'Dit begint leuk te worden.' Ik bekeek de passagierslijsten. 'We moeten de achtergrond laten uitzoeken van iedereen die de afgelopen dagen per commerciële vlucht is gearriveerd en kijken of die mensen iets met elkaar te maken hebben. En vervolgens moeten we erachter zien te komen wat Harry verondersteld werd te ontdekken tijdens zijn surveillance: wie er van hier naar de Custer Hill Club ging.'

Kate antwoordde: 'Ik denk niet dat dit onze taak is. Daar heeft Tom het in ieder geval niet over gehad.'

'Het is alleen maar goed om eigen initiatief te tonen. Tom zal dat waarderen en, trouwens, Tom kan doodvallen.'

De serveerster kwam langs en een van ons bestelde een dubbele cheeseburger met extra bacon en de ander bestelde een Cobb Salad, wat dat ook moge zijn.

Mijn pieper ging en ik keek naar het nummer. Het was zoals verwacht Tom Walsh. 'Ik zal hem maar eens bellen.'

'Nee, *ik* zal hem bellen,' zei Kate.

'Laat mij dit nou maar afhandelen. Hij mag me en respecteert me.' Ik toetste het nummer in van Toms gsm en hij nam op. Ik vroeg: 'Heb jij mij opgepiept?'

'Ja, dat heb ik, en Kate ook, en ik heb jullie ook allebei gebeld. Jullie zouden mij bellen als je was geland.'

'We zijn net gearriveerd. Tegenwind.'

'Volgens de piloot ben je daar al bijna een uur.'

'Er stonden lange rijen bij het autoverhuurbedrijf. Maar wat belangrijker is: heb je al iets van Harry gehoord?'

'Nee, nog niets.' Hij bracht me op de hoogte van niets en zei toen: 'Ik wil dat jullie naar het regionale hoofdkwartier van de staatspolitie in Ray Brook rijden. Dat is een paar kilometer van Saranac Lake vandaan. Neem contact op met een zekere majoor Hank Schaeffer, commandant van B Troop, en coördineer de zoekactiviteiten met hem. Je kunt je diensten en ervaring aanbieden, voor zover aanwezig, en aanbieden om te helpen zoeken.'

'Oké. Dat is het?'

'Voorlopig wel. Intussen zullen wij proberen of we een paar honderd man uit Fort Drum kunnen krijgen om mee te helpen bij het zoeken. Dat zou de zaak aardig versnellen. Zeg maar tegen Schaeffer dat daar nog aan gewerkt wordt.'

'Zal ik doen.'

'Bel me als je Schaeffer gesproken hebt.'

'Zal ik doen.'

'Oké. Is Kate daar ook?'

'Ze is even naar het toilet.'

'Zeg dat ze me belt.'

'Zal ik doen.'

'Waar ben je nu mee bezig?'

'Ik zit te wachten op mijn dubbele cheeseburger met extra bacon.'

'Oké... blijf niet te lang op dat vliegveld rondhangen, en stel niemand daar vragen.'

'Hoe bedoel je?'

'Zorg nu maar gewoon dat je zo snel mogelijk op dat hoofdkwartier van de staatspolitie bent. En *denk* er zelfs niet over om naar de Custer– '

'Ik begrijp het.'

'Goed zo. Verder heb ik niets te melden.'

Ik hing op en Kate vroeg: 'Wat zei hij?'

Ik nam een slok koffie en richtte me weer op mijn uitdraaien. 'Hij wil dat we naar de Custer Hill Club gaan om te kijken of Bain Madox daar is, en zo ja, om met hem te praten en te kijken wie er daar nog meer aanwezig zijn.'

'Zei hij dat?'

'Niet met zoveel woorden.'

'Wilde hij dat ik hem belde?'

'Wanneer het je uitkwam.'

Ze begon wat ongeduldig te worden en zei: 'John, wat heeft hij verdomme – '

'Oké, ik zal het je vertellen. Nog geen nieuws over Harry. Walsh wil dat wij contact opnemen met de staatspolitie, helpen bij het zoeken en niet op het vliegveld rondsnuffelen.' Ik merkte op: 'Daar is het nu te laat voor.'

'Ik heb niets gehoord over dat naar de Custer Hill Club gaan.'

'Waarom ga *jij* niet bij de staatspolitie langs? Dan ga ik naar de Custer Hill Club.'

Ze gaf geen antwoord.

Ik zei: 'Kate, we zijn hierheen gestuurd als een pro-formareactie op de verdwijning van een van onze collega's bij de Task Force. Wij zijn hier om het slechte nieuws te vernemen, of het goede nieuws, als en wanneer Harry gevonden wordt. Dit is gewoon protocol en dat weet jij ook. De vraag voor jou is: wil je een reactieve of een proactieve rol spelen?'

'Jij hebt een manier om dingen te verwoorden... laat me hier even over nadenken.'

'Doe dat.'

Het eten arriveerde en de dubbele cheeseburger met extra bacon zag eruit alsof je alleen al van het aanraken een hartaanval zou krijgen. Uit de Freedom Frieten stak een Amerikaans vlaggetje.

Kate vroeg: 'Wil je wat van deze salade?'

'Ik heb ooit een keer een slak in mijn sla gevonden.'

'Bedankt.'

Voordat ik mijn minimumrantsoen aan dagelijks vet binnen had, kwam de knaap van Enterprise het café binnen en overhandigde Kate een stapel gefotokopieerde huurautocontracten. Hij zei tegen haar: 'Ik ben om vier uur vrij, als u wilt dat ik u hier een beetje wegwijs maak. Misschien kunnen we daarna samen eten. Ik heb mijn mobiele nummer op mijn visitekaartje gezet.'

'Bedankt, Larry. Ik bel je nog.'

Hij vertrok.

Ik zei: 'Jij hebt hem daartoe aangezet.'

'Waar heb je het over?'

Ik gaf geen antwoord en vroeg om de rekening, zodat we konden vertrekken zodra Max haar gezicht liet zien.

Ik nam nog een hap van mijn cheeseburger en Max kwam het café binnen, zag ons en kwam onze kant op. Ze zei tegen Kate: 'Hier zijn alle contracten vanaf donderdag tot morgen, inclusief de weer ingeleverde auto's. Het zijn er zesentwintig, geloof ik. Lang weekend, hè.'

Kate antwoordde: 'Bedankt. En, o ja, wil je dit alsjeblieft niet verder vertellen?'

'Dat is prima.' Ze keek mij aan en zei: ' Je mag je gelukkig prijzen met een vrouw als zij.'

Ik had mijn mond vol met burger, dus ik gromde alleen maar.

Max verdween en ik slikte door. 'Daar heb jij haar toe aangezet.'

'Waar heb je het nu weer over?'

Ik schoof wat Freedom Frieten in mijn mond, kwam overeind en zei: 'Oké, laten we gaan.'

Kate stopte alle papieren in haar aktetas, ik legde twintig dollar op tafel en we verlieten het café. Ik zei: 'Als je niet met mij meegaat, ga dan naar Hertz om zelf een auto te huren. Het hoofdkwartier van de staatspolitie bevindt zich in een plaats die Ray Brook heet, niet ver hiervandaan. Je moet vragen naar majoor Schaeffer. Ik bel je dan later nog wel.'

Ze stond daar en weifelde tussen het opvolgen van Walsh' orders en haar recentelijk tegen hem verwoorde mening dat de wereld veranderd was.

Ten slotte zei ze: 'Ik ga met jou mee naar de Custer Hill Club. Daarna gaan we naar het hoofdkwartier van de staatspolitie.'

We verlieten de terminal, liepen naar de parkeerplaats van Hertz en vonden de blauwe Taurus. Ik reed naar de zijkant van het gebouw, waar het bureau van de luchthaven zat en parkeerde de auto. 'Ik wil weten of GOCO een eigen vliegtuig heeft en of ze dit vliegveld gebruiken.' Ik gaf haar de wegenkaart en zei: 'Bel de plaatselijke politie en vraag of ze je kunnen vertellen hoe je bij de Custer Hill Club komt.'

Ik liep het gebouw binnen, waar een kerel aan een bureau achter de balie een spelletje deed op zijn computer.

Ik vroeg hem: 'Kan ik hier een ticket naar Parijs krijgen?'

Hij keek op van zijn computer en antwoordde: 'U kunt overal heen waar u maar wilt als u een vliegtuig bezit, least of chartert dat groot genoeg is. En dan heeft u helemaal geen ticket nodig.'

'Ik geloof dat ik hier aan het goede adres ben.' Ik liet hem mijn ID zien en zei: 'John Corey, federale Anti-Terrorist Task Force. Ik moet u een paar vragen stellen.'

Hij stond op, liep naar de balie en controleerde mijn papieren. 'Wat is er aan de hand?' vroeg hij.

'Met wie heb ik het genoegen?'

'Ik ben Chad Rickman en ik beman dit bureau.'

'Oké, Chad, ik wil weten of een privévliegtuig geregistreerd bij de Global Oil Corporation, GOCO, dit vliegveld gebruikt.'

'Ja, twee Cessna Citations, de allernieuwste modellen. Is daar een probleem mee?'

'Is een van de jets op dit moment hier?'

'Nee... maar gisterochtend zijn ze allebei binnengekomen, ongeveer een uur na elkaar, ze hebben bijgetankt en zijn een paar uur later weer vertrokken.'

'Hoeveel passagiers zijn er uitgestapt?'

'Volgens mij waren er geen passagiers. We sturen meestal een auto naar het vliegtuig en ik ben er bijna zeker van dat het alleen om de bemanning ging.'

'Zijn er na het bijtanken passagiers ingestapt?'

'Dat geloof ik niet. Ze kwamen binnen, gooiden de tanks vol en een paar uur later stegen ze weer op.'

'Oké... waar gingen ze heen?'

'Ze hoeven mij niet te vertellen waar ze heengaan – dat moeten ze tegen de FAA vertellen, de nationale vluchtleiding.'

'Oké... hoe melden ze dat aan de FAA? Via de radio?'

'Nee, per telefoon. Vanaf hier. Ik hoorde trouwens toevallig de beide piloten een vluchtplan naar Kansas City doorgeven, dertig minuten na elkaar.'

Ik dacht daarover na en vroeg toen: 'Waarom zouden ze zonder passagiers naar Kansas City vliegen?'

'Misschien hadden ze alleen lading,' antwoordde Chad. 'Ik herinner me dat er twee Jeeps voor hen langskwamen en wat spullen aan boord droegen.'

'Wat waren dat voor spullen?'

'Dat heb ik niet gezien.'

'Dit zijn toch passagiersvliegtuigen? Geen vrachtvliegtuigen?'

'Klopt. Maar ze kunnen ook wat lading kwijt in de cabine.'

'Ik begrijp nog steeds niet waarom twee jets hier leeg aankwamen en met enkele stuks lading weer vertrokken, en dan ook allebei nog eens naar dezelfde plaats.'

'Hé, die knaap die de eigenaar is van die twee jets – Bain Madox – bezit verdomme zijn eigen oliebronnen. Hij kan brandstof verstoken zoveel hij wil.'

'Dat is waar.' Ik vroeg: 'Was Kansas City hun eindbestemming?'

'Dat weet ik niet. Dat is het vluchtplan dat ik hen per telefoon hoorde indienen. Het is ongeveer hun maximum vliegbereik en het kan best zijn dat ze vandaar nog verder vliegen. Of misschien komen ze daarna weer terug naar hier.'

'Juist ja... dus ik zou de FAA kunnen bellen om naar hun vluchtplannen te informeren?'

'Ja, als u daartoe bevoegd bent, en als u hun registratie heeft.'

'Nou, ik ben bevoegd, Chad.' Ik haalde het vel papier tevoorschijn dat Randy voor ons had opgehaald en legde het op de balie. 'Wat zijn de GOCO-vliegtuigen?'

Hij bestudeerde het vel papier en kruiste twee registratienummers aan: N2730G en N2731G. Chad legde uit: 'Opeenvolgende registratienummers. Veel bedrijven met eigen vliegtuigen doen dat.'

'Dat weet ik.'

'O ja? Maar wat is er nu eigenlijk aan de hand?'

'Gedoe met de belasting, je kent dat wel. De rijken hebben daar nu eenmaal andere ideeën over dan wij.'

'Vertel mij wat.'

'Oké, bedankt, Chad. Laat je gedachten er nog eens over gaan. Vraag wat voor me rond, als je wilt, en kijk of anderen zich misschien nog iets herinneren. Heb je een mobiel nummer?'

'Jazeker.' Hij schreef het op zijn visitekaartje en vroeg: 'Waar bent u precies naar op zoek?'

'Dat zei ik al – belastingontduiking. Tassen met geld,' zei ik tegen hem. 'Maar zeg tegen niemand dat het om een federaal onderzoek gaat.'

'Mijn lippen zijn verzegeld.'

Ik verliet het kantoor en stapte weer in de auto. Ik zei tegen Kate: 'Er zijn twee GOCO-jets die van dit vliegveld gebruikmaken.' Ik bracht haar op de hoogte terwijl ik naar de uitgang van het vliegveld reed en vertelde haar dat we het FAA-kantoor in Washington moesten bellen om erachter te komen wat voor verdere vluchtplannen er nog voor die vliegtuigen waren gemeld.

Kate vroeg: 'Waarom willen wij dat weten?'

'Dat weet ik nog niet. Die knaap Madox intrigeert me en je weet pas wanneer iets belangrijk is als de stukjes in elkaar beginnen te passen. Bij recherchewerk is er niet zoiets als TVI – te veel informatie.'

'Moet ik notities maken?'

'Nee, ik geef je wel een van mijn op de band opgenomen colleges uit de tijd dat ik nog doceerde op John Ouwehoer.'

'Dank je.'

Bij de uitgang van het vliegveld vroeg ik aan Kate: 'Heb je nog aanwijzingen omtrent de route gekregen?'

'Min of meer. De wachtcommandant zei dat we Route 3 naar het westen moesten nemen, en dan de 56 naar het noorden, en daarna moesten we het nog maar eens vragen.

'Echte mannen vragen niet welke kant ze op moeten.' Ik vroeg: 'Welke kant is die Route 3 op?'

'Nou, als je het toch vraagt: hier linksaf.'

Binnen enkele minuten waren we op Route 3, een met groen aangegeven snelweg die in westelijke richting de wildernis in liep. Ik zei tegen Kate: 'Kijk of je geen beren ziet. Hé, denk je dat je met een 9mm Glock een beer kunt tegenhouden?'

'Dat denk ik niet, maar ik hoop van harte dat je daar uit eigen ondervinding achter komt.'

'Dat klinkt niet erg liefhebbend.'

Ze zakte onderuit in haar stoel en sloot haar ogen. 'Elke minuut die verstrijkt zonder dat we iets over Harry horen, versterkt mijn idee dat hij niet meer in leven is.'

Ik gaf geen antwoord.

Ze zweeg een tijdje en zei toen: 'Jij had het ook kunnen zijn.'

Dat had gekund, maar als ik daar in die bossen rond de Custer Hill Club had rondgedwaald, was alles misschien anders gelopen. Maar ja, misschien ook wel niet.

21

We reden in westelijke richting over Route 3, een weg die geen enkel bestaansrecht leek te hebben, behalve dan om naar de bomen te kijken terwijl je van niets naar nergens reed.

Kate had een paar folders van het vliegveld meegenomen en zat die nu te bestuderen. Ze doet dat overal waar we heengaan, zodat ze haar ervaring kan verdiepen, om vervolgens de materie als een reisleider over mij uit te braken.

Ze deelde me mee dat Saranac Lake, de stad en het vliegveld en deze weg, in feite binnen de grenzen van het Adirondack State Park lagen.

Ze bracht me ook op de hoogte van het feit dat deze streek bekendstond als de North Country, een naam die zij romantisch vond.

Ik merkte op: 'Je kunt hier zelfs in april nog doodvriezen.'

Ze ging verder. 'Grote delen van het park zijn bestemd om altijd wild te blijven.'

'Dat is behoorlijk deprimerend.'

'Het park is net zo groot als de staat New Hampshire.'

'Wat is New Hampshire nu helemaal?'

'Het grootste deel is onbewoond.'

'Dat lijkt me nogal duidelijk, ja.'

En zo ging het verder. Ik begon nu trouwens te begrijpen hoe mensen hier dagen of weken, of de rest van hun leven, zoek konden zijn, maar ik realiseerde me ook dat iemand met enige ervaring in de bossen het zou kunnen overleven.

Route 3 was in feite een vierbaansweg die af en toe door een klein stadje liep, maar er waren lange stukken door de wildernis die mijn agorafobie en zoöfobie aanwakkerden. Ik begreep best waarom die Bain Madox hier een hut had als hij snode plannen had.

Kate zei: 'Wat is het hier mooi.'

'Ja, inderdaad.' Het kwam er niet al te overtuigend uit.

Er waren gele verkeersborden met zwarte silhouetten van springende herten, wat naar ik aannam waarschuwingen waren voor de herten om opzij te springen als er een auto aankwam.

Rond een bocht stond een groot bord met daarop een zwart geschilderde beer en het woord VOORZICHTIG. Ik zei: 'Zag je dat? Zag je dat berenbord?'

'Ja. Het betekent dat er hier beren zitten.'

'Mijn hemel. Zijn de portieren op slot?'

'John, hou nou eens op met dat onnozele gedoe. Als jij de beren met rust laat, vallen ze jou ook niet lastig.'

'Beroemde laatste woorden. Hoe weet je waar een beer zich aan ergert?'

'En nou wil ik verdomme niets meer over die stomme beren horen.'

We reden verder. Er was weinig verkeer in onze richting en we kwamen maar een paar auto's tegen die in de richting van Saranac Lake reden.

Kate zei: 'Vertel me eens waarom we naar de Custer Hill Club gaan.'

'Standaard politieprocedure. Je gaat naar de plek waar je voor het laatst iets vernomen hebt van de vermiste persoon.'

'Dit is anders wel iets ingewikkelder dan een geval van een vermiste persoon.'

'Nou, in wezen niet. Het probleem met de FBI en de CIA is dat ze de zaken gecompliceerder maken dan nodig is.'

'Is dat zo?'

'Ja, dat is zo.'

'Mag ik je eraan herinneren dat we Madox of wie we daar ook mogen aantreffen er niet op attent mogen maken dat er een federale agent op zijn terrein is geweest?'

'Volgens mij hebben we het hier al over gehad. Als jij je op het terrein van de Custer Hill Club bevond met een gebroken been, geen bereik voor je gsm en een beer die aan je tenen knabbelt, zou je dan willen dat ik braaf mijn orders opvolgde en zou wachten tot ik een volmacht had om jou te gaan zoeken?'

Ze dacht daar even over na en zei toen: 'Ik weet dat een politieman zijn leven en zijn carrière zal riskeren om een collega te redden, en ik weet dat jij dat ook zou doen voor mij – hoewel je misschien in conflict zou raken over mijn dubbelrol als je vrouw en als FBI-agent – '

'Interessant gegeven.'

'Maar ik denk dat jij een andere agenda hebt, namelijk om te kijken wat die Custer Hill Club nu precies voorstelt.'

'Wat was je eerste aanwijzing?'

'Nou, om te beginnen die stapel passagierslijsten en huurcontracten in mijn aktetas. Plus dat jij navraag deed naar de vliegtuigen van Global Oil Corporation.'

'Jij hebt ook alles in de gaten.'

'John, ik ben het ermee eens dat we de zoektocht naar Harry moeten intensiveren, maar ik denk dat je daardoor wel eens in iets terecht kan komen wat veel groter is dan jij je nu realiseert.' Ze zei: 'Het ministerie van Justitie is geïnteresseerd in deze man en die club en zijn gasten. Verknoei hun onderzoek niet.'

'Spreek je nu als mijn collega, mijn vrouw of mijn advocaat?'

'Als alledrie.' Ze zweeg even en voegde er toen aan toe: 'Oké, ik heb mijn zegje gedaan omdat ik vond dat ik dat moest doen en omdat ik me soms echt zorgen om jou maak. Je bent een ongericht projectiel.'

'Dank je.'

'Je bent ook verschrikkelijk slim en intelligent en ik vertrouw op jouw oordeel en instincten.'

'Echt?'

'Echt. Dus ook al ben ik dan officieel je meerdere, in deze zaak heb jij de leiding.'

'Ik zal je niet teleurstellen.'

'Dat is je geraden ook. En ik wil je er tevens aan herinneren dat niets zo positief werkt als succes. Als jij... wij... buiten ons boekje gaan, kunnen we maar beter met klinkende resultaten komen.'

'Kate, als ik niet zou denken dat hier meer achter zit dan het manipuleren van olieprijzen, zouden we nu al koffie zitten drinken in het hoofdkwartier van de staatspolitie.'

Ze pakte mijn hand vast en zo reden we verder.

Ongeveer veertig minuten na het vertrek van de luchthaven zag ik een bord naar Route 56 Noord, en Kate zei: 'Rechts aanhouden.'

'Ik zit toch al op de rechterbaan?'

'Naar rechts verdomme. *Hier*.'

Ik reed Route 56 Noord op en we vervolgden onze weg. Dit stuk weg ging door een echte wildernis en ik zei tegen Kate: 'Dit ziet eruit als indianenland. Hebben die brochures nog iets te melden over indianen? Zijn ze vijandig?'

'Hier staat dat het vredesverdrag met de inheemse indiaanse bevolking op Columbus Day 2002 afloopt.'

'Grappig hoor.'

We reden nog zo'n vijfentwintig kilometer toen een bruin bord ons mededeelde dat we het Adirondack State Park verlieten.

Kate zei: 'De wachtcommandant zei dat de Custer Hill Club op een privaat stuk grond binnen het park ligt, dus zijn we er al voorbij.' Ze keek op de kaart die we van Hertz hadden gekregen. 'Een paar kilometer verderop ligt een plaats die South Colton heet. Laten we daar de weg vragen.'

Ik reed verder en er doemde een kleine groep gebouwen op. Een bord meldde: SOUTH COLTON – EEN KLEINE, VERBITTERDE PLAATS, of woorden van gelijke strekking.

Aan de rand van deze hobbel in de weg lag een benzinestation en ik sloeg af en parkeerde de auto. Ik zei tegen Kate: 'Ga jij de weg maar vragen.'

'John, kom van je krent en ga de weg vragen.'

'Oké... maar jij moet mee.'

We stapten uit, rekten ons uit en liepen het kleine, rustieke kantoor in.

Een gerimpelde oude man in een spijkerbroek en ruitjeshemd zat aan een aftands bureau, rookte een sigaret en keek naar een programma over vliegvissen op de tv, die op de balie stond. De ontvangst leek nergens op, dus ik bewoog de antenne tot hij zei: 'Zo is-ie goed. Niet meer aankomen.'

Zodra ik mijn handen van de antenne afhaalde, kwam de ruis op de tv weer terug. Een van mijn taken als kind was om als antenne te dienen voor het gezin, maar dat was ik inmiddels ontgroeid en ik zei tegen hem: 'We hebben wat advies nodig.'

'En ik heb een schotelantenne nodig.'

'Geen slecht idee. Dan kunt u rechtstreeks met het moederschip praten. We zijn op zoek naar – '

'Waar komen jullie vandaan?'

'Saranac Lake.'

'O ja?' Hij keek ons voor het eerst aan, bekeek toen de Taurus buiten voor de deur en vroeg: 'Waar komen jullie *vandaan*?'

'Van de aarde. Hoor eens, we zijn al laat en – '

'Hebben jullie benzine nodig?'

'Ja, ook. Maar eerst – '

'De dame moet naar achteren.'

Kate antwoordde: 'Nee, dank u. We zijn op weg naar de Custer Hill Club.'

Het bleef even stil en toen zei hij: 'Is dat zo?'

'Weet u waar dat is?'

'Dat weet ik heel goed, ja. Ze komen hier tanken. Reparaties doe ik niet voor hen. Ze brengen hun wagens naar de dealer in Potsdam. Man, ik ben meer over het repareren van auto's vergeten dan die idioten daar ooit zullen weten.' Hij ging verder. 'Maar als ze in de modder of de sneeuw blijven steken, wie bellen ze dan, denk je? De dealer? Vergeet het maar. Dan bellen ze Rudy. Dat ben ik. Man, afgelopen januari nog... of was het februari? Ja, het was tijdens die sneeuwstorm halverwege de maand. Herinnert u zich die nog?'

Ik antwoordde: 'Volgens mij zat ik toen op Barbados. Hoor eens, Rudy...'

'Ik heb een snackautomaat en een cola-automaat. Hebben jullie kleingeld nodig?'

Ik gaf me over. 'Ja, graag.'

Dus kregen we ons wisselgeld, kochten wat versteende snacks, plus twee cola's, gebruikten het toilet en lieten de tank volgooien.

Terug in het kleine kantoortje betaalde ik voor de benzine met een van mijn van overheidswege verstrekte creditcards. Agenten hebben twee creditcards, eentje voor eten, onderdak en wat zich verder maar voordoet, en een andere voor benzine. Op mijn benzinekaart stond BEDRIJFSKAART en K&IJ ASSOCIATES, wat helemaal niets betekende, maar nieuwsgierige Rudy vroeg: 'Wat betekent K&IJ Associates?'

'Koelkasten en IJsmachines.'

'O ja?'

Ik veranderde van onderwerp en vroeg hem: 'Heb je misschien een kaart van de omgeving?'

'Nee. Maar ik kan er wel eentje voor jullie tekenen.'

'Gratis?'

Hij lachte en rommelde wat tussen een stapel reclamefolders tot hij er eentje vond over elandworstelen of zoiets, waarna hij met een potlood de achterkant begon te beschrijven. Hij zei: 'Je moet dus eerst naar Stark Road en daar ga je linksaf, maar er staan geen borden, en dan kom je bij Joe Indian Road –'

'Pardon?'

'Joe Indian.' Hij herhaalde alles nog een keer voor het geval hij met een debiel te maken had en besloot met: 'Dan kom je op dit bospad zonder naam en daar blijf je ongeveer vijftien kilometer op. En daarna sla je McCuen Pond Road in, naar links, en die leidt rechtstreeks naar de Custer Hill Club. Je kunt het niet missen, want ze zullen je tegenhouden.'

'Wie zal ons tegenhouden?'

'De bewakers. Ze hebben daar een poorthuis en een toegangshek. En om het hele terrein loopt een afrastering.'

'Oké, bedankt, Rudy.'

'Waarom moeten jullie daarheen?'

'We gaan de koelkast een onderhoudsbeurt geven. En er zijn wat problemen met de ijsmachine.'

'O ja?' Hij keek ons aan. 'Verwachten ze jullie?'

'Dat zal toch wel. Zonder ijsmachine geen cocktails tenslotte.'

'Hebben ze jullie dan geen routebeschrijving gegeven?'

'Jawel, maar die heeft de hond opgegeten. Oké, bedankt.'

'Hé, mag ik jullie een goeie raad geven?'

'Altijd.'

'Ik moet jullie waarschuwen, maar dat heb je niet van mij.'

'Oké.'

'Zorg dat je direct je geld krijgt. Ze zijn nogal langzaam van betalen. Zo is dat met die rijke mensen. Het werkvolk kan wel even op zijn geld wachten.'

'Bedankt voor de waarschuwing.'

We vertrokken en ik zei tegen Kate: 'Dat was Candid Camera zeker?'

'Nou je het zegt...'

We stapten in de auto, keerden en reden Route 56 weer op, reden opnieuw het park binnen en keken uit naar Stark Road.

Ik vond hem en sloeg deze smalle weg in, die door een tunnel van bomen voerde. 'Wil je een bierworstje?'

'Nee, bedankt. En gooi het afval niet naar buiten.'

Ik had zo'n honger dat ik wel een beer op kon, maar ik nam genoegen met het bierworstje, dat behoorlijk vet was. Ik gooide de cellofaanverpakking op de achterbank, mijn bijdrage aan het milieu.

We waren vlak bij de Custer Hill Club en volgens Walsh zou er een vanuit de lucht en op de grond utgevoerde zoektocht bezig moeten zijn in het gebied rond het clubterrein. Ik zag echter geen helikopters of andere vliegtuigen en ik zag ook nergens politiewagens staan. Dit was geen goed teken, of het was een heel goed teken.

Kate controleerde haar gsm en zei: 'Ik heb hier wel bereik, en ik heb ook een bericht.'

Ze begon de boodschap op te halen, maar ik zei: 'Geen contact opnemen alsjeblieft. Geen boodschappen, geen telefoontjes.'

'En als ze Harry nu eens gevonden hebben?'

'Dat wil ik nog niet weten. We gaan Bain Madox een bezoekje brengen.'

Ze stopte haar gsm weer in haar zak en toen ging haar pieper, en even later ook de mijne.

We volgden Rudy's aanwijzingen en binnen twintig minuten draaiden we McCuen Pond Road op, een smalle maar geasfalteerde weg.

Een eindje verderop stond een groot bord over de weg. Het was vastgemaakt aan twee drie meter hoge palen waaraan ook schijnwerpers waren bevestigd. Het bord meldde: DIT IS PRIVÉTERREIN – TOEGANG VERBODEN – STOP BIJ HET TOEGANGSHEK VERDEROP OF KEER OM.

We reden onder het bord door en verderop zag ik een open plek waar achter een gesloten stalen veiligheidshek een grote blokhut stond.

Twee mannen in camouflagepakken kwamen het huis uit alsof ze al wisten dat we er aan kwamen en ik zei tegen Kate: 'Bewegings- of geluidsdetectoren. En misschien ook tv-camera's.'

'Om nog maar te zwijgen over het feit dat die twee kerels holsters dragen en dat een van hen ons met een verrekijker in de gaten houdt.'

'God, wat heb ik toch een hekel aan die beveiligingsmensen. Geef ze een wapen en een beetje macht en – '

'Dat bord daar zegt dat we onze snelheid moeten beperken tot tien kilometer per uur.'

Ik minderde vaart en reed op het gesloten hek af. Drie meter voor het hek bevond zich een verkeersdrempel en een bord dat zei: HIER STOPPEN. Ik stopte.

Het hek, dat elektrisch werd bediend, gleed een stukje open en een van de mannen liep op onze auto af. Ik draaide het raampje omlaag en hij liep naar mijn kant en vroeg: 'Kan ik u ergens mee van dienst zijn?'

De man was in de dertig en van top tot teen als militair verkleed, met een hoed, laarzen en een wapen. Hij had ook een uitdrukking op zijn gezicht die moest suggereren dat hij heel koel was en mogelijk zelfs gevaarlijk als hij werd uitgedaagd. Het enige wat hij nodig had om dat uiterlijk te vervolmaken waren een zonnebril en een swastika.

Ik zei tegen hem: 'Ik ben federaal agent John Corey en dit is federaal agent Kate Mayfield. We komen voor de heer Bain Madox.'

Dat leek een barst te maken in zijn uitgestreken gezicht en hij vroeg: 'Verwacht hij u?'

'Als dat zo was, dan zou u dat weten, is het niet?'

'Ik... Mag ik uw identiteitsbewijs zien.'

Ik wilde hem eerst mijn Glock laten zien, zodat hij wist dat hij niet de enige met een wapen was, maar ik besloot het leuk te houden en toonde hem mijn ID, net als Kate.

Hij bekeek beide identiteitsbewijzen en ik had het gevoel dat hij dat meer voor de vorm deed dan dat hij ze echt herkende.

Ik onderbrak zijn bestudering van de ID's. 'Mag ik ze weer terug?'

Hij aarzelde en overhandigde ze toen aan ons. Ik herhaalde: 'We zijn hier om de heer Madox te spreken over een officiële aangelegenheid.'

'Wat is de aard van die aangelegenheid?'

'Bent u meneer Madox?'

'Nee... maar – '

'Hoor eens, knaap, je hebt tien seconden om iets briljants te doen. Bel eerst even als je daar behoefte toe voelt en open dan die verdomde hekken.'

Hij keek wat pissig, maar bewaarde zijn kalmte en zei: 'Een momentje.'

Hij liep terug naar het hek, glipte door de opening en sprak met de andere knaap. Vervolgens verdwenen ze allebei in de blokhut.

Kate vroeg me: 'Waarom moet je altijd zo confronterend zijn?'

'Confronterend is als ik mijn pistool trek. Met argumenten komen is als ik de trekker overhaal.'

'Federale agenten worden erop getraind om beleefd te zijn.'

'Dan heb ik die les zeker gemist.'

'Wat als ze ons niet binnenlaten? Ze kunnen ons de toegang tot privéterrein weigeren als we geen huiszoekingsbevel hebben.'

'Waar staat dat?'

'Nou, in de grondwet, om precies te zijn.'

'Tien dollar dat we worden binnengelaten.'

'Oké, aangenomen.'

De neofascist kwam terug naar onze auto en zei: 'Ik ga jullie vragen op te trekken tot achter het hek en daar je auto te parkeren. Een Jeep zal jullie naar het huis brengen.'

'Waarom kan ik mijn eigen auto niet gebruiken?'

'Dat is voor uw eigen veiligheid, meneer, en vanwege afspraken met onze verzekeringsmaatschappij.'

'Tsja, we willen natuurlijk niet dat jullie last krijgen met de verzekering. Hé, hebben jullie beren op het terrein?'

'Ja, meneer. Wilt u alstublieft het hek doorrijden en in uw auto blijven tot de Jeep is gearriveerd?'

Dacht die idioot soms dat ik zou uitstappen met al die beren hier?

Hij gebaarde naar de man bij de blokhut en het stalen hek gleed open.

Ik reed naar binnen en draaide een met gravel bedekte parkeerplaats op. Het hek gleed achter ons dicht en ik zei tegen Kate: 'Welkom op de Custer Hill Club. Ik krijg tien dollar van je.'

Ze grapte: 'Twintig dat we hier niet levend uit komen.'

Een zwarte Jeep met getinte ramen kwam aanrijden. Hij stopte en twee knapen met holsters en camouflagekleding stapten uit en liepen op ons af.

Ik zei: 'Ik wil wel een kans hebben om te winnen.'

Een van de kerels liep naar mijn raam en zei: 'Wilt u alstublieft uitstappen en mij volgen?'

Dit leek me zo'n plek waar ze een zendertje in je auto stopten, dus ik was niet van plan mijn auto hier onbeheerd achter te laten. Ik zei: 'Ik heb een beter idee. Jullie rijden voorop en wij volgen.'

Hij aarzelde en antwoordde toen: 'Volg me op de voet en blijf op de weg.'

'Als jullie op de weg blijven, doe ik dat ook.'

Hij liep terug naar de Jeep en keerde de auto en ik volgde hem een heuvel op, door een kaal gemaakt veld met grote rotsblokken erop.

Kate zei: 'Ik neem aan dat je wilde voorkomen dat ze de auto ongevraagd van nieuwe opties voorzagen?'

'Als je de beveiligingsmaatregelen hier ziet, moet je even paranoïde worden als zij.'

'Jij weet ook altijd hoe je moet omgaan met een beroerde situatie waar je ons zelf in hebt gemanoeuvreerd.'

'Bedankt... geloof ik.'

De weg werd omzoomd door lantaarnpalen en ik zag ook een reeks elektriciteitspalen van de ene bosrand over het open veld naar de andere bosrand lopen. De palen droegen vijf draden en toen we er onderdoor reden zag ik dat drie ervan eigenlijk dikke kabels waren, dus dat moesten wel elektriciteitskabels zijn.

Ongeveer halverwege de heuvel zag ik een enorm landhuis, ongeveer ter grootte van een klein hotel. Voor het huis stond een hoge mast waaraan de Amerikaanse vlag wapperde, en onder de vlag wapperde een of andere wimpel.

Achter het huis, op de heuveltop, zag ik een hoge toren die eruitzag als een zendmast voor gsm-telefonie, wat verklaarde waarom we hier zo'n goede ontvangst hadden, en waarom Harry ook ontvangst moest hebben als hij nog in leven was. Ik vroeg me af of deze zendmast van de telefoonmaatschappij of van Bain Madox zelf was.

We kwamen bij het huis, waarvoor zich een met gravel bedekte parkeerplaats bevond waarop nog een andere zwarte Jeep geparkeerd stond, samen met een blauwe Ford Taurus, eenzelfde als waarin wij reden. Maar deze Taurus had een 'e'-sticker op de bumper wat, zo wist ik, betekende dat het een huurauto van Enterprise was. Dus misschien dat er nog wat weekendgasten aanwezig waren. Er stond ook een blauw busje geparkeerd – waarschijnlijk de wagen waar Betty het over had gehad.

We stopten onder de grote, door zuilen ondersteunde portiek en beide kerels stapten uit en openden onze portieren. Kate en ik stapten ook uit de auto, zij met haar aktetas volgestouwd met passagierslijsten en huurcontracten. Ik noteerde in gedachten het kenteken van de Enterprise-auto, sloot toen onze auto af en keek om me heen.

De grond om het huis heen was naar alle kanten open, tot een kleine kilometer vanaf het huis, wat een vrij uitzicht en een heel goede veiligheid garandeerde. Harry zou er een heel karwei aan hebben gehad om dicht genoeg bij deze parkeerplaats te komen om nummerborden en mensen te fotograferen, zelfs als hij de rotsformaties als dekking had gebruikt.

Ik had bovendien tot nu toe al vier bewakers geteld en ik had het gevoel dat er meer waren. Deze plek was heel goed beveiligd en ik was er vrij zeker van dat Harry zich in de nesten had gewerkt.

De chauffeur van de Jeep zei: 'Wilt u me alstublieft volgen?'

Ik waarschuwde hem: 'Laat niemand deze auto aanraken. Als ik ontdek dat iemand een ongewenst apparaat in deze auto heeft gemonteerd, gaat hij linea recta naar de gevangenis. Begrepen?'

Hij gaf geen antwoord maar begreep het wel.

We beklommen de paar treden naar de overdekte veranda, waar een rij Adirondack-stoelen en schommelstoelen stond met uitzicht op de aflopende helling. Die griezels van de beveiliging even daargelaten was dit een heel prettige en huiselijke plek. Ik zag nu dat op de gele wimpel het nummer 7 stond.

De bewaker zei: 'Wilt u hier even wachten', waarna hij in het huis verdween.

Kate en ik stonden op de veranda en ik opperde: 'Misschien is dit huis wel te koop. Klein leger inbegrepen.'

Ze reageerde er niet op, maar zei: 'Ik zou eigenlijk mijn berichten moeten controleren.'

'Nee.'

'Maar John, als ze nu eens – '

'Nee. Dit is een van die zeldzame momenten dat ik geen nieuwe informatie wil. We gaan met Bain Madox praten.'

Ze keek me aan en knikte.

De deur ging open en de bewaker zei: 'Komt u binnen.'

We betraden de Custer Hill Club.

☢

22

We liepen een grote hal in met boven ons een balkon en een enorme kroonluchter die van hertengeweien gemaakt was. Het vertrek had een lambrisering van grenenhout en was in een rustieke stijl aangekleed, met handgeknoopte tapijten, schilderijen met jacht- en vistaferelen aan de muur en een paar meubels vervaardigd van boomtakken. Ik had het gevoel dat mevrouw Madox, als die al bestond, niets met dit huis van doen had. Ik zei tegen Kate: 'Aardig optrekje.'

Ze antwoordde: 'Ik durf te wedden dat er hier ergens wel een elandkop hangt.'

We hoorden voetstappen in een gang links van ons en een nieuwe bewaker, dit keer een man van middelbare leeftijd in een blauw kostuum, kwam de hal in lopen. Dit moest een van de paleiswachten zijn en hij stelde zichzelf voor als Carl. Hij vroeg: 'Zal ik uw jassen aannemen?'

We zeiden dat we ze liever bij ons hielden en toen richtte hij zich tot Kate. 'Zal ik uw aktetas dan in de garderobe zetten?'

'Ik draag hem wel.'

Hij zei tegen haar: 'Dan zal ik, uit veiligheidsoverwegingen, wel een blik in uw tas moeten werpen.'

'Vergeet het maar.'

Dat leek een afdoende antwoord en hij vroeg aan ons: 'Wat is de aard van uw bezoek aan de heer Madox?'

Ik zei: 'Hoor eens, Carl, wij zijn federale agenten en we onderwerpen ons niet aan fouilleringen, zelfs niet naar wapens, en wij beantwoorden geen vragen, maar stellen ze. Je kunt ons ofwel nu meenemen naar Bain Madox, of we komen terug met een huiszoekingsbevel, nog eens tien federale agenten en de staatspolitie. Wat heb je liever?'

Carl leek wat onzeker, dus zei hij: 'Ik zal het even gaan vragen.' Hij vertrok.

Kate fluisterde in mijn oor: 'Tien dollar dat we die grapjas te spreken krijgen.'

'Nee, je krijgt je geld niet terug omdat ik hem met mijn grote mond maar één keus heb gelaten.'

Ik haalde mijn gsm uit mijn zak, haakte de pieper van mijn riem en zette ze allebei uit. Ik zei tegen Kate: 'Die dingen jagen een verdachte soms vrees aan, of ze onderbreken een ondervraging op een kritiek moment.' Ik deelde haar mee: 'Dit is een van die situaties waarin we onze pieper mogen uitzetten.'

'Dat weet ik nog niet zo zeker, maar...' Met enige tegenzin zette ook zij haar gsm en pieper uit.

Mijn oog viel op een groot olieverfschilderij op de muur aan de overkant. Het was een scène uit de slag bij de Little Bighorn. Generaal Custer en zijn mannen werden omsingeld door beschilderde indianen te paard en de indianen waren zo te zien nog steeds aan de winnende hand.

Ik zei tegen Kate: 'Heb jij ooit dat schilderij van Custer's Last Stand in het Museum of Modern Art gezien?'

'Nee, jij?'

'Ja. Het is min of meer abstract en het deed me denken aan Magritte of Dali.'

Ze antwoordde niet en vroeg zich ongetwijfeld af hoe ik Magritte en Dali kende en wat ik in vredesnaam in een museum moest.

Ik ging verder. 'Op het schilderij zie je die vis met dat grote oog en een halo, die in de lucht hangt, met daaronder al die Amerikaanse inboorlingen die seks met elkaar hebben.'

'Wat? Wat heeft dat met Custers nederlaag te maken?'

'Nou, het schilderij heet "Heilige makreel nog aan toe, moet je al die neukende indianen zien".'

Geen reactie.

'Vat je 'm? Vis, groot oog, halo, moet je – '

'Dit is met afstand de stomste grap die ik ooit gehoord heb.'

Carl verscheen weer en zei tegen ons: 'Wilt u me alstublieft volgen?'

We volgden hem door een gang naar wat een bibliotheek leek, waarna we een paar treden afliepen naar een enorme kamer met gewelfd plafond.

Aan de andere kant van de kamer bevond zich een grote, stenen open haard met daarin knetterende houtblokken en boven de schoorsteenmantel een elandkop. Ik zei tegen Kate: 'Hé, daar heb je je elandkop. Hoe wist je dat?'

Maar goed, in een leunstoel bij het vuur zat een man. Hij kwam overeind en kwam op ons af, en ik zag dat hij een blauwe blazer, een bruine broek en een groen geblokt overhemd droeg.

We ontmoetten elkaar halverwege en hij stak zijn hand uit naar Kate, die hem schudde. Hij zei: 'Ik ben Bain Madox, president en eigenaar van deze club, en u moet mevrouw Mayfield zijn. Welkom.'

'Dank u.'

Hij wendde zich tot mij, stak zijn hand uit en zei: 'En dan bent u de heer Corey.' We schudden elkaar de hand en hij vroeg me: 'Goed, waarmee kan ik u van dienst zijn?'

Ik herinnerde me ineens mijn beleefdheidslessen en antwoordde: 'Ik zou u allereerst willen bedanken dat u ons zonder afspraak wilde ontvangen.'

Hij glimlachte zuinigjes. 'Had ik een andere keus?'

'Nee, niet echt.'

Ik nam de heer Bain Madox op. Hij was zo te zien halverwege de vijftig, lang, fit en hij zag er niet slecht uit. Hij droeg lang grijs haar dat was weggekamd van zijn gladde voorhoofd en hij had een nogal opvallende haakneus en staalgrijze ogen die nauwelijks knipperden. Hij deed me denken aan een havik, of een adelaar, en af en toe bewoog hij zijn hoofd trouwens ook met kleine rukjes, als bij een vogel.

Hij had ook een beschaafde stem, zoals je mocht verwachten, en onder dat uiterlijk bespeurde ik een heel koele en zelfverzekerde man.

We keken elkaar onderzoekend aan, als om te bepalen wie hier het echte alfamannetje met de grootste pik was.

Ik zei tegen hem: 'We vragen niet meer dan tien minuutjes van uw tijd.' Misschien wat meer, maar je zegt nu eenmaal altijd tien. Ik knikte naar de stoelen bij het vuur.

Hij aarzelde en zei toen: 'Nou ja, u zult wel een lange reis achter de rug hebben. Neem plaats.'

We volgden hem door de kamer en Carl zeulde achter ons aan.

Ik zag een heleboel dode dierenkoppen aan de muren, en opgezette vogels, wat dezer dagen niet bepaald politiek correct is, maar daar had Bain Madox ongetwijfeld schijt aan. Ik verwachtte half en half een opgezette Democraat aan de muur te zien hangen.

Ik zag ook een grote houten wapenkast met glazen deuren, waarachter ik een stuk of tien geweren in alle soorten en maten kon zien.

Madox gebaarde naar twee leren leunstoelen tegenover de zijne, aan de andere kant van de salontafel, en we gingen allemaal zitten.

Bain Madox, die zich nu verplicht voelde de goede gastheer te spelen, vroeg: 'Kan Carl jullie misschien iets te drinken brengen? Koffie? Thee?' Hij gebaarde naar een glas met amberkleurige vloeistof op de koffietafel. 'Iets stevigers misschien?'

Kate, denkend aan de truc om iemand langer te laten zitten praten dan hij misschien wilde, zei: 'Koffie graag.'

Ik zou het liefst een whisky nemen, want ik kon de whisky in Madox' glas gewoon ruiken. Hij dronk hem puur, dus misschien was er echt een probleem met de ijsmachine.

'Meneer Corey?'

'Weet u dat ik echt smacht naar een latte. Behoort dat tot de mogelijkheden?'

'Eh...' Hij keek Carl aan en zei: 'Vraag in de keuken of ze een latte kunnen maken.'

'Of een cappuccino,' zei ik. 'Voor mijn part een Americano.'

Ik drink die troep nooit natuurlijk, maar we moesten wat tijd zien te winnen.

Carl vertrok en ik zag nu pas de hond die tussen Madox' stoel en de open haard lag, slapend dan wel dood.

Madox deelde me mee: 'Dat is Kaiser Wilhelm.'

'Hij ziet er anders uit als een hond.'

Hij glimlachte. 'Het is een dobermann. Heel slim, trouw, sterk en snel.'

'Moeilijk te geloven.' Ik bedoel, die stomme hond lag daar maar wat op het kleed te kwijlen en te snurken.

Kate zei: 'Het is een prachtig beest.'

O, en hij had een stijve. Ik vroeg me af waar hij over droomde. En mevrouw Mayfield vond *mij* trouwens helemaal niet prachtig als ik lag te kwijlen en te snurken.

'Goed,' zei de heer Madox, 'wat kan ik voor u doen?'

Normaal gesproken zouden Kate en ik allang hebben besproken wie het voortouw zou nemen en waar we op uit waren. Als we echter zouden zeggen waar we op uit waren – Harry Muller – zou Bain Madox direct weten dat hij in de gaten werd gehouden, dus dat beperkte onze vragen tot het weer en het honkballen. Aan de andere kant wist Madox misschien allang dat hij onder surveillance stond.

'Meneer Corey? Mevrouw Mayfield?'

Ik nam het besluit om een voorbeeld te nemen aan generaal Custer en in de aanval te gaan, maar dan hopelijk wel met betere resultaten. Ik zei tegen Madox: 'Wij zijn hier omdat wij informatie hebben dat een federaal agent genaamd Harry Muller in de omgeving van deze club is verdwenen en we hebben reden te geloven dat hij mogelijk op uw terrein is verdwaald of gewond geraakt.' Ik zocht op zijn gezicht naar een reactie, maar hij leek alleen maar bezorgd.

'Hier? Op dit terrein?'

'Mogelijk.'

Hij leek oprecht verrast, of hij was een heel goede acteur. Hij zei tegen mij: 'Maar... zoals u gezien heeft, is het niet gemakkelijk om ons terrein zo maar te betreden.'

'Hij was te voet.'

'O? Maar dit terrein wordt bewaakt en is omgeven door een hek.'

Nu was het mijn beurt om verbazing te veinzen en ik antwoordde: 'Een hek? Echt? Nou, misschien is hij daar dan doorheen of overheen gegaan.'

'Waarom zou hij dat doen?'

Goede vraag. 'Hij is een fanatieke vogelaar.'

'Juist... dus u denkt dat hij zich toegang heeft verschaft en daarna op mijn terrein gewond is geraakt?'

'Mogelijk.'

Madox' gezicht straalde nog steeds bezorgdheid en verbazing uit. 'Maar waarom denkt u dat? Rond mijn terrein liggen duizenden hectaren wildernis. Ik bezit slechts zesendertig vierkante kilometer.'

'Is dat alles? Luister eens, meneer Madox, wij komen in actie omdat we specifieke informatie hebben die we willen natrekken. Mijn vraag aan u is: heeft u of uw personeel iemand op uw grondgebied gezien?'

Hij schudde zijn hoofd en antwoordde: 'Dan zou ik het gehoord hebben.' Hij vroeg me: 'Hoe lang wordt deze man vermist?'

'Sinds zaterdag. Maar het is ons nu pas ter ore gekomen.'

Hij knikte bedachtzaam en nam een slokje van zijn whisky. 'Tja,' zei hij, 'ik heb dit weekend zestien gasten te logeren gehad, waarvan er velen zijn gaan wandelen of op vogels zijn gaan jagen, én ik heb mijn beveiligingsmensen, dus het is heel onwaarschijnlijk dat deze persoon op mijn terrein is verdwaald zonder dat iemand hem is tegengekomen.'

Kate nam voor het eerst het woord en zei: 'Zestien mensen verdeeld over zesendertig vierkante kilometer is één persoon op twee vierkante kilometer. Je zou er een heel leger kunnen verbergen.'

De heer Madox dacht even na over die rekensom en antwoordde: 'Nou ja, als hij inderdaad gewond is geraakt en zich niet meer kan bewegen, zou het mogelijk zijn dat hij niet is ontdekt.'

Kate zei: 'Heel wel mogelijk.'

Madox stak een sigaret op en blies kringetjes van rook naar het plafond. 'Wat,' vroeg hij, 'wilt u dat ik doe? Hoe kan ik u helpen?'

Ik bekeek Bain Madox, rokend, drinkend, in zijn leren stoel in zijn grote landhuis. Hij leek meer op zijn gemak dan de gemiddelde verdachte. Eigenlijk zag hij er gewoon onschuldig uit.

Ik had echter het gevoel dat, ook al had hij wel iets te maken met Harry's verdwijning, deze man zijn kalmte zou bewaren. Hij had zijn voetvolk net zo goed opdracht kunnen geven om te zeggen dat hij niet aanwezig was, of niet beschikbaar; in plaats daarvan had hij ervoor gekozen om ons persoonlijk te ontvangen.

Ik had tijdens mijn bescheiden uitstapjes naar de criminele psychologie en mijn jaren als straatagent een en ander geleerd over sociopaten en narcisten – ongelooflijk egotistisch en arrogante mensen die dachten dat ze door hun hooghartige gedrag zelfs met moord weg konden komen.

Het was heel goed mogelijk dat Bain Madox iets te verbergen had en dat hij dacht dat hij dat onder mijn neus kon doen. Maar dat zou niet gebeuren.

Hij herhaalde: 'Hoe kan ik u helpen?'

Ik antwoordde: 'We zouden graag uw toestemming krijgen om op uw terrein te gaan zoeken.'

Hij leek daarop voorbereid en zei: 'Ik kan mijn eigen zoektocht organiseren nu ik weet dat er misschien iemand verdwaald is op mijn terrein. Ik heb ongeveer vijftien personen beschikbaar, plus wat terreinwagens en zes Jeeps.'

Ik zei: 'Het zou u een maand kosten om dit terrein te doorzoeken. Ik denk meer aan de staats- en plaatselijke politie, federale agenten en misschien troepen uit Fort Drum.'

Dat leek hem zo te zien geen goed idee, maar hij stond min of meer voor het blok, dus vroeg hij me: 'Vertel me nog eens waarom u denkt dat deze man zich op *mijn* terrein bevindt en niet ergens in de omringende wildernis?'

Dat was echt een goede vraag en ik had een standaard politieantwoord klaar: 'Wij handelen op grond van de beschikbare informatie en onze eigen overtuigingen, en dat is alles wat ik erover kan zeggen.' Ik voegde eraan toe: 'Met de informatie die wij hebben, krijgen we zo een huiszoekingsbevel, maar dat kost tijd. We zouden liever zien dat u vrijwillig meewerkt. Is dat een probleem voor u?'

'Nee, geen probleem, maar ik zou willen suggereren dat u begint met een onderzoek vanuit de lucht, want dat werkt veel sneller en even effectief.'

Kate zei: 'Dank u, maar dat weten we. We zijn al met onderzoek vanuit de lucht begonnen. We zijn hier om u toestemming te vragen om met zoekteams uw terrein te mogen betreden.'

'Ik zal een zoektocht naar de vermiste persoon zeker niet in de weg staan.' Hij zweeg even. 'Maar ik wil toch graag een verklaring dat ik nergens aansprakelijk voor ben.'

Kate begon geïrriteerd te raken en zei: 'We zullen u er zo spoedig mogelijk eentje faxen.'

'Dank u. Ik wil niet graag overkomen als een slecht burger, maar we leven nu eenmaal in proceszieke tijden.'

Daar kon ik niets tegenin brengen en ik zei tegen hem: 'Het land gaat naar de verdommenis. Veel te veel advocaten.'

Hij knikte en uitte zijn eigen mening: 'De advocaten ruïneren dit land. Ze ondermijnen het vertrouwen, jagen mensen met goede bedoelingen angst aan, bevorderen de slachtofferrol en maken zich schuldig aan juridische afpersing.'

Ik was het roerend met hem eens en zei: 'Ze deugen gewoon niet.'

Hij glimlachte. 'Ze deugen niet.'

Ik dacht dat ik hem misschien moest meedelen dat mijn vrouw advocate was en dat deed ik dan ook.

'O... nou, misschien moet ik me verontschuldigen als ik...'

Ze zei: 'Ik ben geen praktiserend advocaat.'

'Mooi,' zei hij, en grapte toen: 'U ziet er ook veel te leuk uit om advocate te zijn.'

Mevrouw Mayfield keek de heer Madox strak aan.

Meneer Madox zei: 'Ik neem aan dat jullie morgen aan die zoektocht beginnen? Het wordt al te donker om nog mensen die bossen in te sturen.'

De heer Madox probeerde duidelijk tijd te winnen met al die onzin over aansprakelijkheidsverklaringen en dergelijke. Ik zei: 'Volgens mij hebben we nog ongeveer drie uur daglicht.'

'Ik zal mijn personeel opdracht geven onmiddellijk met een zoektocht te beginnen. Zij kennen het terrein.'

We keken elkaar aan en die rare grijze ogen knipperden niet één keer.

Zonder zijn blik van me af te wenden zei hij: 'Meneer Corey, zou u mij alstublieft willen vertellen wat een federale agent op mijn terrein moest?'

Daar had ik mijn antwoord al voor klaar. 'Het feit dat de heer Muller een federale agent is, is in wezen niet relevant.'

'Niet relevant?'

'Inderdaad. Hij was aan het kamperen. Hij was niet in functie. Ben ik daar niet duidelijk over geweest?'

'Misschien heb ik het niet goed begrepen.'

'Mogelijk.' Ik voegde eraan toe: 'En aangezien hij een federaal agent is, assisteert de federale overheid bij de zoektocht.'

'Ik begrijp het. Dus ik moet er maar niet te veel achter zoeken dat u en mevrouw Mayfield deel uitmaken van de Anti-Terrorist Task Force?'

'Nee, u moet er zelfs helemaal niets achter zoeken.' Ik voegde eraan toe: 'Ik had misschien ook moeten melden dat de heer Muller een collega is en dat we hier zowel om beroepsmatige redenen zijn als uit persoonlijke betrokkenheid.'

Hij dacht even na en zei toen: 'Ik heb dat soort camaraderie al niet meer meegemaakt sinds ik uit het leger ben. Als ik vermist werd, zou ik niemand kunnen bedenken die meer zou doen dan een paar telefoontjes plegen om me te vinden.'

'Zelfs uw moeder niet?'

Hij glimlachte. 'Nou ja, zij dan misschien. En als het meezit misschien ook nog mijn kinderen. En de Belastingdienst zou achter me aankomen als ik een kwartaal niet betaald heb.'

Noch Kate noch ik had daar iets op te zeggen.

Madox stak nog een sigaret op en blies nog wat meer kringetjes. Hij zei: 'Dat is een verdwenen kunst.' Hij vroeg ons: 'Mag ik u een sigaret aanbieden.'

We sloegen zijn aanbod af.

Ik keek het vertrek rond en zag iets in een donkere hoek wat me met glazige ogen aankeek. Het bleek een enorme zwarte beer die op zijn achterpoten stond, zijn voorpoten en klauwen in een dreigend gebaar opgeheven. Ik wist dat hij dood en opgezet was, maar er ging toch een lichte schok door me heen. Ik zei tegen Madox: 'Heeft u die geschoten?'

'Ja, dat klopt.'

'Waar?'

'Hier, op mijn eigen terrein. Ze glippen soms door de omheining.'

'En dan schiet u ze neer?'

'Nou, buiten het jachtseizoen schieten we alleen een verdovingspijltje op ze af en dan brengen we ze tot buiten het terrein. Waarom vraagt u dat?'

'Ik houd niet van beren.'

'Heeft u daar slechte ervaringen mee?'

'Nee, slechte ervaringen probeer ik zoveel mogelijk te vermijden. Hé, wat denkt u, kun je met een 9mm Glock een beer afstoppen?'

'Dat denk ik niet en ik hoop dat u daar niet zelf achter hoeft te komen.'

'Nee, ik ook niet. Heeft u berenklemmen op uw terrein?'

'Nee, beslist niet. Ik heb gasten die hier rondlopen en ik wil niet dat ze gevangen raken in een berenklem.' Hij voegde eraan toe: 'Of indringers, want dan zou ik kunnen worden aangeklaagd.' Hij keek op zijn horloge en zei: 'Goed, als u – '

'Nog een paar vragen graag terwijl we op de latte wachten.'

Hij antwoordde niet en ik vroeg hem: 'Dus u bent een jager?'

'Ik jaag.'

'En dit zijn uw trofeeën?'

'Ja. Ik heb ze niet gekocht, zoals sommige mensen doen.'

'Dus u kunt behoorlijk goed schieten?'

'Ik was scherpschutter in het leger en ik kan nog steeds op tweehonderd meter een hert neerleggen.'

'Niet slecht. Hoe dichtbij was die beer?'

'Heel dichtbij. Ik laat roofdieren altijd dichtbij komen.' Hij keek me aan en ik hàd het gevoel dat hij op subtiele wijze onsubtiel was jegens ondergetekende. Hij zei: 'Dat maakt het juist spannend.' Hij vroeg me: 'Maar wat heeft dit te maken met de verdwijning van de heer Muller?'

'Helemaal niets.'

We keken elkaar aan terwijl hij wachtte op een verklaring mijnerzijds over de richting die mijn ondervraging opging. Ik zei tegen hem: 'Ik probeer gewoon het gesprek op gang te houden.' Vervolgens vroeg ik hem: 'Dus dit is een privéclub?'

'Inderdaad.'

'Zou ik er lid van kunnen worden? Ik ben blank. Deels Iers, deels Engels. Katholiek, net als Columbus, maar ik zou me kunnen bekeren. Ik ben getrouwd in een methodistenkerk.'

De heer Madox deelde me mede: 'Dergelijke eisen of uitsluitingen kennen we hier niet, maar we zitten op het moment vol.'

Kate vroeg: 'Accepteert u ook vrouwen?'

Hij glimlachte. 'Ik persoonlijk wel. Maar het lidmaatschap van deze club is alleen voorbehouden aan mannen.'

'Waarom is dat?'

'Omdat ik het zo wil.'

Carl verscheen met een dienblad, dat hij op de salontafel zette. Hij zei tegen mij: 'Is een café au lait ook goed?'

'Fantastisch.'

Hij gebaarde dat de kleine zilveren koffiepot bestemd was voor mevrouw Mayfield en vroeg toen: 'Alles naar tevredenheid?'

We knikten en Carl verdween.

Madox liep naar het dressoir om zich een nieuwe whisky in te schenken en ik zei: 'Mag ik misschien ook een kleintje?'

Hij antwoordde over zijn schouder: 'Je zult hem wel puur moeten drinken.' Hij schonk twee glazen in, draaide zich om en zei: 'Er schijnen wat problemen te zijn met mijn ijsmachine.' Hij glimlachte.

Rudy, ouwe gluiperd, ik schuif die sprietantenne in je hol.

Belangrijker echter was dat Madox dus wist dat er iemand naar hem onderweg was en dat hij toch niet had geprobeerd zijn onbekende bezoekers te ontlopen, zelfs nadat die griezels bij het hek hem hadden verteld dat het om federale agenten ging. Hij wilde kennelijk weten wat voor vlees hij precies in de kuip had.

Madox overhandigde me een kristallen glas en zei: 'Op Columbus Day.' We klonken, waarna hij ging zitten, zijn benen over elkaar sloeg, een slokje whisky nam en in het vuur staarde.

Kaiser Wilhelm werd wakker en kroop tot vlak naast de stoel van zijn meester om zich achter de oren te laten krabben. Het stomme beest staarde mij aan en ik staarde terug. Hij wendde als eerste zijn blik af, dus ik had gewonnen.

Kate nipte van haar koffie en verbrak toen de stilte. 'U zei dat u dit weekend zestien gasten had.'

'Dat klopt.' Madox keek op zijn horloge. 'Ik denk dat ze nu zo'n beetje allemaal weer zijn vertrokken.'

Kate zei op officiële toon: 'Het is mogelijk dat we hen zullen moeten ondervragen, dus ik zou graag hun namen en contactinformatie van u krijgen.'

Dat had Madox niet zien aankomen en even was hij sprakeloos, wat volgens mij zelden voorkwam. 'Waarom...?'

'Voor het geval zij iets hebben gehoord of gezien betreffende de verdwijning van de heer Muller.' Ze voegde eraan toe: 'Standaardprocedure.'

Hij leek die standaardprocedure maar niets te vinden. 'Dat lijkt me volkomen overbodig. Niemand heeft iets gehoord of gezien. En ik wil u er ook nog eens op wijzen dat dit een privéclub is, wier leden dus anoniem willen blijven.'

Kate antwoordde: 'Ik kan hun anonimiteit waarborgen en het is aan ons om te beslissen of iemand iets heeft gehoord of gezien.'

Hij nam een wat grotere slok van zijn whisky en zei tegen Kate: 'Ik ben geen advocaat, zoals u, maar tenzij dit een strafzaak betreft, wat het niet is, of een civiele zaak, wat het ook niet is, hoef ik u volgens mij niet de namen te geven van mijn gasten, net zo min als u mij de namen van uw gasten hoeft te geven.'

Ik kon de verleiding niet weerstaan en zei: 'Ik had mijn oom en tante, Joe en Agnes O'Leary, over de vloer, en u?'

Hij keek me aan en ik kon niet uitmaken of hij dit apprecieerde of niet. Vreemd genoeg mocht ik deze knaap wel – een mannenman en meer van die onzin – en ik denk dat we onder andere omstandigheden best vrienden hadden kunnen zijn. Misschien dat als deze hele toestand op een misverstand berustte en Harry ergens in een motel of zo werd aangetroffen, de heer Madox me zou uitnodigen voor een weekend met de jongens. Maar misschien ook niet.

Kate zei tegen hem: 'U heeft gelijk als u zegt dat er geen wettelijke verplichting is om de namen van uw gasten te onthullen – althans nu nog niet – maar we zouden op dit moment graag uw vrijwillige medewerking hebben, want het zou om een mensenleven kunnen gaan.'

Daar dacht Madox even over na. 'Ik zal eerst contact op moeten nemen met mijn advocaat.'

Kate merkte op: 'U hield toch niet van advocaten.'

Hij glimlachte zuinigjes en antwoordde: 'Nee, dat klopt, maar zie het maar als een noodzakelijk kwaad.' Hij vervolgde met: 'Ik zal contact opnemen met de mannen die hier aanwezig waren, om te kijken of ze er geen bezwaar tegen hebben dat ik hun namen vrijgeef.'

'Wilt u dat dan alstublieft zo snel mogelijk doen? En als u dan toch bezig bent, ik heb ook de namen en de contactinformatie van uw personeel nodig.' Ze voegde eraan toe: 'Belt u me vanavond maar. De heer Corey en ik verblijven in Het Punt.'

Zijn wenkbrauwen gingen omhoog. 'Krijgen jullie het antiterroristenbudget niet op?'

Dat was een goeie. Ik begon deze knaap echt te mogen. Ik zei: 'We delen wel een kamer hoor.'

Hij trok opnieuw zijn wenkbrauwen op en zei: 'Daar geef ik maar geen commentaar op.' Hij keek voor de derde keer op zijn horloge en zei: 'Goed, ik moet kennelijk wat telefoontjes plegen, dus – '

'Nog even dit,' zei ik. 'Ik heb gemerkt dat we hier een goede gsm-ontvangst hebben, en ik zag die toren op de heuvel. Is dat een gsm-toren?'

'Ja, dat klopt.'

'U heeft kennelijk iets in de melk te brokkelen.'

'Hoe bedoelt u?'

'Ik bedoel dat de bevolkingsdichtheid in deze streek niet groter is dan die van Central Park op een zondag, en ik denk dat niet veel mensen hier mobiele telefoons hebben, en toch heeft u die grote, dure toren op uw terrein staan.'

'U zou verbaasd staan hoeveel gsm's er op het platteland zijn,' zei Madox. 'Maar goed, ik heb hem zelf laten bouwen.'

'Voor uzelf?'

'Voor iedereen met een gsm. Mijn buren zijn er ook blij mee.'

'Ik heb anders weinig buren gezien.'

'Waar wilt u heen?'

'Nou, het punt is dat agent Muller een mobiele telefoon had en ook wat telefoontjes heeft gepleegd en ontvangen in dit gebied, terwijl er nu wat hem betreft een soort radiostilte heerst. Dat is ook de reden dat wij ons zorgen maken dat hij misschien gewond is geraakt, of erger.'

Madox antwoordde: 'Doordat de afstand tot de omliggende zendmasten groot is, valt de verbinding soms wel eens weg. Mensen verliezen of beschadigen soms hun telefoon. Soms heeft een bepaalde telefoonmaatschappij een slechte ontvangst in bepaalde gebieden, soms is een gsm defect en soms zijn de batterijen gewoon op. Ik zou me niet te veel zorgen maken over die radiostilte. Als ik dat zou doen, zou ik nu waarschijnlijk denken dat mijn kinderen door Marsmannetjes zijn ontvoerd.'

Ik glimlachte. 'Oké, we zullen er niet te veel achter zoeken.'

'Mooi.' Hij haalde zijn benen van elkaar en leunde voorover. 'Verder nog iets?'

'Ja, wat voor merk whisky is dit?'

'Een eigen merk. Single malt. Wilt u misschien een fles meenenem?'

'Dat is heel aardig van u, maar ik mag geen geschenken aannemen. Ik kan hier natuurlijk wel een fles leegdrinken, dan blijf ik binnen de ethische grenzen.'

'Wilt u dan nog een laatste glaasje?'

Ik antwoordde: 'Ik ben bang dat ik met deze wegen hier de weg naar mijn hotel dan niet zal terugvinden.' Ik opperde: 'Mevrouw Mayfield en ik zouden graag uw mensen vergezellen op hun zoektocht. En misschien dat we dan daarna de nacht hier kunnen doorbrengen. Is dat mogelijk?'

'Nee, dat is tegen de clubregels. En bovendien heeft het personeel straks vrijaf na dit driedaagse weekend.'

'Ik heb niet veel personeel nodig en mevrouw Mayfield en ik kunnen een kamer delen.'

Hij verraste me door te zeggen: 'U heeft wel humor. Sorry, maar ik kan u geen overnachting aanbieden. Maar als u in het plaatselijke motel wilt overnachten, zal ik een van mijn personeelsleden opdracht geven u naar South Colton te begeleiden. U bent daar onderweg naar hier mogelijk al geweest.'

'Ja, ik geloof het wel.' Ik nam aan dat de whisky hem wat losser had gemaakt en dat hij me daarom wel grappig vond, dus zei ik tegen hem: 'Ik wil u wat betreft die telefoontjes die u moet plegen niet ophouden, maar als u nog een minuutje heeft: ik ben heel nieuwsgierig naar deze club.'

Hij reageerde niet.

'Het heeft niets te maken met die verdwijning, maar dit is echt een prachtige stek. Hoe is het begonnen? Wat doen jullie hier? Jagen, vissen?'

Bain Madox stak nog een sigaret op, zakte onderuit en sloeg zijn benen weer over elkaar. 'Goed,' zei hij, 'eerst de naam. In 1968 werd ik als tweede luitenant in het Amerikaanse leger gestationeerd in Fort Benning, Georgia, in afwachting van mijn verscheping naar Vietnam. Er waren daar in Benning een aantal dependances van de officiersmess – kleinere clubs waar de lagere officieren elkaar konden ontmoeten, weg van de sterren en strepen in de mess.'

'Goed idee. Ik ben politieagent geweest voordat ik bij de ATTF kwam en ik kan u wel vertellen dat ik nooit naar dezelfde bars ging als waar mijn meerderen uithingen.'

'Precies. Nou, je had daar ook een club in de bossen, bij het plaatsje Custer Hill, en die heette de Custer Hill Officiersclub. Het gebouw was wat simpel en had veel weg van een blokhut.'

'Aha, ik begrijp waar u heen wilt.'

'Ja. Daar kwam dus enkele avonden per week een tiental jonge officieren bij elkaar om bier te drinken en slechte pizza's te eten, en over het leven, de oorlog, vrouwen en, nu en dan, politiek te praten.'

De heer Madox leek de kamer te verlaten en terug te keren naar die plek en die tijd. Het was stil, afgezien van het knetteren van het houtvuur, dat langzaam aan het uitgaan was.

Hij keerde terug en ging verder. 'Het was een heel slechte tijd voor het land en het leger. De discipline was ver te zoeken, het land was ernstig verdeeld, er waren rellen in de steden, moordaanslagen, slecht nieuws van het front en... klasgenoten, mensen die we kenden die in Vietnam stierven of zwaargewond terugkeerden... fysiek, geestelijk en spiritueel... en daar hadden we het over.'

Hij dronk zijn glas leeg, stak nog een sigaret op en zei: 'We voelden ons... verraden. We hadden het gevoel dat onze opofferingen, ons patriottisme en onze overtuigingen irrelevant waren geworden en door de meeste Amerikanen werden verafschuwd.' Hij keek ons aan en zei: 'Dat is niets nieuws in de geschiedenis, maar het was wel nieuw voor Amerika.'

Kate noch ik had daar iets op te zeggen.

Bain Madox ging verder: 'Goed, we raakten verbitterd, toen radicaal, zou je kunnen zeggen, en we bezwoeren elkaar dat... dat als we het zouden overleven, we ons leven zouden wijden aan het rechtzetten van allerlei misstanden.'

Ik denk niet dat dit de letterlijke bewoording was van die eed. Het woord 'wraak' kwam in me op.

Madox vervolgde zijn verhaal. 'De meesten van ons werden uitgezonden, een aantal keerde terug en we bleven contact houden. Sommigen, zoals ikzelf, bleven in het leger, maar de meesten stapten eruit toen hun dienstverband erop zat. Velen leidden daarna een succesvol bestaan en we hielpen vaak hen die dat niet lukte, of die een steuntje in hun rug nodig hadden, of een goede referentie. Een klassiek old boys netwerk, maar dit was geboren uit de hectiek van een turbulente tijd, gehard door bloed en oorlog en getest in jaren van ronddolen door de wildernis die Amerika was geworden. En toen, toen we ouder en succesvoller werden, en toen onze... invloed groeide, en Amerika haar kracht terugvond en weer wist waar het heen wilde, zagen we dat we ertoe deden.'

Hij viel opnieuw stil en keek om zich heen, alsof hij overdacht hoe hij hier in dit grote huis terecht was gekomen, zo ver verwijderd van de kleine officiersclub in de bossen van Georgia. Hij zei: 'Ik heb dit huis zo'n twintig jaar geleden laten bouwen, als een soort clubhuis.'

Ik zei: 'Dus jullie kwamen hier niet alleen om te jagen en te vissen.

Ik bedoel, er zat ook een zakelijk aspect aan, en misschien een politiek tintje.'

Hij overwoog zijn antwoord. 'We waren... betrokken bij de oorlog tegen het communisme en ik kan in alle oprechtheid en met enige trots zeggen dat veel leden van deze club een substantiële bijdrage hebben geleverd aan de uiteindelijke overwinning op deze zieke ideologie en aan het einde van de Koude Oorlog.' Hij keek ons aan en zei: 'En nu... tja, nu hebben we een nieuwe vijand. Er zal altijd weer een nieuwe vijand zijn.'

'En?' vroeg ik. 'Zijn jullie daar ook bij betrokken?'

Hij haalde zijn schouders op. 'Niet in eenzelfde mate als bij de Koude Oorlog. We zijn allemaal een dagje ouder, we hebben onze strijd gestreden en we verdienen een vredige oude dag.' Hij keek Kate en mij aan en zei: 'Het is aan mensen van jullie leeftijd om deze oorlog te voeren.'

Ik vroeg hem: 'Dus de leden van deze club zijn allemaal oorlogsveteranen van de oorspronkelijke Custer Hill Club?'

'Nee, niet echt. Sommigen zijn overleden, anderen zijn eruit gestapt. We hebben in de loop der jaren nieuwe leden begroet, mannen die onze overtuigingen delen en die tijd hebben meegemaakt. We hebben ze tot erelid benoemd van de oorspronkelijke Custer Hill Club, Fort Benning, Georgia, 1968.'

Ik dacht daarover na, en over rijke mannen, en machtige mannen, die elkaar voor een lang weekend in een afgelegen landhuis treffen, en ik dacht dat dit misschien allemaal niets om het lijf had en dat het ministerie van Justitie weer eens een van haar vele periodes van tijdelijke paranoia doormaakte.

Aan de andere kant...

Ik zei tegen hem: 'Nou, bedankt dat u ons dit wilde vertellen. Het is echt heel interessant en misschien zouden jullie allemaal je memoires moeten schrijven.'

Hij glimlachte en zei: 'Dan zouden we allemaal achter de tralies belanden.'

'Pardon?'

'Voor sommige van onze activiteiten tijdens de Koude Oorlog. We zijn hier en daar wel wat over de schreef gegaan.'

'O ja?'

'Maar eind goed, al goed. U bent toch met me eens dat om een monster te verslaan, je soms zelf een monster moet worden?'

Ik antwoordde: 'Nee, daar ben ik het niet mee eens.'

Kate viel me bij. 'We moeten een rechtvaardige strijd strijden, op een eerlijke manier. Dat is wat ons onderscheidt van hen.'

'Nou,' zei Bain Madox, 'als iemand een nucleaire raket op je richt, heb je volgens mij het volste recht die persoon een trap onder zijn ballen te verkopen.'

Ik begreep hem wel, maar over dit soort zaken kon je eindeloos ouwehoeren en ik denk dat hij al vaker dit soort gesprekken had gevoerd en ze had opgelost bij bier en pizza's.

Ik heb altijd al gedacht dat mensen van de generatie die opgroeide in de jaren zestig op de een of andere manier anders waren, en er misschien wat littekens aan over hadden gehouden, en misschien nog steeds enige rancune koesterden. Maar ik word niet betaald om over dit soort dingen na te denken, of gratis adviezen te verstrekken.

Toch zei ik tegen de heer Madox: 'Dus u heeft *wel* kameraden die u komen zoeken als u zou verdwijnen.'

Hij keek me enige tijd aan, of door me heen, en zei toen: 'Is dat zo? Dat was zo. Toen ik jong was en een uniform droeg... Ik denk dat er niemand meer over is... Behalve Carl, die onder mij gediend heeft in Vietnam.' Hij voegde eraan toe: 'Carl en Kaiser Wilhelm zijn me trouw gebleven.'

Tja, wat moest ik daar nou mee. Ik stond op en zei: 'In ieder geval bedankt voor uw tijd.'

Kate stond ook op en pakte haar aktetas.

Hij leek bijna verrast dat hij van ons af was en even dacht ik iets van teleurstelling te zien. Hij vroeg ons: 'Gaan jullie mijn personeel nog helpen bij het zoeken?'

Ik dacht niet dat Kate en ik iets zouden bereiken door tot het donker werd over dit uitgestrekte terrein rond te crossen.

'Meneer Corey?'

Aan de andere kant zou ik graag nog wat meer van dit terrein hebben gezien. Maar Kate en ik werden al niet verondersteld hier te zijn en we waren bovendien laat voor onze ontmoeting met majoor Schaeffer op het hoofdkwartier van de staatspolitie. Ik keek even naar Kate en antwoordde: 'We laten het zoeken graag aan uw personeel over. Maar we komen morgenochtend terug met zoekteams.'

Hij knikte en zei: 'Prima. Ik zal mijn personeel opdracht geven onmiddellijk met zoeken te beginnen. Ik zal er ook voor zorgen dat uw teams morgen kaarten van het terrein hebben, en dat mijn voertuigen en mijn personeel tot hun beschikking staan.'

Kate vroeg: 'Zei u niet dat uw personeel vrijaf kreeg?'

'Het huispersoneel is vrij. De bewaking blijft gewoon functioneren.'

'Mag ik u vragen waarom u zoveel bewakingspersoneel hebt rondlopen?'

Madox antwoordde: 'Het zijn er echt niet zoveel als u bedenkt dat ze in ploegen werken die zeven dagen per week moeten bestrijken, vierentwintig uur per dag en dat het hele jaar door.'

'Maar waarom heeft u überhaupt dat soort beveiliging nodig?'

Hij antwoordde: 'Een huis als dit trekt ongewenste aandacht. Bovendien moet het plaatselijke politiekorps met weinig mensen een groot gebied bestrijken en zit de staatspolitie hier nogal ver vandaan. Ik vertrouw liever op mijn eigen beveiliging.'

Ze drong niet verder aan en Bain Madox zei: 'Ik zal u uitlaten.'

We liepen naar de deur en onderweg vroeg ik hem: 'Bent u hier morgen ook?'

'Mogelijk.' Hij zweeg even. 'Mijn planning hangt nog in de lucht.'

En dat gold ook voor zijn twee jets. Ik vroeg hem: 'Wat is uw vaste woonplaats?'

'New York City.'

'Nog andere huizen?'

'Een paar.'

'Hoe komt u hier weg? Per auto? Vliegtuig?'

Hij antwoordde: 'Meestal rijdt iemand me naar het regionale vliegveld in Saranac Lake. Waarom wilt u dat weten?'

'Ik wil gewoon zeker weten dat ik u morgen kan bereiken. Heeft u een mobiele telefoon?'

'Ja, maar dat nummer geef ik niet vrij. U kunt echter het nummer van de bewakingsdienst bellen – dat is vierentwintig uur per dag bereikbaar – en zij zullen mij dan wel lokaliseren. Als we iets ontdekken, zullen we naar Het Punt bellen.' Hij gaf me het nummer van de bewaking. 'Maar waarschijnlijk zie ik u morgen weer.'

'Dat zeker. Heeft u een privévliegtuig?'

Hij aarzelde en antwoordde toen: 'Ja. Waarom vraagt u dat.'

'Bent u ook in het vliegtuig bereikbaar?'

'Normaal gesproken wel. Waarom – ?'

'Heeft u plannen om het land in of uit te vliegen?'

'Ik ga daar waar en wanneer mijn zaken mij roepen. Ik vraag me af waarom u dat allemaal moet weten.'

'Ik moet gewoon weten dat ik contact met u kan opnemen als er misverstanden of problemen ontstaan met uw bewakingspersoneel, dat me heel beschermend en niet makkelijk in de omgang lijkt.'

'Daar worden ze voor betaald, maar ik zal ze op het hart drukken dat u en mevrouw Mayfield mij altijd moeten kunnen bereiken en dat de zoekteams morgen vrijelijk over het terrein kunnen rondlopen.'

'Prachtig. Meer hebben we niet nodig.'

We liepen door de bibliotheek naar de hal en ik zei: 'Dus u heeft dit huis zelf laten bouwen?'

'Ja, in 1982.' Hij voegde eraan toe: 'Als kind al bewonderde ik die grote landhuizen hier, en ook wat ze de Great Camps noemden, de in rustieke stijl opgetrokken buitenhuizen die hier aan het begin van de vorige eeuw door miljonairs werden gebouwd. Het Punt, waar u logeert, was trouwens een Rockefeller Great Camp.'

'Ja, dat weet ik. Heeft u misschien ook een smoking voor me te leen?'

Hij glimlachte. 'Ik zou voor de roomservice kiezen als ik u was.'

'Mijn idee. Waarom heeft u eigenlijk niet een van die oude landhuizen gekocht, waarvan er waarschijnlijk genoeg te koop staan?'

Hij dacht even na en antwoordde toen: 'Nou, ik heb er inderdaad een paar bekeken, maar toen was in het Nationale Park dit stuk land te koop, en dat heb ik toen voor driehonderdduizend dollar gekocht. Minder dan veertig dollar per hectare. Het is de beste investering die ik ooit gedaan heb.'

'Beter dan olie?'

We maakten oogcontact en hij zei: 'Ik neem aan dat u weet wie ik ben.'

'Tja, u bent nu niet bepaald een anonymus.'

'Ik probeer zoveel mogelijk buiten de publiciteit te blijven, maar dat is niet altijd mogelijk. Vandaar ook die bewaking.'

'Juist. Goed idee. Niemand zal u hier te grazen nemen.'

'Ik denk trouwens niet dat iemand het echt op me gemunt heeft.'

'Je weet maar nooit.' Hij negeerde dat en ik vroeg hem: 'Hé, hoe zit het eigenlijk met de olieprijs? Gaat die omhoog of omlaag?'

'Daar weet ik al net zo weinig van als u.'

'Dat klinkt nogal angstaanjagend.'

Hij glimlachte en antwoordde: 'Gok maar op vijftig dollar per vat als de oorlog tegen Irak dichterbij komt.' Hij voegde eraan toe: 'Maar dat heeft u niet van mij.'

'Begrepen.'

Hij leek te willen praten, wat ik prima vond, en hij maakte ons attent op een muur waaraan ruim twintig bronzen plaquettes waren bevestigd, elk met een naam en een datum erop.

Hij zei: 'Dit zijn mannen met wie ik gediend heb, met de datum van hun overlijden. De vroegste data zijn van hen die in Vietnam sneuvelden, de latere zijn daarna in allerlei andere brandhaarden gesneuveld, en sommigen zijn een natuurlijke dood gestorven.' Hij liep wat dichter op de plaquettes toe en zei: 'Ik heb dit huis deels laten bouwen als een soort gedenkteken voor hen, deels als een herinnering aan de Custer Hill-officiersclub waar het allemaal is begonnen, en deels als een plek waar zij die nog over zijn op Veteranendag en Memorial Day bijeen kunnen komen.'

Na enkele seconden stilte zei Kate: 'Dat is heel mooi.'

Bain Madox bleef naar de namen staren en draaide zich toen naar ons om. 'Toen ik dit huis liet bouwen, zaten we bovendien op het hoogtepunt van de Koude Oorlog en jullie zullen je misschien nog herinneren dat de media het land een soort hysterie wilden aanpraten omdat Reagan ons naar een nucleair Armageddon zou leiden.'

Ik zei: 'Ja, dat herinner ik me nog. Ze hadden mij ook bijna zover. Ik heb dozen vol ingeblikte bonen en bier ingeslagen.'

Madox glimlachte beleefd en zei: 'Nou, ik heb nooit gedacht dat we elkaar met atoombommen zouden bestoken – niet met die Gegarandeerde Wederzijdse Vernietiging – maar de idioten van de media en in Hollywood zagen ons al dood en begraven.' Hij voegde eraan toe: 'Het is gewoon een stelletje oude wijven.'

'Dat is een belediging voor oude wijven.'

Hij ging verder. 'Maar goed, ik denk dat ik dat in gedachten had toen ik dit hier liet bouwen. Ik weet in ieder geval dat mijn vrouw dat in gedachten had.'

'Bent u getrouwd?'

'Niet meer.'

'Is ze Democraat of zo?'

'Ze is iemand die creditcards vreet.'

'Dus,' vroeg ik, 'u heeft hier een atoomvrije schuilkelder?'

'Inderdaad. Een volkomen nutteloze uitgave, maar zij wilde dat nu eenmaal.'

'Nou ja,' zei ik, 'fall-out is niet niks.'

'Het gevaar van fall-out wordt zwaar overschat.'

Ik had radioactieve neerslag nooit op die manier horen omschrijven en ik dacht even dat ik dr. Strangelove hoorde praten.

Madox wierp een blik op een koekoeksklok uit het Zwarte Woud en zei tegen ons: 'Ik zou u graag een rondleiding geven, maar ik denk zo dat u wel belangrijker zaken aan uw hoofd heeft.'

Ik bracht hem in herinnering dat we morgen bij het eerste ochtendgloren weer op de stoep zouden staan.

Hij knikte en liep in de richting van de voordeur.

Ik zei: 'Prachtig schilderij van de Little Bighorn.'

'Dank u. Het is al heel oud, schilder onbekend, en ik geloof niet dat het een accurate uitbeelding is van de laatste momenten van die slag.'

'Wie zal het zeggen. Ze zijn allemaal omgekomen.'

'De indianen zijn niet allemaal omgekomen.'

Ik wilde hem mijn grap vertellen, maar ik kon Kate's ogen in mijn rug voelen priemen. 'Roekeloos maar dapper, zullen we maar zeggen.'

'Meer roekeloos dan dapper, ben ik bang.' Hij voegde eraan toe: 'Ik zat bij het Zevende Cavalerie. Custers regiment.'

'Zo oud ziet u er toch niet uit, of – ' Ik knikte naar het schilderij.

'In *Vietnam*, meneer Corey. Het regiment bestaat nog steeds.'

'O... juist, ja.'

Hij stond bij de deur en er viel even een bijna gênante stilte. Meestal is dat het moment dat ik met een verrassing kom voor de verdachte, zodat hij een slechte nachtrust tegemoet gaat. Maar om eerlijk te zijn had ik geen pijlen meer op mijn boog, om een toepasselijke metafoor te gebruiken, en ik betwijfelde zo langzamerhand echt of Bain Madox iets te maken had met Harry's verdwijning, dus zei ik tegen hem: 'Bedankt voor uw tijd en uw behulpzaamheid.'

'Ik zal mijn mensen er onmiddellijk op uit sturen,' antwoordde hij. 'En als ondertussen die zoektocht vanuit de lucht iets heeft opgeleverd, wilt u dan aan de staatspolitie vragen om het nummer van de bewaking te bellen? Dan zal ik een paar mensen naar de plek sturen die door de helikopter wordt uitgelicht. Met een beetje geluk vinden we uw man vanavond nog.'

'Misschien dat een paar gebeden ook helpen.'

Madox antwoordde: 'Zo lang het boven het vriespunt is, kan een mens het weken overleven in de wildernis, mits hij niet te ernstig gewond is.'

Hij opende de deur en we liepen allemaal de veranda op. Ik zag dat de huurauto van Enterprise die daar had gestaan, nu verdwenen was.

Ik zei tegen hem: 'Ik wil u bedanken voor wat u voor ons vaderland heeft gedaan.'

Hij knikte.

Kate zei: 'Ja, bedankt.'

Madox antwoordde: 'En jullie bewijzen het land ook een dienst, op een andere manier en in een andere oorlog. Dit kan wel eens het moeilijkste gevecht worden dat we ooit hebben moeten voeren. Blijf alert. We zullen zegevieren.'

'Dat zullen we,' zei Kate.

'Dat zullen we zeker,' beaamde Madox, om eraan toe te voegen: 'Ik hoop dat ik lang genoeg leef om een permanente alarmfase Groen mee te maken.'

23

We stapten in onze Taurus en volgden de zwarte Jeep heuvelafwaarts naar het hek.

We zeiden niets zolang we binnen de hekken waren, voor het geval ze richtmicrofoons of iets dergelijks hadden, maar we zetten wel onze gsm's en piepers aan en toen bleek dat Kate twee berichten had en ik niet een.

Het klokje op het dashboard wees 16:58 aan, dus Tom Walsh zou in principe nog minstens twee minuten in zijn kantoor moeten zitten om de westerse beschaving te redden.

Bij het wachthuis aangekomen reed de Jeep naar de kant en het hek gleed open. Toen we het terrein verlieten, zag ik twee bewakers achter een raam van het huis, en een van de twee stond ons te filmen. Ik boog me naar Kate's raampje en salueerde met mijn middelvinger.

McCuen Pond Road lag in de schaduw en ik deed mijn koplampen aan, zodat ik de beren wat eerder zou zien. Ik vroeg aan Kate: 'En, wat denk jij ervan?'

Ze bleef even stil en antwoordde toen: 'Hij is op een griezelige manier charmant.'

Een van de interessantere dingen des levens is het horen van de ideeën van een vrouw over een man die je net allebei hebt ontmoet. Mannen die ik afstotelijk vind, vindt zij er goed uitzien; mannen die ik slijmballen vind, vindt zij gezellig; enzovoort. In dit geval echter was ik het min of meer met Kate eens.

Ze zei: 'Ik denk dat hij je wel mocht.' Ze voegde eraan toe: 'Vat het alsjeblieft niet verkeerd op, maar hij deed me een beetje aan jou denken.'

'Is dat zo, schat?'

'Nou, die zelfverzekerdheid en dat... hoe zal ik het zeggen... supermannelijke machogedoe.'

'Je slaat de spijker op zijn kop. Maar belangrijker is: weet hij meer van Harry af dan hij ons vertelt?'

'Ik weet het niet... Hij kwam wel erg nonchalant over.'

Ik antwoordde: 'Het kenmerk van een sociopaat en narcist.'

'Ja, maar soms ook het kenmerk van iemand die niets te verbergen heeft.'

'Hij heeft wel iets te verbergen, al is het maar het sjoemelen met de olieprijzen. Daarom is Justitie ook in hem geïnteresseerd.'

'Dat is waar, maar – '

'En toch,' zei ik, 'nodigt hij ons binnen zonder dat zijn advocaat aanwezig is.'

'Waar wil je heen?'

'Hij wil weten wat wij weten en daar kan hij achter komen door de vragen die wij hem stellen.'

'Zo zou je het inderdaad kunnen bekijken.'

'En dat verhaal over die Custer Hill Club dan?'

Ze knikte. 'Wat een verhaal. Het is echt verbazingwekkend, als je er goed over nadenkt... Ik bedoel, die jonge officieren die contact met elkaar blijven houden en van wie er sommigen rijk en machtig zijn geworden... en Bain Madox die dat huis laat bouwen.'

'Ja, inderdaad. Nog verbazingwekkender vind ik dat hij letterlijk toegaf dat deze groep een soort geheim genootschap is of was dat op de een of andere manier het verloop van de Koude Oorlog beïnvloed heeft. Inclusief de daarbij behorende illegale activiteiten.'

Ze dacht daar even over na en antwoordde: 'Hij wil belangrijk en invloedrijk overkomen... mannen hebben die behoefte nu eenmaal... maar als er ook maar iets van waar is, werpt dat een heel nieuw licht op de Custer Hill Club.' Ze voegde er ter verklaring aan toe: 'Hij riep wat verdenkingen op die hij achterwege had kunnen laten.'

'Misschien dacht hij dat we de geschiedenis van die club toch wel zouden kennen.'

'Of,' zei Kate, 'het is verleden tijd en is hij er trots op, zoals hij ook trots is op zijn diensttijd in Vietnam. Ik weet het niet... maar daarna zei hij dat hij enigszins betrokken was bij de oorlog tegen het terrorisme.'

'Precies. Dat is toch iets om over na te denken,' zei ik. 'Zoals ik al vermoedde, is er met deze club meer aan de hand dan je zo op het eerste gezicht zou denken. Er zit een politiek tintje aan en in de huidige wereld gaan meneer Madox' olie en politiek heel goed samen.'

'Dat is altijd al zo geweest.'

Ik besloot me weer op ons eigenlijke probleem te concentreren. 'Maar goed, heeft Madox iets van doen met Harry's verdwijning?'

Ze bleef even stil en zei toen: 'Wat me vooral dwarszat, was zijn getalm... alsof hij zat te wachten tot Harry... zou komen opdagen.'

Ik knikte en zei: 'Ja, want dan zou hij van ons af zijn.' Ik voegde eraan toe: 'Ik heb het akelige gevoel dat Harry binnenkort inderdaad zal opduiken, maar dan niet op het landgoed van Bain Madox.'

Kate knikte zwijgend en zei toen: 'Ik moet mijn berichten controleren.' Ze luisterde ze af en zei tegen me: 'Tom, twee keer. Hij zegt dat ik hem zo spoedig mogelijk moet bellen.'

Ik vroeg me af waarom Walsh haar had gebeld en niet ook mij.

Ze controleerde haar pieper en zei: 'Tom, twee keer.'

'Het is wel een doorzettertje, hè?'

'Dat is hij niet... waarom heb je toch altijd problemen met autoriteiten?'

'Ik heb vooral problemen met meerderen die me koeioneren en in ruil daarvoor loyaliteit verwachten. De essentie van loyaliteit is wederkerigheid. Als jij loyaal bent jegens mij, ben ik loyaal jegens jou. Als jij mij koeioneert, koeioneer ik jou. Zo simpel is het.'

'Bedankt dat je dat met me hebt willen delen. En dan zal ik nu jouw meerdere bellen terwijl jij je onverdeelde aandacht op de weg richt. Rijd langzaam, anders hebben we dadelijk geen bereik meer.'

Ik nam wat gas terug en zei: 'Zet je telefoon op meeluisteren.'

Ze belde en even later klonk Walsh' stem door de telefoon. 'Waar hebben jullie verdomme gezeten?' vroeg hij.

Kate antwoordde, zonder er omheen te draaien: 'We hebben Bain Madox ondervraagd op de Custer Hill Club.'

'*Wat*? En ik heb je nog zo gezegd... was dit weer een idee van die idiote echtgenoot van je?'

Ik mengde me in het gesprek. 'Hoi, Tom. Met de idiote echtgenoot.'

Stilte, gevolgd door: 'Corey, dit keer heb je het echt voorgoed verpest.'

'Dat zei je de vorige keer ook al tegen me.'

Hij was geen gelukkig man en gilde bijna: 'Je hebt mijn bevelen volkomen in de wind geslagen. Je kunt het schudden, maat.'

Kate leek zich enigszins op te winden en zei: 'Tom, we hebben toestemming van Madox om morgenochtend vroeg zijn terrein te doorzoeken. En hij heeft beloofd om ondertussen alvast zijn eigen personeel te laten zoeken.'

Geen reactie, en ik dacht even dat Tom had opgehangen of een beroerte had gekregen. Ik zei tegen Kate: 'Wil jij een paar wokkels?'

Kate vroeg: 'Tom, ben je daar nog.'

Zijn stem klonk weer door de telefoon en hij zei: 'Ik ben bang dat we niet verder hoeven te zoeken.'

Geen van ons reageerde en ik voelde een knoop in mijn maag. Ik wist al wat hij ging zeggen, maar ik wilde het niet horen.

Tom Walsh vervolgde met: 'De staatspolitie heeft het lichaam gevonden van een man die ze aan de hand van zijn portefeuille en ID voorlopig hebben geïdentificeerd als Harry Muller.'

Opnieuw was het stil aan onze kant en Tom Walsh zei: 'Het spijt me dat ik de brenger van het slechte nieuws ben.'

Ik zette de auto langs de kant van de weg, haalde diep adem en vroeg aan Walsh: 'Wat zijn de details?'

'Nou, om ongeveer kwart over drie vanmiddag heeft het regionale hoofdkwartier van de staatspolitie in Ray Brook... waar jullie nu geacht worden te zijn... een anoniem telefoontje gekregen van een man die zei dat hij aan het wandelen was in de bossen en een lichaam op het pad zag liggen. Hij zei dat hij er naar toe was gelopen, zag dat de man dood was, zo te zien door een kogelwond, waarna hij terug is gerend naar zijn auto, naar een noodtelefoon in het park is gereden en de politie heeft gebeld.' Hij voegde eraan toe: 'De man weigerde zijn naam op te geven.'

Ik dacht daarover na en ik vermoedde dat ik de naam van die man wel kende. *Ik was scherpschutter in het leger.*

Walsh ging verder. 'Deze man gaf een tamelijk nauwkeurige beschrijving van de locatie en binnen een halfuur vonden de staats- en plaatselijke politie met behulp van honden het lichaam. Verder zoeken leverde ook de locatie op van Harry's camper, zo'n vijf kilometer zuidelijk van waar het lichaam werd gevonden, dus het lijkt erop dat Harry onderweg was naar de Custer Hill Club, nog eens vijf kilometer ten noorden van het pad.'

Ik zei: 'Dat klopt niet met Harry's telefoontje naar zijn vriendin.'

'Nou, ik heb dat bericht nog eens afgeluisterd en Harry zei, en ik citeer: "En nu ben ik begonnen aan mijn klus bij dat landgoed van die rechtse idioten".' Walsh zei: 'Dat wil dus nog niet zeggen dat hij binnen gezichtsafstand of heel dicht bij het terrein van de Custer Hill Club was.'

Deze man was duidelijk niet bij de politie geweest. 'Tom,' zei ik, 'het is niet logisch dat hij zijn camper tien kilometer verderop parkeert, om vervolgens om zeven uur achtenveertig 's ochtends zijn vriendin te bellen en dan de bossen in te struinen. Het zou hem ongeveer twee uur kosten om bij het hek te komen en ik neem aan dat het de bedoeling was dat hij bij het aanbreken van de dag op of in de buurt van de Custer Hill Club zou zijn. Maar als we van jouw scenario uitgaan, zou hij er niet voor tien uur 's ochtends hebben kunnen zijn. Ben je het daarmee eens, Tom?'

Het bleef enkele seconden stil, en toen zei hij: 'Ja, maar – '

'Mooi. En nu je er toch mee bezig bent, laat een driehoeksmeting uitvoeren naar Harry's telefoon op het moment dat hij zijn vriendin belde. Dan weet je waar hij vandaan heeft gebeld.'

'Bedankt, maar dat had ik ook al bedacht. De telefoonmaatschappij is ermee bezig. Maar behalve die zendmast op de Custer Hill Club zijn er misschien geen andere torens dicht genoeg in de buurt om een driehoeksmeting uit te kunnen voeren.'

'Hoe wist jij van die zendmast op het terrein van de Custer Hill Club?'

Er volgden enkele seconden stilte en toen zei hij: 'Dat heb ik te horen gekregen van de telefoonmaatschappij. We zouden over een uur of zo meer moeten weten, maar ik moet je wel vertellen dat zelfs al was hij in de buurt van de club toen hij zijn vriendin belde, dat nog niet wil zeggen dat hij op het terrein is geweest. Hij kan door iets zijn afgeschrikt en op de weg *terug* zijn geweest naar zijn camper. Er zijn namelijk altijd twee of meer manieren om tegen bewijsmateriaal aan te kijken.'

'Echt? Dat moet ik onthouden. Maar even terzijde: met een beetje gezond verstand kom je soms ook een heel eind.'

'Federale aanklagers hebben geen boodschap aan gezond verstand. Ze willen dat het bewijsmateriaal voor zich spreekt. En dit bewijsmateriaal doet dat niet.'

'Nou, dan hebben we meer bewijsmateriaal nodig. Vertel eens wat meer over die kogelwond.'

'De kogel is van achteren zijn bovenlichaam binnengedrongen en mij is verteld dat hij mogelijk zijn ruggenwervel heeft verbrijzeld en via zijn hart weer naar buiten is gekomen. Er is nog geen kogel gevonden. De dood is waarschijnlijk onmiddellijk ingetreden... Ik heb majoor Schaeffer gesproken en hij verzekerde me dat er geen reden is te denken dat Harry veel heeft geleden... Hij is kennelijk gestorven op de plek waar hij viel.' Hij voegde eraan toe: 'Er zat geld in zijn portemonnee en hij had ook zijn horloge, zijn wapen, zijn ID, zijn videocamera, zijn digitale camera en weet ik wat bij zich, dus volgens de staatspolitie lijkt het nog het meest op een jachtongeluk.'

Ik kan nog steeds op tweehonderd meter een hert neerleggen. Ik antwoordde: 'Daar moet het ook op lijken.'

Walsh gaf geen commentaar.

Ik zei: 'We zullen in ieder geval moeten kijken wat er op zijn camera's is vastgelegd.'

'Is al gebeurd. Er staat niets op de videoband of de digitale schijf.'

Ik zei: 'Laat de band en de schijf naar ons lab brengen om te kijken of er iets is gewist.'

'Is ook al gebeurd.'

Kate vroeg hem: 'Hoe snel kunnen we een autopsierapport verwachten?'

'Het lichaam zal naar het mortuarium in Potsdam worden gebracht en daar zal aan de hand van vingerafdrukken afkomstig van het hoofdkwartier van de FBI een officiële identificatie worden uitgevoerd. Ik heb ze geïnstrueerd de autopsie niet daar uit te voeren – dit is te belangrijk om aan de plaatselijke lijkschouwer over te laten. Ik ben van plan het lichaam vandaag of morgen hier naar het Bellevue te laten overvliegen.'

'Goed idee. Fax me een kopie van het autopsie- en toxicologierapport.'

'Het toxicologisch onderzoek kan wel vier tot zes dagen in beslag nemen.'

'Twee of drie bij een versnelde procedure. Zeg tegen het Bellevue dat ze ook naar tekenen van kwade opzet moeten zoeken. Verdovende middelen, kneuzingen, sporen van touwen of handboeien, en andere verwondingen dan die kogelwond. En ook het tijdstip van overlijden is heel belangrijk.'

'Je zult er misschien moeite mee hebben om het te geloven, maar de lijkschouwer van de stad New York, de staatspolitie en de FBI verdienen hier hun brood mee.'

Ik negeerde dat en zei: 'En laat ook onmiddellijk iemand van de staatspolitie naar het mortuarium gaan om controle te houden op het verwijderen van de kleding en de persoonlijke bezittingen. Hij of zij moet er op toezien dat er niet met de kleding of persoonlijke bezittingen is of wordt gerommeld.'

'Er is iemand van hun bureau onderweg naar het mortuarium, en wij hebben er ook twee agenten uit Albany heen gestuurd. Wij zullen bij dit onderzoek betrokken worden omdat er een federale agent in functie is vermoord.'

'Mooi. En zorg er ook voor dat de staatspolitie en de FBI de plaats delict uitkammen en naar mogelijke getuigen zoeken. Je moet ervan uitgaan dat er een moord is begaan.'

'Dat begrijp ik, maar het kan ook gewoon zijn waar het op lijkt – een ongeluk. Trouwens, als je gewoon daar was geweest waar je geacht werd te zijn, zou je daar zijn geweest waar ze jouw expertise op het gebied van lijkschouwing en onderzoek het hardst nodig hebben.'

'Tom, val dood.'

'Ik weet dat je van streek bent, dus ik zal dit negeren – voor één keer.'

'Val dood.'

Hij negeerde het een tweede keer en vroeg: 'Waar zijn jullie nu?'

Kate antwoordde: 'We zijn net bij de Custer Hill Club vertrokken.'

Walsh zei: 'Nou, jullie hebben daar niet alleen je tijd verdaan, maar je hebt Bain Madox er ook op attent gemaakt dat hij in de gaten wordt gehouden.'

Kate sprong voor mij in de bres. 'John heeft het heel goed aangepakt. Als Madox niet wist dat hij in de gaten werd gehouden, weet hij het nu nog niet. Als hij het al wist, dan doet het verder niet ter zake.'

Walsh zei: 'Waar het echt om gaat, is dat jullie daar onder geen enkele omstandigheid hoorden te zijn. Wat had het voor nut om daar heen te gaan? John?'

Ik antwoordde: 'Ik wilde iets van hem gedaan krijgen, Tom. En dat is ook gelukt – toestemming om zijn landgoed te doorzoeken. Oké, dat is nu niet meer nodig, hoewel ik het graag alsnog zou doen, al was het maar om Bain Madox een beetje te stangen.'

'Dat gaat niet gebeuren. Nu jullie hem een bezoek hebben gebracht, zijn wij wettelijk verplicht hem te informeren dat de persoon in kwestie buiten zijn terrein is gevonden.'

'Wees niet te snel met die informatie.'

'John, ik ga daar niet mee zitten goochelen. Deze knaap is niet de gemiddelde burger. Hij zal binnen een uur op de hoogte worden gesteld via een telefoontje van iemand van de plaatselijke of de staatspolitie. Maak je daar geen illusies over.'

'Laat me dit eerst met majoor Schaeffer bespreken.'

'Waarom?'

'Ik heb net veertig minuten met Madox gesproken en ik heb daar rare gevoelens bij – ik denk dat die schoft Harry in zijn huis heeft gehad, hem heeft ondervraagd en hem daarna heeft vermoord.'

'Dat is... dat is nogal een boude uitspraak. Besef je wel wat je zegt?'

'Denk *jij* daar maar eens over na.'

Walsh zei: 'Kate?'

Ze haalde diep adem en zei: 'Het is mogelijk. Ik bedoel, het is mogelijk.'

'Wat zou Madox' motief dan moeten zijn?' informeerde Walsh.

Ik antwoordde: 'Dat weet ik niet, maar daar kom ik nog wel achter.'

Het bleef even stil en toen zei hij: 'Oké. We zullen dit in ieder geval behandelen alsof het om een moord gaat. Ondertussen moet ik Harry's vriendin. Lori, bellen en Washington zit op de andere lijn, dus – '

'*Stuur* iemand langs – een agent van de Task Force – om het Lori persoonlijk te vertellen en laat ook een politie-aalmoezenier meegaan. Bovendien heeft Harry kinderen en een ex-vrouw. Je moet daar iemand langssturen die de familie kent, zijn vroegere politiecommandant bijvoorbeeld, of zijn vroegere partner. Vraag maar aan Vince Paresi. Hij weet wel hoe hij dit verder moet afhandelen.'

'Begrepen. Rijden jullie ondertussen terug naar het vliegveld en wacht daar tot een helikopter je komt oppikken. Iemand van de staatspolitie zal jullie daar Harry's camera's overhandigen, die jullie mee terug nemen naar 26 Fed – '

'Ho eens even,' zei ik. 'We vertrekken hier niet voordat het onderzoek rond is.'

'Jullie keren vanavond nog terug naar Manhattan. Ik zal hier zijn – '

'Tom, sorry, maar je hebt mensen ter plekke nodig.'

'Bedankt voor de tip, maar daar was ik me al van bewust. Er zullen namelijk twee mensen van hier in die helikopter zitten. Jij, rechercheur Corey, wordt van deze zaak gehaald, en dat geldt ook voor Kate. Keer onmiddellijk terug. Goed, ik heb het hoofdkwartier aan de lijn en ik heb geen tijd, en ook niet het geduld, om – '

'Ik ook niet. Ik zal zeggen waar het op staat, Tom. Om te beginnen was Harry mijn vriend. Ten tweede wilde je eigenlijk mij voor Harry's opdracht en ik had nu in het mortuarium kunnen liggen in plaats van hij. Ten derde denk ik dat hij vermoord is en ten vierde: als jij me van deze zaak haalt, zal ik zo'n trammelant maken dat ze het tot op het ministerie van Justitie zullen horen.'

'Is dat een dreigement?'

'Ja. Ten vijfde heb jij deze man naar een zwaar bewaakt kamp gestuurd zonder dat hij enig idee had wat hem te wachten stond – ik ben daar net geweest en er zou verdomme nog geen Delta Team kunnen binnendringen, en ofwel wist jij dat of anders had je het moeten weten. Ten zesde ging Harry Muller daar naar binnen met zijn ID op zak en zonder een goede dekmantel. Hoe lang doe jij dit werk eigenlijk?'

Tom was nu echt kwaad en schreeuwde: 'En nu zal ik *jou* eens wat vertellen – '

'Nee, ik zal *jou* eens wat vertellen, Einstein. Je hebt dit volkomen verknald. Maar weet je wat? Ik zal mijn uiterste best voor je doen als er stront aan de knikker komt. Waarom? Omdat ik je mag? Nee, omdat jij me nu gaat vertellen dat ik hier moet blijven en niet van deze zaak wordt gehaald. Als je dat niet doet, zal mijn volgende halte na 26 Fed Washington zijn. Begrepen?'

Het kostte hem ongeveer vier seconden om het te begrijpen en hij zei: 'Je hebt me een interessant argument aangereikt om je niet van deze zaak te halen. Maar God verhoede, Corey, dat jij – '

'Tot aan dat aanroepen van God deed je het prima. Probeer niet je gram te halen.'

'Ik zal zeker nog mijn gram halen.'

'Je mag van geluk spreken als je niet naar Wichita wordt overgeplaatst,' zei ik. 'Ik zal jou en Kate het laatste woord gunnen.'

Kate was echt van slag en ze zei tegen Walsh: 'Ik moet John gelijk geven dat Harry's opdracht niet goed doordacht lijkt, en ook niet goed werd begeleid.' Ze voegde eraan toe: 'Het had inderdaad mijn echtgenoot kunnen zijn, daar in dat mortuarium.'

Walsh gaf daar geen antwoord op, maar zei: 'Ik moet nu met het hoofdkwartier praten. Verder nog wat?'

Kate zei: 'Nee.'

Hij zei: 'Ga naar de staatspolitie in Ray Brook en bel me daarvandaan terug.'

Hij hing op en we bleven nog even zwijgend langs de kant van de weg zitten. Ik hoorde vogels in het bos, en het geluid van een stationair draaiende motor.

Ten slotte zei Kate: 'Ik was al bang dat we dat nieuws zouden krijgen.'

Ik gaf geen antwoord, verloren als ik was in mijn eigen gedachten over Harry Muller, die drie jaar lang tegenover me had gezeten; twee voormalige politieagenten die als vreemde eenden in de bijt op 26 Fed werkten. *Het lichaam teruggebracht naar New York voor een autopsie, donderdag en vrijdag opgebaard, en mis en begrafenis op zaterdag.*

Kate pakte mijn hand en zei: 'Ik kan het nog steeds niet geloven...'

Na 9/11 had ik maanden lang wakes, begrafenissen, missen en herdenkingsdiensten bijgewoond, dag en nacht, soms drie op een dag. Iedereen die ik kende was betrokken bij dit gekmakende, afstompende schema en terwijl de weken verstreken, kwam ik bij de uitvaartbedrijven, de kerken, de synagogen en de kerkhoven steeds maar weer dezelfde mensen tegen, en dan keken we elkaar aan met een blik waar geen enkele uitdrukking meer in lag; de shock en de trauma's waren vers, maar de begrafenissen begonnen in elkaar over te lopen, en het enige verschil was de door verdriet overmande familie die er nooit hetzelfde uitzag als de vorige door verdriet overmande familie, en dan verschenen de weduwen en kinderen weer op de begrafenis van een andere politieman om hem de laatste eer te bewijzen, en gingen ze op in de menigte rouwenden. Het was een verschrikkelijke en surrealistische tijd, zwarte maanden, met zwarte kisten en zwarte kleden, en zwarte rouwbanden, en zwarte ochtenden na nachten van veel te lang doorhalen.

Ik kan me nog steeds heel goed het schrille geluid van de doedelzakblazers herinneren, het laatste saluut, en de kist... die vaker wel dan niet alleen nog maar een enkel lichaamsdeel bevatte... die in het graf zakte.

Kate zei: 'John, laat mij verder rijden.'

Harry en ik waren samen naar een paar begrafenissen geweest en ik herinner me dat Harry bij Dom Fanelli's begrafenismis buiten op de trap van de kerk tegen me zei: 'Als een agent denkt aan de mogelijkheid dat hij tijdens het werk wordt gedood, denkt hij aan een stuk uitschot dat een geluksdag heeft. Wie had ooit gedacht dat zoiets hier zou kunnen gebeuren?'

Kate vroeg: 'John, is alles goed met je?'

Ik herinnerde me ook Doms moeder, Marion Fanelli, die zich met grote waardigheid gedroeg, hoewel ze bijna genegeerd werd door de aanwezigen omdat alle aandacht was gericht op Doms vrouw en kinderen, en dat Harry zei: 'Laten we even met haar gaan praten. Ze is zo alleen.'

En dat herinnerde me eraan dat Harry's moeder nog in leven was en ik maakte in gedachten een aantekening dat zij moest worden toegevoegd aan de lijst met mensen die officieel en in het bijzijn van een aalmoezenier op de hoogte moesten worden gebracht.

Kate was uit de auto gestapt en deed mijn portier open. Ze pakte me bij de arm en zei: 'Ik rijd verder.'

Ik stapte uit en we wisselden van plaats.

Kate zette de wagen in zijn versnelling en we reden in stilte verder. De hemel boven ons was nog steeds licht, maar de weg lag in diepe schaduwen en het woud aan beide kanten was donker. Af en toe zag ik glazige ogen oplichten in het donkere bos, of een klein dier dat voor ons over de weg schoot. Na een bocht in de weg vingen we een hert in onze koplampen en hij bleef even als versteend staan alvorens tussen de bomen te verdwijnen.

Kate zei: 'We zijn denk ik over ongeveer een uur bij het hoofdkwartier van de staatspolitie.'

Na tien minuten zei ik: 'Harry's opdracht sloeg echt nergens op.'

'John, denk daar nu niet aan.'

'Hij had auto's op deze weg kunnen spotten en fotograferen, bij het aankomen en het wegrijden. Hij had dat terrein helemaal niet op gehoeven.'

'Zet het alsjeblieft uit je hoofd. Je kunt er nu toch niets meer aan veranderen.'

'Daarom moet ik er ook over nadenken.'

Ze keek me zijdelings aan en vroeg: 'Denk je echt dat het Bain Madox was?'

'Het indirecte bewijs en mijn instinct zeggen ja, maar ik heb meer dan dat nodig voor ik hem vermoord.'

24

We waren terug bij Route 56, die in zuidelijke richting terugliep naar Saranac Lake en het hoofdkwartier van de staatspolitie in Ray Brook, of in noordelijke richting naar Potsdam en het mortuarium waar Harry nu inmiddels wel gearriveerd zou zijn.

Kate maakte aanstalten om naar Ray Brook af te slaan, maar ik zei: 'Naar rechts graag. Laten we Harry een bezoekje brengen.'

Ze zei op waarschuwende toon: 'Maar Tom zei dat we – '

'Als je precies het tegenovergestelde doet van wat Tom zegt, kun je er nooit ver naast zitten.'

Ze aarzelde, maar draaide toen richting Potsdam.

Binnen tien minuten passeerden we het bruine bord dat aangaf dat we het Adirondack State Park verlieten.

Enkele kilometers verder waren we in South Colton, waar ik Rudy zag praten met iemand die zelf zijn tank volgoot. Ik zei tegen Kate: 'Stop daar eens.'

Ze reed het benzinestation in. Ik leunde uit het raam en riep: 'Hé, Rudy!'

Hij kwam naar de auto toe en vroeg: 'Hé, hoe is het gegaan daar?'

'De ijsmachine is gerepareerd. Ik heb meneer Madox verteld wat jij zei over dat boter bij de vis vragen en hij betaalde me contant.'

'Eh... het was niet de bedoeling dat je...'

'Hij is behoorlijk kwaad op je, Rudy.'

'O, tjees, het was niet de bedoeling – '

'Hij wil je spreken – vanavond.'

'O, tjees...'

'Ik moet naar het streekziekenhuis in Potsdam.'

'Eh... ja... nou, volg maar gewoon de 56 naar het noorden.' Hij gaf me een gedetailleerde routebeschrijving naar het ziekenhuis en ik zei tegen hem: 'Als je meneer Madox ziet, zeg dan maar dat John Corey ook heel goed is met een geweer.'

'Oké...'

Kate reed de weg weer op en we vervolgden onze tocht naar Potsdam. Ze zei: 'Dat klonk als een dreigement.'

'Voor iemand die schuldig is. Voor een onschuldig iemand is het gewoon een vreemde opmerking.'

Ze gaf geen antwoord.

Het landschap was hier opener en ik kon nu huizen en kleine boerderijen zien liggen. De late namiddagzon wierp lange schaduwen over het glooiende landschap.

Zowel Kate als ik had weinig te melden; er is iets aan het vooruitzicht van een dood lichaam dat de conversatie niet bevordert.

Ik moest steeds maar denken aan Harry Muller en ik kon nauwelijks geloven dat hij dood was. Ik herhaalde in gedachten mijn laatste gesprek met hem en ik vroeg me af of ik toen al een slecht gevoel had gehad over zijn opdracht, of dat ik me dat inbeeldde vanwege wat er sindsdien was gebeurd. Maar goed, daar kom je toch nooit achter. Wat ik wel wist, was dat, of ik dat voorgevoel nu wel of niet had gehad afgelopen vrijdag, ik het nu in ieder geval zeker had.

Binnen twintig minuten reden we het gezellige provincieplaatsje Potsdam binnen, waar we aan de noordkant van de stad het Canton-Potsdam Hospital vonden.

We parkeerden onze auto en gingen via de dubbele voordeur het kleine, uit rode baksteen opgetrokken gebouw binnen.

In de hal was een informatiebalie en ik identificeerde mezelf en vroeg aan de dame achter de balie waar het mortuarium was. Ze wees ons naar de afdeling chirurgie die, zo zei ze, een dubbelfunctie had als lijkenhuis. Dat leek me niet in het voordeel van de chirurgen te spreken en als ik in een betere stemming was geweest, had ik daar een grap over gemaakt.

We liepen een paar gangen door en vonden het zusterstation op de afdeling chirurgie.

Twee geüniformeerde mannen van de staatspolitie stonden met de zusters te praten en Kate en ik lieten onze ID's zien. Ik zei: 'We zijn hier om Harry Muller te identificeren. Zijn jullie hier vanwege het lijk?'

Een van de agenten antwoordde: 'Ja, meneer. Wij hebben de ambulance geëscorteerd.'

'Is hier verder nog iemand?'

'Nee, meneer. U bent de eerste.'
'Wie verwachten jullie nog meer?'
'Nou, een paar mensen van de FBI uit Albany en een paar rechercheurs van de staatspolitie.'
We zouden dus niet veel tijd voor onszelf hebben en ik vroeg: 'Is de patholoog-anatoom er al?'
'Ja, meneer. Zij heeft een voorlopig onderzoek op het lichaam verricht en heeft de persoonlijke bezittingen genoteerd. Ze wacht nu op de staatspolitie en de FBI.'
'Oké. We zouden graag het lijk zien.'
'Dan zal ik u allebei moeten laten tekenen.'
Ik wilde nergens voor tekenen, dus ik zei: 'We zijn hier niet officieel. De overledene was onze vriend en collega. We willen hem alleen de laatste eer betuigen.'
'O... sorry... natuurlijk.'
Hij ging ons voor naar een grote stalen deur met daarop de letters OK.
Het lichaam van een slachtoffer van moord wordt beschouwd als bewijsmateriaal dat moet worden afgeschermd, dus vandaar die twee agenten en dat aftekenen, wat mij tot de conclusie bracht dat er behalve Kate en ik nog iemand was die dacht dat dit geen jachtincident was.
De agent opende de deur en zei: 'Gaat u voor.'
Ik antwoordde: 'We zouden graag even alleen gelaten worden om onze collega te gedenken.'
De agent aarzelde. 'Het spijt me, maar dat kan ik niet doen. Ik hoor –'
'Ik begrijp het. Wilt u me een plezier doen en de patholoog-anatoom vragen hierheen te komen. Wij wachten wel even.'
'Natuurlijk.'
Hij verdween om de hoek en ik opende de deur. We gingen het geïmproviseerde mortuarium binnen.
De grote operatiezaal was hel verlicht en in het midden van het vertrek stond een stalen tafel waarop een lichaam lag dat was bedekt met een blauw laken.
Aan beide kanten van de tafel stond een verrijdbare brancard. Op de een lagen Harry's kleren, uitgestald zoals hij ze had gedragen: laarzen, sokken, thermisch ondergoed, broek, hemd, jack en gebreide muts.
Op de andere brancard lagen Harry's persoonlijke bezittingen en

ik zag de camera's, verrekijker, kaarten, gsm, portefeuille, horloge, een draadtang enzovoort. Aan zijn sleutelring zaten de contactsleutels van zijn dienstauto, een Pontiac Grand Am, en zijn privéauto, een Toyota. Maar geen sleuteltjes van een camper. Ik nam aan dat die in het bezit waren van de staatspolitie of het onderzoeksteam, zodat ze zijn camper konden verrijden. Zijn wapen en ID zouden wel in het bezit zijn van de agenten hier in het ziekenhuis.

Het vertrek rook naar desinfectans, formaldehyde en andere onaangename dingen, dus liep ik naar een kast waar ik een potje Vicks aantrof, een standaardattribuut in ruimtes waar in lijken wordt gesneden. Ik deed wat van de mentholzalf op Kate's vingers en zei: 'Smeer dat onder je neus.'

Ze smeerde het op haar bovenlip en haalde een keer diep adem. Ik gebruik het spul normaal gesproken niet, maar het was alweer een tijdje geleden dat ik voor het laatst in de buurt van een verstijvend lijk was geweest, dus wreef ik ook wat onder mijn neus.

Ik vond een doos met rubberen handschoenen; we trokken elk een paar aan en ik zei tegen Kate: 'Laten we maar eens kijken. Oké?'

Ze knikte.

Ik liep naar de tafel en trok het blauwe laken van het gezicht.

Harry Muller.

Ik zei tegen mezelf: *Sorry, maat.*

Zijn gezicht was vuil omdat hij voorover in de modder was gevallen, en zijn lippen weken licht uiteen, maar ik zag geen grimas of enige andere indicatie dat hij pijn had geleden, dus de dood was snel gekomen. We zouden allemaal zoveel geluk bij een ongeluk moeten hebben.

Zijn ogen stonden wijd open, dus drukte ik zijn oogleden dicht.

Ik trok het laken omlaag tot aan zijn middel en zag dat er een groot stuk gaas over zijn hart was geplakt. Er zat heel weinig bloed op zijn lichaam, dus de kogel had tot een onmiddellijke hartstilstand geleid.

Mij viel ook de lijkbleekheid van zijn huid op – het samenvloeien van het bloed aan de voorkant van zijn lichaam, wat bevestigde dat hij voorover was gevallen en in die houding was gestorven.

Ik tilde zijn linkerarm op. De lijkverstijving begint meestal binnen acht tot twaalf uur en zijn spieren waren al vrijwel niet meer te buigen, maar zijn arm was ook nog niet helemaal stijf. Dat, en de toestand van zijn huid en zijn hele lichaam, deed me vermoeden dat zijn dood twaalf tot twintig uur geleden was ingetreden. En om nog een stap verder te gaan: als dit een moord met voorbedachten rade was,

was die waarschijnlijk 's nachts gepleegd, om de kans op ontdekking tijdens de daad te minimaliseren. Zo geredeneerd was de moord dus afgelopen avond of nacht gepleegd.

Aangenomen dat Madox het had gedaan, zat die waarschijnlijk te wachten tot iemand het lichaam vond en het aan de politie meldde. Als dat deze middag nog niet gebeurd was, zou hij of een medeplichtige het zelf via een van de noodtelefoons in het park melden, om zo te voorkomen dat zijn eigen terrein door de politie zou worden afgezocht.

Het zou heel goed kunnen dat toen Kate en ik bij hem op bezoek waren, hij zich afvroeg waarom het lichaam na zijn telefonische tip nog niet gevonden was, en wat nerveus begon te worden.

Ik onderzocht Harry's pols en duim en zag geen aanwijzingen van verzet, hoewel je daar ook vaak niets van ziet.

Ik nam Harry's linkerhand in de mijne en bekeek de palm, de vingernagels en de knokkels. De handen kunnen je soms iets vertellen wat de lijkschouwer, die meestal meer is geïnteresseerd in organen en verwondingen, over het hoofd ziet, maar ik zag niets ongebruikelijks, alleen maar modder.

Ik keek even naar Kate, die zich redelijk goed leek te houden, liep toen rond de tafel en pakte Harry's rechterhand.

'Wilt u misschien mijn scalpel lenen,' zei een vrouwelijke stem.

Kate en ik draaiden ons om en zagen een in een operatiepak gestoken vrouw. Ze was ongeveer dertig, klein van stuk, met kort rood haar. Toen ze dichterbij kwam, zag ik dat ze sproeten en blauwe ogen had. Die slobberige operatiekleding even daargelaten zag ze er eigenlijk best aantrekkelijk uit. Ze zei: 'Ik ben Patty Gleason, de lijkschouwer hier. Ik neem aan dat jullie die mensen van de FBI zijn?'

Ik trok mijn rubberen handschoen uit en stak mijn hand uit. 'Rechercheur John Corey, Anti-Terrorist Task Force.'

We schudden elkaar de hand en ik stelde speciaal agent van de FBI Kate Mayfield voor, er nog net op tijd aan toevoegend: 'Kate is tegelijk ook mevrouw Corey.'

Kate voegde er nog aan toe: 'En ik ben tegelijk ook de meerdere van rechercheur Corey.'

Dr. Gleason opperde: 'Misschien kunt u hem vertellen dat hij niet aan dat lichaam mag komen zonder een patholoog-anatoom in de buurt. Eigenlijk mag hij het helemaal niet aanraken, trouwens.'

Ik verontschuldigde me, maar deelde haar mee: 'Ik heb dit twintig jaar lang bij de New Yorkse politie gedaan.'

'U bent hier niet in New York.'

Dit leek een valse start, maar toen zei Kate: 'De overledene was een vriend van ons.'

Dat stemde dr. Gleason wat milder. 'Het spijt me.' Ze wendde zich tot Kate. 'Wat heeft dit met terrorisme te maken?'

'Niets. Harry was een collega van ons bij de Task Force en hij was hierheen gekomen om te wandelen, en wij zijn hierheen gekomen om het lichaam te identificeren.'

'Juist, ja. En hebt u hem als zodanig geïdentificeerd?'

'Ja, dat hebben we,' zei Kate. 'Wat zijn uw voorlopige conclusies?'

'Nou, afgaand op de externe verwondingen, is er een kogel door zijn ruggengraat gegaan, en daarna door zijn hart. Hij is vrijwel onmiddellijk gestorven. Hij heeft waarschijnlijk niets gevoeld, en als dat wel zo was, dan hoogstens gedurende een paar seconden. Hij was in wezen al dood voor hij de grond raakte.'

Ik knikte en merkte op: 'In al mijn jaren als politieman heb ik nog nooit meegemaakt dat zo'n perfect schot door ruggengraat en hart een ongeluk was.'

Dr. Gleason deed er enkele ogenblikken het zwijgen toe en zei toen: 'Als chirurg en lijkschouwer heb ik zo'n honderd schotwonden als gevolg van een jachtongeluk gezien en ik heb zoiets als dit ook nog nooit meegemaakt. Maar het *kan* gebeuren.' Ze vroeg: 'U denkt dat het moord was?'

Ik antwoordde: 'Dat sluiten we niet uit.'

Ze knikte. 'Dat is wat ik hoor.'

Sommige pathologen-anatomen spelen graag voor rechercheur, net als op tv, maar de meesten houden zich strikt aan de feiten. Ik kende Patty Gleason niet en vroeg: 'Heeft u iets gevonden wat op een moord zou kunnen wijzen?'

'Ik zal u laten zien wat ik gevonden heb, dan kunt u zelf uw conclusies trekken.'

Ze liep naar de voorraadkast, trok een paar handschoenen aan, gaf mij een nieuwe handschoen en zei: 'Ik zie dat jullie de Vicks al gevonden hebben.'

Ze gebaarde naar de twee brancards. 'Ik heb alles verzameld en gecatalogiseerd, zodat het door de FBI in bewijszakken kan worden gestopt. Wilt u alles nalopen en voor deze spullen tekenen?'

Kate antwoordde: 'Er zijn andere agenten onderweg die alles moeten noteren op wat wij het groene formulier noemen.'

Ik zei tegen dr. Gleason: 'Laten we het lichaam maar eens bekijken.'

Ze ging naast de tafel staan en trok het gaas van Harry's borst, daarmee ook wat borsthaar losrukkend en een groot, gapend gat onthullend. 'Zoals u ziet, is dit de wond waar de kogel is uitgetreden. Ik heb een verlicht vergrootglas gebruikt en heb daarmee stukjes bot, zacht weefsel en bloed waargenomen, allemaal in minieme hoeveelheden en overeenkomend met de baan die een *high velocity*-kogel van een groot of middelgroot kaliber door ruggengraat, hart en borstbeen heeft afgelegd.'

Ze ging zo nog even door en beschreef op klinische wijze het einde van een menselijk leven. Ze besloot met: 'Zoals u weet, zal ik niet de autopsie uitvoeren, maar ik betwijfel of de autopsie een nieuw licht zal werpen op de doodsoorzaak.'

Ik zei tegen haar: 'We zijn meer geïnteresseerd in wat er voorafging aan de dood. Is u iets ongewoons opgevallen?'

'Nu u het zegt, ja.' Ze legde haar vinger op Harry's borst, enkele centimeters van de gerafelde rand van de wond vandaan, en zei: 'Ik zag hier iets... ziet u het ook?'

'Nee.'

'Nou, het is een heel kleine steekwond. Duidelijk voor zijn dood veroorzaakt. Ik heb hem gepeild en hij loopt tot diep in het spierweefsel. Ik heb ook zijn hemd en thermische ondergoed onderzocht en daar lijken overeenkomstige gaatjes in te zitten, plus wat op een kleine bloedvlek lijkt, dus dit object – mogelijk een injectienaald – werd hard door zijn kleding heen in zijn borstspier gedrukt. Ik kan niet zeggen of er iets is geïnjecteerd, maar toxicologisch onderzoek zou dat moeten uitwijzen.'

Dr. Gleason ging verder. 'En hier, op zijn rechteronderarm, zitten nog twee prikwondjes. Geen bloed of corresponderende gaatjes op zijn kleding. En ik heb ook geen injectienaald tussen zijn bezittingen aangetroffen, dus ik neem aan dat hij zich niet zelf dwars door zijn kleding heen heeft geïnjecteerd.'

Ik vroeg haar: 'Hoe verklaart u die prikwondjes?'

'U bent de rechercheur.'

'Oké.' Ik dacht dat de eerste prikwond die in zijn borst was, door zijn kleding heen, wat betekende dat het waarschijnlijk een verdovend middel was, hem toegediend tijdens een worsteling, of misschien door een verdovingspistool. *Nou, buiten het jachtseizoen schieten we alleen een verdovingspijltje op ze af en dan brengen we ze tot buiten het terrein.* De andere twee, op de blote huid, waren afkomstig van injectienaalden, hem gegeven om hem te verdoven. Ik vroeg me ook af of het misschien geen natriumpentathol was geweest, een waarheidsserum, maar ik hield mijn gedachten voor mezelf en zei: 'Ik zal er over nadenken.'

Ze ging verder met haar uiteenzetting. 'Ik wil u nog twee zaken laten zien die mij het idee geven dat er nog wat meer ongebruikelijke voorvallen of incidenten zijn geweest voorafgaand aan het tijdstip van zijn dood.'

We keken hoe ze rond de tafel naar Harry's hoofd liep. De kleine Patty Gleason legde haar handen onder Harry's schouders en duwde zijn grote romp omhoog tot in zittende positie, waardoor er wat gas vrijkwam uit het lichaam. Kate hapte even naar adem. Lijkschouwers, zo had ik al eerder gemerkt, gaan meestal niet zachtzinnig om met overledenen, en waarom zouden ze ook, hoewel ik me er steeds weer over verbaas hoe zij met die lijken omspringen.

Ik zag nu de ingangswond, precies in het midden van zijn ruggengraat en op één lijn met zijn hart. Ik probeerde me voor te stellen hoe het was gebeurd: Harry was waarschijnlijk versuft en wel op het bospad gezet, staande of geknield, door één of meerdere personen, terwijl de schutter dicht genoeg bij hem stond voor het perfecte schot, maar niet zo dichtbij dat er brandplekken of kruitsporen op de wond zouden achterblijven. Of Harry had ergens anders gelegen toen er op hem werd geschoten, waarna hij naar het bospad was gebracht. Maar dat was te amateuristisch en het zou de technische recherche direct opvallen.

Hij was in ieder geval in de rug geschoten en ik kon alleen maar hopen dat hij het niet had zien aankomen.

Dr. Gleason vroeg inmiddels onze aandacht voor iets anders. 'Hier. Kijkt u hier eens naar.' Ze legde haar vinger op Harry's rechterschouderblad. 'Dit is een verkleuring van de huid die moeilijk thuis te brengen is. Het is geen kneuzing of een chemische brandplek, en ook geen gewone brandwond. Het zou van iets elektrisch gekomen kunnen zijn.'

Kate en ik bogen ons over de vaag verkleurde plek, ongeveer ter grootte van een halve-dollarmunt. Hij was niet veroorzaakt door een stungun, maar ik had zoiets wel eens zien veroorzaken door een stroomstok.

Dr. Gleason keek naar mij terwijl ik naar de plek op Harry's schouder staarde. Ik zei: 'Ik weet niet wat dat is.'

Ze liep naar de zijkant van de tafel en trok zonder veel omwegen het blauwe laken helemaal omlaag, zodat Harry's naakte lichaam nu in zijn geheel te zien was.

Ze begon iets te zeggen, maar ik onderbrak haar: 'Zou u misschien het bovenlichaam weer willen neerleggen?'

'O, sorry.' Ze duwde Harry's steeds stijver wordende romp omlaag terwijl ik zijn benen vasthield. Ik bedoel, ik ben best wel gewend aan dode lichamen, maar ze moeten wel liggen en niet rechtop zitten. En Kate werd het ook allemaal een beetje te veel, zag ik.

Dr. Gleason liep langs de tafel. 'Goed doorvoede, behoorlijk gespierde blanke man van middelbare leeftijd, normale huid, behalve die plek die we al genoemd hebben, plus dat hij zich al een paar dagen niet gewassen of geschoren had, wat kan kloppen met het feit dat hij een paar dagen in de vrije natuur is geweest, en met zijn bemodderde kleding. Niets van wat ik hier zie is opmerkelijk, totdat we bij zijn voeten en enkels zijn aanbeland.'

We stonden inmiddels met zijn drieën bij Harry's blote voeten en dr. Gleason zei: 'De zolen van zijn voeten zijn vuil, alsof hij blootsvoets heeft gelopen, maar wat ik hier zie is geen vuil of groenresten van buiten.'

Ik knikte.

Ze ging verder. 'Ik heb wat vezels aangetroffen die eruitzien als tapijtvezels of iets dergelijks, plus wat fijn stof of vuil zoals je dat op vloeren vindt. Ik begrijp dat hij een camper had en er zou moeten worden bekeken of daar vloerbedekking in ligt en vervolgens zouden er monsters van de vezels en het stof moeten worden genomen.'

Ik kende nog een andere plek waar ik monsters zou moeten nemen, maar de kans dat ik een huiszoekingsbevel voor de Custer Hill Club zou krijgen, was op dit moment nihil.

Ik liep wat dichter op Harry toe en zei: 'Er zitten blauwe plekken op beide enkels.'

'Ja, dat klopt. Plus schaafplekken. Ze zijn heel goed zichtbaar, zoals je kunt zien, en het enige wat ik kan bedenken, is dat hij enkelboeien om heeft gehad – metaal, geen tape of touw of iets anders wat enigszins meegeeft – en dat hij zich ertegen heeft verzet of ermee heeft geprobeerd te rennen. Dat is de reden dat die plekken zo overduidelijk zijn.' Ze voegde eraan toe: 'De huid is op twee plekken echt kapot.' Ze merkte op: 'Ik denk dat deze laarzen en sokken zijn aangetrokken nadat de boeien waren verwijderd... ik denk dat hij blootsvoets was toen hij de enkelbanden om had. Kijk maar eens naar de locatie van de blauwe plekken en schaafplekken.'

Wat er ook met Harry was gebeurd in de uren voor zijn dood, het was in ieder geval verre van plezierig. Zoals ik hem kende, was hij geen modelgevangene en vandaar natuurlijk ook de stroomstok, de injecties en de enkelboeien. *Je hebt je best gedaan, maat.*

Dr. Gleason zei: 'Nadat ik die vezels op zijn voeten had gevonden, heb ik ook de rest van zijn lichaam onderzocht en ik heb ook wat vezels in zijn haar en op zijn gezicht aangetroffen. Die zouden afkomstig kunnen zijn van zijn wollen muts, maar die is donkerblauw en deze vezels hebben diverse kleuren.'

Ik gaf geen commentaar, maar kennelijk had Harry op een vloerkleed of deken gelegen.

Dr. Gleason voegde eraan toe: 'Er zitten verder ook vezels op zijn broek en overhemd, en op zijn thermische ondergoed, en ook die lijken niet afkomstig van de kleding die hij aanhad toen hij hier werd binnengebracht. En ik heb vier zwarte haren gevonden, allemaal zo'n vijf centimeter lang. Eentje op zijn hemd, eentje op zijn broek en twee op zijn ondergoed. Ik heb ze weer op de stof geplakt, op de plek waar ik ze heb aangetroffen.'

Ik knikte zonder iets te zeggen. Hoe minder ik zei, hoe meer dr. Gleason het idee kreeg dat ze zich nader moest verklaren en ze zei: 'Het waren geen haren van de overledene. Toen ik ze onder de microscoop legde, zagen ze er trouwens helemaal niet menselijk uit.'

Kate vroeg: 'Hondenharen?'

'Mogelijk.'

Kaiser Wilhelm?

Dr. Gleason besloot met: 'Dat is alles wat ik aan ongebruikelijks op het lichaam heb aangetroffen.'

Kate vroeg haar: 'Kunt u het tijdstip van overlijden inschatten?'

'Gebaseerd op wat ik heb gezien, gevoeld en geroken, denk ik dat de dood ongeveer vierentwintig uur geleden is ingetreden. Misschien iets korter geleden.' Ze voegde eraan toe: 'Het team van de technische recherche zou nog iets kunnen vinden wat het tijdstip wat nauwkeuriger kan bepalen, en dat geldt ook voor de lijkschouwer die de autopsie uitvoert.'

Ik vroeg: 'Heeft u de kleding en de persoonlijke bezittingen verzameld?'

'Ja, dat klopt. Samen met een assistent.'

'En is u behalve die haren en vezels nog iets anders opgevallen?'

'Zoals?'

'Nou, iets ongebruikelijks.'

'Nee... maar als je aan deze kleren ruikt – vooral zijn overhemd – kun je nog steeds een vage geur van rook bespeuren.'

'Wat voor rook?'

'Het ruikt naar tabaksrook.' Ze merkte op: 'Ik heb tussen zijn bezittingen niets gevonden wat er op wees dat hij rookte.'

Dat is een verdwenen kunst.

Rechercheurs Moordzaken, forensische experts en lijkschouwers zijn er allemaal heilig van overtuigd dat een lijk uiteindelijk zijn geheimen zal prijsgeven. Vezels, haren, zaad, speeksel, beten, schaafplekken van touwen, sigarettenpeuken, sigarettenrook, as, DNA, vingerafdrukken, en ga zo maar door. Er is vrijwel altijd een overdracht van het een of ander van de moordenaar op het slachtoffer, en van het slachtoffer op de moordenaar. Je hoeft het alleen maar te vinden, te analyseren en het te koppelen aan de verdachte. De truc was om de verdachte te vinden.

Ik vroeg: 'Verder nog iets?'

'Nee. Maar ik heb slechts een vluchtig onderzoek gedaan naar de kleding en de persoonlijke bezittingen. Er is de hele tijd een assistent bij aanwezig geweest en ik heb een woordelijk verslag van mijn onderzoek op band opgenomen. Zodra het bandje is gekopieerd, kunt u een kopie krijgen.'

'Bedankt.' Ze besefte kennelijk dat dit een beladen zaak was.

'Waar gaat dit allemaal over?'

'Wilt u dat echt weten?'

Ze dacht even na en antwoordde toen: 'Nee.'

'Goed antwoord,' zei ik. 'Nou, u bent heel behulpzaam geweest en we danken u voor uw tijd, dr. Gleason.'

'Blijft u bij het lichaam?'

'Ja.'

'Wilt u het alstublieft niet aanraken?' Ze wierp een blik op Harry Muller en zei: 'Als hij is vermoord, hoop ik dat u de dader vindt.'

'Die vinden we.'

Dr. Gleason zei ons gedag en verdween.

Kate zei tegen mij: 'Waarom gaat een jonge vrouw als zij in het lijkenhuis werken?'

'Misschien is ze op zoek naar de ware Jacob,' zei ik. 'Laten we aan de slag gaan.'

Kate en ik liepen naar de brancard waarop Harry's persoonlijke bezittingen lagen uitgestald en, met nog steeds onze handschoenen aan, begonnen we ze stuk voor stuk te onderzoeken – zijn portefeuille, horloge, pieper, verrekijker, videocamera, digitale camera, kompas, draadtang, vogelgids en een topografische kaart met daarop roodomlijnd het terrein van de Custer Hill Club, plus de locatie van het huis en een paar andere gebouwen. Zelfs met onze handschoenen aan waren we uiterst voorzichtig met de spullen, om maar geen enkele mogelijke vingerafdruk te beschadigen.

Ik onderzocht de inhoud van Harry's portefeuille en zag dat er in het vakje voor kleingeld reservesleutels zaten van zijn huis, zijn Toyota en zijn Grand Am-dienstauto – maar geen reservesleutel voor zijn camper. Als er al een reservesleutel voor zijn camper was geweest, dan had iemand die meegenomen, en die iemand was niet de staatspolitie, want die had al de campersleutel die aan zijn sleutelring had gehangen. Dus had mogelijk een andere partij de sleutel uit zijn portefeuille gehaald om de camper weg te rijden van het terrein van de Custer Hill Club. En wie zou dat nu kunnen zijn?

Kate zei: 'Ik zie niets ongewoons, niets waarmee gerommeld is, maar ik durf te wedden dat er iets op die camera stond wat gewist is.'

Ik antwoordde: 'Waarschijnlijker lijkt me dat het schijfje, de videotape en de memorystick zijn vervangen door de reservematerialen die Harry bij zich zal hebben gehad.'

Kate knikte. 'Dus zal het lab niet in staat zijn gewiste gegevens weer op te halen.'

'Nee, dat denk ik ook niet.'

Ik pakte Harry's mobiele telefoon en zette hem aan, waarna ik door zijn meest recente telefoontjes scrolde.

Er was het telefoontje van zijn vriendin Lori Bahnik, van zaterdagochtend 09:16, in antwoord op Harry's telefoontje van 07:48, gevolgd door nog eens tien berichten van Lori, beginnend op zaterdagmiddag nadat ze om 16:02 zijn sms had ontvangen, en verder de hele zondag en zelfs vandaag, maandag, nog.

Dan was er het telefoontje van wachtcommandant Ken Reilly naar Harry op zondagavond 22:17, dit in reactie op Lori's telefoontje naar het kantoor van de ATTF.

Het volgende inkomende bericht op Harry's telefoon was van zondag 22:28, van een nummer in New Jersey. Ik zei tegen Kate: 'Is dat niet Walsh' privénummer?'

'Ja, dat klopt.'

'Maar hij zei dat hij Harry pas had gebeld toen hij vanochtend op kantoor was.'

'Dan heeft hij kennelijk gelogen.'

'Precies... en hier is Walsh' telefoontje naar Harry van vanochtend...

en daarvoor zijn er de hele nacht telefoontjes geweest van Ken Reilly, vanuit 26 Fed.'

Ze gaf even geen antwoord en zei toen: 'Het lijkt erop dat ze zich meer zorgen maakten dan Tom Walsh ons wil doen geloven.'

'Dat is nog zacht uitgedrukt.' Ik voegde eraan toe: 'Het feit dat Walsh ons met een kluitje in het riet heeft gestuurd, doet mij concluderen dat dit geen routinesurveillance was.'

'Nou ja, dat wisten we eigenlijk al.'

Ik keek weer naar Harry's gsm en zag mijn telefoontje naar hem van zondagmiddag, toen ik opperde om een jachtschotel te maken, en daarna mijn laatste telefoontje van 09:45 vanochtend. Daarna waren er alleen nog een paar telefoontjes van Lori.

Kate stond naar de gsm te staren. 'Dit is zo treurig...'

Ik knikte. Ik kende Harry's wachtwoord niet, dus zijn berichten kon ik niet bekijken, maar ik wist dat de mensen van de TR daar wel toe in staat zouden zijn.

Ik scrolde door Harry's recent gedraaide telefoonnummers en zag het telefoontje naar Lori Bahnik van zaterdagochtend 07:48, en vervolgens het sms'je van zaterdagmiddag 16:02, en daarna niets meer.

Ik wilde net de telefoon dichtklappen toen hij overging, wat ons beiden de stuipen op het lijf joeg.

Ik keek naar de nummerweergave en zag dat het Lori Bahnik was. Ik wierp een blik op Kate en merkte dat ze behoorlijk van streek was.

Ik overwoog het gesprek aan te nemen, maar ik was er niet op voorbereid om het nieuws van Harry's dood over te brengen, niet met zijn dode lichaam op nog geen anderhalve meter van me af. Ik zette de telefoon uit en legde hem terug op de brancard.

Ik keek op mijn horloge. Het zou niet lang meer duren voordat de staatspolitie en de FBI uit Albany zouden arriveren. En die twee agenten van de Task Force zouden inmiddels ook wel op het vliegveld van Saranac Lake zijn geland. Ik vroeg me af wie Walsh had gestuurd om ons te vervangen. Waarschijnlijk mensen die wel orders opvolgden.

Ik zei tegen Kate: 'Laten we zijn kleren nog even bekijken voordat het hier wemelt van de onderzoekers.'

Ze liep naar de wasbak en waste de mentholzalf van haar lip, terwijl ik van de gelegenheid gebruikmaakte om de topografische kaart in mijn zak te stoppen. Bewijsmateriaal verduisteren is een misdaad, maar ik dacht dat ik die kaart nog wel eens nodig kon hebben en rechtvaardigde mijn daad door me Walsh' gelieg in herinnering te brengen en door het feit dat niet Harry maar ik daar op die tafel had kunnen liggen.

Kate stond inmiddels bij de tweede brancard en rook aan Harry's overhemd. Ze zei: 'Ik weet het niet zeker... maar dit zou tabaksrook kunnen zijn...'

Ik rook helemaal niets, behalve die menthollucht onder mijn neus, maar ik zei: 'Kennen wij iemand die rookt?'

Ze knikte.

We bekeken elk kledingstuk apart en zagen ook het plakband waarmee dr. Gleason de vier dierenharen had vastgeplakt. We deden niet echt iets illegaals, maar aan de andere kant werden we niet verondersteld hier te zijn; wij werden verondersteld in het hoofdkwartier van de staatspolitie in Ray Brook te zijn. Bovendien hoort iedereen die toegang krijgt tot het bewijsmateriaal daarvoor te tekenen, en dat hadden wij niet gedaan. En dan waren er ook nog de onderzoekers van de FBI en de staatspolitie die niet blij zouden zijn als ze ons hier aantroffen. Met andere woorden, we bevonden ons in een soort grijs gebied, waarin ik trouwens sowieso veel tijd doorbreng. Ik was desondanks blij dat we hier geweest waren, maar nu was het tijd om te vertrekken.

Ik zei tegen Kate: 'Kom op, laten we gaan.'

Maar ze zei: 'Moet je dit eens zien.'

Ik liep naar haar toe. Ze hield Harry's camouflagebroek vast en ze had zijn rechterbroekzak binnenstebuiten gekeerd. 'Zie je dat?'

Ik bekeek de witte voering en zag blauwe vlekken die zo te zien van een pen afkomstig waren.

Kate zei: 'Dat zouden wel eens letters kunnen zijn.'

Dat kon inderdaad. Alsof Harry met zijn hand in zijn zak op de witte stof had geschreven. Of, als Harry net zo slordig was als ik, zou hij ook een pen zonder dop in zijn broekzak kunnen hebben gestopt.

Kate legde de broek op de brancard en we bogen ons er allebei overheen in een poging de blauwe vlekken te ontcijferen, die beslist door inkt waren veroorzaakt en er niet toevallig uitzagen.

Ik zei tegen haar: 'Probeer jij maar eerst.'

'Oké... er zijn groepjes tekens... het meest leesbare is M-A-P... het volgende groepje ziet eruit als... N... en dan misschien een U of V... dan een sterretje... nee, een K... en het laatste groepje lijkt... E-L-F...' Ze keek me aan en zei: 'Elf?'

Ik staarde naar de inktvlekken. 'M-A-P zou ook M-A-D kunnen zijn. Ik bedoel, hij moest blind schrijven, met zijn hand in zijn zak. Ja?'

'Het is mogelijk.'
'Dan NUK... en hier is nog een teken, bijna verborgen in de naad... dus... NUKE misschien?'
We keken elkaar aan en toen zei Kate: 'Nuke? Van nucleair?'
'Ik hoop het niet.' Ik voegde eraan toe: 'Dat laatste groepje lijkt duidelijk. ELF.'
'Ja... wat probeert hij ons te vertellen? Madox? Nucleair? Elf? Wat is elf? Misschien probeerde hij HELP te schrijven.'
'Nee. Het is behoorlijk duidelijk. E-L-F.'
Ik keek weer op mijn horloge en toen naar de deur. 'We moeten ervandoor.' Ik duwde de voering weer naar binnen en zei: 'Laten ze er maar voor werken.'
We trokken onze handschoenen uit en gooiden ze in een afvalbak met deksel. Daarna liep ik naar Harry's lichaam en bekeek het nog een laatste keer. Kate kwam naast me staan en pakte mijn arm. Ik zou Harry snel genoeg weer zien, in de rouwkamer met zijn oude uniform aan, en ik zei tegen hem: 'Bedankt voor de aanwijzing, maat. We gaan het uitzoeken.' Ik trok het blauwe laken over hem heen en draaide me om naar de deur.
We verlieten de OK en liepen snel de gang door naar het zusterstation. Ik zei tegen de mannen van de staatspolitie: 'Hebben jullie het wapen en de ID van de overledene?'
'Ja, meneer.'
'Ik wil zijn politiepenning van de NYPD om aan zijn familie te geven.'
De agent die de leiding had, aarzelde en zei toen: 'Ik ben bang dat ik dat niet kan doen. Weet u... het is – '
'Hij is nog niet geïnventariseerd. Wie zal er achter komen?'
De andere agent zei tegen zijn meerdere: 'Wat mij betreft is het oké.'
De man die de leiding had, opende een zak met bewijsmateriaal die op de balie lag, haalde er de politiepenning uit en schoof hem naar mij toe.
Ik zei 'Bedankt' en stopte Harry's penning in mijn zak.
De tweede agent vroeg: 'Denken jullie dat het moord was?'
'Wat denk je zelf?'
'Nou,' antwoordde hij, 'ik heb het lichaam op het pad zien liggen voordat het in de ambulance verdween en de enige manier waarop deze knaap – uw vriend – precies midden in zijn rug kan zijn geschoten in die dichte bossen, is als de schutter vlak achter hem op het pad stond. Is dat duidelijk genoeg?'

'Ja, dat lijkt me wel.'

'Dus dit was geen ongeluk – tenzij het misschien 's nachts gebeurd is en de schutter dacht dat hij een hert op het pad zag staan... Ik moet er wel bij zeggen dat het handiger was geweest als uw vriend iets reflecterends had aangetrokken. Begrijpt u?'

'Tja, maar het was buiten het jachtseizoen.'

'Ja, maar toch... sommige lokale jagers wachten niet tot het seizoen geopend is.'

'Ik begrijp het.'

'Ja, nou ja, sorry.'

'Bedankt.'

De andere agent condoleerde ons ook, net als de twee verpleegsters achter de balie. Ik neem aan dat ze zich niet prettig voelden bij dit jachtongeluk buiten het seizoen, of erger nog, de mogelijkheid dat er een toerist was vermoord in hun vredige uithoekje van de wereld.

Kate en ik liepen de hal in precies op het moment dat twee kerels in keurige pakken de deur binnenkwamen. Ik schatte ze in als rechtshandhavers – FBI of SBI – en ze liepen rechtstreeks naar de informatiebalie en lieten hun ID zien.

De dame achter de balie zag Kate en mij vertrekken terwijl de twee knapen tegen haar praatten. Ze leek hun aandacht te willen vestigen op hun vertrekkende collega's, maar wij waren al buiten voor zij daar de kans toe kreeg.

We liepen snel naar onze auto, ik gleed achter het stuur en we maakten dat we wegkwamen.

25

We reden terug naar het centrum van de stad en volgden daarna de borden naar Route 56 Zuid. Het woord 'Nuke' bleef voortdurend door mijn hoofd spelen.

Kate zei tegen me: 'Steeds als ik met jou aan een zaak werk, heb ik het gevoel dat ik de wet een stap *voor* ben, in plaats van dat ik de wet vertegenwoordig.'

Ik antwoordde filosofisch: 'Soms staat de wet waarheid en gerechtigheid in de weg.'

'Doceer je dat ook op John Ouwehoer?'

'Nou, als je het wilt weten, sinds 9/11 hebben veel mensen in onze stiel de Corey Methode overgenomen, namelijk dat het doel de middelen heiligt.'

'Na 9/11 hebben we daar allemaal wel enigszins naar gehandeld. Maar dit geval heeft niets van doen met islamitisch terrorisme.'

'Hoe kun je dat nu al weten?'

'Kom op, John. Ik zie geen enkel verband.'

'Nou, denk hier dan maar eens over na – Madox heeft naar eigen zeggen een verleden als privéstrijder tegen Amerika's vijanden. Ja?'

'Ja, maar – '

'Het communisme is inmiddels verleden tijd, maar daarvoor in de plaats hebben we de islam. Hij vertelde ons dat hij niet al te zeer betrokken is bij de oorlog tegen het terrorisme, wat betekent dat hij erbij betrokken is. Correct?'

Ze zweeg even en antwoordde toen: 'Ja.'

'Precies. En natuurlijk is er nog de olie, wat zo'n beetje met alles verband houdt.'

'Wat is dat verband dan?'

'Dat weet ik nog niet.' Maar er begon zich in zijn gedachten een beeld te vormen, en dat had te maken met Bain Madox, atoomwapens en terrorisme – geen goede combinatie. Kate was echter nog niet helemaal klaar voor die informatie, dus zei ik tegen haar: 'Goed, Harry dacht dat iemand het zou begrijpen, dus als we erover nadenken zullen we het weten.'

Ze knikte en veranderde toen van onderwerp. 'Eén ding waar ik inmiddels zeker van ben, is dat Madox Harry vermoord heeft – of hem heeft laten vermoorden.'

'Hij heeft het zelf gedaan. Misschien samen met Carl.'

'Dat zal bij een rechtszaak niet makkelijk te bewijzen zijn.'

Mensen die agenten doden komen niet altijd voor het gerecht, maar dat hield ik maar voor me.

Kate las echter mijn gedachten en zei: 'Doe alsjeblieft geen domme dingen. Het doel heiligt niet altijd de middelen.'

Ik gaf geen antwoord.

We verlieten Potsdam en reden in zuidelijke richting Route 56 op. Het was 18:01 en het begon donker te worden. Achter de ramen van de her en der verspreid liggende huizen ging het licht aan en ik zag rook uit de schoorstenen opstijgen. Columbus Day liep op zijn eind; het eten stond op het vuur. Morgen was gewoon weer een werkdag en een schooldag. Normale mensen zaten nu voor de tv, of de open haard, of waar normale mensen ook maar zaten.

Kate leek te weten waar ik aan dacht en zei: 'We zouden een weekendhuis kunnen kopen waar we met ons pensioen voorgoed kunnen gaan wonen.'

'De meeste mensen gaan met hun pensioen niet tussen de sneeuw en het ijs zitten.'

'We zouden kunnen leren skiën en schaatsen. Jij zou kunnen leren jagen en beren schieten.'

Ik glimlachte en we pakten elkaars hand vast.

Haar gsm ging en ze keek ernaar. 'Dat zal Walsh wel weer zijn.'

'Neem op.'

Ze nam op, luisterde en zei toen: 'We zijn op weg daarheen, Tom.' Ze luisterde opnieuw en antwoordde toen: 'We zijn naar het ziekenhuis geweest om Harry te identificeren.'

Wat Walsh daarna ook zei, het was niet aardig en Kate hield met een theatraal gebaar de telefoon bij haar oor vandaan. Ik kon Walsh tekeer horen gaan.

Ik hou er niet van als mensen tegen mijn vrouw schreeuwen, dus nam ik de telefoon van Kate over en hoorde Walsh besluiten met: 'Jij bent zijn meerdere, dus ben *jij* verantwoordelijk als hij mijn orders niet opvolgt. Ik heb je tegen beter weten in op deze zaak gehouden en ik heb je gezegd dat je rechtstreeks naar de staatspolitie moest gaan, en dat meende ik. Ben jij een FBI-agente of ben je een lieve, plichtsgetrouwe echtgenote?'

Ik antwoordde: 'Hoi, Tom. Kate's echtgenoot hier.'

'O... neem je ook al de telefoontjes van je vrouw op? Ik was met Kate in gesprek.'

'Nou, je bent nu met mij in gesprek. Als je ooit nog een keer je stem tegen mijn vrouw verheft, neem ik je even apart. Begrepen?'

Hij gaf niet onmiddellijk antwoord, maar zei toen: 'Jij hebt het gehad, maat.'

'Dan heb jij het ook gehad.'

'Dat denk ik niet.'

'Ik wel. En trouwens, ik heb Harry's gsm gecontroleerd en jij vergat ons te vertellen dat je hem zondagavond al gebeld hebt, en de wachtcommandant heeft hem de hele nacht proberen te bellen.'

Dat maakte hem even stil. Toen vroeg hij: 'Nou, en?'

Ik had het idee dat onze professionele relatie aan het verslechteren was en dat hij probeerde te bedenken hoe hij me zover kon krijgen dat ik werd ontslagen. Ik zei tegen hem: 'Ik zal dit tot op de bodem uitzoeken, ondanks jouw inspanningen.'

Hij verraste me door te zeggen: 'Als je dat doet, laat me dan weten wat je ontdekt.'

Ik nam aan dat dit betekende dat Washington niet helemaal open kaart met hem speelde, maar of dat echt zo was, wist ik niet. In ieder geval volgde Walsh orders op, en ik niet, en dat bezorgde bevelvoerend speciaal agent Tom Walsh de nodige problemen. Ik zei: 'Uiteindelijk zul je me dankbaar zijn voor mijn buitengewone ondernemingszin.'

'Jouw verdomde ondernemingszin heeft veel weg van insubordinatie en het niet opvolgen van bevelen. Bovendien spendeer je veel tijd en energie aan het onderzoeken van het Bureau in plaats van aan je eigenlijke opdracht.'

'Wat is die opdracht dan wel?'

'Jouw opdracht was om Harry te vinden. Hij is gevonden. Je kunt terug naar huis.'

'Nee, ik moet nu zijn moordenaar zien te vinden.'

'*Jij* moet zijn moordenaar zien te vinden? *Jij*? Waarom is het altijd *jij*?'

'Omdat ik *jou* niet vertrouw. Of de mensen voor wie jij werkt.'

'Neem dan je ontslag.'

'Zal ik je eens wat vertellen? Als ik met lege handen uit deze zaak tevoorschijn kom, zul je mijn ontslagbrief op je bureau zien liggen.'

'Wanneer?'

'Over een week.'

'Afgesproken. Dat bespaart mij weer een hoop papierwerk om jou te ontslaan.'

'En ik wil geen gelul meer over dat ons van die zaak afhalen.'

'Eén week.'

Ik gaf de telefoon terug aan Kate, die zei: 'Tom, bel alsjeblieft majoor Schaeffer en vertel hem dat wij de aangewezen agenten zijn in deze zaak, en dat hij ons op alle mogelijke manieren terzijde moet staan en zo.'

Walsh zei iets en Kate antwoordde: 'Nee, we hebben geen nieuwe informatie of openingen in deze zaak, maar als dat zo is, zullen we die vanzelfsprekend met je delen.'

Ik neem maar aan dat ze die tekst in Harry's broekzak even vergeten was, plus het feit dat we met de lijkschouwer hadden gepraat. Een selectief geheugen maakt deel uit van de Corey Methode voor het omgaan met chefs.

Ze luisterde weer even en zei toen: 'Ik begrijp het.'

Kate wilde nog iets zeggen, maar realiseerde zich toen dat de lijn dood was. Ze zette haar telefoon uit.

Ik vroeg: 'Je begrijpt wat?'

'Ik begrijp dat we zeven dagen hebben om een wonder te bewerkstelligen, en als we daar niet in slagen, kunnen we het verder vergeten.'

'Geen probleem.'

'En het kan maar beter ook een groot wonder zijn. Niet zoiets onbenulligs als het vinden van een domme jager die toegeeft Harry per ongeluk te hebben vermoord.'

'Oké, dat klinkt redelijk.'

'En als we Bain Madox van moord willen beschuldigen en we slagen er niet in dat hard te maken, zal Walsh er persoonlijk voor zorgen dat we allebei eindigen als bewaker bij Kmart.'

'Dit begint echt een uitdaging te worden.'

'Precies. Nou, je hebt het weer voor elkaar met je grote bek.'

'Bedankt dat je me daaraan herinnert. Wat verder nog?'

'Nou... hij zei dat we ons onderzoek moesten beperken tot een mogelijke moord. En verder mogen we ons niet met Madox bemoeien. Het is aan het ministerie van Justitie om dat af te handelen.'

'Natuurlijk, dat begrijp ik volkomen.'

Ze keek me even aan om te zien of ik sarcastisch was. Ze had zich de analyse kunnen besparen. Ze zei: 'Je was nogal grof tegen hem. Alweer.'

'Hij maakt me kwaad.'

'Neem het niet zo persoonlijk op, en laat mij mijn eigen boontjes doppen. Ik doe dat graag op een tijd en een plek van mijn eigen keuze.'

'Jawel, mevrouw.'

Ze pakte mijn hand weer vast. 'Maar evengoed bedankt.' Ze voegde eraan toe: 'Je bent vergeten te zeggen dat hij dood kan vallen.'

'Dat zal hij zo ook wel begrepen hebben.'

'John, ik denk dat hij bang is.'

Ik dacht daarover na en antwoordde: 'Ik denk dat je gelijk hebt. En jij bent vergeten hem te vertellen wat we in het mortuarium hebben ontdekt.'

Ze zei: 'Dat wilde ik net gaan doen, maar toen hing hij op. Hij kan doodvallen.'

We reden in stilte verder, zuidelijk over Route 56.

Mijn gedachten flitsten alsmaar terug naar Harry die daar dood en naakt in het mortuarium lag, en ik voelde me doodziek. Een goed leven dat zomaar was weggenomen, alleen maar omdat hij iets had gehoord of gezien dat hij niet verondersteld werd te horen of te zien.

Ik was meer dan kwaad – ik was vervuld van een moordzuchtige woede jegens degene die dit Harry had aangedaan. Maar ik moest me zien te beheersen en aan deze zaak verder werken tot ik zeker was dat ik de moordenaar had gevonden. En daarna, de afrekening.

We reden door Colton, en daarna door South Colton. Rudy's benzinepomp was gesloten en ik hoopte dat hij onderweg was naar het huis van zijn meester, en dat hij in zijn broek piste van de zenuwen.

Ik zag het bord dat ons welkom heette in het Adirondack State Park en al heel snel daarna werden de bomen groter en dikker, en de weg donkerder.

Na enkele minuten zei ik tegen Kate: 'Moord is wat we zien. Maar er is nog iets anders gaande, iets waar we nog geen zicht op hebben.'

Ze gaf niet direct antwoord en vroeg toen: 'Wat bijvoorbeeld?'

'Het enige wat Madox heeft bereikt met het in scène zetten van een jachtongeluk een eindje bij zijn huis vandaan, is het winnen van tijd.'

'Tijd om bewijzen uit te wissen.'

'Nee. Uiteindelijk zullen alle sporen toch naar Madox teruglopen. Als het winnen van een klein beetje tijd is wat hij heeft bereikt, dan is dat alles wat hij wilde.'

'Oké, maar waarom?'

Ik legde het uit. 'Bain Madox waagt zich niet aan domme of roekeloze daden. De enige logische reden om een federale agent te vermoorden van wie de FBI weet dat hij op of in de buurt van zijn landgoed was, is dat de moord en het daaropvolgende onderzoek hem niet kunnen schelen. En de enige logische verklaring *daarvoor* is dat er spoedig iets zal gebeuren wat veel belangrijker is voor Bain Madox dan verdachte van een moord te zijn.' Ik keek haar zijdelings aan. 'Dus wat zou dat kunnen zijn?'

'Oké... ik begrijp het...'

'Ik weet dat je het begrijpt. Zeg het.'

'Nuke.'

'Ja. Ik denk dat deze knaap een nucleair wapen bezit. Dat is wat Harry wilde zeggen. En dat is wat ik geloof.'

'Maar... waarom? Wat...?'

'Ik weet het niet. Misschien wil hij een atoombom op Bagdad gooien. Of op Damascus. Teheran.'

'Dat is wel erg ver gezocht, John. Ik denk dat we meer informatie nodig hebben. Meer bewijzen.'

'Je hebt gelijk, en we zouden dat wel eens eerder kunnen hebben dan we denken.'

Ze gaf geen antwoord.

26

Het was donker toen we aankwamen in het gehucht Ray Brook, dat vlak bij het vliegveld lag waar we die ochtend waren geland.

Het mocht dan dichtbij zijn, wij hadden er de tijd voor genomen om er te komen en we hadden onderweg dingen ontdekt die nog niet eens op ons radarscherm stonden toen we vanochtend om 09:00 26 Federal Plaza binnengingen.

Maar goed, in ons beroep had je nu eenmaal van die dagen. Het merendeel van de tijd gebeurde er weinig; op sommige dagen, 11 september 2001 bijvoorbeeld, werd de wereld op zijn kop gezet.

Vandaag, Columbus Day, had ik een vriend verloren, had ik een knallende ruzie gekregen met mijn baas en had ik een idioot ontmoet die mogelijk een nucleaire verrassing voor ons in petto had.

De volgende Columbus Day, als die er tenminste nog komt, ga ik naar een wedstrijd van de Yankees.

We vonden het regionale hoofdkwartier van de staatspolitie en de kazerne aan de rand van het stadje en ik reed mijn auto de parkeerplaats op. Ik vroeg aan Kate: ‘Zijn we werknemers, gewone bezoekers of gehandicapten?’

‘Zoek maar naar het vak voor persona non grata.’

Dat kon ik niet vinden, dus parkeerde ik op een plek bestemd voor werknemers. We stapten uit en liepen naar het grote, moderne, uit baksteen en cederhout opgetrokken gebouw. Op een bord boven de ingang stond TROOP ‘B’ NEW YORK STATE TROOPERS.

We gingen de hal binnen en stelden ons voor aan de wachtcommandant, die ons al leek te verwachten; hij verwachtte ons in feite waarschijnlijk al de hele dag.

Hij riep majoor Schaeffer op via de intercom en vroeg ons te wachten.

Er liepen wat agenten in en uit, allemaal gekleed in hun grijze militaristische jasjes, met om hun middel een riem met een kruisband en een holster, en op hun hoofd de bekende padvindershoeden. Hun kleding zag eruit alsof er sinds president Teddy Roosevelt gouverneur van New York was geweest niets veranderd was.

Het viel me ook op dat al deze kerels, en zelfs de vrouwen, behoorlijk groot waren, en ik vroeg aan Kate: 'Wat denk je? Fokken ze die agenten hier?'

De hele sfeer hier straalde iets paramilitairs uit en het enige wat het gebouw gemeen had met een bureau van de NYPD, was het bordje VERBODEN TE ROKEN.

Er lag een stapel brochures op een tafeltje en Kate, die dergelijke informatie nu eenmaal niet kan laten liggen, pakte er eentje en begon er hardop uit voor te lezen. 'Troop B is de meest noordelijke afdeling en ze patrouilleren in het geografisch meest uitgestrekte gebied van alle troepen – ruim twaalfduizend vierkante kilometer – waaronder de dunst bevolkte regio's van de staat, gekenmerkt door grote afstanden en lange winters.'

'Scheppen ze nou op, of klagen ze?'

Ze las verder: 'Het patrouilleren in deze regio vereist een speciaal soort onafhankelijkheid en B-Troopers staan bekend om hun vermogen om elke situatie met minimum assistentie op te lossen.'

'Met minimale assistentie, zullen ze bedoelen. Maar goed, betekent dit dat wij niet welkom zijn?'

'Grote kans, als jij hun spelfouten blijft corrigeren.' Ze ging verder met voorlezen. 'Behalve de typische taken als het onderzoeken van ongelukken en misdaden, verkeerscontroles en grensoverschrijdingen tussen de VS en Canada, worden ze ook vaak te hulp geroepen bij het zoeken naar vermiste wandelaars, het evacueren van gewonde kampeerders, het redden van in een sneeuwstorm gestrande reizigers, het controleren van de vis- en jachtvergunningen en het oplossen van huiselijk geweld.'

'Maar kunnen ze ook een straatdienst in de Bronx aan?'

Voordat ze een slim antwoord kon bedenken, kwam een lange, verweerd uitziende man in een grijs kostuum de lobby in en stelde zichzelf voor.

'Hank Schaeffer.' We gaven elkaar een hand en hij zei: 'Ik wil u eerst even condoleren met rechercheur Muller. Ik heb begrepen dat u vrienden was?'

Ik antwoordde: 'Ja, dat klopt.'

'Nou... sorry.'

Hij leek verder niet veel te melden te hebben en het viel me op dat Schaeffer ons niet in zijn kantoor had ontvangen. Altijd maar weer dat gedoe over jurisdictie, pikorde enzovoort, maar Kate loste het keurig op door te zeggen: 'Wij hebben instructies gekregen om u op alle mogelijke manieren te assisteren. Is er misschien iets wat wij kunnen doen?'

Hij deelde ons mee: 'Jullie man Walsh in New York leek te denken dat jullie van deze zaak waren gehaald.'

Ik zei: 'Bevelvoerend speciaal agent Walsh is daarop teruggekomen. Hij had u moeten bellen.' *De lul.* 'Dus misschien moet u hem even bellen, of u gelooft mij.'

'Nou, dat zoeken jullie onder elkaar maar uit. Als jullie willen kan ik jullie door een agent naar het mortuarium laten brengen.'

Hij leek niet te weten dat we daar al geweest waren. Ik zei tegen hem: 'Hoor eens, majoor, ik begrijp dat dit uw show is en dat u niet blij bent dat u met een dode federale agent bent opgezadeld, en u heeft waarschijnlijk al meer gehoord dan u lief is uit New York, Albany en mogelijk Washington. Wij zijn hier niet om uw leven nog gecompliceerder te maken – we zijn hier om u te helpen. En om informatie uit te wisselen.' Ik voegde eraan toe: 'Ik heb een dode vriend daar in dat mortuarium.'

Daar moest Schaeffer even over nadenken, maar toen zei hij: 'U ziet eruit alsof u wel een kop koffie kunt gebruiken. Kom mee.'

We liepen door een lange gang en gingen een grote kantine binnen. Er zaten een stuk of tien mannen en vrouwen, deels in uniform, deels in hun burgerkloffie, en Schaeffer koos een tafeltje in de hoek uit.

We gingen zitten en hij zei: 'Dit is onofficieel, gewoon openlijk, koffie, gastvrijheid, condoleances, en geen geheime agenda's.'

'Begrepen.'

Schaeffer leek een eerlijke man die vond dat gastvrijheid erbij hoorde, al was het maar om te kijken wat hij ervoor terugkreeg.

Ik kwam direct ter zake. 'Het ziet eruit als een ongeluk, maar het riekt naar moord.'

Hij knikte even en vroeg: 'Wie zou deze man willen doden?'

'Ik denk aan Bain Madox. Kent u hem?'

Hij zag er oprecht geschokt uit en vroeg me toen: 'Jawel... maar waarom – '

'U weet dat rechercheur Muller hier was in verband met de Custer Hill Club?'

'Ja. Daar kwam ik achter toen hij werd vermist en de Feds hulp nodig hadden om hem te vinden.' Hij zei tegen ons allebei: 'Het zou aardig zijn als ik dit soort zaken wat eerder te weten kwam. Gewoon een kwestie van wellevendheid. Dit valt tenslotte wel onder mijn jurisdictie.'

Ik antwoordde: 'Daar kan ik het alleen maar mee eens zijn.'

'Nou zijn jullie natuurlijk niet de aangewezen personen om tegen te klagen, maar elke keer als ik met de FBI te maken krijg' – hij keek even naar Kate en ging toen verder – 'heb ik het gevoel dat ik aan het lijntje wordt gehouden.'

'Precies. Dat gevoel heb ik ook altijd. U moet begrijpen dat ik ondanks mijn federale werkzaamheden in mijn hart nog steeds gewoon een politieman ben.'

'Ja, maar ik moet u wel vertellen dat de samenwerking met de NYPD ook niet altijd een pretje is.'

Mijn loyale vrouw glimlachte en zei: 'John en ik zijn trouwens met elkaar getrouwd, dus ik begrijp wat u bedoelt.'

Schaeffer glimlachte nu ook bijna. 'Goed, vertel me dan maar eens wat Harry Muller verondersteld werd daar op die club te doen.'

Ik antwoordde: 'Surveillance. Er was dit weekend een bijeenkomst en hij moest de gasten fotograferen en kentekens noteren.'

'Waarom?'

'Dat weet ik niet. Maar ik kan u wel vertellen dat Justitie is geïnteresseerd in de heer Madox en zijn vrienden. Heeft niemand u daar iets over verteld?'

'Niet veel. Ik kreeg al die malligheid over nationale veiligheid over me heen.'

Malligheid? Was dat zoiets als 'gelul'? Zou deze knaap soms ook niet vloeken? Ik maakte in gedachten een aantekening dat ik mijn taal moest kuisen. Ik zei: 'De Feds zitten vol malligheid en ze zijn ook heel goed in mensen aan het lijntje houden, maar even onder ons, het zou inderdaad wel eens op de nationale veiligheid betrekking kunnen hebben.'

'O ja? In welk opzicht?'

'Ik heb geen idee. En om eerlijk te zijn, gaat het hier om wat we gevoelig materiaal noemen, en tenzij het echt noodzakelijk is dat u het weet, kan ik het u niet vertellen.'

Ik wist niet zeker of hij deze eerlijkheid wel apprecieerde, dus begon ik een beetje te slijmen en zei: 'Ik begrijp heel goed dat uw mensen een enorm gebied moeten bestrijken – ik geloof wel zo'n twaalfduizend vierkante kilometer – en dat u heel wel op eigen benen kunt staan en dat u... minimum assistentie van buitenaf nodig heeft – '

Kate gaf me onder de tafel een schop terwijl ik verderging met mjn geslijm en besloot met: 'Wij zijn hier om u te helpen, maar alleen als u hulp nodig heeft, wat volgens mij niet echt het geval is. Maar wij hebben wel uw hulp nodig, uw expertise, en uw middelen.'

Ik had indien nodig nog wel meer gelul voorradig, maar majoor Schaeffer leek in de gaten te hebben dat ik hem probeerde te paaien. Hij zei niettemin: 'Oké. Koffie?'

'Dat klinkt goed.'

Hij gebaarde dat wij moesten blijven zitten en stond op om koffie te gaan halen.

Kate zei tegen me: 'Wat kun jij toch een onzin uitkramen.'

'Dat is niet waar. Ik spreek vanuit mijn hart.'

'Jij spreekt vanuit een brochure die ik je daarnet heb voorgelezen, en die je belachelijk maakte.'

'O... heb ik het daar vandaan?'

Ze sloeg haar ogen ten hemel en zei toen: 'Hij lijkt niet veel te weten, en als dat wel zo is, wil hij het niet met ons delen.'

'Hij is gewoon een beetje geïrriteerd omdat de FBI geen open kaart speelt. En trouwens, hij vloekt niet, dus let een beetje op je woorden.'

'*Mijn* woorden?'

'Misschien dat hij niet vloekt in het bijzijn van vrouwen. Ik heb een idee – misschien is hij wat toeschietelijker als er geen vrouwelijke FBI-agente bij aanwezig is. Waarom trek je je niet even terug?'

'Waarom trek *jij* je niet even terug?'

'Kom op – '

Schaeffer kwam terug met de koffie en ging weer zitten.

Kate stond met enige tegenzin op en zei: 'Ik moet wat mensen bellen. Ik ben over tien minuten terug.' Ze vertrok.

Schaeffer schonk uit een stalen thermoskan twee porseleinen bekers koffie in. Hij zei tegen mij: 'Oké, vertel me maar eens waarom u denkt dat Bain Madox, een respectabele burger met een miljard op de bank, en waarschijnlijk lid van de Republikeinse partij, een federale agent heeft vermoord.'

Ik kreeg het gevoel dat majoor Schaeffer mijn achterdocht niet deelde. 'Nou ja, het is eigenlijk niet meer dan een ingeving.'

'Is dat alles?'

Eigenlijk wel. 'Ik baseer deze verdenking op het feit dat ik geloof dat Madox de laatste was die Harry in levenden lijve heeft gezien.'

Hij zei op droge toon: 'En ik was de laatste die mijn schoonmoeder in levenden lijve heeft gezien alvorens ze uitgleed op het ijs en haar nek brak.'

Ik zou daar graag meer over weten, maar zei: 'Ik ben rechercheur Moordzaken geweest en dan ontwikkel je een bepaald gevoel voor dergelijke dingen.' Ik vertelde hem: 'Kate en ik zijn naar de Custer Hill Club geweest en hebben met die meneer Madox gepraat.'

'O ja? En?'

'Het is een gladde prater. Heeft u hem wel eens ontmoet?'

'Een paar keer. Ik ben zelfs een keer met hem op jacht geweest.'

'Meent u dat?'

'Hij wil graag een goede relatie met de staats- en lokale politie. Net als zoveel van die rijke mensen hier. Dat maakt hun leven wat gemakkelijker en veiliger.'

'Juist. Maar deze knaap heeft zijn eigen leger.'

'Ja. En hij huurt geen bijklussende of gepensioneerde agenten in, zoals de meeste rijken doen. Zijn mensen zijn niet van hier en het zijn geen voormalige agenten en dat is een beetje vreemd voor iemand die graag een goede band met de politie wil.'

Ik knikte en zei: 'Die hele club lijkt me een beetje vreemd.'

'Ja, dat is zo... maar ze geven ons geen problemen en ze houden alles binnenshuis. De plaatselijke politie krijgt een paar telefoontjes per jaar en dan gaat het om mensen, stropers vaak, die een gat in het hek hebben geknipt en het terrein op zijn gegaan. Maar Madox heeft nooit een aanklacht ingediend.'

'Aardige man.' Denkend aan Harry zei ik: 'Misschien doodt hij mensen die dingen zien die ze niet mogen zien. Zijn er geen vermiste personen? Verdachte ongelukken?'

'Zijn dit serieuze vragen?'

'Ja.'

Hij overwoog zijn antwoord en zei: 'Tja, er raken altijd wel mensen vermist en er zijn ook jachtongelukken die soms op iets anders lijken... maar niets wijst er op dat Madox of zijn club daar iets mee te maken heeft gehad. Maar ik zal het laten nakijken.'

'Mooi.' Ik vroeg: 'Heeft u een huiszoekingsbevel voor de Custer Hill Club gekregen?'

'Jawel.'

'Laten we die dan gebruiken.'

'Dat is niet mogelijk. Die volmacht betrof het zoeken naar een vermiste persoon. De vermiste persoon is buiten het betreffende terrein gevonden.'

'Weet Madox dat ook?'

'Hoe zou hij überhaupt van dat huiszoekingsbevel moeten weten? Of dat er mogelijk iemand op zijn terrein werd vermist?' Hij zweeg even en zei toen: 'Ik stond op het punt hem om vrijwillige medewerking te vragen, maar toen kwam dat anonieme telefoontje binnen dat ons naar het lichaam leidde. Heeft u hem verteld over die vermiste persoon?'

'Ja, dat heb ik, dus laten we dat huiszoekingsbevel uitvoeren.'

Majoor Schaeffer zei waarschuwend: 'De vermiste persoon is teruggevonden, hoor.'

Ik dacht dat hij misschien gevoelig was voor mijn filosofie, dus zei ik: 'De wet staat soms waarheid en gerechtigheid in de weg.'

'Niet als ik het voor het zeggen heb, rechercheur.' Hij voegde eraan toe: 'Nu u hem over die vermiste persoon heeft verteld, zal ik iemand opdracht geven hem te bellen om te zeggen dat die persoon is gevonden.'

Ik was er nu zeker van dat deze knaap vroeger bij de padvinderij was geweest en ik wilde de verschillen tussen een agent uit New York en eentje van de staatspolitie niet al te zeer benadrukken, dus zei ik: 'Goed, we moeten dus iets bedenken om een rechter zover te krijgen dat hij een nieuw huiszoekingsbevel afgeeft.'

'Wat wij moeten, is een verband vinden tussen het lichaam dat is gevonden in het nationale park en de Custer Hill Club. Als we zo'n verband niet kunnen aantonen, kan ik de openbare aanklager niet vragen om naar de rechter te stappen voor een huiszoekingsbevel.' Hij vroeg: 'Heeft u enig bewijs dat rechercheur Muller daadwerkelijk op dat terrein is geweest?'

'Eh... niet overtuigend – '

'Nou, dan is er dus geen verband.'

'Nou, we hebben dat anonieme telefoontje over het lichaam. Anoniem is verdacht. En bovendien is er sterk *indirect* bewijs dat Harry op dat terrein is geweest.'

'Noem eens wat?'

'Nou, het was bijvoorbeeld zijn opdracht.' Ik stelde hem op de hoogte van het telefoontje van zaterdagochtend 07:48, het feit dat Harry in de nabijheid van het terrein was geweest, dat zijn camper wel verdacht ver van het terrein was teruggevonden en andere omstandigheden die ik een beetje aandikte.

Schaeffer luisterde en haalde toen zijn schouders op. 'Dat is niet genoeg om Bain Madox onder verdenking te plaatsen en niet genoeg om een bevel tot huiszoeking te vragen.'

'Denk er toch nog maar eens over na.' Ik twijfelde er niet aan dat de FBI uiteindelijk wel toestemming zou krijgen om het terrein te betreden, maar dat zou wel eens te laat kunnen zijn. Het begon erop te lijken dat ik mezelf een Middernacht-volmacht moest verstrekken, oftewel inbreken en rondneuzen. Ik had dat al een tijdje niet gedaan en ik had er eigenlijk wel zin in, Madox' privéleger, elektronische beveiliging en waakhonden even daargelaten.

Schaeffer vroeg: 'Wat dacht u op die club aan te treffen?'

'Dat weet ik niet.'

'Rechters houden niet van visexpedities. Bedenk iets waar u naar zou kunnen zoeken. Heeft u op dat terrein of in dat huis iets gezien waar ik mee naar de openbare aanklager kan?'

'Ik zag meer beveiliging dan op de ranch van de president.'

'Dat is niet illegaal.'

'Nee. Goed... ik denk dat we dit nog wat verder moeten uitwerken.' Ik opperde: 'Waarom stuurt u er geen mensen heen om die club in de gaten te houden?'

'Waar moet ik dan naar uitkijken?'

'Mensen die komen en gaan, inclusief Madox.' Ik voegde eraan toe: 'Voor een surveillance heeft u geen permissie nodig – alleen verdenking.'

'Bedankt voor de tip. Ja, nou ja, de enige verdenking die ik heb, is wat u me zojuist verteld hebt.' Hij dacht even na en vroeg toen: 'Wilt u dat we deze knaap schaduwen? Ik bedoel, wilt u een openlijke surveillance of een stiekeme surveillance?'

'Stiekem. Drie bosarbeiders bijvoorbeeld, die de weg en de omgeving in de gaten houden.'

'Oké... maar ik moet dat overleggen en coördineren met de politie hier, en ik moet erbij vertellen dat ik vermoed dat Madox vrienden op het bureau van de sheriff heeft.'

Ik kreeg zo langzamerhand het idee dat de heer Bain Madox, grootgrondbezitter, zijn tentakels tot in het achterland had, zoals ook al was gebleken uit Rudy's telefoontje naar de Custer Hill Club. Ik vroeg aan Schaeffer: 'Heeft Madox ook vrienden op dit kantoor?'

Hij antwoordde zonder aarzeling. 'Niet onder mijn mensen.'

'Mooi.' Maar hoe kon hij dat weten? 'Als u denkt dat iemand op het bureau van de sheriff intiem is met Madox, lijkt het mij dat u zonder gewetensbezwaar een surveillance kunt organiseren zonder de sheriff daarvan op de hoogte te stellen.'

'Niets daarvan. Ik zal dit probleem samen met de sheriff moeten oplossen, en niet aan het probleem bijdragen.'

'Daar heeft u volkomen gelijk in.' Deze knaap leefde op een andere planeet. Majoor Schaeffer voerde het bevel over een schoon, strak georganiseerd schip, wat te loven was, maar wat me op dit moment wel heel slecht uitkwam. 'We hebben die surveillance echt nodig.'

'Ik zal zien wat ik kan doen.'

'Fantastisch.' Ik deelde hem, misschien wat aan de late kant, mee: 'Kate en ik zijn in het mortuarium geweest voordat we hierheen kwamen.'

Hij leek verrast en vroeg: 'Heeft u daar iets nieuws ontdekt?'

'Ik heb met de lijkschouwer gesproken – dr. Gleason. U zou ook eens met haar moeten praten.'

'Dat ben ik ook van plan. Maar ondertussen, wat heeft ze gezegd?'

'Nou, het blijkt dat rechercheur Muller voor zijn dood onderworpen is geweest aan enige fysieke mishandeling.'

Hij verwerkte dat en vroeg toen: 'Wat voor fysieke mishandeling?'

'Ik ben geen lijkschouwer.' Ik voegde er, niet helemaal naar waarheid, aan toe: 'Ik was daar eigenlijk alleen om hem te identificeren en afscheid van hem te nemen.'

Hij knikte. 'Ik zal haar vanavond nog bellen.'

Ik zei tegen hem: 'Ze heeft naar wat lijkt tapijtvezels en hondenharen aangetroffen.' Ik legde uit wat dr. Gleason precies had ontdekt en zei toen: 'Als ze niet overeenkomen met de vloerbedekking in zijn camper, zouden ze misschien afkomstig kunnen zijn van een tapijt in de Custer Hill Club. Harry had geen hond.'

'Oké. Als we een huiszoekingsbevel krijgen, zullen we dat uitzoeken.'

Majoor Schaeffer had langetermijnplannen voor wat, voor hem, een kort onderzoek zou worden, dus deelde ik hem mee: 'Het zal er op deze manier op uitdraaien dat u deze zaak met de FBI moet delen, en die delen niet graag, en wat samenwerken betreft zijn ze ook niet al te sterk.'

Hij zei: 'Moord, zelfs op een federale agent, is nog altijd een staatsmisdrijf, en geen federaal misdrijf.'

'Dat weet ik, majoor. En er zal uiteindelijk wel een proces wegens moord plaatsvinden. Maar de FBI zal een *aanslag* op een federaal agent onderzoeken, en dat is wel een federaal misdrijf. Het nettoresultaat is hetzelfde – zij zullen zich overal mee bemoeien en dat gaat al heel snel gebeuren.'

'Het is nog steeds mijn zaak,' zei majoor Schaeffer.

'Dat is waar.' Dit had veel weg van de plaatselijke graaf die tegen het binnenvallende leger zegt dat ze van zijn land af moeten. Ik zei: 'Zo zal dr. Gleason bijvoorbeeld niet de autopsie uitvoeren. Het lichaam zal worden overgebracht naar New York.'

'Dat kunnen ze helemaal niet doen.'

'Majoor, ze doen verdomme gewoon wat ze willen. Ze hebben twee magische woorden – nationale veiligheid. En als ze die magische woorden gebruiken, zijn de staats- en plaatselijke politie niet meer dan...' Ik wilde zeggen 'schoothondjes', maar dat zou hem maar op stang jagen, dus zei ik: 'Hulptroepen.'

Hij staarde me aan en zei: 'We zullen zien.'

'Oké. Nou, veel geluk dan maar.'

'Wat is uw actuele bemoeienis met deze zaak?' vroeg hij.

'Ik heb zeven dagen om hem op te lossen.'

'Hoe hebt u dat voor elkaar gekregen?'

'Ik heb een weddenschap afgesloten met Tom Walsh.'

'Wat is de inzet?'

'Mijn baan.'

'En uw vrouw?'

'Nee, zij hoort niet bij de inzet.'

'Ik bedoel, heeft zij ook haar baan als inzet?'

'Nee, zij heeft een vaste baan bij de FBI. Zij zal minstens een meerdere moeten neerschieten voordat haar baan op het spel komt te staan.'

Hij dwong zichzelf te glimlachen. 'Ik denk niet dat u deze zaak in zeven dagen gaat oplossen, tenzij er iemand zijn mond opendoet.'

'Nee, waarschijnlijk niet. Heeft u nog mensen nodig?'

Hij glimlachte opnieuw en zei: 'Ik ben bang dat u al iets te oud bent voor de staatspolitie. Maar de plaatselijke politie kan altijd wel wat ervaren krachten uit de grote stad gebruiken.' Hij voegde eraan toe: 'U zult het hier heerlijk vinden.'

'O, dat weet ik wel zeker. Ik voel me nu al als herboren.' Ik veranderde van onderwerp. 'Waar bent u wezen jagen met Madox?'

'Op zijn eigen terrein.'

'Heeft u iets gezien?'

'Ja, bomen. We verzamelden bij zijn huis. Aardig optrekje. En daarna gingen we op herten jagen. Zes man. Ik, hij, een van mijn brigadiers, en drie vriendjes van hem uit de stad.' Hij voegde eraan toe: 'De lunch gebruikten we in het bos, drankjes achteraf in het huis.'

'Heeft u nog iets ongebruikelijks gezien?'
'Nee. U wel?'
'Nee,' antwoordde ik, 'behalve dan al die bewaking.' Ik vroeg hem: 'Heeft u het hek om het terrein gezien?'
'Alleen maar een glimp. Er staan allemaal schijnwerpers langs, als bij een strafkamp, maar deze schijnwerpers werken op bewegingsdetectors. Madox heeft ook zijn eigen gsm-toren.'
'Waarom?'
'Hij is rijk.'
'Juist. Wanneer was die jachtpartij?'
'Twee seizoenen geleden.'
'Twee jachtseizoenen geleden, bedoelt u?'
'Ja. We hebben hier het jachtseizoen, het skiseizoen, het modder-, overstroming- en vliegenseizoen; en daarna het visseizoen.'
Toen ik uit de stad vertrok, was het opera- en balletseizoen. 'Je hoeft je hier dus niet te vervelen.'
'Nee, als je tenminste van het buitenleven houdt.'
'Ik ben gek op het buitenleven. Even iets anders. Ik kreeg een plattegrond van de Custer Hill Club onder ogen en daarop zag ik wat bijgebouwen, een eindje bij het huis vandaan. Wat zijn dat voor gebouwen?'
Hij dacht even na en zei toen: 'Nou, ik weet dat eentje daarvan een barak is. U weet wel, voor de bewakers. Er is ook een schuurachtig gebouw voor al zijn voertuigen. En dan is er nog het generatorgebouw.'
'Een elektrische generator?'
'Ja. Drie dieselgeneratoren.'
'Waar is dat allemaal voor nodig?'
'Je kunt hier bij sneeuwstormen algauw zonder elektriciteit komen te zitten. De meeste mensen hebben wel iets van een generator achter de hand.'
'Juist. Hebt u deze generatoren gezien?'
'Nee. Ze staan in een stenen gebouw.' Hij voegde er ter verklaring aan toe: 'De knaap in Potsdam die het noodaggregaat hier onderhoudt, doet dat ook voor de Custer Hill Club.'
Ik herinnerde me de zware kabels die ik aan de elektriciteitspalen op Madox' terrein had gezien. 'Waarom heeft dat huis zoveel stroom nodig?'
Hij dacht daar even over na en antwoordde: 'Ik weet niet hoeveel stroom elke generator opwekt en ik neem aan dat een of twee ervan

als back-up dienen voor als er eentje uitvalt. Maar u snijdt daar een interessant punt aan. Ik zal eens informeren hoeveel kilowatt die dingen opwekken.'

'Oké.'

'Wat denkt u er van?'

'Eerlijk gezegd weet ik niet wat ik ervan moet denken.' Maar die generatoren brachten me wel op een andere vraag. 'Wat zijn de plaatselijke roddels over de Custer Hill Club?'

Hij keek me aan. 'Doet u nu onderzoek naar deze moord, of pakt u de draad van uw vriend op?'

'Het gaat me om de moord. Maar ik ben ook nieuwsgierig. En ik ben gek op roddels.'

'Nou, we hebben de gebruikelijke roddels. Die lopen van wilde feesten, dronken orgieën tot een excentrieke miljardair die daar naar het groeien van zijn nagels zit te kijken.'

'Juist. Komt Madox wel eens in de stad?'

'Vrijwel nooit. Maar zo af en toe wordt Madox gesignaleerd in Saranac Lake of Lake Placid.'

'Heeft iemand ooit de vroegere mevrouw Madox gezien?'

'Dat weet ik niet. Ze is al heel lang uit beeld.'

'Vriendin?'

'Niet dat ik weet.'

'Vriendjes?'

'Hij maakte indruk op me als beschaafde heer, maar hij had ook zijn machokant. Wat denkt u zelf?'

'Hetzelfde. Ik denk dat hij aan onze kant staat.' Ik vroeg hem: 'Weet u hoe vaak hij naar die club komt?'

'Ik heb geen idee. Meestal wordt de staats- of lokale politie op de hoogte gesteld als de bewoners van een groot landhuis weer weg zijn, zodat de politie een oogje in het zeil kan houden – maar Madox heeft daar dag en nacht en zeven dagen per week bewakers rondlopen. Voor zover ik weet wordt dat huis nooit onbeheerd achtergelaten.'

Dat had ik al min of meer van Madox zelf begrepen, en nu werd het bevestigd. 'Heeft iemand ooit gesuggereerd dat de Custer Hill Club iets anders was dan een besloten jacht- en visclub?'

Hij nam bedachtzaam een slok van zijn koffie en zei toen: 'Nou, toen dat huis werd gebouwd, zo'n twintig jaar geleden – tien jaar voordat ik hierheen kwam – zijn er, naar ik heb vernomen, geen plaatselijke aannemers aangetrokken. En het gerucht ging dat degene die dat huis had laten neerzetten, ook een atoomvrije schuilkelder en zesendertig kilometer hekwerk had laten aanbrengen, wat ook zo is, en radioantennes en bewakingsapparatuur langs de grenzen van zijn terrein, wat ook waar is. En ik neem aan dat toen ook de dieselgeneratoren werden geïnstalleerd. Het gerucht ging dat er vreemde types kwamen en gingen, bestelwagens die midden in de nacht langskwamen, en meer van die zaken.' Hij voegde eraan toe: 'Ik moet er wel bij vertellen dat de plattelandsbevolking tijd te over heeft, plus een grote fantasie. Maar iets van die verhalen klopte wel.'

'Juist. En wat dachten de mensen hier dan dat zich daar afspeelde?'

'Nou, ik heb dit alleen maar van horen zeggen... maar dat was gedurende de Koude Oorlog, dus veel mensen namen aan dat dit een geheime overheidslocatie was.' Hij voegde eraan toe: 'Ik neem aan dat dit een logische veronderstelling was, gegeven de schaal van dit project en wat er in die tijd in de hoofden van de mensen speelde.'

'Ja, dat zal wel. Maar heeft niemand het gevraagd?'

'Voor zover ik begrijp was er niemand om het aan te vragen. Ze stelden zich daar nogal gereserveerd op. En het had niet veel uitgemaakt als iemand van het project ten stelligste had ontkend dat het iets met de overheid van doen had. De mensen hier zijn nogal patriottistisch, dus zolang zij maar dachten dat dit project iets van de overheid was, onderdrukten ze hun nieuwsgierigheid en bleven ze er weg.'

Ik knikte. Interessante observatie. Ik kon me voorstellen dat als je als miljardair naar veiligheid en privacy zoekt, je graag het idee verspreidt dat dit een overheidsproject was, vermomd als privéclub. Dat was net zo effectief als die zesendertig klometer hekwerk. Ik zei: 'Maar nu begrijpt iedereen zo langzamerhand wel dat dit echt een privéclub is, neem ik aan.'

'Er zijn nog steeds mensen die denken dat het iets van de regering is.'

Ik zag heel goed het voordeel voor Madox om deze geheimzinnigheid levend te houden.

Majoor Schaeffer ging verder. 'Kijk, het is niet illegaal om je terrein te omheinen en van bewakingsapparatuur te voorzien, of om je eigen bewakers in te huren, of zelfs om er een Romeinse orgie te houden. Rijke mensen doen wel vreemdere dingen. Paranoia en excentriciteit zijn niet verboden.'

Ik zei tegen majoor Schaeffer: 'Paranoia en excentriciteit hebben meestal wel een diepere reden.'

'Daar ben ik het mee eens. Maar als Bain Madox is betrokken bij criminele activiteiten, dan weet ik daar niets van.' Hij keek me strak aan. 'Als u meer weet dan u me vertelt, dan is het nu misschien het juiste moment om me dat te vertellen.'

'Het enige wat ik weet, is dat het iets met het manipuleren van olieprijzen te maken heeft.'

Hij dacht daar even over na en ik kon zien dat hij dezelfde moeite met dat soort onzin had als ik had gehad toen ik het van Walsh hoorde. 'Dus,' zei hij, 'u denkt dat Bain Madox, een oliemiljardair, een federale agent heeft vermoord die een routinesurveillance deed naar arriverende gasten die mogelijk betrokken waren bij een samenzwering om de olieprijzen te manipuleren?' Hij glimlachte minzaam. 'Dat lijkt wat vergezocht, is het niet?'

'Ja, nou ja, als u het zo stelt – '

'Hoe zou ik het anders moeten stellen? En wat heeft dit met de nationale veiligheid te maken?'

Ik was blij dat zijn aandacht nu gewekt leek, maar ik was minder blij met zijn vraag. Deze knaap had honger en hij moest iets hebben om op te kauwen, maar ik was beslist niet van plan hem nucleaire brokjes te voeren, dus draaide ik er maar een beetje omheen. 'Hoor eens, majoor, olie is meer dan zwart, kleverig spul. Ik bedoel, Bain Madox heeft nou niet bepaald een handeltje in garen en band. Als er olie in het spel is, is alles mogelijk, zelfs moord.'

Hij gaf geen antwoord, maar bleef me wel aankijken.

Ik zei: 'Laten we ons concentreren op het moordonderzoek. Als we Madox daarbij kunnen betrekken, zouden we vanzelf op andere dingen kunnen stuiten.'

'Oké. Verder nog iets? Ik moet zo langzamerhand aan de slag met al deze informatie.'

Ik keek op mijn horloge en zei: 'Ik zou nu graag naar de plaats delict gaan.'

'Het is te donker. Morgen neem ik u er mee naartoe.'

'Kunnen we er geen lampen op zetten?'

'Ik heb de plaats delict laten bewaken en er zijn daar geen mensen van de technische recherche, en er wordt ook geen regen of sneeuw voorspeld. Bel me hier om zeven uur morgenochtend en dan regelen we een bezoekje.'

'Misschien even een snelle blik – '

'U zult wat gas moeten terugnemen, rechercheur. Ga uit eten met uw vrouw. Heeft u al onderdak?'

'Ja, Het Punt.'

‘U logeert in Het Punt?’

‘Eh... ja.’

‘Hebben jullie problemen om je budget op te krijgen, of zo? Het enige wat ik van Washington heb gekregen, waren een paar nieuwe radio’s en een explosievenhond met een allergie.’

Ik glimlachte. ‘Tja, ik neem aan dat terrorisme hier nog niet zo leeft.’

‘Het Arabische terrorisme misschien niet, maar we hebben hier wel wat idioten van eigen bodem.’

Ik gaf geen antwoord.

‘Is dat wat uw vriend hier uitspookte? Rechtse fanatici in de gaten houden?’

‘Dat kan ik niet zeggen.’

Schaeffer beschouwde dat als een ja en deelde me wat aan de late kant mee: ‘Ongeveer tien jaar geleden, toen ik hier net zat, hebben wat FBI-knapen hier navraag gedaan naar Bain Madox.’

Dat was interessant. ‘Wat wilden ze precies weten?’

‘Ze zeiden dat ze wat achtergrondinformatie wilden omdat hij misschien in aanmerking kwam voor een baantje bij de overheid.’

Dat was het standaardgelul als je onderzoek deed naar iemands criminele activiteiten, maar het zou ook best waar kunnen zijn. In het geval van de heer Bain Madox kon ik nog wel geloven dat hij in de picture was voor een overheidsfunctie, en ik kon al net zo gemakkelijk geloven dat ze hem verdachten van criminele activiteiten. Een en ander sloot elkaar niet per se uit, dezer dagen. Ik vroeg aan Schaeffer: ‘Heeft hij de baan gekregen?’

‘Niet dat ik weet. Ik denk dat ze iets anders in gedachten hadden.’ Hij vroeg: ‘Dus waar is die kerel mee bezig?’

‘Ik denk dat hij hengelt naar een baan als presidentieel afgevaardige voor de VN-commissie betreffende de opwarming van de aarde.’

‘Is hij voor of tegen?’

Ik glimlachte beleefd en zei: ‘Wat goed is voor Bain Madox, is goed voor onze planeet.’

Majoor Schaeffer kwam overeind en opperde: ‘Laten we uw vrouw maar gaan opzoeken.’

Ik stond ook op en we verlieten de kantine en liepen naar de lobby. Ik kreeg een inval en vroeg hem: ‘Wat betreft die geruchten, heeft ooit iemand precies gezegd wat voor geheime overheidsvoorziening daar gebouwd werd?’

‘Zijn we terug bij de Custer Hill Club?’

'Ja, even nog.'
'En dit zal het moordonderzoek verder helpen?'
'Misschien. Dat weet je maar nooit.'
Hij besloot toch maar antwoord te geven. 'Nou, er gingen allerlei wilde geruchten over wat de overheid daar aan het bouwen was.'
'Zoals wat?'
'Eh, even denken – een survivaltrainingskamp, een pand van de geheime dienst, een raketsilo, en een afluisterdienst.' Hij voegde eraan toe: 'Dat laatste natuurlijk vanwege al die antennes en elektronica.'
'Heeft u hier veel last van elektronische storingen?'
'Nee, nog geen piepje. Ik denk dat die elektronica is uitgeschakeld of nooit gebruikt, of ze zitten op een frequentie die wij niet kunnen oppikken.'
Ik vroeg me af of de National Security Agency ooit een elektronische scan van de Custer Hill Club had uitgevoerd. Dat zou je wel verwachten als het ministerie van Justitie verdenkingen koesterde.
Kate zat in de hal te praten in haar gsm en voordat we bij haar waren, zei Schaeffer: 'Ik herinner me nu dat er hier een oud-marineman woonde die aan iedereen rondbazuinde dat hij wel wist wat er in die Custer Hill Club gebeurde, maar dat hij dat niet mocht vertellen.'
Dat klonk als malligheid, maar ik vroeg: 'Herinnert u zich de naam van die kerel nog?'
'Nee, maar ik zal proberen erachter te komen. Iemand zal het zich nog wel herinneren.'
'Laat het me weten.'
'Ja, doe ik. Ik geloof trouwens dat hij Fred heette. Ja, Fred. En hij zei dat wat zich daar afspeelde te maken had met onderzeeërs.'
'Onderzeeërs? Hoe diep zijn die meren hier eigenlijk?'
'Ik vertel u alleen maar wat me te binnen schiet. Het lijkt mij meer een geval van een ouwe zeebonk die stoer wil doen.'
Kate had haar gesprek beëindigd en kwam overeind. 'Sorry, maar ik zat op dat telefoontje te wachten.'
Er waren nog meer mensen in de hal, inclusief de wachtcommandant, dus zei Schaeffer voor de vorm: 'Nogmaals sorry voor rechercheur Muller. Ik kan u verzekeren dat wij al het mogelijke zullen doen om deze tragedie tot op de bodem uit te zoeken.'
'Dat waarderen we zeer,' zei ik. 'En bedankt voor de koffie.'
'Heeft u misschien een routebeschrijving naar Het Punt nodig?'
'Dat is misschien wel handig, ja.'

Hij vertelde hoe we moesten rijden en vroeg: 'Hoe lang blijft u daar?'

'Totdat we ontslagen zijn.'

'Dat kan nooit lang duren, met duizend dollar per nacht.' Hij bood aan: 'Als u nog iets over de omgeving wilt weten, vraag het dan.'

'Nu u het zegt... heeft u hier problemen met beren?'

Kate sloeg haar ogen ten hemel.

Majoor Schaeffer deelde me mede: 'De Adirondack-regio herbergt de grootste populatie zwarte beren in het oosten. Het is heel waarschijnlijk dat u in de bossen een beer zult tegenkomen.'

'O ja? En wat dan?'

'Zwarte beren zijn niet bovenmatig agressief. Maar ze zijn wel nieuwsgierig, en intelligent, en het kan zijn dat ze op u afkomen.' Hij voegde eraan toe: 'Het probleem is dat beren mensen associëren met voedsel.'

'Ja, dat geloof ik graag. Ze eten je op.'

'Ik bedoel dat mensen – kampeerders en trekkers – voedsel bij zich dragen en de beren weten dat. Maar ze eten liever je lunch op dan jou zelf. En kom niet in de buurt van hun jongen. De vrouwtjes zijn heel beschermend ten opzichte van hun jongen.'

'Hoe weet ik of ik in de buurt van hun jongen ben?'

'Dat merkt u vanzelf. En verder zijn beren heel actief na vijf uur 's middags.'

'Hoe weten ze wanneer het vijf uur is?'

'Dat weet ik niet. Neem na vijf uur in ieder geval extra voorzorgsmaatregelen. Dan beginnen ze namelijk met foerageren.'

'Fijn. De vraag is: kun je met een 9mm Glock een beer van je afhouden.'

'Nooit op beren schieten, rechercheur.' Majoor Schaeffer merkte op: 'U bent *hun* territorium binnengedrongen. Wees aardig tegen beren. Geniet ervan.'

Kate zei: 'Uitstekend advies.'

Ik dacht er anders over.

Schaeffer besloot zijn berenpraatje met: 'Ik heb al in geen jaren met een fatale aanval van beren te maken gehad – alleen wat berenbeten.'

'Moet me dat geruststellen?'

Schaeffer zei: 'Er ligt een brochure over beren op dat tafeltje daar. Die zou u misschien eens moeten lezen.'

Als die stomme beren zo intelligent en nieuwsgierig waren, zouden zij hem ook moeten lezen.

Kate vond de brochure en gaf majoor Schaeffer toen haar visitekaartje. 'Dat is mijn mobiele nummer.'

We schudden elkaar allemaal de hand en Kate en ik verlieten het gebouw en liepen over de verlichte parkeerplaats.

Kate zei tegen mij: 'En nu wil ik geen woord meer over die beren horen. Nooit meer.'

'Lees nou maar gewoon die brochure.'

'Die kun jij beter lezen.' Ze stopte hem in mijn zak. 'Had Schaeffer nog iets interessants te melden?'

'Ja... de Custer Hill Club is een geheime onderzeebootbasis.'

'*Onderzeeboot?* Heeft Schaeffer dat echt gezegd?'

'Nee, dat heeft Fred gezegd.'

'Wie is Fred?'

'Dat weet ik niet. Maar Fred weet meer dan wij.'

27

We stapten in de auto en ik gleed achter het stuur, startte de motor en reed de weg op.

Terwijl ik door Ray Brook reed, vroeg Kate: 'Vertel me wat majoor Schaeffer heeft gezegd.'

'Dat zal ik doen. Maar nu ben ik aan het nadenken.'

'Waarover?'

'Over iets wat Schaeffer zei.'

'Wat?'

'Dat is nu net wat ik me probeer te herinneren... Het was iets wat me aan iets anders deed denken – '

'Wat?'

'Het wil me niet te binnen schieten. Hier is een kruising.'

'Eh, rechtsaf. Zal ik rijden? Dan kun jij nadenken.'

'Nee, en val me nu even niet lastig. Ik had niets moeten zeggen. Dat doe je nou altijd.'

'Nee, dat doe ik niet. Vertel me gewoon alles wat Schaeffer jou verteld heeft, dan schiet het je vanzelf te binnen.'

'Oké.' Ik reed Route 86 op, die donker en verlaten was, en onder het rijden bracht ik Kate op de hoogte van mijn gesprek met Schaeffer. Kate kan goed luisteren en ik ben goed in het weergeven van de feiten, als ik dat wil. Maar feiten en logica zijn niet hetzelfde en ik kon me niet de woordassociaties herinneren die bij mij een lichtje hadden doen opgaan.

Toen ik klaar was, vroeg Kate: 'En, weet je het weer?'

'Nee. Ander onderwerp graag.'

'Oké. Misschien dat dit helpt. Denk jij dat de Custer Hill Club iets van de overheid is, of ooit is geweest?'

'Nee. Dit is Bain Madox' ding, van begin tot eind. Denk Dr. No.'

'Oké, mister Bond, dus jij denkt dat dit meer is dan een jachthuis, en zelfs meer dan een plek waar eventuele samenzweerders elkaar ontmoeten?'

'Ja... er lijkt daar een... technologische infrastructuur te zijn die niet overeenkomt met de beweerde functie van het landgoed. Tenzij het, zoals Madox zei, door zijn vrouw bedoeld was als toevluchtsoord in geval van een atoomoorlog.'

'Ik denk dat dat gewoon onderdeel uitmaakte van zijn rookgordijn – een logische verklaring voor wat wij uiteindelijk toch wel zouden horen over de bouw van dat huis twintig jaar geleden.' Ze voegde eraan toe: 'Hij is heel uitgekookt.'

'En jij lijkt me vanavond ook uitermate scherp en alert.'

'Dank je, John. En jij lijkt ongebruikelijk duf en vaag.'

'Die berglucht hier benevelt mijn hersens.'

'Kennelijk. Je had majoor Schaeffer wat meer moeten doorzagen over sommige punten.'

Ik antwoordde, met enige irritatie in mijn stem: 'Ik heb mijn uiterste best gedaan om zijn vrijwillige medewerking te verkrijgen. Maar het is niet makkelijk om een andere politieman te ondervragen.'

'Nou, toen jij me de kantine uit stuurde, dacht ik anders dat jullie de beste maatjes zouden worden.'

De woorden 'val dood' kwamen in me op, maar zo beginnen de meeste ruzies. Ik zei: 'Wij zullen hem morgen samen wat meer onder druk zetten, schat.'

'Misschien had je hem moeten vertellen wat we in Harry's broekzak hebben gelezen.'

'Hoezo?'

'Nou, om te beginnen hoor je dat zo te doen, en ten tweede weet hij misschien wat elf betekent.'

'Dat betwijfel ik.'

'Wanneer gaan we die informatie met anderen delen?'

'Dat hoeven we niet. Jouw FBI-collega's zijn zo verdomde briljant dat ze die zelf wel zullen vinden. En als zij het niet doen, dan de staatspolitie wel. En als die het ook niet zien, vragen we gewoon aan Bain Madox wat mad, nuk en elf betekenen.'

'Misschien zouden we dat sowieso moeten doen. Hij weet het.'

'Inderdaad, ja... Wacht! Ik heb het!'

Ze draaide zich om op haar stoel. 'Wat? Weet je wat het betekent?'

'Ja. Ja, ik weet het. Die andere woorden – mad en nuk – waren duidelijk afkortingen voor Madox en nucleair. Maar elf is een acroniem.'

'Voor wat?'

'Voor hoe Harry over Bain Madox dacht – Ellendige Linke Fratsenmaker.'

Ze zakte weer achterover in haar stoel. 'Klootzak.'

We reden in stilte verder, elk in onze eigen gedachten verzonken.

Op een gegeven moment zei Kate: 'Je hebt natuurlijk wel die groepering genaamd Earth Liberation Front. ELF.'

'O ja?'

'Onze afdeling Binnenland gaat daarover.'

'O ja?'

'ELF was verantwoordelijk voor wat we ecoterrorisme noemen. Ze hebben bouwprojecten in brand gestoken om land te redden, ze hebben stalen spijkers in bomen geslagen om kettingzagen kapot te maken, en ze hebben bommen tegen de romp van olietankers geplaatst.'

'Juist. Dus jij denkt dat Madox een nucleair wapen bij de eerstvolgende ELF-bijeenkomst gaat plaatsen?'

'Ik weet het niet... maar er zou een verband kunnen zijn... ELF... olie... Madox.'

'Je bent nuke vergeten.'

'Weet ik... ik probeer alleen maar een verband te vinden, John. Help me liever.'

'Ik denk niet dat meneer Bain Madox, die beweert dat hij heeft meegeholpen de Sovjet-Unie te verslaan, zich nu verlaagt tot het bestrijden van een handvol boompraters en vrouwen met ongeschoren benen.'

Ze was enkele seconden stil en zei toen: 'Nou ja, het is in ieder geval beter dan Ellendige Linke Fratsenmaker.'

'Nauwelijks.'

Af en toe gleed er een wolk voor de fel oranje halvemaan, en bladeren dwarrelden in het licht van de koplampen.

We bevonden ons nog steeds in het nationale park, maar dit gebied leek een mengeling van openbaar en privaat bezit en langs de weg lagen hier en daar huizen. Ik zag een hoop borden met seizoensaanbiedingen op de gazons – maïskolven, pompoenen en meer van die zaken. Er waren ook wat Halloween-borden – heksen, geraamtes, vampiers en andere griezelaanbiedingen. De herfst was van een sombere schoonheid en een heerlijke grimmigheid.

Ik vroeg aan Kate: 'Hou jij van de herfst?'

'Nee. De herfst is duisternis en dood. Ik houd meer van het voorjaar.'

'Ik vind de herfst wel prettig. Heb ik hulp nodig?'

'Ja, maar dat wist je al.'

'Wat je zegt. Hé, ik heb op de middelbare school een gedicht geleerd. Wil je het horen?'

'Ja hoor.'

'Oké...' Ik schraapte mijn keel en reciteerde uit mijn hoofd: 'Nu is het herfst, vallend fruit en de lange reis naar vergetelheid... Heb je je dodenschip al gebouwd, o, heb je dat al gedaan?'

Ze zweeg even en zei toen: 'Dat is wel heel morbide.'

'Ik vind het mooi.'

'Ga in therapie als we terug zijn.'

We reden in stilte verder en Kate zette de radio aan, die op een country-and-westernstation stond. Een of andere boerenmeid met een snik in haar stem zong: 'Hoe kan ik je missen als je niet weggaat?'

Ik zei: 'Heb je er bezwaar tegen om hem weer uit te zetten? Ik probeer na te denken.'

Ze gaf geen antwoord.

'Kate? Schatje? Hallo?'

'John... radiocommunicatie.'

'Wat zeg je daar?'

'Je hebt UHF – de ultrakortegolf – VLF – de langegolf... enzovoort. Is er ook niet een extreem lage frequentie? ELF?'

'Goeie hemel.' Ik keek haar aan. 'Dat is – dat is wat ik me probeerde te herinneren. Radioantennes op Custer Hill...'

'Denk jij dat dit betekent dat Madox met iemand communiceert op een ELF-frequentie?'

'Ja... ik denk dat Harry wilde zeggen: stem af op ELF.'

'Maar waarom ELF? Wie gebruikt de ELF-band? Het leger? De luchtvaart?'

'Ik weet het echt niet. Maar wie hem ook gebruikt, hij kan worden afgeluisterd.'

Ze merkte op: 'Ik weet zeker dat als Madox zendt en ontvangt, hij dat niet open en bloot doet. Hij zal ongetwijfeld stemvervorming en codes gebruiken.'

'Dat denk ik ook, maar de NSA zou die codes moeten kunnen kraken.'

'Met wie zou hij communiceren en waarom?'

'Ik weet het niet. Ondertussen zullen we meer te weten moeten zien te komen over ELF-radiogolven. Hé, misschien is dat de reden dat iedereen hier zo raar overkomt. ELF-golven. Ik hoor nu ook stemmen in mijn hoofd. Iemand zegt dat ik Tom Walsh moet vermoorden.'

'Dat is niet grappig, John.'

We reden verder door de donkere nacht en toen zei ik: 'Bain Madox, nucleair, extreem lage frequentie. Ik denk dat alles wat we moeten weten in die woorden besloten ligt.'

'Ik hoop het. Veel anders hebben we niet.'

Ik opperde: 'Waarom gaan we niet naar de Custer Hill Club en martelen we Madox net zolang tot hij het ons vertelt?'

'Ik betwijfel of de directeur van de FBI dat goed zou keuren.'

'Nee, ik meen het. Wat als die klootzak een of andere nucleaire toestand aan het plannen is? Dat zou toch wel rechtvaardigen dat ik hem in elkaar ram tot hij praat?'

'Het is dat "wat als" dat me dwarszit. En zelfs al wisten we met negenennegentig procent zekerheid... dat soort dingen doen we gewoon niet. We *doen* dat niet.'

'Dat doen we wel. De volgende keer dat we worden aangevallen – vooral als het een nucleaire aanval is – gaan we echt de mogelijke verdachten wel degelijk in elkaar rammen.'

'Mijn god, ik hoop niet dat het ooit zover komt.' Ze zweeg even en zei toen: 'We moeten alles melden wat we gehoord hebben, en ook onze eigen theorietjes. Laat het Bureau het van nu af aan maar overnemen.' Ze voegde eraan toe: 'We hoeven dit niet alleen te dragen.'

'Oké... maar we hebben nog wat tijd nodig om ons verhaal te perfectioneren.'

'Ja, nou ja, goed... laten we zeggen dat we morgenavond om deze tijd naar Tom Walsh gaan met wat we dan hebben. Mee eens?'

Ik vertrouwde Walsh niet langer, dus dacht ik erover de regels wat naar mijn hand te zetten en direct naar mijn NYPD-chef bij de Task Force, hoofdinspecteur Paresi, te gaan.

'John?'

'We hebben een week,' bracht ik haar in herinnering.

'John, we weten niet of de *planeet* nog wel een week heeft.'

Interessant punt. Ik zei: 'Laten we eerst maar eens kijken wat er morgen gebeurt.'

28

Het was nog geen dertig kilometer naar Het Punt, maar die tent lag zo afgelegen dat Kate, ondanks Schaeffers aanwijzingen en Max' kaart, de zaak zelf moest bellen om ons naar de niet met borden aangegeven toegangsweg te leiden.

Ik deed mijn grote licht aan en reed langzaam over een smalle, door bomen omzoomde weg die niet veel meer was dan een enigszins opgeknapt indianenpad.

Kate zei: 'Wat is het hier toch mooi.'

Ik zelf zag alleen maar een tunnel van bomen in mijn koplampen, maar om een beetje positief over te komen – en omdat ik die tent geboekt had – zei ik: 'Ik voel me heel dicht bij de natuur.' Ongeveer één meter aan weerzijden van de auto, om precies te zijn.

We kwamen bij een rustiek hek met een boog gemaakt van takken die zo gebogen waren dat ze de naam HET PUNT vormden.

Het hek was gesloten, maar ernaast bevond zich een intercom. Ik draaide mijn raampje omlaag en drukte op het knopje, en uit de luidspreker klonk een krakerige stem. 'Wat kan ik voor u betekenen?'

'Een dubbele cheeseburger met extra bacon, een grote friet en een Diet Coke graag.'

'Meneer?'

'De heer en mevrouw Corey. We hebben gereserveerd.'

'Ja, meneer. Welkom in Het Punt.'

De elektrisch aangedreven hekken gingen open en de stem zei: 'Wilt u naar het eerste gebouw aan uw linkerhand rijden?'

Ik reed door het hek naar binnen en Kate merkte op: 'Ze zijn hier toch iets vriendelijker dan op de Custer Hill Club.'

'Dat mag ook wel, voor twaalfhonderd piek per nacht.'

'Het was niet mijn idee.'

'Klopt.'

Voor ons uit zag ik een groot houten bouwsel en ik reed de weg af. We stapten uit en toen we het pad opliepen, ging de deur open en zwaaide een jongeman naar ons. Hij zei: 'Welkom. Heeft u een goede reis gehad?'

Kate antwoordde: 'Ja, dank u.'

We beklommen de trap naar het rustieke gebouw en de in vrijetijdskleding gestoken man zei: 'Ik ben Jim.' We gaven elkaar een hand, wat een beetje de toon zette voor ons verblijf in dit hotel, wat naar ik aannam vriendelijk, huiselijk en mogelijk een beetje excentriek was. Jim zei: 'Komt u binnen.'

We betraden het gebouw, dat het kantoor van dit hotel bleek, en tevens een souvenirwinkel waar ze kunstnijverheid uit de Adirondacks verkochten, plus wat prijzig uitziende kleding die direct Kate's aandacht trok.

Vrouwen, zo is me opgevallen, worden heel makkelijk afgeleid door kledingzaken en ik was ervan overtuigd dat de dames op de *Titanic* eerst even bij de kledingwinkel waren langsgegaan voor de We Zinken-uitverkoop, alvorens de reddingsboten op te zoeken.

Maar goed, we kwamen voorbij de kleding en we namen alle drie plaats in comfortabele leren stoelen die om een tafeltje heen stonden. Jim sloeg onze map open en zei: 'Ik heb hier voor u allebei een bericht.' Hij overhandigde me een kaart waarop met de pen geschreven stond: 'Bellen'. Van: 'Mr. Walsh.' Tijd: 19:17.

Aangezien ik me niet kon herinneren dat Kate of ik Tom Walsh had verteld waar we zouden logeren, ging ik er van uit dat Walsh dat net van majoor Schaeffer had gehoord. Dat gaf verder niet, maar ik moest me wel realiseren dat Walsh en Schaeffer contact met elkaar hadden.

Ik gaf de kaart aan Kate, wierp toen een blik op mijn gsm en zag dat er geen bereik was. Ik vroeg aan Jim: 'Is er hier geen bereik voor gsm's?'

'De ene keer wel, de andere keer niet. Je hebt de beste ontvangst als je midden op het croquetveld gaat staan.' Hij leek dat wel grappig te vinden en grinnikte, waarna hij me meedeelde: 'Soms heb je ook bereik als je op het punt staat.'

Ik kon de verleiding niet weerstaan en vroeg: 'Wat is het punt, Jim?'

Hij helderde de zaak op door te zeggen: 'Whitney Point aan Upper Saranac Lake. Dat ligt op ons terrein.' Jim waarschuwde ons. 'Eigenlijk willen we het gebruik van mobiele telefoons in onze zaak ontmoedigen.'

'Waarom dat, Jim?'

'Het maakt inbreuk op de sfeer hier.'

'Daar zit wat in. Is er telefoon op de kamer?'

'Die is er, maar er is geen buitenlijn.'

'Waarom zijn ze er dan, Jim?'

'Om te communiceren met de receptie.'

'Ben ik dus afgesneden van de buitenwereld?'

'Nee, meneer. Er is een buitenlijn op het kantoor, plus eentje in de keuken van het hoofdgebouw, de Main Lodge, die u kunt gebruiken. Als iemand hierheen belt – zoals meneer Walsh heeft gedaan – geven we het bericht aan u door.'

'Hoe? Met rooksignalen?'

'Via een briefje, of via de telefoon op uw kamer.'

'Oké.' Dit bood onverwachte perspectieven, maar het had ook zijn nadelige kanten, gezien alle telefoontjes die we de komende paar dagen moesten plegen.

Jim ging verder met het inchecken en zei: 'Twee nachten. Klopt dat?'

'Dat klopt. Waar is de bar?'

'Daar kom ik zo op.' Hij vulde nog wat formulieren in en schoof een A-viertje met informatie naar ons toe, samen met een brochure van Het Punt, een plattegrond van het terrein enzovoort.

Jim vroeg me: 'Hoe wilt u de rekening vereffenen?'

'Wat dacht je van een duel?'

'Meneer?'

Kate zei tegen Jim: 'Creditcard.' Ze zei tegen mij: 'John, waarom gebruik je je eigen kaart niet, in plaats van die van het bureau?'

'Mijn creditcard is gestolen.'

'Wanneer?'

'Ongeveer vier jaar geleden.'

'Waarom heb je geen nieuwe aangevraagd?'

'Omdat de dief minder uitgaf dan mijn ex.'

Geen van de anderen leek hierom te kunnen lachen. Ik gaf Jim mijn creditcard van K&IJ Associates en hij haalde hem door het apparaat.

Hij markeerde onze plattegrond met een viltstift en zei: 'Als u deze weg volgt, langs de stoomhut en het croquetveld, komt u bij de Main Lodge. Daar wacht Charles u op.'

'Waar is de bar?'

'Recht tegenover het hoofdgebouw, in het Adelaarsnest. *Hier* –' Hij zette een grote X op de betreffende plek. 'Ik hoop dat u van uw verblijf hier geniet.'

'Van hetzelfde.'

We verlieten het kantoor en Kate vroeg: 'Waarom moet je altijd zo grof zijn?'

'Het spijt me.'

'Het spijt je helemaal niet. Gaan we Walsh bellen?'

'Natuurlijk. Waar is het croquetveld?'

We stapten in de auto en volgden de aangegeven weg, passeerden de stoomhut, wat dat verdomme ook mocht zijn, en reden langs het croquetveld, waarop ik vroeg: 'Wil je dat ik daarheen ren en Walsh bel?'

'Nee. Charles wacht op ons.'

Aan het einde van de weg stond een groot houten gebouw met een veranda – de Main Lodge – waar een andere jongeheer, gekleed in een keurig kostuum, naar ons zwaaide. Ik parkeerde en we stapten uit.

De jonge kerel liep kwiek de trap af, begroette ons en stelde zichzelf voor als Charles, om eraan toe te voegen: 'Ik geloof dat ik al eerder met de heer Corey heb gesproken.'

'Dat klopt.'

Hij maakte een grapje en zei: 'We hebben de beren intussen gevoed.'

'Prachtig. Kun je nu ook ons voeden?'

Ik kreeg het idee dat Charles mij liever aan de beren had gevoed, maar hij zei: 'Het diner wordt op dit moment geserveerd, en we hebben twee plaatsen voor u gereserveerd.' Hij keek me aan en zei: 'Jasje-dasje is verplicht bij het diner.'

'Ik heb geen van beide, Charles.'

'O... hemeltje... we kunnen u wel een jasje en een das lenen.'

Grappig dat Kate's zwarte spijkerbroek wel door de keuring kwam, maar dat ik een jasje en een das nodig had. Ik zei tegen Charles: 'Dat zal niet nodig zijn. Waar is de bar?'

Hij wees naar weer een ander rustiek gebouw, zo'n dertig meter verderop, en zei: 'De Pub is in dat gebouw, meneer. Er zijn een aantal selfservicebars op het terrein en al het personeel is ook gelijk barkeeper, maar mocht u geen personeel bij de bars zien, dan kunt u zelf inschenken.'

'Ik begin het hier steeds leuker te vinden.'

'Wilt u me maar volgen?'

We volgden hem de trap op naar de veranda en vervolgens een koepelvormig vertrek in, allemaal in de bekende Adirondack-stijl, die me zo langzamerhand op de zenuwen begon te werken.

Charles zei: 'Dit is de lobby van de Main Lodge, wat ooit het huis van William Avery Rockefeller is geweest.'

Een nanoseconde voordat ik met iets spits kon komen, zei Kate: 'Dit is een prachtige ruimte.'

Charles glimlachte. 'Het is allemaal nog origineel.'

Charles genoot duidelijk van de mooie dingen des levens. In het midden van de koepelzaal stond een ronde tafel met daarop een urn met bloemen en een fles champagne in een zilveren ijsemmer, geflankeerd door drie flûtes. Charles ontkurkte de fles, schonk in en overhandigde ons elk een glas, waarna hij dat van zichzelf hief. 'Welkom.'

Ik drink dit spul eigenlijk niet, maar om beleefd te zijn – en omdat ik behoefte had aan alcohol – klonk ik mee en we namen allemaal een slok.

Charles wees naar een kleine kamer opzij van de koepel en zei: 'Daar is nog een extra zelfbedieningsbar die dag en nacht te uwer beschikking staat.'

Hij kwam nu al goed van pas, leek me, maar Charles praatte al verder. 'En daar' – hij gebaarde naar een boogvormige doorgang – 'is de Great Hall.'

Ik wierp een blik in de Great Hall, die me deed denken aan de grote hal waar we met Bain Madox hadden gezeten. In deze Great Hall echter stonden aan het andere uiteinde twee grote, ronde eettafels voor een reusachtige, fel brandende open haard. Aan elke tafel zaten ongeveer tien dames en heren te eten en te drinken, en hoewel ik hen niet kon horen, wist ik zeker dat ze verdiept waren in intellectuele gesprekken die grensden aan het banale.

Charles zei: 'U kunt uw kamer, de Mohawk – vroeger trouwens William Avery Rockefellers eigen slaapkamer – bereiken via de Great Hall, maar aangezien nu het diner wordt geserveerd, wilt u misschien liever buitenom naar uw kamer, die ik u zo dadelijk zal wijzen.'

Ik opperde: 'Ik geloof dat we eerst een borrel nodig hebben.'

Hij knikte. 'Natuurlijk. Als u mij uw sleutels geeft, zullen wij zorg dragen voor uw auto en uw bagage naar uw kamer brengen.'

Kate antwoordde: 'We hebben geen bagage,' en voor het geval Charles zou denken dat we elkaar zojuist in een chauffeurscafé hadden ontmoet, voegde ze er snel aan toe: 'Deze reis kwam nogal plotseling en onze bagage volgt morgen. Kunt u ons ondertussen misschien voorzien van wat eerste levensbehoeften? Een tandenborstel, een scheerapparaat, en meer van die zaken?'

'Natuurlijk. Ik zal een en ander op uw kamer laten bezorgen.'

Vrouwen zijn heel praktisch en bovendien heel bang voor wat volkomen vreemden zouden kunnen denken, dus om me van mijn beste kant te tonen, zei ik tegen Charles: 'Wij vieren onze trouwdag en we waren zo opgewonden dat we de bagage in de Bentley stopten en toen per ongeluk met de Ford vertrokken.'

Charles moest dat even verwerken, waarna hij ons nog een glas champagne aanbood, dat ik voor ons beiden afwimpelde. 'Wij zitten in de Pub,' zei ik. 'Zou je daar ook wat te eten kunnen serveren?'

'Maar natuurlijk. Als u verder nog iets nodig hebt, kunt u het gewoon aan het personeel vragen.'

'Een kamersleutel bijvoorbeeld?'

'Er zijn geen sleutels.'

'Hoe kom ik dan in mijn kamer?'

'Er zijn geen sloten.'

'Hoe houd ik dan de beren buiten de deur?'

'De deuren kunnen vanbinnen op slot.'

'Kan een beer – ?'

'John, laten we wat gaan drinken.'

'Goed,' zei ik tegen Charles. 'Mijn auto heeft wel een sleutel. Hier is-ie. Ik wil graag om zes uur gewekt worden.'

'Ja, meneer. Wilt u het ontbijt op uw kamer of in de Great Hall?'

Kate antwoordde: 'Ik zou graag het ontbijt op de kamer willen.'

We hebben altijd dat soort onenigheid over de roomservice. Ik houd er niet van om te eten waar ik slaap, maar vrouwen, zo is me opgevallen, zijn gek op roomservice.

Charles vroeg ons: 'Wilt u misschien een massage op uw kamer?'

Ik vroeg: 'Tijdens het ontbijt?'

Kate zei: 'We zien morgen wel hoe onze dag verloopt.'

'Is er verder nog iets waar ik u mee van dienst kan zijn?'

Kate antwoordde: 'Nee, voor het moment niet. Dank je, Charles, je bent zeer behulpzaam geweest.'

Ik vroeg hem: 'Hebben jullie ook worstenbroodjes?'

'Meneer?'

'Voor in de bar.'

'Ik... zal het aan de chef vragen.'

'Met mosterd. En het korstje graag een beetje bruin.'

'Ja... ik zal het aan hem doorgeven.'

'Ciao.'

We verlieten de koepelzaal van de Main Lodge en ik zei tegen Kate: 'Heb ik me niet voorbeeldig gedragen?'

'Nou, niet helemaal.'

Ze deed het autoportier open en pakte haar aktetas, waarna we de dertig meter aflegden naar het gebouw dat het Adelaarsnest werd genoemd en waar zich die zogenaamde Pub moest bevinden.

De Pub bleek ook weer een heel rustiek vertrek, maar het was er niet onaangenaam. Het straalde gezelligheid uit, met een kleine open haard en een kaart- en spelletjeskamer waarin een poolbiljart stond, en verder boekenkasten en een stereo-installatie. Er was geen televisie, zo zag ik. De pubhelft van het vertrek had een lange bar waarachter zich lange planken vol met de prachtigste flessen drank bevonden, en geen barkeeper. Er was trouwens helemaal niemand in het vertrek; alle gasten zaten kennelijk aan het diner. Dit had veel weg van doodgaan en in de hemel terechtkomen.

Ik schoof achter de bar en zei tegen Kate: 'Goedenavond, mevrouw. Mag ik u een cocktail aanbieden?'

Ze speelde het spelletje mee. 'Ik geloof dat ik liever een glaasje sherry heb. Nee – maak daar maar een dubbele Stoli van, een scheutje limoen, twee ijsblokjes.'

'Uitstekend, mevrouw.'

Ik zette twee lage glazen op de bar, vond het ijs, de limoen, de Dewar's en de Stoli en vulde, met in iedere hand een fles, de glazen tot aan de rand.

We klonken en Kate zei: 'Op Harry.'

'Rust in vrede, makker.'

Geen van ons beiden zei iets terwijl we bijkwamen van een lange, bewogen en heel trieste dag.

Uiteindelijk zei Kate: 'Moeten we Tom niet bellen?'

Ik controleerde nog een keer mijn gsm en nu was er wel bereik. 'Het gebruik van gsm's wordt in Het Punt ontmoedigd, mevrouw.'

'En als het nu eens belangrijk is?'

'Dan belt hij nog wel een keer.'

Ik schonk onze glazen nog eens vol en zei: 'Als de alcohol gratis is, hoe verwachten ze dan geld te verdienen met die kamerprijzen hier?'

Ze glimlachte. 'Misschien hopen ze dat je vroeg naar bed gaat. Je had trouwens de creditcard van je werk niet moeten gebruiken.'

Ik antwoordde: 'Zie het maar zo: als de wereld ten onder gaat, wat maakt het dan nog voor verschil?'

Ze dacht daarover na, maar gaf geen antwoord.

Ik ging verder. 'En als we de wereld redden, denk je dan dat de overheid ons het bedrag zal laten terugstorten?'

'Ja.'

'Echt?'

'Beslist.'

'Waarom zou ik dan de wereld gaan redden?'

'Dat is jouw taak deze week.' Ze nipte van haar drankje en staarde in het vuur. 'Nou, als de wereld echt ten onder gaat, zit je hier zo slecht nog niet.'

'Precies. En dat geldt ook voor de Custer Hill Club.'

Ze knikte.

'Kun jij biljarten?' vroeg ik.

'Ik heb het wel gedaan. Maar ik kan het niet echt goed.'

'Volgens mij moet ik nu op mijn hoede zijn.' Ik kwam achter de bar vandaan en liep naar de pooltafel, waar de ballen al keurig in hun rekje lagen. Ik zette mijn glas neer, deed mijn leren jack uit, trok de slip van mijn overhemd uit mijn broek om mijn platte holster te verbergen en koos toen een keu uit. 'Kom op, laten we een partijtje spelen.'

Kate gleed van haar kruk, deed haar suede jasje uit en trok haar sweater over haar holster. Ze rolde haar mouwen op en pakte ook een keu.

Ik haalde het rek weg en zei tegen Kate: 'Aangezien jij zo'n ballenbreekster bent, mag jij beginnen.' Dat zei ik niet echt. Ik zei: 'Na u, mevrouw.'

Ze krijtte, boog over de tafel en stootte. Goeie break, maar geen van de ballen verdween in een pocket.

Ik scoorde drie ballen en miste toen een gemakkelijke bal. Ik denk dat de whisky zijn werk begon te doen. Of misschien had ik gewoon nog een whisky nodig.

Kate maakte drie ballen en ik kon zien dat ze dit spelletje vaker beoefend had.

Ik miste weer een makkelijke bal en ze zei: 'Ben je dronken of strooi je me zand in de ogen?'

'Het is gewoon niet mijn avond.'

Ze scoorde nog eens vier ballen en ik gaf me gewonnen en legde de ballen weer in het rek. Ik zei: 'Laten we om vijf dollar per bal spelen.'

'Dat hebben we daarnet al gedaan.'

Ik glimlachte en vroeg: 'Waar heb jij leren spelen?'

Ze grijnsde ondeugend en zei: 'Dat wil jij niet weten.'

Het tweede partijtje was spannender omdat zij nu ook aangeschoten was.

Ik vond het heel prettig om zo samen met mijn vrouw, die er goed uitzag zoals ze over de tafel leunde, te biljarten en naar het geknetter van het vuur te luisteren in een gezellig, mooi vertrek in de bossen met een gratis bar.

Een jonge vrouw kwam de pub binnen met een schaal hors d'oeuvres, die ik haar hielp op de bar te zetten. Ze zei: 'Hoi, ik ben Amy. Welkom op Het Punt. Zal ik een drankje voor jullie inschenken?'

'Nee,' antwoordde ik, 'maar neem gerust zelf iets.'

Amy sloeg mijn aanbod af en zei: 'Hier is het ontbijtmenu. Kies maar uit wat jullie willen en meld even aan de keuken hoe laat jullie het ontbijt op de kamer willen.'

Ik keek naar het dienblad met de nogal truttige hors d'oeuvres en vroeg aan Amy: 'Waar zijn mijn worstenbroodjes?'

Ze leek wat beschaamd en antwoordde: 'De chef – nou ja, hij is een Fransman en hij zegt dat hij daar nog nooit van gehoord heeft.' Ze voegde eraan toe: 'Ik geloof trouwens niet dat we hot dogs hebben.'

'Amy, we zijn hier in *Amerika*. Zeg tegen Pierre – '

Kate onderbrak me. 'Amy, vraag aan de chef of hij geen ontbijtworstjes kan gebruiken.' Ze voegde er behulpzaam aan toe: '*Saucisses en croûte*. Met mosterd. Oké?'

Amy herhaalde het Frans met een zwaar Amerikaans accent, beloofde terug te komen en vertrok.

Ik zei tegen Kate: 'Dit land gaat naar de verdommenis.'

'John, kalmeer een beetje. Probeer hier wat van.' Ze bood me een stukje gerookte zalm aan, dat ik weigerde.

'Ik had hier echt voedsel verwacht. Ik bedoel, we zitten midden in het bos. Je weet wel, buffelsteaks, een jachtschotel...' Ik herinnerde me mijn sms aan Harry en schonk mezelf nog een whisky in.

'Ik weet dat dit een heel zware dag voor je is geweest, John. Dus blaas maar stoom af, drink, doe wat je prettig vindt.'

Ik antwoordde niet, maar ik knikte.

We liepen met onze drankjes terug naar de speelkamer. Ik ging aan de kaarttafel zitten en Kate nam plaats tegenover me. Ik opende een nieuw doosje speelkaarten en vroeg haar: 'Speel je ook poker?'

'Ik heb het wel gespeeld, maar ik was er niet goed in.'

Ik glimlachte. 'De rode fiches zijn één dollar. De blauwe zijn vijf dollar. Jij bent de bank.'

Ik schudde de kaarten terwijl zij ons elk tweehonderd dollar aan fiches gaf.

Ik legde het pak kaarten voor haar neer. 'Coupeer maar.' Dat deed ze en ik deelde de kaarten uit.

We speelden een paar spelletjes en het kaarten bleek me een stuk beter af te gaan dan het poolen. Ik mocht dan mijn hand-oogcoördinatie kwijt zijn, pokeren kon ik desnoods in mijn slaap.

Kate keek op haar mobiel en zei: 'Ik heb één streepje – '

'De enige strepen waar ik vanavond in ben geïnteresseerd,' zei ik, naar de bar knikkend, 'zijn die welke ik bij de bar kan zetten.'

'Ik denk echt dat we Tom even moeten bellen.'

'Wie dit spelletje verliest, belt.'

Zij verloor het spel, plus tweeëntwintig piek, maar kreeg wel het voorrecht om Tom Walsh te bellen.

Ze draaide het nummer van zijn gsm, hij nam op en zij zei: 'Ik beantwoord je telefoontje.' Ze zette hem op meeluisteren, legde de gsm toen op tafel en raapte de kaarten bijeen.

Ik hoorde hem vragen: 'Waar zit je?'

Kate zei: 'In Het Punt. Waar zit *jij*?'

Hij antwoordde: 'In mijn kantoor', wat mij ongebruikelijk leek op dit uur, en daarom ook heel interessant. 'Kun je praten?'

Ze giechelde. 'Niet zo goed meer. Ik heb vier Stoli's achter mijn kiezen.'

Ze schudde de kaarten vlak naast de telefoon en Walsh zei: 'Ik krijg statische ruis.'

'Ik ben aan het *schudden*.'

Hij leek wat ongeduldig te worden. 'Waar is John?'

'Die is hier.'

Ik zei: 'Inzetten graag.'

'Wat – ?'

Ze gooide een fiche van een dollar op tafel en zei: 'Couperen.'

Walsh vroeg: 'Waar ben je mee bezig?'

Kate antwoordde: 'Ik ben aan het pokeren.'

'Speel je alleen?'

Ze deelde de kaarten uit en zei: 'Nee, dan zou het Solitaire zijn.'

'Ik bedoel,' zei hij, met gemaakte kalmte: 'zijn er nog anderen bij behalve jij en John?'

'Nee. Wat zet jij in?'

Ik gooide een blauw fiche in de pot. 'Ik open met vijf.'

Ze gooide twee blauwe fiches in de pot. 'Ik ga er met vijf overheen.'

Walsh vroeg: 'Staat je telefoon op meeluisteren?'
'Ja. Hoeveel kaarten wil je?'
'Twee.'
Ze gaf me twee kaarten en zei: 'Je zal met wat beters moeten komen dan three of a kind, maat. Bij een gelijke kaart wint de bank.'
'Je bluft.'
Walsh zei: 'Sorry hoor, maar zouden jullie het spel misschien even kunnen onderbreken voor een zakelijk gesprek?'
Kate legde haar kaarten gesloten op tafel en fluisterde tegen mij: 'Laat maar zien.'
'Jij bent over mijn openingsbod heen gegaan, dus jij bent aan zet.'
'Weet je dat zeker?'
Walsh zei: 'Ja, dat klopt, Kate. Maar voordat je inzet, kan John me misschien eerst even vertellen hoe het met majoor Schaeffer is gegaan.'
Ik legde mijn kaarten dicht op tafel, nam een slok whisky en zei: 'Aangezien jij weet dat we in Het Punt zitten, neem ik aan dat je hem gesproken hebt – dus wat heeft hij jou verteld?'
'Hij zei dat Kate niet bij het gesprek aanwezig was.'
'Klopt. Het was een onderonsje tussen twee smerissen.'
'Daar was ik al bang voor. En?'
'Wat heeft hij *jou* verteld?' vroeg ik.
'Hij vertelde me dat jij hem over onze weddenschap verteld hebt. Je bent kennelijk nogal in een gokstemming vandaag.'
Grappiger dan dit zou Tom Walsh niet gauw worden, en ik vond dat ik dat moest aanmoedigen, dus lachte ik.
Hij vroeg: 'Heb je gedronken?'
'No, sir. We drinken nog steeds.'
'Juist ja... nou – '
'Zou jij trouwens Schaeffer niet bellen voordat wij daar arriveerden, om hem te vertellen dat Kate en ik de aangewezen personen in deze zaak waren?'
'Zelfs in dronken toestand weet je mij nog op een nalatigheid te wijzen.'
'Tom, zelfs als ik *dood* was, zou ik nog niet vergeten dat jij me belazert.'
De heer Walsh adviseerde me: 'Je moet eens leren je woede in banen te leiden.'
'Waarom? Dat is nog het enige dat me motiveert om naar mijn werk te komen.'

Walsh besloot dat te negeren. 'Was Schaeffer behulpzaam? Ben je nog iets te weten gekomen?'

'Tom, wat Schaeffer mij heeft verteld, zal hij ook aan jou vertellen. Hij is gek op de FBI.'

Hij opperde: 'Het lijkt me beter dit gesprek voort te zetten als je weer wat opgeknapt bent.'

'Met mij is het prima.'

'Oké,' zei hij. 'Even tussen ons, maar Harry's lichaam wordt per helikopter terug naar New York gevlogen voor een autopsie.' Hij voegde eraan toe: 'Ik begrijp dat er sporen van fysieke mishandeling op zijn lichaam aanwezig waren?'

Ik gaf geen antwoord.

Walsh ging verder. 'Dit is duidelijk geen jachtongeval en het Bureau behandelt het dan ook als een moord.'

'Wat was je eerste aanwijzing?' Ik voegde eraan toe: 'Fax me het volledige autopsierapport, per adres aan majoor Schaeffer.'

Daar ging hij niet op in. 'Er is een team agenten uit New York en Washington gearriveerd en ze willen jullie morgen graag spreken.'

'Zolang ze hier maar niet zijn om ons te arresteren, zullen wij met ze praten.'

'Doe niet zo achterdochtig. Ze willen gewoon een volledige briefing van jullie.'

'Juist. Ondertussen moet jij een federale rechter zover zien te krijgen dat hij een huiszoekingsbevel afgeeft voor de Custer Hill Club, en wel zo spoedig mogelijk.'

'Daar hebben we het al over gehad.'

Kate mengde zich in het gesprek. 'Tom, John en ik denken dat Bain Madox met iets bezig is dat veel verdergaat dan het manipuleren van olieprijzen.'

Er viel even een stilte en toen vroeg Walsh: 'Waar denken jullie dan aan?'

'Dat weten we niet.' Ze keek mij aan en vormde met haar mond de woorden MAD, NUKE, ELF.

Ik schudde mijn hoofd.

'Waar denken jullie aan?'

Ze antwoordde: 'Ik weet het niet.'

'Waarom denk je het dan?'

'We – '

Ik zei: 'Laten we dit bespreken als je nuchter bent, Tom.'

'Bel me morgenochtend. Ik weet dat ze daar geen telefoons op de kamers hebben en dat je een slecht bereik hebt, maar haal geen geintjes met me uit.' Hij voegde eraan toe: 'En haal het niet in je hoofd met een rekening voor jullie verblijf daar aan te komen.' Hij hing op.

Ik zei tegen Kate: 'Jij moet inzetten.'

Ze gooide drie blauwe fiches in de pot. 'Haal het niet in je hoofd om daaroverheen te gaan. Je kunt het trouwens maar beter opgeven.'

'Vijftien, en nog eens vijftien.'

Ze deed er ook nog eens drie blauwe fiches bij en zei: 'Ik zal je matsen.' Ze legde een straight flush op tafel en harkte de fiches naar zich toe. 'Wat had jij?'

'Dat gaat je niets aan.'

Ze pakte de kaarten en schudde ze. 'Jij kunt slecht tegen je verlies.'

'Goede verliezers zijn verliezers.'

'Macho, macho.'

'En dat vind jij heerlijk.'

We speelden nog een paar rondjes en met poker stond ik nu iets in de plus, maar nog niet genoeg om het verlies bij het biljarten te compenseren. Ik opperde: 'Laten we gaan darten. Een dollar per punt.'

Ze lachte en zei: 'Je kunt je glas niet eens meer bij je mond krijgen. Ik ben niet van plan in hetzelfde vertrek als jij te staan terwijl je een pijltje in je hand hebt.'

'Kom op.' Ik stond enigszins onvast op en zei: 'Dit is een soort cafétriatlon: poker, poolbiljart en darts.'

Ik vond de pijltjes, liep ongeveer drie meter bij het bord vandaan en gooide. Eentje raakte het bord, maar de anderen schoten er helaas langs. De laatste pinde een stuk gordijn aan de muur.

Kate vond dat wel grappig en ik zei: 'Laat jij dan maar eens zien hoe het moet.'

Ze zei: 'Ik speel geen darts. Maar jij mag best nog een keer.' Ze lachte.

Amy keerde terug met een met een doek overdekt dienblad, dat ze op de bar zette. 'Zo, daar zijn we weer. Hij had met appel gerookte kalkoenworstjes.'

Voor ik haar kon vertellen wat Pierre met zijn kalkoenworstjes kon doen, zei Kate: 'Bedankt.'

Amy keek naar de pijltjes in de muur, maar zei er niets over, behalve dan dat ze vroeg: 'Hebben jullie je keuze voor het ontbijt al gemaakt?'

We bekeken het menu en bestelden een ontbijt dat zelfs een Franse kok niet kon verpesten.

Ik wilde het avondnieuws zien en vroeg aan Amy: 'Waar is de tv?'

Ze antwoordde: 'Er zijn hier geen tv's.'

'En als de wereld nu eens ten onder gaat? Dan kunnen we dat dus niet op tv volgen.'

Ze glimlachte, zoals mensen doen die weten dat ze met een beneveld iemand te maken hebben. Ze richtte zich tot Kate, van wie ze kennelijk aannam dat die wel nuchter was. 'Ja, nou, tijdens 9/11 hebben we hier wel een tv op de bar gezet, zodat iedereen het kon volgen.' Ze voegde eraan toe: 'Het was echt afschuwelijk.'

Daar hadden Kate en ik geen commentaar op en Amy wenste ons een plezierige avond toe, keek nog eens naar de pijltjes in de muur en vertrok.

Ik haalde de doek van het dienblad en onderzocht de kalkoenworstjes, die waren gewikkeld in een soort van filodeeg. 'Wat is dit nu weer voor troep?'

Kate zei: 'We gaan hier morgen weer weg.'

'Ik vind het hier prettig.'

'Zeur dan niet en eet die stomme rotworstjes op.'

'Waar is de mosterd? Er is geen mosterd.'

'Tijd om naar bed te gaan, John.' Ze reikte me mijn leren jack aan, trok haar eigen jasje aan, pakte haar tasje en aktetas en leidde me de deur uit.

Ik stopte mijn Glock tussen mijn broeksband voor het geval we een beer zouden tegenkomen en zei tegen Kate dat ze dat ook moest doen, maar ze sloeg mijn advies gewoon in de wind.

Het was koud buiten en ik kon mijn adem zien, en aan de hemel stonden duizenden sterren. Ik rook de dennen en de rook van het houtvuur uit de schoorsteen van de Main Lodge, en het was heel stil om me heen.

Ik houd van het geluid van de stad, en van beton onder mijn voeten, en ik mis die sterrenlucht niet omdat de lichtjes van Manhattan hun eigen universum creëren en omdat acht miljoen mensen interessanter zijn dan acht miljoen bomen.

En toch was het hier prachtig, ontegenzeggelijk, en onder andere omstandigheden zou ik er best van hebben kunnen genieten en me hebben kunnen overgeven aan de wildernis en had ik me waarschijnlijk in alle gemoedsrust aan tafel geschaard om Frans te eten met twintig wildvreemden die waarschijnlijk hun geld hadden verdiend met het oplichten van hun mede-Amerikanen.

Kate zei: 'Het is zo sereen hier. Ik voel de spanning en de stress gewoon van me afglijden. Jij niet?'

'Tja, het ene moment wel, het andere weer niet.'

'Je moet het loslaten en je overgeven aan de natuur.'

'Juist. Nou, om eerlijk te zijn begin ik nu wel contact te krijgen met mijn primitiefste zelf.'

'John, dit is misschien een verrassing voor je, maar je hebt al een heel goed contact met je primitiefste zelf. Ik zou nu die andere kant van je wel eens willen zien.'

Ik wist niet zeker of dat een compliment was of puur sarcasme, dus ik gaf maar geen antwoord.

We liepen om de Main Lodge heen en kwamen op een stenen terras terecht. We konden door de grote ramen in de Great Hall naar binnen kijken en ik zag de gasten rond de grote tafels die flink hun best deden zich te gedragen zoals het hoorde. Geen van hen was natuurlijk van deze streek, en waar ze ook vandaan kwamen, het waren allemaal arrivés.

Ik dacht aan Bain Madox in zijn eigen great hall – open haard, hond, jachttrofeeën, oude whisky, een persoonlijke bediende en waarschijnlijk ook hier en daar een vriendinnetje. Voor negenennegentig procent van de mensheid zou dat meer dan genoeg zijn. Maar de heer Bain Madox, die eigenlijk heel tevreden zou moeten zijn met wat hij bereikt had, werd door een innerlijke stem naar een duistere plek geleid.

Ik bedoel, als ik nog eens terugdacht aan ons gesprek, zag ik iets in zijn ogen en in zijn manier van doen wat me deed geloven dat hij een man met een missie was, ver verheven boven het klootjesvolk.

Ik geloofde best dat hij zijn redenen had voor waar hij dan ook mee bezig was, redenen waarvan hij dacht dat ze juist waren en die hij onder de whisky en de koffie ook min of meer had aangestipt. Maar zijn redenen konden me niet schelen, of zijn innerlijke demonen, of de goddelijke stemmen die hij hoorde, of zijn overduidelijke megalomanie; wat mij kon schelen, was dat hij kennelijk bezig was met een misdadige onderneming en dat hij zeer waarschijnlijk mijn vriend had vermoord op weg naar het grotere doel, dat zelf ongetwijfeld de gebruikelijke criminaliteit verre oversteeg.

Kate vroeg: 'Waar denk je aan?'

'Madox. Harry. Nukes. Radiosignalen. Dat soort dingen.'

'We komen er wel uit, daar ben ik van overtuigd.'

'Nou, Kate, het mooie van dit mysterie is dat zelfs als we er niet uit komen, we gauw genoeg zullen weten waar we nu eigenlijk niet uit zijn gekomen.'

'Het lijkt me toch raadzamer om erachter te komen voordat het gebeurt.'

We bereikten de achterkant van de Main Lodge zonder ook maar enig vleesetend stuk wild tegen te komen en ik zag een houten deur met daarop het bordje MOHAWK.

We gingen door de onafgesloten deur naar binnen en ik deed de klink er op, hoewel ik betwijfelde of dat een beer zou tegenhouden. Misschien moest ik het dressoir ervoor schuiven.

Kate zei: 'O, dit is echt prachtig.'

'Wat?'

'De *kamer*. Moet je kijken.'

'Oké.' Ik keek. Het was een grote kamer met een gewelfd plafond en een grenen lambrisering met authentieke kwasten. Er stond een groot tweepersoonsbed dat eruitzag of het wel eens lekker kon liggen, maar het stond zo hoog boven de vloer, dat ik er niet graag uit zou vallen. Op het bed stond een mand vol met toiletspullen.

Er stond heel wat meubilair in de kamer en overal lagen kussens en dekens, iets waar vrouwen gek op waren, zo wist ik.

Terwijl Kate aan de stoffen begon te voelen en aan de bloemen rook, controleerde ik de badkamer. Ik ben een badkamerfreak en deze was oké. Ik houd van een flinke wasbak. Ik waste mijn gezicht en keerde toen terug naar de slaapkamer.

Tegen de muur aan de overkant bevond zich een grote stenen open haard en in de haard lagen houtblokken en aanmaakhout, waar Kate op dit moment een lucifer bij hield. Het vlammetje pakte en ze kwam overeind en zei: 'Wat romantisch allemaal.'

Boven de open haard hing een enorm gewei, wat me eraan deed denken dat ik geil was. Ik zei: 'Ik ben geil.'

'Kunnen we niet gewoon van de kamer genieten?'

'Jij zei toch dat het zo romantisch was?'

'Romantiek en seks zijn niet hetzelfde.'

Ik wist dat als ik daar tegenin ging, ik nergens zou komen, dus zei ik: 'Ik ben daar heel gevoelig voor. Wacht, dan zal ik wat muziek opzetten.' Op het dressoir stond een cd-speler met een stapeltje cd's ernaast.

Ik vond algauw een cd van Etta James, waarvan ik wist dat ze dat fijne muziek vond, en stopte hem in het apparaat. Etta begon 'At Last' te kwelen.

Kate vond een fles rode wijn op een eettafel, die ze opende. Daarna schonk ze twee glazen in, waarvan ze er eentje aan mij gaf. 'Op ons.'

We klonken, namen een slokje en kusten elkaar lichtjes op de lippen. Ik ben niet echt een wijndrinker, maar ik heb ontdekt dat wijn gelijkstaat aan romantiek en dat romantiek leidt tot... nou ja, tot wat dan ook.

Kate liep rond en deed wat lampen uit. We trokken onze schoenen uit en lieten ons in de comfortabele stoelen zakken die tegenover elkaar voor de open haard stonden.

Kate zei: 'Dit was toch niet zo'n slecht idee, afgezien van de prijs dan.'

'Hé, ik heb een olietip van Bain gekregen. Morgen zodra de markt opent, kopen we wat aandelen. En daarna bel ik mijn bookie om een weddenschap af te sluiten op de begindatum van de oorlog. Denk jij dat die oorlog iets te maken heeft met wat Madox van plan is?'

'Mogelijk.'

'Ja... misschien gaat Madox wel een atoombom op Bagdad gooien, om zo een oorlog te voorkomen. Zou dat zijn opzet kunnen zijn?'

'Ik weet het niet. Waarom zouden we erover speculeren?'

'Dat heet analyseren. Daar worden we voor betaald.'

'Ik heb nu vrijaf.'

'Zou het bombarderen van Bagdad de prijs van de olie verhogen of verlagen? En hoe kan ik op de begindatum van de oorlog wedden als die oorlog overbodig wordt gemaakt door een atoombom? Wat denk jij?'

'Ik denk dat je daar vanavond niet meer over moet nadenken.'

Ik keek om me heen in de verduisterde kamer, inmiddels alleen nog verlicht door het vuur. De gloed van de vlammen werd weerkaatst in de olieverfschilderijen aan de muur. De wind was aangewakkerd en ik kon hem horen loeien in de schoorsteen en zag bladeren langs de ramen schieten. Ik zei: 'Dit is inderdaad romantisch. Ik zie nu het verschil.'

Ze glimlachte en antwoordde: 'Je zit op het goede spoor.'

'Mooi. Hé, besef jij wel dat William Avery Rockefeller seks heeft gehad in deze kamer?'

'Is dat het enige waar je aan kunt denken? Ik bedoel, hier zitten we dan, in een van de historische Great Camps van de Adirondacks, en het enige waar jij aan kunt denken is dat een of andere Rockefeller seks heeft gehad in deze kamer.'

'Dat is niet waar. Ik wilde net beginnen over de trek naar het platteland van de welgestelden aan het begin van de vorige eeuw, iets wat geleid heeft tot de bouw van deze landhuizen als simpele ontsnappingsmogelijkheid aan het hectische stadsleven met al zijn herrie, vervuiling en gebrek aan medemenselijkheid.'

'Interessant.'

'Maar dat neemt niet weg dat die Rockefellers een geil volkje waren. Ik bedoel, kijk eens wat er met die arme Nelson Rockefeller is gebeurd. En bovendien heb je oesters à la Rockefeller. Oesters. Snap je 'm? Dus als ik vermeld dat William Avery – '

'John, je bent punten aan het verliezen.'

'O.' Dus luisterden we naar Etta James, staarden in de vlammen en nipten van onze wijn. De hitte van het vuur maakte me slaperig en ik geeuwde.

Kate stond op, liep naar het bed, pakte er de gewatteerde sprei en een kussen vanaf en drapeerde die voor de open haard.

Vervolgens trok ze iets gemakkelijkers aan – niets dus – en ik keek hoe ze zich in het licht van de vlammen uitkleedde. Toen ze naakt was, ging ze op de sprei liggen en keek me aan.

Ik nam aan dat dit een teken was dat ik me bij haar moest voegen, dus kwam ik overeind, trok langzaam – in ongeveer vijf seconden – mijn kleren uit en we gleden op onze zij in elkaars armen.

Ze duwde me op mijn rug en kroop boven op me.

Het was een beroerde dag geweest en morgen, als die al zou komen, zou het waarschijnlijk niet veel beter zijn. Maar voor nu kon ik me niet beter wensen.

— DEEL X —

Dinsdag

UPSTATE NEW YORK

De ontketende kracht van het atoom heeft alles veranderd, behalve onze manier van denken, en dus stevenen we af op een ongeëvenaarde catastrofe.

Albert Einstein

29

We werden klokslag zes gewekt en ik vroeg me af waar ik mee bezig was toen ik daarom vroeg. Kleine Schotten waren in mijn hoofd met stenen aan het gooien.

Kate draaide zich om, mompelde iets en begroef haar hoofd onder het kussen.

Ik vond in het donker de badkamer, gebruikte de ons verschafte toiletspullen en stapte onder de douche, wat me een onbetaalbaar gevoel gaf – of althans een gevoel ter waarde van 1200 dollar.

Ik liep de slaapkamer weer in, kleedde me in het donker aan en liet de schone slaapster nog even liggen.

We hadden allebei een nogal onrustige nacht gehad na een dag met veel te veel indrukken. Voor het eerst in lange tijd had ik weer gedroomd dat ik onder de brandende torens stond terwijl mensen uit het raam sprongen. Ik droomde ook dat Harry en ik een begrafenis bijwoonden.

Ik opende de andere toegangsdeur naar onze kamer en zag dat die toegang gaf tot een korte gang die weer uitkwam in de Great Hall.

Ik liep de Hall in, waar twee ronde tafels werden gedekt voor het ontbijt en waar aan beide kanten van het vertrek een grote open haard brandde. Het is dat ik al politieman was, anders was ik graag een Rockefeller geweest.

De keukendeur stond open en ik hoorde het geluid van mensen die met pannen bezig waren.

Ik dacht ook een stem met een Frans accent te horen die zei: 'Worstenbroodjes?' Gevolgd door gelach. Maar dat kan ook mijn verbeelding zijn geweest.

Op een bijzettafel stonden koffie en muffins. Ik schonk een kop zwarte koffie in, liep door de openslaande deuren naar buiten het terras op en snoof de berglucht op.

Het was nog steeds donker, maar ik zag dat het een heldere hemel was, dus zou het weer een mooie dag worden in Gods land.

Onder rechtshandhavers heerst een wijdverbreide mening, gestaafd door ervaring en statistieken, dat bij een onderzoek de eerste achtenveertig uur van cruciaal belang zijn. Inlichtingenwerk en contraterrorisme verlopen echter in een wat rustiger tempo. Daar zijn goede redenen voor, maar mijn instinct en ervaring als politieman zeiden me dat bijna alles wat je moet weten en bijna alles wat je zult ontdekken, binnen twee dagen, hoogstens drie, boven water komt.

Wat je met die tijd en die informatie doet, maakt het verschil tussen een met succes afgeronde zaak of een troebele puinhoop van bemoeizuchtige bazen, hersenloze aanklagers, verdachten die volkomen afgeschermd worden door advocaten en seniele politierechters. Als je al die mensen de kans geeft om na te denken, raak je door alle analyses in paralyse.

Terwijl ik zo met mijn ochtendlijke overpeinzingen bezig was, kwam Kate het terras op, gekleed in een ochtendjas en slippers en met een kop koffie in haar hand. Ze geeuwde, glimlachte en zei: 'Goeiemorgen.'

'Goeiemorgen, mevrouw Rockefeller.' Getrouwd of niet, maar het ochtendritueel après seks was een kus, een complimentje en een verwijzing naar het vrijen, en dat allemaal romantisch zonder truttig te klinken en expliciet zonder grof te zijn.

Ik kweet me van mijn taak en daarna stonden we arm in arm op het terras, dronken koffie en keken naar de dennen en de herfstbladeren.

De zon kwam op en op de grond lag een mistdeken die omlaag liep naar Upper Saranac Lake, dat er heel sereen bij lag. Het was stil en het rook naar vochtige aarde en houtrook. Ik begreep nu waarom Harry het hier zo prettig vond en ik stelde me voor hoe hij zaterdagochtend onder min of meer gelijke omstandigheden wakker werd alvorens naar de Custer Hill Club te vertrekken.

Kate zei: 'Misschien moesten we, als we hier klaar zijn, een weekje vrijnemen en een blokhut aan het meer huren. Zou dat niet leuk zijn?'

Ik bedacht dat als deze zaak slecht afliep, we helemaal geen weekje vrij hoefden te nemen; dan zouden we vrijetijd te over hebben.

Kate voegde eraan toe: 'Dat lijkt me bovendien een passend eerbetoon aan Harry.'

'Ja, dat lijkt me wel wat.'

Kate kreeg het koud, dus liepen we de Great Hall weer in. Er zat inmiddels een ander stel op een bank bij de open haard. We schonken onze koppen nog een keer vol en gingen tegenover hen zitten. Mijn lichaamstaal gaf duidelijk aan dat ik geen behoefte had aan een gesprek. De man – een bebaarde heer van middelbare leeftijd – zond dezelfde signalen uit. Zijn vrouw, of vriendin, glimlachte echter en zei: 'Hoi. Ik ben Cindy. Dit is mijn verloofde, Sonny.'

Sonny zag er niet bepaald zonnig uit. Hij had eerder iets chagrijnigs. Misschien had hij net de rekening gekregen. Cindy daarentegen was vrolijk en vriendelijk en zou waarschijnlijk nog tegen een goudvis aan praten.

Kate en Cindy begonnen te babbelen over het hotel, de Adirondacks, en wat al niet. Knorrepot en ik hielden onze mond. Het vuur was behaaglijk.

Cindy en Knorrepot kwamen van Long Island en hij zat, volgens Cindy, 'in het uitgeverswereldje'. Cindy zelf zat in public relations en zo hadden ze elkaar ontmoet. Goddank vertelde ze niet het hele verhaal, maar ik was er zeker van dat een van de twee bij die ontmoeting dronken was geweest.

Kate zei dat ze advocaat was, wat deels waar was, en ze vertelde hun dat ik een sociaal werker was die zich vooral bezighield met moslimimmigranten, wat ik eigenlijk wel grappig gevonden vond, maar Knorrepot maakte een snuivend geluid van afkeuring.

Het gesprek kwam op de een of andere manier op winkelen en Cindy vertelde dat er in Lake Placid een paar aardige winkels waren. Mijn blik werd glazig en ik dacht dat dit bij Knorrepot ook wel het geval zou zijn, maar toen zag ik dat hij naar Kate gluurde, wier ochtendjas van boven een beetje was opengegleden. Die man was duidelijk een varken.

Nu we het daar toch over hadden, moest ik toegeven dat Cindy er ook niet onappetijtelijk uitzag, met haar lange blonde haar en hazelnootbruine ogen, Scandinavische trekken en een echt fantastisch... voorkomen, en zo. Ze leek zo'n twintig jaar jonger dan haar zogenaamde verloofde en ik kon me niet voorstellen wat ze in hem zag, behalve dan misschien de bobbel in zijn broek. Ik bedoel, zijn portefeuille.

Knorrepot verbrak zijn stilzwijgen en zei tegen mij: 'Ik heb een simpel idee over immigratie. Blijf gewoon daar waar je geboren bent.' Hij stond op, wierp nog een laatste blik op Kate's decolleté, nu via een betere invalshoek, en zei tegen haar, niet tegen mij: 'Leuk je ontmoet te hebben.'

Cindy kwam ook overeind en zei tegen ons: 'We zien jullie wel bij het diner. De chef heeft vanavond houtsnip op het menu staan.'

Houtsnip? Ik kwam overeind. 'Dus alweer geen worstenbroodjes.'

'John,' zei Kate, waarna ze zich tot onze nieuwe vrienden wendde: 'Een plezierige dag nog.'

Knorrepot antwoordde: 'Ik heb andere plannen.'

En weg waren ze.

Kate zei tegen mij: 'Dat stel past totaal niet bij elkaar.'

'Wij of zij?'

Knorrepot had een *New York Times* op de bank laten liggen en ik bekeek de voorpagina. Een van de koppen luidde: TWEESPALT VS/ FRANKRIJK OVER IRAK GROTER. Ik zei tegen Kate: 'Zie je nu wel? Als die mensen nu eens echt voedsel zouden eten, zoals de Engelsen en Ieren, zouden ze ook wat meer lef hebben. Wie eet er nou slakken? En dan heb ik nog een mooi verhaal – een vuurwerk in Disneyland bij Parijs zorgde ervoor dat het nabijgelegen Franse garnizoen hun wapens neerlegde en zich overgaf aan een bus met Zweedse toeristen.'

'John, het is echt nog te vroeg voor die geintjes.'

'Houtsnip.' Ik las de belangrijkste kop. BUSH SCHRIJFT BOMAANSLAG BALINESE NACHTCLUB TOE AAN QAEDA-NETWERK. Ik nam vluchtig het bijbehorende artikel door en zag dat 'sommige militante islamieten de theorie aanhingen dat de VS achter de bomaanslag van zaterdag zaten, om zo de Indonesische regering te manipuleren en weer een argument te hebben om een oorlog tegen de islam te beginnen.'

De militante islamieten hadden hetzelfde beweerd over de aanslag van 9/11. Het was een interessante theorie, met net voldoende geloofwaardigheid om sommige mensen aan het denken te zetten. Ik bedoel, ik ben niet iemand die overal een samenzwering in ziet, maar ik kon me voorstellen dat er mensen in dit land waren, zowel binnen als buiten de regering, die een excuus wilden om de oorlog tegen het terrorisme uit te breiden naar bepaalde islamitische landen. Irak bijvoorbeeld. Ik dacht aan iets wat een van die griezels van de CIA een keer bij de ATTF had gezegd: *Wat wij nodig hebben, is nog één goede aanval.*

Ik kon heel goed zonder, dank u, maar ik begreep wat hij ermee wilde zeggen.

Kate zei tegen me: 'Ik ga een douche nemen. Wat ga jij doen?'

Ik keek naar mijn gsm en zag dat ik geen bereik had. 'Ik moet Schaeffer bellen voor een afspraak om naar de plaats delict te gaan, dus ik denk dat ik de keukentelefoon maar gebruik. Ik zie je wel op de kamer.'

'Wees aardig tegen Pierre.'

'Oui, oui.'

Ze vertrok en ik liep de keuken in. Het was er een drukte van jewelste en het leek niemand op te vallen of iets te kunnen schelen dat ik daar rondliep, dus zocht ik de telefoon, die aan de muur hing en draaide het nummer van het hoofdkwartier van de staatspolitie. Ik kreeg de wachtcommandant, die zei dat hij me zou doorverbinden. De keuken rook naar gebakken varkensvlees en mijn maag knorde.

Ik sloeg de *Times* open op de pagina met overlijdensberichten, maar zag niets over Harry Muller. Het was misschien nog te vroeg voor een dergelijk bericht, of misschien was het niet aan de *Times* doorgegeven. Ik bladerde door het katern met gemengde berichten om te kijken of daar iets over Harry's dood stond, maar ook daar vond ik niets. Een jachtongeluk ergens in de provincie was natuurlijk geen groot nieuws, maar de moord op een federale agent was dat wel.

Daarom zouden de FBI en de plaatselijke politie een gezamenlijke verklaring afgeven waarin werd meegedeeld dat de dood kennelijk een ongeluk was, maar dat het onderzoek nog gaande was. Alle media die vervolgens om aanvullende informatie vroegen, zou worden verzocht het verhaal nog even achter te houden om de familie niet te veel van streek te maken en/of een mogelijke verdachte een hint te geven. Meestal kon je op die manier wel een paar dagen uitstel krijgen.

Een serveerster liep voorbij en ik zei tegen haar: 'Doe me een plezier en controleer even hoe het met het ontbijt voor Corey staat. Mohawk-kamer. Ik snak zo langzamerhand naar een bacon sandwich op roggebrood.'

'Nu?'

'Alstublieft, ja. En koffie.'

Ze snelde ervandoor en majoor Schaeffer kwam aan de telefoon. 'Goedemorgen.'

Ik kon hem nauwelijks verstaan door de herrie in de keuken en ik zei met luide stem: 'Goedemorgen. Wat is een goed tijdstip om naar de plaats delict te gaan?'

'Zorg dat u hier om acht uur bent. Ik zie u in de hal.'
'Bedankt. Nog nieuws?'
'Ik heb gisteravond met dr. Gleason gesproken.'
'Een aardige vrouw.'
'Ze zei dat u wel iets meer hebt gedaan dan het lichaam identificeren en de laatste eer bewijzen.'
'Ik heb u toch al verteld dat ze ons de sporen van mishandeling heeft laten zien?'
'O ja? Heeft u ook niet aan enkele persoonlijke bezittingen gezeten?'
'Absoluut niet.' Aan allemaal.
Hij vroeg: 'Heeft u nog iets ontdekt, rechercheur?'
'Nee.' Alleen de tekst in Harry's broekzak en de gsm-berichten.'
'Iets meegenomen?'
'Nee.' Alleen de plattegrond van de Custer Hill Club.
'Mijn agenten zeggen dat u en uw vrouw nergens voor hebben getekend.'
'Zeg, majoor, waarom gaan u en ik na de plaats delict niet even samen naar het mortuarium?'
'Te laat. De Feds hebben gisteravond het lijk al meegenomen.'
'Dat zei ik toch. Je moet er snel bij zijn.'
'Bedankt.'
De serveerster zette een dienblad op de balie en zei: 'Uw ontbijt wordt om zeven uur geserveerd.'
'Bedankt. Doe er wat van die crackers bij die net uit de oven kwamen.'
Schaeffer vroeg: 'Hoe is het daar in Het Punt?'
'Fantastisch. Alle drank is gratis. Hoe gaat het met dat huiszoekingsbevel en de surveillance?' Ik nam een hap van mijn sandwich. Hemels.
'Vergeet dat huiszoekingsbevel voorlopig maar. Maar ik ben gisteravond wel met die surveillance begonnen.'
'Nog iets bijzonders?'
'Ja. Om acht uur drie verlieten twee voertuigen het betreffende terrein. De een was een Ford bestelbusje op naam van de Custer Hill Club. De andere was een Ford Taurus van Enterprise Rent-A-Car.'
Ik spoelde de bacon weg met koffie en vroeg: 'Waar gingen ze heen?'
'Naar het Adirondack Regional Airport. De passagiersterminal is op dat tijdstip gesloten en ze lieten de Taurus achter op een parkeerplaats van Enterprise en gooiden de sleutels in de daarvoor bestem-

de brievenbus. Daarna stapten de twee inzittenden – allebei mannen – in het busje en keerden terug naar de Custer Hill Club.'

'Wat maakt u daaruit op?'

'Het lijkt er verdacht veel op dat ze een gehuurde auto inleverden. Wat denkt u zelf?'

Majoor Schaeffer had een speciaal gevoel voor humor. Ik zei: 'Controleer of er geen lijk in de achterbak ligt. Wat was het kenteken van de Taurus?'

'Dat heb ik niet bij de hand.' Wat een beleefde manier was om te zeggen: 'Wat heb jij eigenlijk voor *mij* gedaan?'

Ik zei: 'Ik heb een blauwe Taurus van Enterprise op de Custer Hill Club gezien toen ik daar was.' Ik gaf hem het kenteken en vroeg: 'Was dat het?'

'Ik geloof het wel. Ik zal Enterprise bellen en kijken wie die auto gehuurd heeft.'

Ik dacht dat ik die informatie waarschijnlijk al van Kate's vriend Larry bij Enterprise had gekregen, maar zei: 'Mooi. Heeft de surveillance verder nog iets opgeleverd?'

'Nee. Waar zoekt u naar?'

'Dat weet je maar nooit. Maar ik wil graag weten of Madox nog steeds op de club is.'

'Oké.'

'Dus elke keer als iemand iets ziet, moeten ze mij bellen. Ho, één momentje.' Een of ander joch in een belachelijk kokskostuum probeerde mijn aandacht te trekken. Ik vroeg hem: 'Wat is er?'

'Ik heb de telefoon nodig. Ik moet een bestelling doorbellen.'

'Wat voor bestelling? Houtsnip? Ik zit zelf in de houtsnippen. Hoeveel heb je er nodig?'

'Ik heb de *telefoon* nodig, meneer.'

'Hé, ik probeer de wereld te redden, maat. Een momentje.' Ik zei tegen Schaeffer: 'Ik gebruik de telefoon van de keuken. Ik zie u om acht uur.'

Ik verbrak de verbinding en gaf de hoorn aan de jongen. 'Als de wereld ten onder gaat, is het jouw schuld.'

Een knappe man in strak gesneden wit, waarvan ik gewoon wist dat hij de Franse chef was, kwam met uitgestoken hand op me af. 'Goedemorgen,' zei hij met een zwaar accent. We gaven elkaar een hand. 'U bent ongetwijfeld de heer Corey.'

'*Oui.*'

'Ah, u spreekt Frans.'

'Oui.'

'Bon. Ik ben Henri, de chef-kok, en ik wil me oprecht verontschuldigen voor de worstenbroodjes.'

Het woord kende hij dus, maar helaas niet het recept. Ik zei: 'Hé, maak je daar nou maar geen zorgen over, Henri.'

'Dat doe ik wel. Dus heb ik speciaal voor u de ingrediënten besteld en vanavond serveren we de broodjes als borrelgarnituur.'

'Dat is fantastisch. Ik wil de korst graag een beetje knapperig.'

'Ja, natuurlijk.' Hij boog naar me toe en fluisterde: 'Ik hou zelf ook van die kleine dingetjes.'

Ik was er nu zeker van dat hij me in de maling nam en ik zei: 'Ik zal het niet doorvertellen. O ja, en vergeet de mosterd niet. Tot ziens.'

'Mag ik u mijn keuken laten zien?'

Ik keek om me heen. 'Ziet er goed uit.'

'Als u iets speciaals wilt, bij welke maaltijd dan ook, dan geeft u het maar aan me door.'

'Prachtig. Ik zou geloof ik wel weer eens een houtsnipje lusten.'

'Dat is ook toevallig. Vanavond hebben we houtsnip op het menu staan.'

'Dat meent u niet. Tjeetje, ik had vandaag aan de loterij mee moeten doen.'

'O ja? O, ik begrijp het al.'

Ik keek op mijn horloge en zei: 'Nou, ik – '

'Een momentje...' Hij haalde een stukje papier uit zijn broekzak en zei: 'Hier is het menu voor vanavond.' Hij begon voor te lezen. 'We beginnen met een ragoût van bospaddenstoelen, gevolgd door een geroosterd stukje heilbotfilet, geserveerd met beurre rouge. En daarbij misschien een Californische chardonnay. Ja? En dan de houtsnip, die ik zal serveren met een étuvée van lokale groentes en een saus van port. Ik overweeg daar een Franse cabernet sauvignon bij te schenken. Hoe lijkt u dat? Meneer Corey?'

'Eh... klinkt fantastisch.'

'Mooi. En we eindigen met een exploratie van chocola.'

'Een perfect slot.'

'Met een sauterne, natuurlijk.'

'Dat spreekt voor zich. Oké – '

'Mogen we u en uw vrouw begroeten bij de lunch?'

'Nee, we moeten naar een eekhoornrace. Bedankt voor – '

'Nou, dan zal ik een picknicklunch voor u inpakken. Hoe laat vertrekt u?'

'Over twintig minuten. Doet u maar geen moeite – '

'Ik sta er op. U zult een picknickmand in uw auto aantreffen.' Hij stak opnieuw zijn hand uit, we schudden elkaar de hand en hij zei: 'We mogen dan zo onze verschillen hebben, maar daarom kunnen we nog wel *amis* zijn, toch?'

Ja, jeetje, ik had nu echt een slecht gevoel over mijn anti-Franse houding, dus zei ik: 'We gaan samen een paar Irakezen over de knie leggen, ja?'

Henri was daar nog niet zo zeker van, maar glimlachte toch. 'Misschien.'

'Dat gaat ons lukken. Tot ziens.'

Terwijl ik de keuken uitliep, hoorde ik Henri bevelen blaffen voor een picknicklunch. Laat de slakken maar zitten, Henri.

Ik ging terug naar onze kamer en zei tegen Kate, die zich voor de spiegel zat op te maken: 'We moeten ons haasten. Om acht uur op het hoofdkwartier van de staatspolitie.'

'Het ontbijt staat op tafel. Wat zei majoor Schaeffer?'

'Dat vertel ik je onderweg wel. Waar is je aktetas?'

'Onder het bed.'

Ik tastte onder het bed, trok er de aktetas onderuit en begon te bladeren door de stapel huurcontracten van Enterprise, terwijl ik ondertussen de mand met hete crackers naar me toe trok.

'Wat zoek je?'

'De boter.'

'John – '

'Aha, hier is-ie.'

'Wat?'

'Het huurcontract van Enterprise met het kenteken dat we op de Custer Hill Club zagen.' Ik legde het formulier op tafel en beboterde een cracker.

'Wie heeft die auto gehuurd?'

'Dit kan nog interessant worden...'

'Wat?'

'De naam van die knaap. Het is Russisch. Mikhail Putjov.'

Ze dacht even na. 'Lijkt mij niet de naam van een clublid.'

'Nee, mij ook niet. Misschien heeft Madox oude vijanden uit de Koude Oorlog op de club uitgenodigd om herinneringen op te halen.' Nog steeds staande, stak ik een lepel in de omelet en vroeg aan Kate: 'Wil je ontbijten, of blijf je liever schilderen?'

Geen reactie.

'We moeten op weg.'

Geen reactie.

'Schat, zal ik je vruchtensap, koffie en een stukje toast bij je neerzetten?'

'Ja, graag.'

Ik ben nog niet helemaal afgericht, maar het gaat steeds beter. Ik bracht haar sap, beboterde toast en koffie naar de toilettafel en vroeg: 'Heb jij bereik met je gsm?'

'Nee.'

'Dan moet ik nog een keer vanuit de keuken bellen.'

'Wie ga je bellen?'

'Iemand die me iets over die Russische knaap kan vertellen.'

'Bel ons kantoor.'

'Dat doe ik liever niet.'

Ze waarschuwde: 'We zitten al in de problemen, John. Dat begrijp je toch hopelijk zelf ook wel?'

'Laat me je uitleggen hoe de wereld in elkaar zit. Informatie is macht. Als je je informatie uit handen geeft, geef je de macht uit handen om te onderhandelen over je problemen.'

'En dan zal ik jou uitleggen hoe *mijn* wereld werkt,' antwoordde Kate. 'Zorg dat je niet in de problemen *komt*.'

'Ik ben bang dat het daarvoor al te laat is, schat.'

☢

30

Ik ging terug naar de Great Hall, waar inmiddels een man of tien, inclusief Cindy en Sonny, aan de twee tafels zat te ontbijten. Cindy glimlachte en zwaaide naar me. Sonny zocht naar Kate.

Ik ging de keuken weer in, waar opnieuw datzelfde joch een telefonische bestelling doorgaf. Ik zei tegen hem: 'Henri wil je spreken. Nu.'

'Hè?'

'Ik heb de telefoon nodig. Nu.'

Hij keek me geïrriteerd aan, maar hing wel op en sjokte weg. Jonge mensen zouden wat meer geduld en respect voor anderen moeten hebben.

Ik vond het nummer dat ik nodig had in de adreslijst van mijn gsm en draaide het.

Een vertrouwde stem zei: 'Kearns Investigative Service.'

Ik zei: 'Volgens mij is mijn hond een Iraakse spion. Kun je misschien zijn achtergrond nagaan?'

'Wie is – Corey?'

'Hoi, Dick. Ik heb een Franse poedel die elke vrijdag richting Mekka gaat zitten en begint te janken.'

Hij lachte en zei: 'Afschieten, die hond. Hé, hoe is het met je?'

'Prima. En met jou?'

'Fantastisch. Waar bel je vandaan? Wat is Het Punt?'

'Wat het punt is? O, dat is de tent waar ik logeer. Saranac Lake.'

'Vakantie?'

'Werk. Hoe is het met Mo?'

'Nog even gek als altijd. En Kate?'

'Met Kate is het ook prima. We werken samen aan een zaak.'

We bleven nog even babbelen. Dick Kearns is een voormalige

rechercheur van de afdeling Moordzaken bij de NYPD en maakt deel uit van mijn Blauwe Netwerk, dat trouwens met het jaar kleiner werd omdat mensen met pensioen gingen en verhuisden, of een natuurlijke dood stierven – of die, zoals Dom Fanelli en nog zes andere knapen die ik heb gekend, omkwamen tijdens 9/11.

Dick is ook tijdelijk aan de ATTF uitgeleend, waar hij heeft geleerd hoe de Feds werken, dus toen hij met pensioen ging kreeg hij de kans om op freelancebasis achtergrondchecks voor de FBI te gaan verzamelen. Dat is sinds 9/11 een groei-industrie en hij vangt meer geld dan hij ooit als agent verdiend heeft, en dat met veel minder stress. Mooi voor Dick.

Toen we de koetjes en kalfjes hadden gehad, zei ik tegen hem: 'Dick, ik heb wat info over een bepaalde knaap nodig.'

'Oké, maar ik zit tot over mijn oren in het werk. Ik zal kijken wat ik kan doen. Wanneer heb je het nodig?'

'Om twaalf uur.'

Hij lachte. 'Ik moet nog tien achtergrondchecks doen voor de FBI en ik ben met allemaal te laat.'

'Zeg maar dat ze allemaal een gevaar voor het land betekenen en stuur de rekening. Hoor eens, ik heb voorlopig alleen maar wat publiekelijk bekende informatie nodig, plus misschien een paar telefoontjes om sommige dingen nader te onderzoeken.'

'Twaalf uur?'

Ik merkte dat een deel van het keukenpersoneel interesse begon te tonen voor mijn gesprek, dus dempte ik mijn stem en zei tegen Dick: 'Het is mogelijk een zaak van nationale veiligheid.'

'En dan bel je *mij*? Waarom laat je het niet door je eigen bureau doen?'

'Ik heb het ze ook gevraagd, maar zij verwezen me door naar jou. Jij bent nu eenmaal de beste.'

'John, stop je je neus weer eens in zaken die je niet aangaan?'

Dick herinnerde zich kennelijk nog die keer dat hij me geholpen had met de TWA 800-zaak, en nu dacht hij dat ik weer in mijn oude fouten was vervallen. Dat was ook zo, maar waarom hem daarmee lastigvallen? Ik zei: 'Ik zou enorm bij je in het krijt staan.'

'Dat sta je al sinds de vorige keer. Hé, hoe is het eigenlijk afgelopen met dat gedoe over TWA 800?'

'Loos alarm. Heb je pen en papier?'

'John, ik moet hier mijn brood mee verdienen. Als ik jou help, loop ik de kans failliet te gaan, ontslagen of gearresteerd te worden.'

'Zijn voornaam is Mikhail.' Ik spelde de naam.

Hij zuchte, herhaalde de naam en vroeg toen: 'Ruski?'

'Waarschijnlijk. Achternaam: Putjov.' Ook dat spelde ik en hij herhaalde het.

'Ik hoop dat je wat meer dan dat hebt.'

'Ik zal het je gemakkelijk maken. Ik heb een contract van een autoverhuurbedrijf en tenzij deze knaap een valse identiteit heeft opgegeven, heb je daarmee alles wat je nodig hebt.'

'Goed, laat maar horen.'

Ik las hem de gegevens van Enterprise voor, inclusief Putjovs adres, dat ergens in Cambridge, Massachusetts, was. Dick zei: 'Oké, dat moet niet al te moeilijk zijn. Waar is die knaap mee bezig? Waar zoek je precies naar?'

'Dat weet ik niet, maar ik denk dat ik moet weten wat hij doet voor de kost.'

'Dat zit in het basispakket. Waar stuur ik de rekening heen?'

'Naar mijn ex.' Dick had in wezen geen andere reden nodig om dit te doen – een voormalige collega helpen – maar om zijn motivatie toch nog iets op te krikken, zei ik: 'Herinner je je nog die knaap met wie ik op 26 Fed samenwerk – Harry Muller?'

'Ja... voormalig politieman... je hebt het wel eens over hem gehad.'

'Precies. Nou, hij is dood. Hij is hier, in de buurt van Saranac Lake, gestorven. Er zal binnenkort wel een rouwadvertentie in de krant staan en dan zal erbij vermeld worden dat hij is omgekomen tijdens een jachtincident. Maar hij is vermoord.'

'Jezus... Harry Muller? Wat is er gebeurd?'

'Dat probeer ik nu juist uit te vinden.'

'En die Russische knaap is erbij betrokken?'

'Hij kent de man van wie ik denk dat hij de moordenaar is.'

'Oké... dus... twaalf uur vanmiddag, oké? Hoe kan ik je bereiken?'

'We hebben hier een slecht bereik op de gsm. Ik bel jou wel. Zorg dat je bereikbaar bent.'

'Absoluut.'

'Bedankt. Doe Mo de groeten.'

'Ja, en jij Kate.'

Ik hing op en verliet de keuken. Ik moest een betere plek zien te vinden om deze operatie uit te voeren.

Ik liep door de Great Hall naar de koepelzaal, ging naar buiten en zag daar mijn auto staan, met Kate achter het stuur.

Ik schoof op de bijrijderstoel en zei: 'Oké, om twaalf uur zullen we iets meer weten over Mikhail Putjov.'

Ze zette de Taurus in zijn versnelling en weg waren we.

Ik keek op het dashboardklokje. 'Denk je dat we daar over dertig minuten kunnen zijn?'

'Dat is nou precies de reden dat ik rij, John.'

'Ik hoef je toch niet te herinneren aan je paniekerige rijgedrag in Manhattan, hè?'

'Dat is geen paniek... dat zijn tactische ontwijkingstechnieken.'

'Dat geldt voor iedereen in jouw buurt.'

'Grappig, hoor. Hé, wat is dat op de achterbank?'

Ik keek over mijn schouder. 'O, ik heb met mijn bekende vooruitziende blik de chef een picknickmand laten inpakken.'

'Heel goed. Heb je hem ontmoet?'

'Jawel. Henry. Henri. Zoiets.'

'Heb je hem afgezeken?'

'Natuurlijk niet. Hij maakt worstenbroodjes voor bij de borrel. Speciaal voor mij.'

Ik geloof niet dat ze mij geloofde.

We reden het hek uit, de smalle, door bomen omzoomde weg op en kwamen uiteindelijk op de doorgaande weg. Kate trapte het gaspedaal in en daar gingen we, op weg naar onze ontmoeting met de staatspolitie, die dankzij Kate's roekeloze manier van rijden wel eens eerder kon plaatsvinden dan gewenst.

Kate vroeg: 'Had majoor Schaeffer nog iets te melden?'

'Jazeker. Hij heeft mijn advies opgevolgd en een surveillance ingesteld bij de Custer Hill Club.'

'En?'

'En die auto van Enterprise die we daar gezien hebben, die dus van Putjov was, is gisteravond naar het vliegveld teruggebracht.'

'Dus Putjov is vertrokken?'

'Nou, als dat zo is, dan toch niet gisteravond vanaf het vliegveld. Hij... of misschien reed iemand anders die auto... ging met een busje terug naar de Custer Hill Club.' Ik bracht haar onder het rijden verder op de hoogte, haalde toen het huurcontract van de auto uit mijn zak en bestudeerde dat. 'Die knaap Putjov heeft de auto zondagochtend gehuurd. Dat betekent dat hij die dag met de vlucht vanuit Boston of Albany is gearriveerd – '

'Boston,' zei ze. 'Ik heb de passagierslijsten bekeken. Mikhail Putjov is zondagochtend om negen uur vijfentwintig op Adirondack Regional Airport geland.'

'Mooi. Hij woont in Cambridge.' Ik wierp een blik op de huurovereenkomst. 'Putjov heeft de auto voor twee dagen gehuurd, dus hij werd verondersteld hem vandaag weer in te leveren. In plaats daarvan werd hij gisteravond naar de parkeerplaats van het vliegveld teruggebracht.' Ik vroeg haar: 'Heb je de vluchtreserveringen nog bekeken die we van Betty hebben gekregen?'

'Ja. Putjov zou vandaag moeten vertrekken, met de vlucht van twaalf uur vijfenveertig naar Boston.'

'Oké, dat moeten we dan nog controleren.' Ik dacht even na en zei toen: 'Ik vraag me af waarom Putjov later naar die bijeenkomst kwam dan de anderen, en waarom hij daar kennelijk nog steeds is terwijl de rest alweer is vertrokken.'

'Dat hangt ervan af waarom hij daar is. Misschien heeft hij oliezaken met Madox te bespreken.'

'De heer Madox is een bezig baasje. En iemand die veel dingen tegelijk doet. Een gezellig weekend met oude en machtige vrienden, dan de moord op een federaal agent en vervolgens ook nog een ontmoeting met een Rus uit Cambridge, Massachusetts. Verbazingwekkend eigenlijk dat hij ook nog tijd voor ons had.'

Kate merkte op: 'Ik denk niet dat Harry deel uitmaakte van zijn plannen voor dit weekend.'

Maar misschien ook wel.

We reden in oostelijke richting over Route 86 en Kate leek er lol in te hebben om in te halen terwijl er grote vrachtwagens op ons af kwamen razen. Ik zei: 'Rijd eens wat langzamer.'

'Dat gaat niet. Het gaspedaal is kapot en de remmen werken ook niet meer. Doe dus maar gewoon je ogen dicht en probeer wat slaap in te halen.'

Kate, opgegroeid op het platteland, heeft een heel arsenaal aan dergelijke grappen, die ik geen van alle erg leuk vind.

Ik hield mijn ogen open en staarde door de voorruit.

Kate zei tegen me: 'Ik moet John Nasseff bellen. Ken je hem?'

'Nee, maar hij heeft een mooie voornaam.'

'Hij is van de NCID en werkt samen met de ATTF.'

Ik antwoordde: 'De W-A-T?'

'De Naval Criminal Investigation Division, John. Hij is een communicatie-expert.'

'Vraag hem eens hoe het met mijn gsm zit.'

Ze negeerde dat en zei: 'Ik moest denken aan Fred, die voormalige marineman. Als zijn verhaal ook maar enige relevantie heeft, dan zouden we aan een communicatieknaap van de marine moeten vragen wat dat ELF nu precies inhoudt.'

Ik wist niet zeker of ik haar wijze van redeneren kon volgen, maar misschien dat Kate toch wel een punt had. Aan de andere kant wilde ik liever niet met dergelijke vragen naar 26 Federal Plaza bellen. Ik zei: 'Ik bel liever niet naar het bureau.'

'Waarom niet? Daar werken we nu eenmaal.'

'Ja, maar je weet hoe iedereen daar roddelt.'

'Ze roddelen niet, ze wisselen informatie uit en verschaffen die ook. En informatie is macht. Ja toch?'

'Alleen als je die voor jezelf houdt. Laten we gewoon op internet naar dat ELF zoeken.'

'Ga *jij* maar on line. Ik bel gewoon een expert.'

'Oké... maar zeg er dan niet bij waarom je het precies wilt weten. Maak er maar iets van als: "Hoi, John, wij hebben een weddenschap over extreem lage radiofrequenties. Mijn zus zegt dat je er een ei mee kunt koken en mijn man beweert dat ze je hersenen frituren". Oké?'

'Wil je dat hij denkt dat we een stel idioten zijn?'

'Precies.'

'Ik ben niet zo goed als jij in me van de domme houden.'

'Dan bel ik hem wel.'

'Laten we hem allebei bellen.'

We arriveerden in Ray Brook en Kate minderde vaart. Ongeveer twee oogwenken later reden we de parkeerplaats van het hoofdkwartier van de staatspolitie op. Het was 08:05.

Kate pakte haar aktetas en we stapten uit de Taurus en begonnen naar het gebouw te lopen, toen er plotseling een auto van een parkeerplaats wegreed en vlak voor onze neus stopte.

Ik begreep niet goed wat dat te betekenen had, maar ik was op mijn hoede.

Het raampje aan de chauffeurskant ging omlaag en Hank Schaeffer stak zijn hoofd naar buiten. 'Stap maar in.'

We stapten in zijn auto, een Crown Victoria zonder politieopschriften, ik voorin en Kate op de achterbank.

Ik vroeg me af waarom hij ons op de parkeerplaats had opgewacht in plaats van in de hal, maar hij verduidelijkte de situatie door te zeggen: 'Ik heb vanochtend gezelschap.'

Ik hoefde verder niets te vragen.

Hij reed de weg op en zei: 'Het zijn er zes – drie van het bureau in New York, twee uit Washington en eentje uit jullie eigen toko.'

Ik zei: 'Ze zijn van de overheid en ze zijn hier om jou te helpen.'
'Ze helpen zichzelf wel. Mijn dossiers hebben ze al gevonden.'
Kate zei vanaf de achterbank: 'Sorry, maar ik ben ook FBI.'
Ik draaide me naar haar om. 'We hebben geen kritiek op de FBI, schat.'
Geen reactie.
Ik vroeg aan Schaeffer: 'Wie is die persoon van de ATTF?'
'Ene Liam Griffith. Kennen jullie die?'
'Jazeker. Hij is van de afdeling Beroepsmatige Verantwoordelijkheid.'
'Wat mag dat verdomme betekenen?'
'Dat is Fed-taal voor Interne Zaken.'
'Werkelijk? Nou, hij is op zoek naar jullie beiden.'
Ik keek even achterom naar Kate, die enigszins van streek leek.
Sommige mensen noemden Liam Griffith de Executeur, maar de jongere jongens, die te vaak naar *De Matrix* gekeken hadden, noemden hem de Agent in het Zwart. Ik noemde hem een lul.
Ik herinnerde me dat Griffith bij die vergadering in Windows of the World had moeten zijn, maar dat hij ofwel te laat of toch niet uitgenodigd was. Hij was in ieder geval het lot ontlopen dat al die anderen daar die ochtend wel getroffen had.
Bovendien had ik tijdens die TWA 800-zaak een paar aanvaringen gehad met Griffith, en het laatste wat ik tegen hem gezegd had, in de bar van Ecco, was: 'Oprotten jij, en snel.'
Hij nam mijn advies ter harte, maar dat ging niet van harte.
En nu was hij terug.
Kate vroeg aan Schaeffer: 'Wat heeft u tegen hem gezegd?'
'Ik heb hem gezegd dat jullie waarschijnlijk vandaag nog wel langs zouden komen. Hij zei dat hij jullie in dat geval graag even wilde spreken.' Hij voegde eraan toe: 'Ik ben er maar van uitgegaan dat jullie die confrontatie liever nog wat uitstellen.'
Ik zei tegen Schaeffer: 'Bedankt.'
Hij ging er niet op in. 'Jullie baas, Tom Walsh, belde vlak nadat jullie vertrokken waren. Hij vroeg me wat we hadden besproken en ik heb hem naar jullie doorverwezen.'
'Mooi zo. Ik heb hem naar u doorverwezen. Hebt u hem verteld dat we in Het Punt logeerden?'
'Nee. Hoezo?'
Ik keek weer even naar Kate en zei toen tegen Schaeffer: 'Nou, hij heeft daar een boodschap voor ons achtergelaten.'

Schaeffer herhaalde nog eens dat hij het niet had verteld.

Misschien, bedacht ik, hadden de FBI-jongens uit de stad, of Liam Griffith, mijn vriendin Max bij Hertz ondervraagd. Ik vroeg aan Schaeffer: 'Heeft Walsh gezegd dat wij op deze zaak zijn gezet?'

'Nee. Maar hij heeft ook niet gezegd dat Griffith hier is om jullie van deze zaak af te halen, hoewel ik wel denk dat hij daarom hierheen is gekomen.'

Als Kate en ik nu vrijelijk met elkaar hadden kunnen spreken, hadden we waarschijnlijk allebei beaamd dat we door Walsh genaaid waren. Ik kon het trouwens toch niet voor me houden en zei tegen Kate: 'Tom heeft onze afspraak geschonden.'

Ze antwoordde: 'Dat weten we niet... Misschien dat Liam Griffith ons alleen maar wil... laten weten wat precies onze opdracht is.'

Ik antwoordde: 'Ik denk niet dat Walsh daarom de afdeling Beroepsmatige Verantwoordelijkheid heeft gebeld, of dat Griffith daarom hierheen is gevlogen.'

Ze gaf geen antwoord, maar Schaeffer zei: 'Het laatste wat ik heb gehoord, is dat jullie zeven dagen hebben om deze zaak op te lossen, en zolang ik niets anders hoor, zijn jullie voor mij het onderzoeksteam.'

'Ik ben blij dat te horen,' zei ik.

Ondertussen moest ik wel Liam Griffith een stap voor zien te blijven.

31

Nog geen uur nadat we uit Ray Brook waren vertrokken, verlieten we Route 56 en reden Stark Road op.

Onze gsm's en piepers hadden zich de hele ochtend al ongebruikelijk koest gehouden, wat een zegen was, ware het niet dat het ook nogal onheilspellend was.

Onze gebruikelijke beller, Tom Walsh, hield zich in feite gedeisd nu de Executeur, Liam Griffith, op de loer lag. Walsh en Griffith zouden ondertussen al wel een paar gesprekjes hebben gevoerd over de vraag waar rechercheur Corey en speciaal agent Mayfield, ook bekend als de afvalligen, konden uithangen.

Ik was ervan overtuigd dat Griffith Walsh had verzekerd dat die twee verdorvenen elk moment konden komen opdagen en dat ze in hun nek gegrepen zouden worden zodra ze een voet in de hal van het hoofdkwartier van de staatspolitie zouden zetten, om vervolgens linea recta naar het vliegveld te worden gebracht, waar een FBI-helikopter stond te wachten om hen terug naar New York te vliegen.

Nou, dan vergiste hij zich toch.

Ik zette mijn gsm en pieper uit en gebaarde naar Kate dat ze dat ook moest doen.

Schaeffer volgde dezelfde route die Rudy ons gegeven had en binnen vijftien minuten waren we bij de T-kruising waar McCuen Pond Road in noordelijke richting naar de Custer Hill Club liep.

Vlak bij de kruising zag ik een oranje pick-up in de berm staan met het logo van het nationale park er op. Twee mannen in overalls waren bezig het struikgewas bij te snoeien.

Schaeffer ging langzamer rijden en zei: 'Staatspolitie.'

Hij stopte en de twee mannen herkenden hun baas en kwamen naar de auto. Het leek even of ze wilden salueren, maar ze waren undercover dus knikten ze alleen maar en zeiden: 'Goedemorgen, majoor.'

Schaeffer vroeg: 'Nog iets gezien?'

Een van hen antwoordde: 'Nee, meneer. Geen in- of uitgaand verkeer. Het is rustig.'

Hij grapte: 'Niet te hard werken, anders gelooft niemand dat je van de plantsoenendienst bent.'

Beide troopers lachten hartelijk om dit grapje van hun baas, en we reden weer verder.

Schaeffer zei tegen ons: 'Als ze een auto vanaf Custer Hill zien komen, geven ze dat door aan een ongemarkeerde auto die het verdachte voertuig oppikt op de highway, zoals we gisteravond ook met het busje van de Custer Hill Club en die huurauto hebben gedaan. Als er een auto hier de bossen in rijdt, volgt de pick-up hen.'

Majoor Schaeffer ging verder. 'Gisteravond gebruikten we een wagen van het elektriciteitsbedrijf. Over een dag of wat zijn er geen excuses meer om hier op deze kruising midden in de bossen te staan.'

Ik vroeg: 'Denkt u dan dat de mensen van Custer Hill zich bewust zijn van deze voertuigen?'

'Absoluut. Mijn jongens zeggen dat de bewaking van de Custer Hill Club minstens tweemaal per dag met een Jeep over deze weg rijdt, een beetje rondkijkt en dan weer teruggaat. Zeg maar een verkenning van hun omgeving.'

Madox was dus ook nog paranoïde, wat misschien wel handig was als er echt mensen achter je aan zaten.

We reden verder over het bospad en Kate zei: 'John, ik begrijp nu wat je bedoelde toen je het over Harry's surveillance had. Die had hij net zo goed buiten het terrein kunnen uitvoeren, op de plek waar majoor Schaeffer zijn team heeft geposteerd.'

'Precies. Er is maar één weg van en naar het landgoed.' En voor de knapen die per vliegtuig arriveerden, had er iemand op het vliegveld moeten staan om te controleren wie er vanuit Boston en Albany arriveerden en wie er in het busje stapten.

Maar in plaats daarvan had Walsh Harry in zijn eentje dat landgoed op gestuurd.

Dit was ofwel een slecht doordachte surveillance, uitgevoerd op een koopje, of het was iets anders. Zou iemand bijvoorbeeld hebben gewild dat Harry werd gepakt? Nou ja, niet per se Harry, maar welke ATTF-agent dan ook die de opdracht had gekregen om dat zogenaamde binnenlandse terrorisme te onderzoeken. Ikzelf bijvoorbeeld.

Hoe interessant die gedachte ook was, het leek allemaal niet erg logisch. Ik moest het voorlopig maar indelen onder een van de gebruikelijke rubrieken, zoals daar waren armzalige planning, bureaucratische kortzichtigheid of pure toevalligheid.

Schaeffer verbrak mijn gepeins. 'Ik zou het niet in mijn hoofd durven halen om kritiek te hebben op de manier waarop jullie met opdrachten omgaan, maar jullie vriend heeft natuurlijk nauwelijks een kans gehad om op het terrein zelf te surveilleren.'

Kate noch ik had daar commentaar op en Schaeffer zei: 'Als jullie eerst contact met mij hadden gezocht, had ik je kunnen uitleggen hoe de toestand hier was en had ik ook voor wat extra mankracht kunnen zorgen.'

Ik zei: 'De Feds willen soms wel eens wat arrogant en geheimzinnig doen.'

'Ja, soms wel.'

Om van onderwerp te veranderen, en ook om Schaeffers advies over het gebruik van zijn diensten te honoreren, vroeg ik: 'Hebt u Fred al gevonden?'

'Wie? O, die voormalige marineman. Nog niet. Ik zal nog eens navraag doen.'

Kennelijk had majoor Schaeffer niet al te veel tijd besteed aan het lokaliseren van Fred de vet. En ik vermoedde dat hij er ook het belang niet zo van inzag. Dat gold trouwens ook voor mij, totdat Kate opperde die communicatieman van de marine te bellen over ELF. Je weet nou eenmaal nooit waar iets toe kan leiden, of hoe twee punten met elkaar verbonden konden worden die niet eens op dezelfde pagina stonden.

We reden een zandpad op dat net breed genoeg was voor onze auto. Schaeffer zei: 'Dit is het pad waar we het lichaam gevonden hebben, ongeveer anderhalve kilometer hier vandaan. En vervolgens vonden we de camper nog eens vijf kilometer verderop.' Hij voegde eraan toe: 'Het is bijna negen kilometer van de camper naar het hek rond het terrein van de club. Dat is ongeveer anderhalf uur lopen.'

Noch Kate noch ik gaf antwoord.

Majoor Schaeffer ging verder. 'Dus jullie denken dat Harry Muller zijn camper veel dichterbij had geparkeerd en dat hij zaterdagochtend rond acht uur het terrein op is gegaan, door de bewaking van de Custer Hill Club is opgepakt, waarna hij stevig is ondervraagd, misschien is gedrogeerd en dat daarna hijzelf en zijn camper naar dit pad zijn gebracht, waar hij werd vermoord, waarna zijn camper een paar kilometer verderop op dit pad werd achtergelaten. Is dat het zo ongeveer?'

Ik antwoordde: 'Dat is het zo ongeveer.'

Schaeffer knikte en zei: 'Het zou zo gegaan kunnen zijn.' Hij vroeg aan mij, of aan zichzelf: 'Maar waarom in vredesnaam zouden ze een federale agent vermoorden?'

'Daar proberen we nu juist achter te komen.'

Kate vroeg: 'Zijn er vaker van dit soort jachtongelukken geweest op of nabij dit pad of in de buurt van de Custer Hill Club?'

Schaeffer hield zijn blik op het smalle pad gericht en antwoordde: 'Daar heb ik over lopen denken sinds rechercheur Corey er gisteren over begon, dus heb ik wat navraag gedaan en het antwoord is ja, ongeveer twintig jaar geleden, toen de Custer Hill Club werd ontwikkeld.' Hij verklaarde zich nader. 'Het gebeurde ongeveer acht kilometer ten noorden van het terrein. Een van mijn oudgedienden kon het zich nog herinneren.'

Kate vroeg: 'Wat was de uitkomst?'

'Jachtongeluk, schutter onbekend.'

'En het slachtoffer?'

'Is nooit geïdentificeerd.' Hij gaf een korte omschrijving. 'Man, ongeveer veertig, glad geschoren, goed doorvoed, enzovoort. Eén schot door het hoofd. Het was zomer en het slachtoffer droeg een korte broek, een T-shirt en wandelschoenen. Geen ID. Het lichaam was al minstens twee weken dood toen het werd ontdekt en er hadden dieren aan gezeten. Er werden foto's van het gezicht gemaakt, maar die werden om voor de hand liggende redenen niet aan het grote publiek vertoond. Er werden vingerafdrukken afgenomen, maar geen al te goede, en ze stonden in geen enkele van de toentertijd bestaande databanken.

Kate merkte op: 'Is dat niet een beetje verdacht? Ik bedoel, één enkel schot door het hoofd, geen ID, geen opgave van vermissing, en ik neem aan dat er in de omgeving ook geen voertuig werd gevonden.'

'Tja, dat was inderdaad verdacht. Maar volgens de man die het zich herinnerde, was er geen enkele aanwijzing voor vuil spel, dus om de zaak simpel te houden, hebben de sheriff en de lijkschouwer het als een ongeluk afgedaan, dit in afwachting van eventuele bewijzen van het tegendeel.' Hij voegde eraan toe: 'Daar wachten we nog steeds op.' Hij zweeg even en zei toen: 'Zelfs nu, met deze klaarblijkelijke moord, zou ik die dood niet zo gauw associëren met de Custer Hill Club, die toen nog niet eens in gebruik was.'

Ik zei tegen hem: 'Ga die vingerafdrukken nog een keer na.'

We reden in stilte verder. Ik dacht natuurlijk dat er heel wel een verband zou kunnen zijn. Het slachtoffer, als hij al was vermoord, kon een wandelaar zijn die iets had gezien wat hij niet mocht zien op de bouwplaats van de Custer Hill Club – of misschien was het een knaap die aan het project had meegewerkt en die op een gegeven moment te veel wist of had gezien. ELF bijvoorbeeld. Of iets anders.

Het was niet mijn bedoeling om in Bain Madox de kwade genius te zien die verantwoordelijk was voor alles wat er in de laatste twintig jaar in onze wereld verkeerd was gegaan – overstromingen, hongersnood, oorlog, ziektes, aardbevingen, mijn vijf kilo overgewicht en mijn scheiding. Maar deze man paste heel wel in de rol van een soort wereldwijde manipulator. Ik bedoel, het gezegde luidt dat als het er als een eend uitziet, als een eend loopt en als een eend kwaakt, het ook een eend is.

En dan is het aan mij om die eend te doden.

32

Majoor Schaeffer reed het pad af naar een onlangs kaal gemaakt stuk grond en legde uit: 'We moesten het pad hier verbreden om te kunnen draaien.'

We stapten uit en volgden hem nog zo'n twintig meter verder, tot aan een plek die met geel lint was afgezet. Op het pad zelf hadden ze Day-Glo oranje gebruikt om de omtrek van Harry's lichaam aan te geven. Binnen de lijnen zat een ekster in de grond te wroeten.

De zon stond nu hoger en het licht viel door de bomen en verlichtte het bospad. Vogels tjilpten en eekhoorns schoten langs de bomen omhoog. Een zachte bries ritselde door de gevallen bladeren, die in een constante warreling omlaag vielen. *Het is nu herfst, vallend fruit...*

Een goede plek om te sterven bestaat niet, maar ik neem aan dat als je niet in je eigen bed overleed, dit nog niet zo'n slechte plek was.

Aan de andere kant van de afgezette plek zag ik een SUV van de staatspolitie op het pad staan.

Schaeffer zei: 'Die jongens zijn van de andere kant gekomen. Ze zoeken nog steeds naar een huls, maar degene die dit gedaan heeft, heeft geen huls of wat dan ook achtergelaten. En de kogel hebben we ook nog niet gevonden.'

Ik knikte. Aangenomen dat het moordwapen een *high velocity*-geweer was, zou de kans om in dit bos de kogel terug te vinden niet groot zijn. Er zouden trouwens heel wat afgeschoten kogels in het bos liggen en je zou met geen mogelijkheid kunnen zeggen of een van die kogels de dodelijke kogel was geweest. Zelfs een ballistische overeenkomst met een van Madox' geweren zou nog niets bewijzen, behalve dat Madox of een van zijn gasten ooit in de bossen was wezen jagen. Kortom, het bos was een prima plek om iemand te vermoorden.

Schaeffer zei: 'We houden het lint nu nog op vijftig meter, maar ik ga het gebied vandaag kleiner maken en morgen zal er geen reden meer zijn om de plaats delict nog langer af te schermen.' Hij voegde eraan toe: 'Er is voor morgen regen voorspeld. Ik denk dat wij en de Technische Recherche al het mogelijke hebben gedaan. Er is daar niets te vinden.'

Ik knikte opnieuw en bleef ondertussen naar de oranje Day-Glo met de omtrek van Harry's lichaam staren. De ekster had gezelschap gekregen van zijn maat.

Schaeffer zei: 'Als je het pad afkijkt, zie je dat het tamelijk recht loopt, dus het is moeilijk te geloven dat een jager op dit pad een man voor een hert aanziet. En als de jager zich in het bos heeft bevonden, zou er een wonder voor nodig zijn om tussen al die bomen door te schieten zonder er eentje te raken.'

'Precies,' beaamde ik. 'Het heeft dus veel weg van een moord.'

'Het mag dan bijna onmogelijk lijken dat dit een ongeluk is geweest, we hebben helaas ook geen enkel bewijs dat het om een moord ging.' Hij verduidelijkte zich. 'Er was geen sprake van diefstal en het slachtoffer had geen banden met de plaatselijke bevolking die tot een moord uit wraak zouden kunnen hebben geleid, wat hier soms voorkomt.'

Ik gaf geen antwoord. Majoor Schaeffer vermoedde duidelijk dat Harry's opdracht tot zijn dood had geleid en dat de moordenaar Bain Madox was, maar hij zou die stap pas zetten als hij overtuigend bewijsmateriaal had.

Schaeffer vroeg ons: 'Willen jullie de foto's zien?'

Dat wilde ik niet, maar ik zei: 'Ja, graag.'

Hij haalde een pakje kleurenfoto's uit zijn overjas en gaf die aan mij. Ik bekeek ze terwijl Kate naast me stond.

Harry was voorover gevallen, zoals ik al wist, en zijn armen waren door de inslag van de kogel naar opzij geklapt, wat ook bleek uit de contouren die op het pad gespoten waren.

Ik kon nauwelijks de ingangswond midden in zijn rug ontwaren, maar close-ups onthulden een bloedvlek in het midden van zijn camouflagejack.

Ik staarde naar een close-up die de linkerkant van Harry's gezicht toonde, met zijn ogen open.

Ik zag ook de leren riem om zijn nek die verbonden was met de verrekijker, die vlak bij zijn linkerschouder en zijn gezicht op de grond lag.

Ik vroeg aan majoor Schaeffer: 'Was dat de positie van de verrekijker toen u het lichaam vond?'

'Ja. Deze foto's zijn genomen voordat we iets hebben aangeraakt of verplaatst.' Hij voegde eraan toe: 'Het kan zijn dat hij door de verrekijker keek of hem vasthield toen hij werd neergeschoten, wat volgens mij ook de reden is dat de verrekijker naast zijn lichaam en niet onder zijn borst ligt. Het kan natuurlijk ook zijn dat de inslag van de kogel in het lichaam zo heftig was, dat de verrekijker aan zijn riem weg zwaaide van het lichaam voordat dat tegen de grond sloeg.'

Mogelijk, maar niet waarschijnlijk. Ten eerste zou Harry niet door zijn verrekijker hebben gekeken voordat hij werd vermoord door de mensen die hem hierheen hadden gebracht. Ten tweede mocht je, met de natuurkundige wetten in het achterhoofd, verwachten dat de verrekijker terug zou zwaaien naar de oorspronkelijke positie, namelijk hangend op Harry's borst, voordat hij tegen de grond sloeg. Maar dat was niet met zekerheid te zeggen.

Majoor Schaeffer ging verder. 'Jullie hebben zijn persoonlijke bezittingen in het mortuarium gezien en zijn videocamera werd aangetroffen in de rechterzak van zijn jack, de digitale camera in zijn linkerzak. In de zak op zijn rechterbroekspijp zat de vogelgids en in die op zijn linker een draadtang.'

Majoor Schaeffer keek in zijn notitieboekje en las voor wat er verder gevonden was – sleutelring, portefeuille, Glock, identiteitspapieren, enzovoort, en waar die op het lichaam waren aangetroffen.

Terwijl Schaeffer sprak, probeerde ik te reconstrueren hoe Madox dit had aangepakt, en ik kwam tot de conclusie dat hij minstens één medeplichtige moest hebben gehad – waarschijnlijk Carl en mogelijk nog iemand anders, hoewel ik betwijfelde of Madox hier twee getuigen bij wilde.

Harry was gedrogeerd en zijn enkels waren in de boeien geslagen. Ze hadden hem in het slaapgedeelte van de camper gelegd en hem hierheen gereden. Er was mogelijk een tweede voertuig geweest om hen weer terug naar de club te brengen.

Er dus van uitgaand dat Madox niet meer dan één medeplichtige wilde, en ervan uitgaand dat Harry gedrogeerd en bijna comateus was, stond Madox voor het probleem hoe hij Harry zó overeind kon houden dat het leek alsof hij onder het lopen was neergeschoten.

Eén man kon geen verdoofde man overeind houden terwijl de ander vuurde, dus was de oplossing geweest om Harry op zijn knieën te laten zitten terwijl Carl – of Madox – de verrekijker met riem strak om Harry's nek geklemd hield om hem in geknielde positie te houden. Vervolgens had de schutter geknield een kogel door Harry's ruggengraat en hart gejaagd.

De medeplichtige had de verrekijker losgelaten toen Harry voorover viel en de verrekijker kwam terecht waar hij op de foto lag. Vervolgens waren Harry's enkels losgemaakt en waren zijn armen en benen zo neergelegd dat het leek of het lichaam door een *high velocity*-kogel was getroffen en vanuit staande positie voorover was gevallen. Daarna hadden ze waarschijnlijk het pad met takken schoongeveegd. Het enige dat ze waren vergeten, was dat de verrekijker hoogstwaarschijnlijk onder het lichaam terecht zou zijn gekomen en dat hij mogelijk ook beschadigd zou zijn geraakt door de uit de borst uittredende kogel.

Verder hadden ze een knap stukje werk afgeleverd, als je dat al kon zeggen bij een moord in koelen bloede.

Schaeffer vroeg ons: 'Willen jullie de camper ook nog zien?'

Ik knikte en gaf hem de foto's terug.

Hij ging ons voor langs het gele lint en tussen de bomen door.

We kwamen vlak bij de SUV weer op het pad, waar de politie ook weer een stuk bos had vrijgemaakt om te kunnen draaien. Schaeffer gaf een van zijn troopers opdracht ons naar de vijf kilometer verderop op een open plek geparkeerde camper te rijden.

We stapten uit en keken naar Harry's camper, die ik nog nooit eerder had gezien. Het was een oude Chevy pick-up, met op de achterbak een slaapcabine gemonteerd. De wagen mocht dan oud zijn, hij leek wel tot in de puntjes onderhouden en schoongemaakt.

Schaeffer zei: 'We hebben naar vingerafdrukken gezocht, hebben wat stof opgezogen en hebben wat aarde uit de profielen van de banden verzameld. Vanmiddag slepen we hem van hier naar de highway, zetten hem op een trailer en brengen hem naar de forensische garage in Albany voor een grondige inspectie. We zoeken vanzelfsprekend naar sporen dat er andere mensen in dat voertuig zijn geweest.'

Ik zei tegen hem: 'Dat klinkt alsof u aan moord met voorbedachten rade denkt.'

'Laten we er maar van uitgaan dat het dat was.'

Ik stelde me Harry gedrogeerd en vastgebonden in zijn camper voor, terwijl er iemand anders, mogelijk Carl, achter het stuur zat. Voor de camper uit reed Madox, in een van zijn vele voertuigen: een Jeep, een busje of een terreinwagen.

Ik vroeg Schaeffer naar afdrukken van banden op het pad en hij antwoordde: 'Zoals je ziet, is dit compacte aarde, en bovendien heeft het al twee weken niet geregend, en dan heb je nog al die bladeren en takjes op het pad. Dus, nee, we hebben geen fatsoenlijke bandafdrukken gevonden.'

Kate vroeg: 'Kregen jullie bij het zoeken naar vingerafdrukken het idee dat er oppervlakken waren schoongeveegd?'

'Nee. Bij voorbedachten rade draag je handschoenen. Misschien dat we nog wat interessante kledingvezels vinden, maar ook dan zit je weer met voorbedachten rade en zullen de daders, als ze slim zijn, hebben verbrand wat ze aan hadden.' Hij voegde eraan toe: 'Er zit een geopend blikje Coke in de bekerhouder en we zullen dat op DNA onderzoeken, maar ik denk niet dat die schoften Coke dronken. Als we al DNA vinden, zal het wel dat van Harry zijn.'

Schaeffer bekeek de open plek, keek toen naar het pad en zei: 'Oké, hier staat dus de camper. Wat ik denk, is dat er minstens twee daders en twee voertuigen moeten zijn geweest – de camper en de wagen om weer mee weg te rijden – hoewel er, zoals ik al zei, geen duidelijke bandafdrukken zijn. Ze zijn daar verderop gestopt, schoten het slachtoffer neer, stapten weer in de voertuigen en reden verder, om zo wat afstand te scheppen tussen henzelf en de plaats delict.'

Kate en ik knikten en Schaeffer ging verder. 'Als ze hier uit de buurt kwamen, kenden ze deze open plek waar vaak campers en trekkers overnachten. En als je dit pad nog zo'n anderhalve kilometer volgt, kom je op een verharde weg. Dus een van de twee parkeerde de camper hier, waar we hem nu zien staan, stapte bij de ander in de auto en binnen vijf minuten zaten ze op de verharde weg verderop.'

Majoor Schaeffer had een geloofwaardige reconstructie van de moord, deels omdat hij al wat tijd had doorgebracht op de plaats delict, samen met de met elkaar beraadslagende technische rechercheurs, deels omdat hij het gebied goed kende.

Ik zei tegen majoor Schaeffer: 'Ik neem aan dat u de sleutel van de camper heeft, want die zat niet meer aan Harry's sleutelring in het mortuarium.'

'Ja, die heb ik.' Hij voegde eraan toe: 'U zei toch dat u het bewijsmateriaal in het mortuarium niet had aangeraakt?'

'Heb ik dat gezegd?' Ik ging verder. 'Ik neem ook aan dat u zich ervan heeft vergewist dat de Chevy-sleutel aan zijn sleutelring die van deze camper was.'

Hij keek me aan. 'We mogen dan minder slim zijn dan jullie stadse mensen, rechercheur, maar we zijn niet gek.'

Afgaand op mijn eerdere ervaringen met de politiekorpsen van het platteland en uit de voorsteden, realiseerde ik me dat deze uitspraak al lang niet meer van toepassing was. Ik zei: 'Ik wou het gewoon even zeker weten.' Ik vroeg: 'Hoe denkt u dat de daders de camper vijf kilometer weg hebben gekregen van de plek waar het lichaam en het contactsleuteltje werden aangetroffen?'

'Ze kunnen de camper hebben kortgesloten, hem met de andere wagen hebben gesleept of misschien zelfs wel een reservesleutel hebben laten maken. Maar het meest voor de hand liggende antwoord is dat het slachtoffer zelf een reservesleutel bij zich had, aan zijn sleutelring of in zijn wagen.'

'Precies.' Ik vertelde hem over de kennelijk ontbrekende reservesleutel in Harry's portefeuille en vroeg hem: 'Is u dat ook opgevallen?'

Hij gaf niet direct antwoord, maar deelde me mee: 'Het ontbreken van een sleutel tussen andere sleutels wil nog niet zeggen dat die sleutel er ook *was*.'

'Dat is zo... ik speculeer maar wat.'

Dit was weer zo'n voorbeeld van elkaar vliegen afvangen waar we ons als rechercheurs allemaal schuldig aan maken om elkaar scherp te houden. Dat komt het onderzoek meestal ten goede, om nog maar te zwijgen over onze ego's.

Kate leek dit aan te voelen en zei: 'Nou ja, in ieder geval hebben ze hun best gedaan om te suggereren dat Harry hier zijn camper heeft achtergelaten, vervolgens naar het noorden is gelopen, richting de Custer Hill Club, om vervolgens een kleine vijf kilometer van zijn camper, en nog eens zo'n vijf kilometer van de Custer Hill Club, door een ongeluk om het leven is gekomen.' Ze voegde eraan toe: 'Waar het om gaat, is dat hij nooit negen kilometer bij het te surveilleren terrein vandaan zou hebben geparkeerd. En het telefoontje naar zijn vriendin om zeven uur achtenveertig in de ochtend wees erop dat hij vlak bij het terrein was, maar daar is hij niet gevonden. We hebben daarom problemen met tijd, afstand, logica en plausibiliteit die ons tot de conclusie brengen dat wat we hier zien, niet is wat Harry op zaterdagochtend heeft gedaan, maar wat iemand hem een dag later heeft aangedaan.'

Dat vatte alles wel zo'n beetje samen en noch majoor Schaeffer noch ik had hier iets aan toe te voegen.

Dus hadden we hier gedaan wat we konden, wat niet veel was, maar je moest nu eenmaal bij de plaats delict beginnen en vandaar van achteren naar voren werken.

De truc was om je niet op het proces zelf te richten, maar het doel voor ogen te houden, namelijk het vinden van de moordenaar. Het goede nieuws was dat ik een verdachte had. Bain Madox. En ik had een mogelijke medeplichtige. Carl. Maar geen van beide namen zou in het onderzoeksrapport van de staatspolitie verschijnen.

Ik vroeg aan Schaeffer: 'Gaan die FBI-agenten op uw bureau hier ook nog heen?'

'Ik heb het ze gevraagd en ze zeiden dat een ander team dat zou doen – een Bewijsmateriaal Verzamel Team. Die knapen op mijn bureau leken niet erg geïnteresseerd in de plaats delict.'

Nee, dacht ik, *ze waren meer geïnteresseerd in Bain Madox dan in Harry Muller. En Liam Griffith was alleen maar geïnteresseerd in John Corey en Kate Mayfield.*

Maar voor mij was het belangrijk om te zien waar Harry Muller was gestorven en om na te denken over hoe hij was gestorven: een hulpeloze, gedrogeerde gevangene, een politieman die zijn plicht deed, vermoord door een persoon of personen die Harry's leven minder belangrijk vonden dan hun eigen belangen, wat die dan ook mochten zijn.

Ik vroeg me af of Bain Madox – aangenomen dat het Madox was – had geprobeerd een andere oplossing te bedenken voor het probleem waar Harry Muller hem kennelijk mee had opgezadeld. Er moest toch een moment geweest zijn waarop moord niet de beste oplossing was, een moment waarop een andere, slimmere aanpak de problemen had kunnen oplossen waar Harry's verschijning op de Custer Hill Club Madox voor had geplaatst.

De meeste misdadigers – van de heel stomme tot de heel erg slimme – begrijpen niet wat voor krachten ze losmaken als ze besluiten om via een moord een probleem op te lossen. Zij die dat wel begrijpen, proberen het er vaak als een ongeluk, zelfmoord of een natuurlijke dood te laten uitzien. En door dat te doen, laten ze meestal meer aanwijzingen achter dan wanneer ze het er gewoon als moord of een roofoverval hadden laten uitzien.

De beste manier om een moord te verdoezelen, is door het lichaam volkomen te laten verdwijnen, want daarop vind je, naast de plaats delict, de meeste aanwijzingen. Maar Bain Madox had een uniek probleem: hij moest een federaal agent die op het punt stond vermoord te worden van zijn land naar dat van iemand anders – in dit geval een nationaal park – zien te krijgen, waar het lichaam gevonden kon worden voordat de staats- en lokale politie en federale agenten op zijn land naar de vermiste persoon zouden komen zoeken. Daarom moest Madox iets op zijn land hebben – iets anders dan Harry Muller – waarvan hij niet wilde dat anderen het zagen.

Wat wij hier zagen, was Madox' oplossing, en het was in alle haast nog niet eens slecht gedaan. Maar bij een echt grondig moordonderzoek zou hij er niet mee wegkomen.

Als echter mijn andere theorie klopte, was het Madox er alleen maar om te doen tijd te winnen voordat hij als verdachte werd beschouwd. Deze schoft had al een lont aangestoken en die brandde sneller dan de tijd benodigd om de bom te vinden.

☢

33

We liepen terug naar Schaeffers auto, keerden en reden het pad af. Niemand had veel te zeggen.

We naderden de T-kruising waar de undercoveragenten nog steeds struiken aan het snoeien waren. Schaeffer stopte en vroeg hun: 'Is er nog iets te melden?'

Een van de mannen antwoordde: 'De zwarte Jeep is tien minuten geleden langs geweest en de chauffeur vroeg ons wat we aan het doen waren.'

'Wat heb je hem gezegd?'

'Ik zei dat we struiken en bladeren aan het opruimen waren omdat die makkelijk in brand konden vliegen als nonchalante autorijders brandende peuken uit het raam gooiden.'

'Geloofde hij dat?'

'Hij leek wat sceptisch. Zei dat niemand dat ooit eerder had gedaan. Ik vertelde hem dat het risico op bosbranden dit jaar erg groot was.'

'Oké. Weet je wat – bel kapitein Stoner en zeg dat ik hier twee teams wegwerkers wil hebben om de gaten in de weg te dichten. Echte wegwerkers, met twee troopers erbij die zijn uitgedost als wegwerkers en die op hun schoppen hangen zoals die lui gewoonlijk doen.'

De trooper glimlachte. 'Ja, meneer.'

'En daarna kunnen jullie vertrekken.'

'Ja, meneer.'

Schaeffer reed verder naar Route 56 en zei tegen ons: 'Ik denk dat Madox deze surveillance nu zo langzamerhand wel in de gaten heeft.'

Ik antwoordde: 'Hij weet al dat hij in de gaten wordt gehouden sinds Harry Muller zaterdagochtend op zijn terrein werd aangehouden.'

Schaeffer merkte op: 'We weten niet of Harry Muller op zijn terrein is gepakt.' Hij vroeg: 'Waarom is jullie vriend hierheen gestuurd om informatie over Madox' gasten te verzamelen?'

'Dat weet ik niet, en hijzelf ook niet.' Ik legde uit: 'Ik heb hem gesproken voordat hij hierheen vertrok.'

Schaeffer dacht waarschijnlijk dat hij van ons wel wat informatie kon verwachten nadat hij ons uit de klauwen van Liam Griffith had gered en ons had meegenomen naar de plaats delict. Dus om hem iets te geven wat hij toch wel gekregen zou hebben, zei ik: 'Harry werd ook verondersteld het vliegveld te controleren. Passagierslijsten en autohuurcontracten. Dat zullen de Feds nu wel doen, of hebben ze al gedaan. U zou dat zelf ook moeten doen voordat al die informatie verdwenen is.'

Hij gaf geen antwoord, dus voegde ik eraan toe: 'Kate en ik weten toevallig dat er een paar vip's uit Washington op het vliegveld zijn geland, die mogelijk naar de Custer Hill Club zijn gegaan.'

Hij keek me even aan.

Als je denkt dat je van een zaak afgehaald gaat worden omdat je op de verkeerde tenen staat, moet je de info doorgeven aan iemand die er iets mee kan – of die het op zijn minst achterhoudt tot zij besluiten wat ermee moet gebeuren.

Ik gaf Schaeffer nog een tip. 'U zou die informatie van uw Custer Hill-surveillance misschien een tijdje voor u zelf moeten houden.'

Opnieuw geen reactie. Ik denk dat hij wat praatlustiger zou zijn geweest zonder een FBI-agent op de achterbank. Maar ik had gezegd wat ik moest zeggen en ik had hem terugbetaald voor zijn diensten. Wat er in Harry's zak geschreven stond, was geen informatie die majoor Schaeffer hoefde te weten.

Nu was het mijn beurt en ik vroeg aan Schaeffer: 'Kent u die knaap Carl? Hij is een soort rechterhand van Madox, misschien ook wel zijn lijfwacht.'

Schaeffer schudde zijn hoofd. 'Ik ken niemand van die club. Zoals ik al zei, komt het bewakingspersoneel niet hier uit de buurt. Hij heeft zijn barakken waar hij ze huisvest en ze zullen wel diensten draaien van een week op en een week af of zoiets. Wat het huispersoneel betreft, ik heb de indruk dat die ook niet van hier zijn.'

Dat was interessant.

'Ten noorden van hier, buiten het nationale park, wonen behoorlijk wat mensen, te beginnen in Potsdam, en verder in Massena. Trouwens, de Canadese grens ligt hier ook maar tachtig kilometer vandaan en ik weet dat heel wat Canadezen hier in de toeristenindustrie werken. Dus als ik Madox was en mijn personeel niet uit de onmiddellijke omgeving wilde, zou ik ze gelijk maar vanuit het buitenland halen. Dat verkleint de kans dat hun roddels hier gaan rondwaren.'

Ik had niemand van het huispersoneel gezien en ik kan trouwens toch het Canadese accent niet van dat van hier onderscheiden. Wat de bewaking betreft, met wat voor accent zij ook waren opgegroeid, dat was vervangen door een aangeleerde, afgemeten, militaire manier van praten.

Schaeffer deelde ons mee: 'Ik heb vanochtend gebeld om dat Enterprise-kenteken te controleren en de auto was gehuurd door een man die Mikhail Putjov heet.'

Ik gaf geen antwoord, dus zei majoor Schaeffer: 'Klinkt Russisch.' Hij voegde eraan toe: 'En mogelijk is hij nog steeds in het huis. Sinds vorige avond heeft niemand de Custer Hill Club verlaten.'

'Mooi. Bent u niet blij dat u die surveillance hebt ingesteld?'

Majoor Schaeffer besloot die opmerking te negeren. 'De man die ik sprak bij Enterprise, zei dat twee FBI-agenten, een man en een vrouw, gisteren langs waren geweest en kopieën van al zijn huurcontracten hadden meegenomen. Weet u daar iets van?'

Ik vroeg ontwijkend: 'Hoe zagen ze er volgens hem uit?'

'Hij zei dat de man direct op Max, de dame van de Hertz-balie, was afgestapt en dat de vrouw heel mooi was.'

'Wie zou dat nou kunnen zijn?' vroeg ik me hardop af, wetend dat ik nu meer problemen met de achterbank zou hebben dan met Liam Griffith. Bedankt, majoor.

Kate sprak. 'Ik neem aan dat wij dat waren.'

Ik vroeg aan Schaeffer: 'Heb ik dat niet vermeld toen wij elkaar spraken?'

'Nee.'

'Nou, dat was wel de bedoeling.'

Ik keek op het dashboardklokje en zag dat het 10:15 was. Ik zei tegen majoor Schaeffer: 'O ja, die Mikhail Putjov staat geboekt voor de vlucht van twaalf uur vijfenveertig naar Boston. Als hij een uur voor vertrek op het vliegveld wil zijn, zoals vereist, dan zou hij nu zo langzamerhand van de Custer Hill Club moeten vertrekken – aangenomen dat hij daar nog is.'

'Hoe weet u dat Putjov heeft gereserveerd voor de vlucht van twaalf uur vijfenveertig?'

'Heb ik dan niet verteld dat Kate en ik hebben gedaan wat Harry verondersteld werd op dat vliegveld te doen? Passagierslijsten en autohuurcontracten?'

'Nee, dat hebt u me niet verteld.' Hij wilde zijn radio pakken.

Ik zei: 'Madox' bewakingspersoneel zal ongetwijfeld de politieband afluisteren. U kunt beter uw gsm gebruiken.'

Hij keek me zijdelings aan en ik kon niet zeggen of hij nu onder de indruk was van mijn scherpzinnigheid of zich bezorgd maakte om mijn paranoïde gedrag. Hij gebruikte in ieder geval zijn gsm en belde het surveillanceteam. 'Nog iets te melden?'

Hij had het apparaat op meeluisteren gezet en de trooper antwoordde: 'Nee, meneer.'

'Goed, er kan een voertuig van het betreffende terrein komen dat op weg is naar het vliegveld. Geef dat door aan de surveillancewagen op Route 56.'

'Ja, meneer.'

Schaeffer hing op en keek op de dashboardklok, en deed toen wat ik als eerste zou hebben gedaan, namelijk Continental Airlines op het vliegveld bellen. Hij kreeg onze vriendelijke Betty aan de lijn en zei: 'Betty, met Hank Schaeffer – '

'Hé, hoe gaat het met je?'

'Prima. En met jou?'

Enzovoort. Ik bedoel, een vriendelijk woord is nooit weg en het is heel leuk dat iedereen hier elkaar kent en dat ze allemaal via bloedbanden en huwelijken, of allebei, aan elkaar verwant zijn, maar laten we wel even ter zake komen, mensen.

Ten slotte vroeg majoor Schaeffer haar: 'Zou je me een plezier willen doen en even kunnen kijken of er ook iemand met de naam Mikhail Putjov' – hij spelde het – 'op de vlucht van twaalf uur vijfenveertig naar Boston zit?'

Betty antwoordde: 'Nou, dat kan ik je zo wel vertellen. Hij had daar inderdaad voor gereserveerd, maar ondertussen heb ik bericht van de luchtvaartmaatschappij ontvangen dat zijn reservering is ingetrokken.'

'Heeft hij een nieuwe vlucht geboekt?'

'Nee.' Toen was het Betty's beurt. 'Zijn er problemen?'

'Nee, alleen maar een routinecontrole. Wil je me op mijn kantoor bellen als die Putjov alsnog opduikt of een nieuwe vlucht boekt? En wil je ook kopieën maken van al je passagierslijsten en reserveringen van de afgelopen zes dagen? Ik kom ze later wel ophalen.'

'Oké. Hé, zal ik je eens wat vertellen? Gisteren zijn hier een man en een vrouw van de FBI langs geweest en die wilden precies hetzelfde als jij. Ze zijn hierheen gevlogen met een FBI-helikopter, dus ik weet dat ze echt van de FBI waren, en bovendien konden ze zich identificeren. Dus heb ik ze gegeven waar ze om vroegen.'

Betty ratelde nog even door en besloot met: 'Die vent probeerde een beetje de slimme jongen uit te hangen, maar ik heb hem flink op zijn nummer gezet.'

Ik kon me niet herinneren dat ik iets anders dan beleefd was geweest, maar ook al had ik dan misschien wat slimme opmerkingen gemaakt, dan had zij me in ieder geval niet op mijn nummer gezet. *Leugenaar.*

Majoor Schaeffer keek me even aan en zei toen tegen Betty: 'Nou, bedankt – '

Ze onderbrak hem. 'Wat is er aan de hand? Die vent zei dat het iets te maken had met de Olympische Spelen.' Ze begon te lachen. 'Ik zei tegen hem dat die al in 1980 geweest waren.' Ze voegde eraan toe: 'De vrouw was wel aardig en je kon duidelijk zien dat ze genoeg had van die grapjas. Maar goed, waar gaat dit allemaal om?'

'Daar kan ik nu nog niets over zeggen, maar ik wil wel dat je dit niet verder vertelt.'

'Dat zeiden zij ook al. Ik had je wel gebeld, maar ik dacht op dat moment dat het nauwelijks de moeite waard was. Nu denk ik – '

'Je hoeft je nergens zorgen om te maken. Bel me als die meneer Putjov op komt dagen of opnieuw reserveert. Ik spreek je nog wel. Oké?'

'Oké. Een prettige dag verder.'

'Ja, jij ook.' Hij hing op, keek mij aan en zei: 'Nou, je hebt het allemaal gehoord.'

'Ik was heel aardig tegen haar. Kate? Ben ik niet aardig geweest tegen Betty?'

Geen reactie.

Schaeffer zei: 'Ik had het over Putjov die zijn vlucht afzegt.'

'O, nou, dan is hij mogelijk nog in Madox' huis.'

'Ja. Hij heeft niet opnieuw geboekt.' Hij deelde ons mee: 'Dit zijn maar kleine forensenvliegtuigen en de paar die er van hier vertrekken, zitten meestal vol. Je kunt er niet op rekenen dat je zo maar naar het vliegveld rent en op een vliegtuig springt.'

Schaeffer had inmiddels heel wat op zijn bordje en ook heel wat om over na te denken, maar hij had nog steeds geen idee wat dit meer kon zijn dan een moordzaak. Hij wist echter dat er iets gaande was op de Custer Hill Club wat de interesse wekte van de Feds en wat niet verondersteld werd zijn interesse te wekken.

We naderden Route 56 en ik zei tegen majoor Schaeffer: 'Wilt u ons een plezier doen en ons in Potsdam afzetten?'

'Waarom?'

'We moeten... nou ja, we willen Liam Griffith ontwijken.'

'Je meent het. En wat levert dat mij op?'

'Nou, zet ons er dan gewoon hier op Route 56 uit, dan liften we wel naar Potsdam.'

'Je zou wel eens eerder een beer dan een auto kunnen tegenkomen.'

'O ja? Nou, ik ben gewapend.'

'Je mag niet op beren schieten. Ik breng jullie wel.'

'Bedankt.' Ik draaide me om naar Kate, maar die zag er nogal ijzig uit. Ik zei tegen haar: 'Ik trakteer op een lunch in Potsdam.'

Geen reactie.

Toen zei Schaeffer, met zijn grote mond: 'Max mag er beslist wezen. En ze is nog grappig ook.'

'Wie? O, die dame van Hertz.' Een kleine wraakoefening van die aardige majoor.

We waren op de kruising met Route 56 en Schaeffer stopte de auto en vroeg: 'Potsdam?'

Ik kreeg iets van een déjà vu, omdat ik gisteren hier ook had gestaan en toen had besloten om Harry in het lijkenhuis van Potsdam op te gaan zoeken in plaats van naar het hoofdkwartier van de staatspolitie te gaan, zoals ons was opgedragen.

Nu moesten we besluiten of we Griffith onder ogen zouden komen voordat we nog verder in de problemen raakten, of dat we naar Potsdam zouden gaan en ons bleven verbergen.

Schaeffer vroeg opnieuw: 'Welke kant op?'

Ik wierp een blik over mijn schouder. 'Kate? Potsdam of Liam?'

Ze antwoordde: 'Potsdam.'

Schaeffer sloeg rechtsaf en reed naar het noorden, naar Potsdam.

Het is al moeilijk genoeg om aan een moordzaak te werken buiten je eigen jurisdictie. Het is zelfs nog moeilijker als je op de loop bent voor de mensen voor wie je werkt, en je partner kwaad op je is en je belangrijkste verdachte een vriendje is van een paar knapen die voor de president werken.

Hoe krijg ik het toch altijd weer voor elkaar om er zo'n puinhoop van te maken?

34

We babbelden wat over de zaak terwijl we door het nationale park reden. Toen we South Colton bereikten, vroeg ik aan Schaeffer: 'Kent u ene Rudy van de benzinepomp?'

'Ja, die herinner ik me nog uit de tijd dat ik hier patrouille reed. Hoezo?'

'Hij is Madox' lokale rat.' Ik vertelde hem van mijn ontmoeting met Rattige Rudy.

Schaeffer knikte en zei: 'Die Madox heeft hier veel meer in de melk te brokkelen dan ik me realiseerde. Maar zoals ik al zei, heeft hij ons nooit problemen bezorgd en ik geloof niet dat hij hier erg vaak is. Maar van nu af aan zal ik hem wat meer in de gaten gaan houden.'

Ik dacht bij mezelf dat er niet zo veel 'van nu af aan' meer zou zijn, maar ik hield mijn mond.

Schaeffer had dat inmiddels zelf ook bedacht. 'Ik neem aan dat hij nu onder verdenking van moord staat.'

'Ja, dat denk ik wel.'

'Denken jullie collega's op mijn hoofdkwartier dat ook?'

'Ik heb tegen Tom Walsh in New York gezegd hoe wij erover dachten.'

'En wat gaan jullie tweeën in Potsdam doen?'

Ik antwoordde: 'Even op adem komen.'

'O ja? Waarom ga je dan niet terug naar Het Punt?'

'Nou, ik denk dat de heer Griffith inmiddels al in onze kamer met Kate's make-up zit te spelen en op ons zit te wachten.'

'Dus jullie zijn op de loop voor je eigen mensen?'

'Zo zou ik het niet willen stellen.'

'Nee? Hoe zou u het dan willen stellen?'

'Daar moet ik even over nadenken. Kunnen we er ondertussen van verzekerd zijn dat u dit aan niemand verder vertelt?'

'Daar moet ik even over nadenken.'

'Want als we niet op uw discretie kunnen rekenen, kunt u ons net zo goed gelijk naar Ray Brook brengen.'

'Wat zit er voor mij in?'

'U zou het juiste doen.'

'Wanneer weet ik dat?'

'O... over ongeveer twee dagen.'

'O ja? Dus u wilt dat ik mijn gelofte van beroepsmatige verantwoordelijkheid breek en niet tegen Griffith vertel dat ik jullie mee heb genomen naar de plaats delict, en vervolgens naar Potsdam?'

'Ik weet het goed gemaakt, majoor. Vraag hem en die andere FBI-knapen waar dit allemaal over gaat. Als ze u een eerlijk antwoord geven en er niet omheen draaien, mag u ze naar Potsdam sturen om ons te zoeken. Afgesproken?'

'Ik denk dat jullie het meeste van die afspraak profiteren, maar goed. Afgesproken.'

'En ik zal u de sleutels van mijn Hertz-auto geven, die u misschien van uw parkeerplaats zult willen verwijderen voor het onaannemelijke geval dat de FBI haar werk een keertje goed doet en de parkeerplaats afzoekt naar onze huurauto.' Ik gaf hem de sleuteltjes en zei: 'Op de achterbank staat een picknickmand van Het Punt, en die mag u hebben.'

'Deze afspraak begint steeds beter te worden. Wat zit er in die mand?'

'Waarschijnlijk slakken. En trouwens, als u de FBI wat zand in de ogen wilt strooien, moet u naar Het Punt bellen en naar ons vragen.'

Hij merkte op: 'U zou een goede voortvluchtige zijn.'

Dat waren we op dit moment ook eigenlijk, maar waarom zou ik dat hem aan zijn neus hangen?

We bevonden ons inmiddels in de buitenwijken van Potsdam en Schaeffer vroeg: 'Waar willen jullie naar toe?'

'Zet ons maar af bij een station van de ondergrondse.'

Ik wist niet zeker of majoor Schaeffer mijn humor apprecieerde of begreep, maar hij zei: 'Ik neem aan dat jullie een auto moeten hebben.'

'Goed idee. Is er hier ergens een verhuurbedrijf?'

'Er zit hier een Enterprise.'

Ik wachtte op de rest van de lijst, maar dat bleek het te zijn.

We reden door het centrum van de stad en vervolgens weer over Route 56, langs het ziekenhuis waar we Harry hadden gezien, en een paar minuten later waren we bij Enterprise Rent-A-Car.

Majoor Schaeffer parkeerde naast het verhuurkantoor en zei tegen ons: 'Ik weet niet waarom jullie Griffith willen ontlopen, of wat voor problemen jullie hebben. Maar het is dat jullie hier een vriend en partner hebben verloren en dat jullie collega's mij overal buiten houden, anders zou ik mijn nek niet voor jullie uitsteken.'

Ik antwoordde: 'We waarderen dat zeer. Uw instincten zijn goed.'

'O ja? Nou, ik hoop dat jullie bewijzen dat dat het geval is.'

'We houden u op de hoogte.'

'Dat zou voor de verandering eens leuk zijn.' Hij zei tegen ons: 'Oké, ik ga Griffith vertellen dat ik jullie bij de plaats delict *ontmoet* heb en dat ik zijn boodschap aan jullie heb doorgegeven.'

Ik zei ter herinnering: 'Zorg dat u van die huurwagen van ons af komt.'

'Laat dat nou maar aan mij over, rechercheur.'

Kate zei tegen Schaeffer: 'Wees ervan overtuigd, majoor, dat John en ik, mocht u eventueel problemen krijgen, alle verantwoordelijkheid op ons zullen nemen.'

'Het enige probleem dat ik op dit moment heb, is dat ik zes federale agenten over de vloer heb die op het punt staan mij van deze zaak te halen.'

Ik deelde hem mee: 'En er zijn er nog meer onderweg.' Toen zei ik: 'Ik zal u vertellen hoe ik denk dat Harry Muller vermoord is.' Ik gaf hem mijn reconstructie van de moord zoals ik dacht dat die mogelijk in zijn werk was gegaan. Ik besloot met: 'Zoek naar sporen die erop wijzen dat Harry nog voldoende bij kennis was om tegen de zijkant of het dak van zijn camper te schoppen.'

Majoor Schaeffer zweeg enige tijd en zei toen: 'Het zou op die manier gebeurd kunnen zijn. Maar dat brengt me geen steek dichter bij de moordenaar of de moordenaars.'

Toch was zijn hoofdverdachte nog steeds Bain Madox, of hij dat nu wilde geloven of niet. Ik zei: 'Nou, mocht u een verdachte vinden, dan kunt u hem een beetje wakker schudden met die beschrijving van hoe het is gegaan. Het zal ook niet misstaan in uw rapport.'

Hij knikte en bedankte me, maar bood me geen baan aan.

We schudden elkaar allemaal de hand en daarna stapten Kate en ik uit de auto en liepen het kantoor van Enterprise binnen. Ik zei tegen de dame achter de balie: 'Ik zou graag een auto huren.'

'Dan bent u hier aan het juiste adres.'
'Dat dacht ik al. Heeft u ook een SUV?'
'Nee. Ik heb een Hyundai Accent voor u klaarstaan.'
'Wat voor accent heeft hij?'
'Hè?'
'Ik neem hem.'

Ik gebruikte mijn persoonlijke creditcard, want met die van de zaak had ik al een keer een auto gehuurd. Bovendien was ik voor ze op de loop en het zou ze iets meer tijd kosten om mijn kaart te traceren dan die van henzelf.

Binnen vijftien minuten zat ik achter het stuur van een kleine rijstverbrander.

Ik reed terug naar het centrum van de stad en Kate merkte op: 'Het hoeft dus helemaal niet zoveel tijd te kosten om een auto te huren, hè?'

Ik dacht al te weten waar dit heenging. 'Nee, vooral als ik niet om kopieën van al hun huurovereenkomsten van de afgelopen vier dagen hoef te vragen.'

'Om nog maar te zwijgen van de tijd die je kunt besparen door niet de lolbroek uit te hangen bij de dame van de verhuur.'

Jeez. Zaten we tot onze wenkbrauwen in de ellende, stond een of andere megalomane maniak op het punt een Derde Wereldoorlog te beginnen of zoiets, en dan begon zij te zeuren over wat geflirt bij de Hertz-balie, lang geleden. Nou ja, gisteren. Ik weigerde dit spel mee te spelen en gaf geen antwoord.

Ze deelde me mee: 'Je bent geen vrijgezel meer, hoor.'

Enzovoort.

We waren inmiddels in het centrum. Ik reed de auto een parkeerplaats bij een koffiezaak op en zei: 'Ik heb behoefte aan koffie.'

'John, weet je zeker dat je weet waar je mee bezig bent?'
'Ja. Ik ga een beker koffie halen. Wat wil jij?'
'Geef antwoord op mijn vraag.'
'Ik weet waar ik mee bezig ben.'
'Waar ben je dan mee bezig?'
'Dat weet ik niet.'
'En hoe lang blijven we daar nog mee doorgaan?'
'Totdat we deze zaak hebben opgelost of totdat onze collega's ons pakken; wat zich maar het eerste aandient.'
'Nou, ik kan je zo wel vertellen wat zich als eerste zal aandienen.'
'Koffie?'

'Zwart.'

Ik stapte uit en liep de koffiezaak in, een plaatselijke variant, geen Starbucks, waar ik eerst een bonnetje zou moeten halen.

Ik bestelde twee zwarte koffie bij de in hogere sferen verkerende jongedame achter de balie en terwijl zij probeerde mijn bestelling te verwerken, viel mijn oog op een rek met brochures en gratis reisgidsen bij de deur. Ik haalde er een stapeltje uit en schoof ze in mijn zakken.

De kosmonaute achter de balie probeerde erachter te komen welke maat deksel ze voor onze bekers moest gebruiken en ik zei tegen haar: 'Ik moet even bellen. Lokaal. Kan ik jouw gsm gebruiken?'

'Hè...?'

De koffie kostte anderhalve dollar en ik gaf haar er vijf en zei: 'Houd het wisselgeld maar. Dat is voor het telefoontje.'

Ze gaf me haar gsm en ik belde Het Punt.

Jim nam op. 'Het Punt. Wat kan ik voor u doen?'

'Corey hier. Zijn er nog boodschappen voor mij of mijn vrouw?'

'Goedemorgen, meneer Corey. Geniet u een beetje van uw verblijf bij ons?'

'Hé, Jim, ik moet je bekennen dat dit de beste twaalfhonderd piek per nacht zijn die ik ooit heb uitgegeven. Daar kunnen zelfs de showgirls in Las Vegas niet tegenop.'

Jim was even sprakeloos en zei toen: 'Ik heb twee boodschappen voor u. Allebei van meneer Griffith. Hij zou graag willen dat u hem belt.' Hij gaf me Griffiths nummer en vroeg: 'Bent u van plan vanavond bij het diner aan te zitten?'

'Dacht je dat ik Henri's houtsnip zou willen missen? Doe me een plezier en bel Sonny even om hem eraan te herinneren dat hij me een jasje en stropdas zou lenen. Oké?'

'Ja, meneer. U bedoelt, neem ik aan, de heer DeMott van de Uitkijk?'

'Precies. Laat de kleren maar naar mijn kamer brengen. Oké, ik zie je bij de borrel. Henri serveert er worstenbroodjes bij.'

'Ja, dat heb ik gehoord.'

Ik hing op en gaf de gsm terug aan juffrouw Verweg, die volgens mij dacht dat ze een cadeautje kreeg. Ik hoefde me er in ieder geval geen zorgen over te maken dat ze me zich zou herinneren, mochten de Feds navraag komen doen.

Ik verliet de koffiezaak en buiten op het trottoir kwamen er twee gedachten bij me op. De ene was dat ik moest ophouden met dat roekeloze en egoïstische gedrag en aan Kate's carrière moest denken, en naar Griffith toe moest gaan om hem alles te vertellen, inclusief MAD,

NUK en ELF, in de hoop dat de FBI voordat het te laat was kon uitvogelen waar Madox mee bezig was.

De andere was dat ik geen van deze dingen moest doen. En de reden daarvoor was dat dit een heel vreemde zaak was en dat ik niemand meer vertrouwde. Behalve natuurlijk Kate die, in willekeurige volgorde, mijn vrouw, partner, advocaat, meerdere en FBI-agente was.

En alhoewel ik haar vertrouwde, wist je bij Kate nooit welke hoedanigheid de boventoon voerde.

Ik gokte op vrouw en partner.

35

Ik stapte weer in de auto en gaf Kate haar koffie en de stapel brochures. 'We hebben een logeeradres nodig, en niet in Potsdam.'

'Misschien moeten we naar Canada en daar asiel aanvragen.'

'Ik ben blij dat je je gevoel voor humor nog hebt.'

'Dat was geen grap.'

Ik dronk van mijn koffie terwijl ik door het centrum van Potsdam reed en Kate bekeek de brochures. Ik vertelde haar over mijn telefoontje naar Het Punt. 'Griffith zal nu heel snel aan de plaatselijke en staatspolitie vragen of ze ons willen gaan zoeken. Als hij dat al niet gedaan heeft. Maar ik denk dat we ze een stapje voor kunnen blijven.'

Kate leek me niet te horen en bestudeerde het lokale drukwerk. 'Dit zou wel eens een goeie omgeving kunnen zijn om een huis te kopen. Ze gaan hier gemiddeld voor $66.400 van de hand.'

'Ik hoef alleen maar onderdak voor vannacht, liefje.'

'Het gemiddelde inkomen per huishouden is maar $30.782 per jaar. Hoeveel krijg jij eigenlijk mee als je ontslagen bent?'

'Schat, wil je alsjeblieft een plek zoeken om te overnachten?'

'Oké...' Ze bladerde door wat brochures en zei: 'Deze B&B ziet er leuk uit – '

'Geen B&B's.'

'Hij is echt schattig, hoor. En heel afgelegen, zo te zien, als dat tenminste is wat we zoeken.'

'Dat zoeken we.'

'Hij ligt op tien hectare van wat vroeger de manege van de St. Lawrence University was.' Ze las voor: 'Het biedt de beslotenheid van een klassiek landgoed.'

'Hoeveel kost dit klassieke landgoed?'

'Vijfenzestig dollar per nacht. Maar je kunt ook een cottage voor vijfenzeventig krijgen.'

'Dat betaalden we in Het Punt per uur.'

'Betalen we.'

'Oké. Welke kant is het op?'

Ze keek in de brochure en zei: 'We moeten de U.S. Route 11 hebben.'

Ik begon aan een nieuwe ronde door Potsdam en begon de stad al aardig te leren kennen. Ik reed naar een kruispunt met een heleboel verkeersborden en al spoedig zaten we op Route 11, de stad uit.

Ik zei: 'Ik heb een paar knapen bij de afdeling Voortvluchtigen gekend die zeiden dat voortvluchtigen altijd veel plezier lijken te hebben in het ontsnappen aan de politie. Je wordt er als het ware high van, want je moet ze steeds te slim af zijn en je bent voortdurend onderweg – '

'Ik heb er anders weinig plezier in. Jij wel?'

'Ach... ja. Het is een spelletje. En spelletjes zijn leuk.'

Daar had ze geen commentaar op. Ze zei: 'Die B&B ligt ongeveer vijftien kilometer van hier, even buiten Canton.'

'Canton ligt in Ohio.'

'Nou, misschien hebben ze het verplaatst, of misschien, John, ligt er ook wel een Canton in de staat New York.'

'We zullen zien.' Dus reden we verder in zuidwestelijke richting over Route 11.

Kate had de brochure van de Kamer van Koophandel weer voor zich. 'Er zijn veel colleges in deze streek, dus het percentage hoger opgeleiden is hoger dan het nationaal gemiddelde.'

'Je vriest hier dood als hoger opgeleide.'

'De gemiddelde temperatuur in januari is min drie. Dat valt nogal mee.'

'Vertel me dat nog maar een keer in januari.'

'We zouden 's winters bij je ouders in Florida kunnen logeren.'

'Dan vries ik nog liever dood.' Ik keek op het dashboardklokje, dat 11:47 aangaf. Ik moest Dick Kearn direct na twaalven bellen.

De weg was tamelijk druk en liep door open land, langs boerderijen en door gehuchten. We hadden het Adirondack-gebergte duidelijk achter ons gelaten en reden het laagland van de Grote Meren in. Achter ons in Gods eigen land, waar je meer beren zag dan mensen en waar weinig verkeer was, zouden Kate en ik de aandacht trekken en herinnerd worden. Hier vielen we weg tussen de bevolking. Zolang ik tenminste mijn grote bek hield.

De kleine Hyundai reed prettig, maar ik had liever een fourwheeldrive gehad, voor het geval we misschien een keer het hek rond Custer Hill moesten forceren. Vanavond bijvoorbeeld.

Ik vroeg aan Kate: 'Hoeveel munitie heb jij?'

Ze gaf geen antwoord.

'Kate?'

'Twee extra magazijnen in mijn aktetas.'

Ik had één magazijn in mijn binnenzak. Ik heb nooit genoeg munitie bij me. Misschien als ik een aktetas of handtasje had gehad, dat ik dan extra munitie bij me zou hebben. 'Is er een sportzaak in Canton?'

Zonder te antwoorden bladerde ze door een stadsgidsje en zei: 'Er staat hier een advertentie voor een sportzaak in Canton.'

'Mooi.'

We reden zwijgend verder en binnen tien minuten zei ze: 'Hier afslaan naar Route 68 en uitkijken naar Wilma's B&B.'

'Misschien kunnen we zelf een B&B beginnen. Jij kookt en maakt schoon. Ik schiet op de arriverende gasten.'

Geen reactie.

Ik zag het bord van Wilma en reed een gravelpad op dat door een glooiend veld liep met hier en daar een spar. Verderop stond een Cape Cod-achtig huis met een overdekte veranda.

Ik zette de auto stil en we stapten uit en liepen de veranda op. Ik keek achterom naar de highway, die nauwelijks te zien was.

Kate vroeg: 'Oké?'

'Perfect. Echt zo'n plek waar Bonnie en Clyde zich zouden verstoppen.'

Ze belde aan en een minuut later deed een heer van middelbare leeftijd de deur open en vroeg: 'Kan ik u ergens mee van dienst zijn?'

Kate zei: 'We zoeken een kamer voor vannacht.'

'Nou, dan bent u aan het juiste adres.'

Dat moest hier de standaardzin zijn. Ze gebruikten hem waarschijnlijk ook als je naar het ziekenhuis kwam voor een acute blindedarmoperatie.

We gingen naar binnen, naar een klein kantoortje in de hal, waar de eigenaar, Ned, zei: 'U kunt kiezen. Twee kamers boven, of twee cottages.'

Ik zei: 'We nemen een cottage.'

Hij liet ons twee foto's zien. 'Dat is Pond House – die ligt aan een vijver. En dit hier is Field House.'

Field House leek verdacht veel op een caravan. Kate zei: 'Mij lijkt Pond House wel wat. John?'

'Prima.' Ik vroeg aan Ned: 'Is er ook telefoon in die cottages? Met een buitenlijn, bedoel ik?'

Hij grinnikte. 'Jazeker. En we hebben ook elektriciteit.'

Ik wilde hem vertellen dat we net uit een luxehotel kwamen zonder tv en telefoon, maar dat zou hij toch niet geloven.

Hij zei: 'Pond House heeft kabel-tv en video, en u kunt ook internetten.'

'Echt? Hé, heeft u dan misschien ook een laptop te leen of te huur?'

'Ik heb er eentje die u gratis kunt gebruiken, als u hem maar voor half zeven vanavond weer aan mij teruggeeft. Dan moet moeder de vrouw namelijk op eBay om haar veiling te controleren. Dat mens koopt rotzooi op die ze weer terugverkoopt via eBay. Ze zegt dat ze erop verdient, maar dat betwijfel ik.'

Het is dat ik niet wilde opvallen, anders had ik gezegd dat ze waarschijnlijk met de man van UPS naar bed ging. Maar ik glimlachte alleen maar.

Maar goed, ik betaalde Ned contant, wat hij leek te waarderen, en hij leek geen legitimatie of borg te hoeven. Hij gaf me de laptop ter waarde van zo'n duizend dollar. Ik dacht erover hem om een sixpack bier te vragen, nu ik toch bezig was, maar ik wilde geen misbruik maken van zijn gastvrijheid.

Ned gaf ons de sleutel van de cottage, vertelde in het kort wat de huisregels waren en legde uit hoe we bij Pond House kwamen. 'Gewoon je neus achterna.'

Dat zou me in zijn keuken doen belanden, maar waarschijnlijk bedoelde hij dat we eerst in de auto moesten stappen.

Kate en ik liepen naar de auto en ze zei tegen mij: 'Zie je hoe aardig en goed van vertrouwen de mensen hier zijn?'

'Volgens mij mis ik mijn portemonnee.'

Ze negeerde dat en vervolgde met: 'Dit lijkt veel op waar ik ben opgegroeid, in Minnesota.'

'Nou, dan hebben ze goed werk afgeleverd, daar. Over dat verhuizen hebben we het nog wel een keertje.'

Ik ging zo'n honderd meter mijn neus achterna en toen waren we bij een kleine houten cottage aan een vijver.

Kate pakte haar aktetas en we gingen naar binnen. Het was een aardig huisje, met een gecombineerde zit-slaapkamer met open keuken, gemeubileerd in een stijl die ik zou willen omschrijven als eclectisch eBay. Aan de achterkant was een serre die uitkeek op de vijver. Hopelijk was er ook nog ergens een inpandige badkamer.

Kate inspecteerde de keuken en ik vroeg haar: 'Wat zit er in de koelkast?'

Ze opende de deur. 'Een lampje.'

'Bel de roomservice.'

Ze negeerde me opnieuw en vond de badkamer.

Ik pakte de telefoon die op een bureautje stond en belde Dick Kearns, op zijn kosten.

Hij accepteerde het gesprek en vroeg me: 'Waarom betaal ik voor dit gesprek?'

'Ik zit in de gevangenis en ik heb mijn gratis gesprek al gebruikt voor een telefoontje naar mijn bookmaker.'

'Waar zit je? Wie is die Wilma op mijn nummerherkenning?'

'Neds vrouw. Hoe is het gegaan?'

'Wat? O, Poesjkin. Russische auteur. Dood. Geen nadere informatie.'

Dick voelde kennelijk de behoefte om me een beetje te sarren als compensatie voor het honorarium dat hij misliep. 'Kom op, Dick. Dit is belangrijk.'

'Om te beginnen ben ik verplicht je te vragen hoe hoog jouw bevoegdheid is.'

'Eén meter drieëntachtig.'

'Sorry, rechercheur Corey, maar deze informatie is niet beschikbaar voor mensen onder de één meter vijfentachtig. Maar goed, ik zal noteren dat je één meter vijfentachtig hebt opgegeven.'

Nu we die oude grap gehad hadden, zei Dick: 'Oké. Ben je er klaar voor?'

'Wacht even.' Kate was uit de badkamer gekomen en had een keukenstoel bij het bureau getrokken. Ik zei tegen Dick: 'Ik zet je op meeluisteren.' Ik drukte op de betreffende knop en zei: 'Zeg eens netjes gedag tegen Kate.'

'Hoi, Kate.'

'Hoi, Dick.'

'Ik ben blij dat jij erbij bent, zodat je die man van je een beetje uit de problemen kan houden.'

'Ik doe mijn best.'

'Heb ik je ooit verteld van die keer – ?'

'Dick,' onderbrak ik hem, 'de tijd dringt nogal.'
'Ja, nou, bij mij ook. Oké, klaar?'
Kate pakte haar notitieboek en ik pakte een pen en een kladblok van het bureau en zei: 'Laat maar horen.'
'Goed. Putjov, Mikhail. Geboren in Koersk, Rusland, of beter gezegd de Sovjet-Unie, op 18 mei 1941. Vader overleden in 1943, kapitein bij het Rode Leger, gedood bij een vuurgevecht. Moeder ook overleden, maar geen verdere info. Putjov heeft... ik kan die verdomde Russische woorden niet uitspreken – '
'Spel het maar.'
'Oké.' Hij lichtte ons in over Mikhail Putjovs opleiding en mijn ogen werden glazig tot hij zei: 'Hij is afgestudeerd aan het Polytechnische Instituut in Leningrad, met een graad in de atoomfysica. En later was hij betrokken bij... wat staat daar nou weer...? Koerchatov? Ja, het Koerchatov Instituut in Moskou... Dat schijnt een belangrijk onderzoeksinstituut te zijn op het gebied van nucleaire wapens en deze knaap werkte daar dus.'
Ik gaf geen commentaar, maar Kate en ik keken elkaar wel even aan.
Dick vroeg: 'Is dat wat jullie zoeken?'
'Wat heb je nog meer?'
'Nou, dat hij daarna in een borsjtfabriek werkte, waar hij aardappeltjes in de soep moest gooien.'
'Dick – '
'Hij heeft ergens in Siberië aan het Russische atoomwapenprogramma gewerkt.' Hij spelde de naam van een stad of een basis. 'Dit lijkt allemaal geheim materiaal en vanaf 1979 tot aan de val van de Sovjet-Unie is er niet veel informatie over.'
'Oké... hoe betrouwbaar is die informatie?'
'Een klein deel ervan komt rechtstreeks van de FBI. Putjov wordt door hen in de gaten gehouden. Het grootste deel komt uit Putjovs eigen cv, die op de website staat van zijn werkgever.'
'Wie is dat?'
'Het Massachusetts Institute of Technology. Hij is daar professor met een vaste aanstelling.'
'Wat doceert hij?'
'Geen Russische geschiedenis.'
'Juist – '
'Ik heb ook nog wat info uit online academische blogs. Hij is een gerespecteerd wetenschapper.'

'In wat?'

'Nucleaire toestanden. Ik weet het niet. Wil je dat ik het je voorlees?'

'Ik bekijk het later zelf wel. Wat verder nog?'

'Nou, ik had geluk met het FBI-bureau in Boston. Daar bleek een knaap te zitten die ik kende en hij wilde me wel het een en ander vertellen – *off the record*. Hij vertelde me dat Putjov hier in 1995 heen is gehaald als onderdeel van ons reïntegratieprogramma, met de bedoeling de vrij ronddolende nucleaire wetenschappers uit de voormalige Sovjet-Unie aan ons te binden voordat ze zich aan de hoogste bieder verkochten. Hem werd een baan aangeboden als docent aan het MIT.'

'Ze hadden hem gewoon moeten afschieten.'

Dick grinnikte en zei: 'Dat was in ieder geval een stuk goedkoper geweest. Ze kochten een appartement voor hem in Cambridge en hij vangt nog steeds flink wat dollars van Uncle Sam. Ik heb het gecontroleerd, en hij heeft geen schulden of geldproblemen, wat toch de helft van de keren het motief is voor de helft van de illegale shit waar de wereld mee te kampen heeft.'

'Wat je zegt.' Het was de andere helft die me zorgen baarde; de motieven voor onwettelijke activiteiten waar een oliemiljardair geen weerstand aan kon bieden. Zoals macht. Glorie. Wraak.

Kate vroeg: 'Waarom wordt hij door de FBI in de gaten gehouden?'

'Die knaap in Boston vertelde me dat het de standaardprocedure was voor dergelijke personen. Het Bureau heeft geen negatieve informatie over hem, maar ze eisen wel dat hij doorgeeft als hij op reis gaat omdat, zoals mijn contactpersoon zei, Putjov een wandelend vat vol nucleaire kennis is waarvan ze niet willen dat die in handen valt van landen die een eigen nucleair programma willen opstarten.'

Ik vroeg: 'Heeft Putjov het kantoor in Boston doorgegeven dat hij de stad uit zou zijn?'

'Dat weet ik niet, en ik heb het ook niet gevraagd. Ik was al blij dat ik even onofficieel met die knaap kon praten. Maar mijn vragen bleven beperkt tot achtergrondinformatie.'

Kate vroeg: 'Vrouw? Kinderen?'

'Twee volwassen zoons, die ook meegekomen zijn naar hier. Over hen geen informatie. Zijn vrouw, Svetlana, spreekt nauwelijks Engels.'

Kate vroeg: 'Heb je haar gesproken?'

'Ja. Ik heb naar hun appartement gebeld. Maar daarvoor had ik al naar zijn afdeling bij het MIT gebeld. Zijn secretaresse, mevrouw

Crabtree, zei dat hij haar in het weekend – zaterdag – had gemaild dat hij pas dinsdag weer op zijn werk zou zijn – vandaag dus. Maar hij is er nog niet en niemand heeft iets van hem gehoord.' Hij voegde eraan toe: 'Ik neem aan dat hij bij jullie in de buurt zit, ja?'

'Dat weten we niet.' Vreemd, dacht ik, dat hij al gisteravond zijn vlucht van 12:45 naar Boston had afgezegd, zonder dat aan zijn afdeling door te geven. Hij had ook geen nieuwe vlucht geboekt, waarvan ik me herinnerde dat die morgenochtend om 09:55 ging, en hij zou ook niet met de auto teruggaan naar Boston, want zijn huurauto was al ingeleverd.

Kate vroeg: 'Klonk zijn secretaresse bezorgd?'

'Ik weet het niet. Ze was heel professioneel en ik had geen reden bij haar aan te dringen. Dus bel ik Svetlana en die zegt tegen mij: "Hij niet thuis". Dus ik vraag: "Wanneer hij thuis?" En zij: "Diensdaag". En ik weer: "Vandaag is diensdaag". En zij zegt: "Billen truug", en hangt op.

'Billen truug?'

'Ja, dat is Russisch voor terugbellen. Dus heb ik haar twintig minuten geleden teruggebeld en gezegd: "Ik moet Mikhail spreken. Hij heeft een miljoen dollar gewonnen in de loterij van Reader's Digest en hij moet zich melden als prijswinnaar". En zij: "Priz? Vat priz?" Nou ja, ik denk in ieder geval niet dat hij thuis is. Dus deze knaap wordt vermist?'

'Mogelijk. Verder nog iets?'

'Nee. Verder gaat mijn gratis introductieaanbod niet.'

'Heb je ook een mobiel nummer van deze knaap gekregen?'

'Ik heb het aan Svetlana en zijn secretaresse gevraagd. Ze wilden het niet geven, maar ik durf te wedden dat ze het een paar keer gedraaid hebben.'

'Juist. En de telefoonmaatschappij? Of het FBI-kantoor in Boston?'

'Ik zal de telefoonmaatschappij proberen. Maar mijn FBI-bron ga ik niet terugbellen. Ik ben bij hem al zo ver gegaan als ik kon, en hij was heel behulpzaam, maar op een gegeven moment begon hij nieuwsgierig te worden. We kunnen dat beter laten rusten, tenzij je wat heibel in de tent wil.'

'Oké, laat maar.'

'Kate, waarom doe ik dit? Toen ik nog bij de ATTF werkte, hadden ze daar hun eigen computers, telefoons en dossiers.'

Ze keek even naar mij en zei toen tegen Dick: 'Jouw vriend probeert zijn eigen theorie over iets te verifiëren.'

'Juist. Heb je hem verteld dat hij een teamspeler hoort te zijn.'
'Daar heb ik het een paar keer over gehad.'
Ik had inmiddels mijn ogen ten hemel geslagen.
Dick zei: 'Nou, als John wordt ontslagen – ik kan wel wat hulp gebruiken hier.'
Kate antwoordde: 'Ik denk dat hij op alle zwarte lijsten komt te staan die je maar kunt verzinnen.'
'Oké,' onderbrak ik hen. 'Laten we niet afdwalen. Dick, is er verder nog iets waarvan jij denkt dat het belangrijk of relevant kan zijn?'
'Relevant voor wat?'
Goeie vraag, en voordat ik een antwoord kon verzinnen, vroeg Dick: 'Hoe zit dat met dat nucleaire gedoe?'
'Ik denk niet dat dat relevant is voor het moordonderzoek.'
'Waarom zou een MIT-professor betrokken zijn bij een moord?'
'Ik dacht dat hij misschien van de Russische maffia was, maar daar lijkt het niet op. Oké, ik zal – '
'Hebben de Arabieren die knaap dan ontvoerd?'
'Dat denk ik niet. Mag ik Putjovs telefoonnummer van thuis en van zijn werk van je?'
Hij gaf ze aan ons en zei: 'Oké, jongens, de bal is op jullie helft. Veel geluk met het vinden van Putjov en ik hoop dat je die klootzak vindt die Harry Muller heeft vermoord.'
'Die vinden we.'
Kate zei: 'Bedankt, Dick.'
'Wees voorzichtig.'
We hingen op en Kate keek me aan. 'Atoomgeleerde.'
'Precies.'
'Wat moet die op de Custer Hill Club?'
'De magnetron repareren?'
'John, we moeten vandaag nog naar New York vliegen en Walsh de juiste mensen bij elkaar laten zoeken – '
'Ho eens even. Schiet je niet een beetje door? Zoveel opzienbarende informatie hebben we nu ook weer niet – een atoomgeleerde die toevallig te gast was op de Custer Hill Club – '
'We hebben MAD, NUK, ELF en – '
'Ik mag toch hopen dat ze daar nu zelf wel achter zijn.'
'En als dat nu eens niet zo is?'
'Dan zijn ze erg dom.'
'John – '

'We kunnen niet toegeven dat we informatie hebben achtergehouden... nou ja, vergeten zijn te noemen.'

'*We*?' Ze kwam overeind en zei: '*Jij* hebt het niet gemeld. *Wij* hebben een misdaad begaan. Ik ben medeplichtige.'

Ik ging nu ook staan. 'Dacht je soms dat ik je niet zou indekken?'

'Jij hoeft mij niet in te dekken. *Wij* moeten alles doorgeven wat we weten, inclusief Putjov. Nu.'

'Voor zover wij weten, weet de FBI al alles wat wij weten en zij delen dat ook niet met ons – dus waarom zouden wij onze kennis met hen delen?'

'Dat is ons *werk*.'

'Oké, en we zullen die informatie ook delen. Maar niet nu. Zie wat wij doen maar als aanvullend onderzoek.'

'Nee, wat wij doen is *ongeautoriseerd* onderzoek.'

'Fout. Walsh heeft ons gemachtigd – '

'Liam Griffith – '

'Die kan doodvallen. Ik weet niet beter dan dat hij ons verschoning voor een week brengt.'

'Je weet heel goed waarom hij hier is.'

'Nee, dat weet ik niet. En jij ook niet.'

Ze ging wat dichter bij me staan. 'John, wat is nou eigenlijk je agenda?'

'Zoals altijd – waarheid en gerechtigheid.' Ik voegde eraan toe: 'Plicht, eergevoel, vaderland.'

'Gelul.'

'Nou, het echte antwoord is dat we ons hachje moeten redden. We zitten in de problemen en de enige uitweg daaruit is om de zaak dichter bij een – '

'Vergeet vooral je ego niet. Dit is John Corey, NYPD, die probeert te bewijzen dat hij slimmer is dan de hele FBI bij elkaar.'

'Dat hoef ik niet te bewijzen. Dat is een vaststaand feit.'

'Ik ga terug naar New York. Ga je met me mee?'

'Nee. Ik moet Harry's moordenaar vinden.'

Ze ging op bed zitten en staarde naar de vloer. Ze was duidelijk van streek.

Ik bleef een volle minuut staan en zei toen: 'Kate.' Ik legde mijn hand op haar schouder. 'Vertrouw op me.'

Ze gaf niet direct antwoord, en mompelde toen, bijna in zichzelf: 'Waarom kunnen we niet gewoon terug naar New York en Tom alles vertellen wat we weten...? En zo onze carrière redden?'

'Omdat,' antwoordde ik, 'we niet meer terug kunnen. Er is geen weg terug.' Ik voegde eraan toe: 'Sorry.'

Ze bleef nog even zitten en kwam toen overeind. 'Oké... wat is de volgende stap.'

'ELF.'

36

Kate leek wat gekalmeerd en zich te hebben neergelegd bij het feit dat de idioot die deze ellende had veroorzaakt, waarschijnlijk ook de enige idioot was die haar er weer uit kon halen.

Ik voelde me daardoor wat onder druk gezet, maar ik wist dat als ik geconcentreerd bleef en deze zaak oploste – Harry's moord *en* het mysterie Madox – dat dan onze carrière- en persoonlijke problemen zouden verdwijnen. En als we dan toch bezig waren, konden we misschien gelijk de planeet redden. Zoals Kate zelf altijd zei: 'Niets werkt zo goed als succes.'

Mislukking daarentegen betekende... tja, eerverlies, vernedering, ontslag, werkloosheid en een of andere nucleaire verrassing. Maar waarom zo negatief?

Om Kate het gevoel te geven dat ze ook onderdeel was van de oplossing, zei ik tegen haar: 'Oké, ik zal je advies opvolgen en John Nasseff bellen.'

Kate en ik gingen aan het bureau zitten, met de pen in de aanslag.

Ik had liever Neds laptop gebruikt, maar ik was er behoorlijk zeker van dat John Nasseff, iemand van de TD, niet op de hoogte was van wat er zich allemaal binnen de ATTF afspeelde.

Kate draaide het nummer, gebruikmakend van haar eigen telefoonkaart, zodat Wilma's nummer niet op de nummerherkenning verscheen, identificeerde zich bij de telefonist van de ATTF en vroeg naar kapitein-luitenant-ter-zee Nasseff. Ze zette de telefoon op meeluisteren en terwijl ze werd doorverbonden, zei ze tegen mij: 'John Nasseff is een kapitein-luitenant-ter-zee in actieve dienst, dus misschien kun je beginnen met hem bij zijn rang aan te spreken.' Ze voegde eraan toe: 'Hij is een officier en een heer, dus let een beetje op je woorden.'

'Zorg jij nou maar dat je je vragen op de juiste manier stelt.'

Ze antwoordde: 'Ik denk dat ik weet hoe ik dit moet aanpakken. Maar waarom neem jij niet het voortouw, zoals je altijd doet?'

'Ja, mevrouw.'

Kapitein-luitenant-ter-zee John Nasseff kwam aan de telefoon. 'Hoi, Kate, wat kan ik voor je doen?'

'Hoi, John. Mijn echtgenoot, John, die werkt voor... die werkt onder mij, en ik hebben wat informatie nodig over extra laagfrequente radiogolven. Kun je me daarmee helpen?'

'Dat denk ik wel...' Hij zweeg even en vroeg: 'Mag ik vragen waar dit over gaat?'

Ik mengde me in het gesprek. 'Goedemiddag, overste. Rechercheur Corey hier, die werkt voor speciaal agent Mayfield.'

'Zeg maar John.'

'Hetzelfde geldt voor mij. Om je vraag te beantwoorden: dit is helaas nogal een gevoelige kwestie en het enige dat we mogen zeggen, is dat het nogal dringend is.'

'Ik begrijp het... Wat wil je precies weten?'

Ik vroeg: 'Kunnen ELF-golven een ei aan de kook brengen?'

Kate keek me kwaad aan, maar overste John antwoordde: 'Dat dacht ik niet.'

John Nasseff klonk als de uitgestreken marineman die hij waarschijnlijk ook was, dus ging ik verder met: 'Ik maakte maar een grapje. Kun je ons iets meer vertellen over ELF-golven? En maak het alsjeblieft niet te technisch. Ik kan zelfs de knoppen op mijn autoradio niet programmeren.'

Ik kreeg hem aan het grinniken en hij antwoordde: 'Oké... het is een nogal technisch onderwerp, maar ik zal proberen Engels te spreken. Om te beginnen ben ik geen expert op het gebied van ELF-signalen, maar ik kan jullie wel de basisprincipes uitleggen.'

'We zijn een en al oor.' Ik sloeg mijn kladblok open en wachtte af.

'Nou, om te beginnen... ik lees even mee op mijn computer... oké, ELF-golven worden uitgezonden op extreem lage frequenties...' Hij grinnikte weer even en zei, min of meer tegen zichzelf: 'Daarom worden ze waarschijnlijk ook zo genoemd. Maar goed, het zijn extreem *lange* golven, dus je moet uitzenden op 82 herz, of 0,000082 megaherz – dat staat gelijk aan een golflengte van 3.658.535,5 meter of 3.658,5 kilometer – '

Ik liet mijn pen vallen en zei: 'Ho even, John. Ho even. We willen geen boodschap uitzenden via onze ELF-zender. Wie gebruikt deze golflengte? En waarvoor?'

Hij antwoordde: 'Hij wordt alleen gebruikt door de krijgsmacht. Meer specifiek, de marine. Hij wordt gebruikt om contact te krijgen met atoomonderzeeërs op zeer grote dieptes.'

Kate en ik keken elkaar aan. Ik wilde hem vragen of hij Fred kende, maar vroeg in plaats daarvan: 'Kunnen deze ELF-golven worden onderschept?'

'Jazeker. Als je de juiste apparatuur hebt. Maar je kunt wel eens lang moeten wachten om een ELF-uitzending te horen.'

'Hoezo?'

'Ze worden maar heel beperkt gebruikt. En wat je opvangt, zal ook nog eens gecodeerd zijn.'

'Oké... neem ons even mee door het volgende: wie, wat, waar, wanneer, hoe en waarom?'

'Ik geloof niet dat ik geheimen onthul als ik dit vertel, maar ik moet wel vragen of jullie op een veilige lijn zitten.'

Typisch zo'n militaire communicatieman. Ik dacht dat Ned misschien mee kon luisteren, gewoon om de tijd wat te doden, maar hij zag er niet uit als een spion, en Wilma zat waarschijnlijk naar *Tell Sell* te kijken. Ik zei tegen overste Nasseff: 'We zitten op een normale lijn en die gebruik ik eenmalig vanuit een vakantieadres in de Adirondacks.' We zaten eigenlijk niet langer in het Adirondack-gebied, maar het was wel de bedoeling dat Walsh en Griffith dat zouden denken, mocht hun dit gesprek ter ore komen. Ik voegde eraan toe: 'Een hotel, met de naam Het Punt. De kok is een Fransman, maar ik weet zeker dat hij niet meeluistert.'

'Oké... zoals ik al zei, is dit niet echt geheim. Dus laat me eerst maar eens iets uitleggen over de praktische toepassing van de ELF-technologie. Zoals jullie weten, hebben we atoomonderzeeërs die gedurende lange tijd op grote diepte varen – soms wel maanden achter elkaar – en de meeste van die onderzeeërs opereren in hun vaste patrouillegebieden in de buurt van... tja, dit is tamelijk gevoelige info, maar laat ik zeggen in de buurt van hydro-akoestische onderwaterstations waardoor ze via een normale radioverbinding contact kunnen maken met het commandocentrum van de marine. Maar sommige van die onderzeeërs zitten soms in een soort niemandsland, te ver van die onderwaterstations, terwijl in een noodsituatie het marine-opperbevel toch contact moet kunnen maken met dergelijke atoomonderzeeërs. Kun je me tot zover volgen?'

Ik keek naar Kate, die knikte, en ik zei: 'Ja hoor. Vertel verder.'

'Nou,' zei hij, 'aangezien bijvoorbeeld de gebruikelijke VLF-golven

– heel laagfrequente – niet diep genoeg onder water doordringen, vooral als het water heel zilt is – zout – '

'Zout dus, ja.'

'Goed. Maar ELF-golven gaan de hele wereld over, ongeacht atmosferische omstandigheden, en ze dringen overal in door, inclusief bergen, oceanen of polaire ijskappen. Ze kunnen altijd en overal een in de diepzee verblijvende onderzeeër bereiken. Het is dankzij de ELF-golven dat we überhaupt kunnen communiceren met sommige van de schepen in onze atoomonderzeeërvloot, en dat is van vitaal belang mocht de rode vlag gehesen worden.'

'Welke rode vlag?'

'*De* rode vlag. Dat is onze term voor een atoomoorlog.'

'Juist. Hou het dan toch maar bij rode vlag.' Kate en ik keken elkaar opnieuw aan, terwijl we probeerden de reikwijdte hiervan te bevatten. Ik wist niet hoe zij zich voelde, maar de gedachte aan Bain Madox maakte me knap onrustig.

Overste Nasseff maakte een morbide grapje: 'Het is dat we ELF hebben anders zouden we helemaal niet aan zo'n goeie, ouwe atoomoorlog kunnen beginnen.'

'Nou, ELF zij geprezen.'

Hij grinnikte. 'Dat is een oude marinegrap.'

'Ik lach me dood. Heb je nog meer?'

'Eh, tja, de Koude Oorlog ligt natuurlijk al weer een tijdje achter ons, maar – '

Ik onderbrak hem. 'Dus dat is de enige manier... de enige reden dat iemand een ELF-radio zou gebruiken – is om met een onderzeeër te praten?'

Hij antwoordde: 'Nou, het is niet echt een radio waardoor je kunt praten. Het is meer een signaalzender – zoals een telegraaf – om gecodeerde berichten, lettercombinaties, door te geven.'

'En alleen naar een onderzeeër?'

'Klopt. Een in de diepzee varende onderzeeër. ELF-golven zijn heel lang en de communicatie verloopt daardoor erg traag. Maar ze kunnen door alles heen dringen. Hun enige praktische nut is dus om in contact te treden met onderzeeërs die niet op een normale manier te bereiken zijn.'

'Juist. Kunnen ELF-golven mijn gsm-ontvangst in de war sturen?'

Hij grinnikte opnieuw. 'Nee. Deze golven zijn zo lang dat ze met geen enkele andere golflengte interfereren, dus ook niet met radiogolven, magnetrons of wat we dan ook dagelijks gebruiken.'

Kate zei tegen hem: 'Dus die ELF-boodschappen bestaan uit gecodeerde lettercombinaties.'

'Klopt.'

'En ze kunnen alleen door onderzeeërs worden opgevangen?'

'Nou, ze kunnen worden opgepikt door iedereen met een ELF-ontvanger. Maar tenzij je de code kent, die heel vaak verandert, zijn de berichten betekenisloos. Je zou alleen maar verzonden pulsen waarnemen, ofwel de letters in gecodeerde vorm. Van wat ik ervan begrijp, zijn het voornamelijk drielettercombinaties.'

Kate vroeg: 'En de mensen in de onderzeeërs weten dan alles wat ze moeten weten?'

'Nou, normaal gesproken maakt het hun alleen maar duidelijk dat ze normaal radiocontact moeten zoeken.' Hij legde het uit. 'Een ELF-bericht wordt ook wel een klokkenluider genoemd. Het is bedoeld om de commandant van een onderzeeër erop te wijzen dat zich een bepaalde situatie ontwikkelt en dat hij iets moet doen om contact te maken. Maar soms is zo'n drielettercode ook een bericht op zich. Het zou bijvoorbeeld kunnen betekenen "Naar de oppervlakte" of "Ga naar locatie A", wat dan een van tevoren vastgestelde kaartcoördinaat is. Volgen jullie me nog?'

Kate antwoordde: 'Ik geloof het wel.'

'Je kunt ELF niet gebruiken voor lange, informele kletspraatjes. Het kan wel een halfuur duren voordat het signaal de onderzeeër bereikt. En ik moet er misschien bij vermelden dat een onderzeeër zelf geen ELF-signaal of boodschap kan verzenden. Ze kunnen alleen ontvangen.'

Ik zei: 'Zoiets van "bel ons niet, wij bellen jou wel".'

'Precies.'

Kate vroeg: 'Waarom kunnen onderzeeërs geen ELF-berichten verzenden?'

'De zender en antenne moeten aan de wal staan. Ik kan dat eventueel later nog uitleggen. Maar het komt er in ieder geval op neer dat als een onderzeeër op zo'n boodschap wil reageren, of als de commandant meer info nodig heeft, ze naar een hydro-akoestisch onderwaterstation moeten varen – als daar tijd voor is – of anders naar de oppervlakte moeten gaan om via VLF of tegenwoordig via de satelliet of wat dan ook contact te zoeken.'

Ik vroeg: 'Wat bedoel je met "Als daar tijd voor is"?'

'Nou, om een voorbeeld te noemen... als de andere kant al ICBM's heeft gelanceerd, is er geen tijd om een normaal radiocontact te zoeken omdat tegen de tijd dat de onderzeeër een ELF-signaal heeft ontvangen, wat, zoals ik al zei, wel een halfuur kan duren, alle vormen van communicatie in de VS in rook zijn opgegaan en de atoomoorlog al weer zo goed als voorbij is.' Hij verklaarde zich nader. 'Als zoiets aan de oppervlakte gebeurt, ontvangen de onderzeeërs het laatste en enige ELF-bericht dat ze zullen krijgen – een drielettercode die betekent... nou ja, iets als "Schiet er maar op los".'

Kate keek enigszins bezorgd, maar overste Nasseff had ook nog wat goed nieuws. 'ELF-golven zijn niet vatbaar voor thermonucleaire explosies.'

Ik zei: 'Dat is fantastisch. Maar mag ik eens vragen – wat als de knaap die de code voor het lanceren van atoomraketten verstuurt nou eens de verkeerde letters gebruikt? Hij wil bijvoorbeeld XYZ typen, wat "lunchpauze" betekent, maar hij vergist zich en typt XYV, wat betekent "Lanceer je raketten"?'

Overste Nasseff antwoordde enigszins geamuseerd: 'Dat kan niet gebeuren.'

'Waarom niet? Kijk maar eens naar al die e-mail die je ontvangt.'

'Ik bedoel,' legde hij geduldig uit, 'dat er veiligheidsgaranties inzitten, en alle bevelen om te lanceren moeten worden geverifieerd.'

'Door *wie*? Tegen de tijd dat de onderzeeër zijn orders binnenkrijgt is er, zoals je daarnet al zei, niemand meer om wat dan ook te verifiëren.'

'Dat is waar. Maar neem maar van mij aan dat zoiets niet kan gebeuren.'

'Waarom niet? Ik bedoel, je hebt het over maar drie lullige lettertjes. Zoals die apen die King Lear uittypen.'

'Even te jouwer informatie, maar een drielettercode kan 17.576 mogelijke lettercombinaties in de Engelse taal opleveren. Het Russische alfabet, met drieëndertig letters, kent 35.937 mogelijke codes.' Hij legde het uit. 'Drieëndertig maal drieëndertig maal drieëndertig is gelijk aan 35.937. Dus hoe groot is de kans dat een radioman bij de marine per ongeluk de code verstuurd die aangeeft dat ze hun raketten op vooraf bepaalde doelen moeten afvuren?'

Ik moest even denken aan de wet van Murphy. Maar goed, de kans leek inderdaad klein dat het verkeerd zou gaan. Ik zei: 'Misschien moesten we het Russische alfabet gebruiken. Je weet wel, meer letters. Dat maakt de kans nog kleiner dat we per ongeluk een atoomoorlog beginnen.'

Dat vond hij wel grappig en hij zei tegen mij: 'Nou ja, als je dan toch meer wilt weten dan je hoeft te weten: degene die het bericht verstuurt, moet dat versturen als een zich herhalende, zichzelf corrigerende code, gevolgd door nog een drielettercombinatie ter verificatie. Niemand kan dat per ongeluk fout doen.'

Ik stelde de voor de hand liggende en nogal pertinente vraag: 'En als iemand het nou eens met opzet doet? Een of andere gek bijvoorbeeld die een atoomoorlog wil beginnen?'

Hij dacht daar even over na en antwoordde: 'Zoals ik al zei, veranderen de codes zeer regelmatig.'

'Maar als iemand die code weet – '

'Ik kan me niet voorstellen dat een onbevoegd iemand de oorspronkelijke code én de verificatiecode in handen krijgt, plus ook nog eens de op dat moment geldende coderingsprotocollen. Bovendien is de coderingssoftware zo ver ontwikkeld, dat kun je je gewoon niet voorstellen.' Hij voegde eraan toe: 'Jij zou je daar geen zorgen over moeten maken.'

Ik dacht aan Bain Madox en wilde tegen overste Nasseff zeggen: 'Maar jij wel.'

Kate vroeg: 'En er is geen andere toepassing voor dit communicatiemiddel? Ik bedoel, ELF-golven worden alleen maar in militaire situaties gebruikt?'

'Nou, dat *was* zo. Maar ik heb gehoord dat sinds de Koude Oorlog de Russische ELF-zender is gebruikt voor geologisch onderzoek. Zwaarden tot ploegen, en zo.' Hij legde het uit. 'De ELF-golven kunnen tot diep in de aardkorst doordringen en kunnen daarom worden gebruikt voor elektromagnetische sondering, bijvoorbeeld bij seismografisch onderzoek. Voorspellingen van aardbevingen en zo. Maar daar weet ik verder niet zoveel vanaf.'

Kate zei: 'Dus theoretisch zou iemand buiten het militaire domein een ELF-zender kunnen gebruiken. Wetenschappers bijvoorbeeld.'

'Theoretisch, ja, maar er zijn slechts drie ELF-zenders in de hele wereld en die zijn allemaal in het bezit van militairen.' Hij voegde eraan toe: 'Wij hebben er twee, zij de derde.'

Kate dacht daar even over na en vroeg toen: 'Ik begrijp het... maar *theoretisch*... is dit topgeheim, of is het verboden zo'n zender te bouwen?'

'Ik weet niet of dat verboden is, en er is niets geheims aan de technologie erachter. Het probleem is meer dat het bouwen van een ELF-zender nogal duur is en dat hij geen ander praktisch nut heeft dan het communiceren met onderzeeërs en recentelijk dan beperkt geologisch onderzoek.'

Ik dacht niet dat Bain Madox geïnteresseerd was in geologisch onderzoek, maar het zou kunnen, dus vroeg ik: 'Kunnen die ELF-golven olievelden opsporen?'

'Dat denk ik wel.'

'Dus geologen zouden ze kunnen gebruiken om naar olie te zoeken.'

'Theoretisch gezien wel, maar ELF-zenders kunnen maar op enkele plekken in de wereld gebouwd worden.'

Kate vroeg: 'Waarom is dat?'

'Tja, we hebben het nu over de zender zelf en ik zal het je uitleggen. Je vroeg waarom een onderzeeër niet zelf een ELF-bericht kan verzenden. Eén reden is dat een ELF-zender alleen op het vasteland kan staan, in een gebied dat heel weinig grondgeleiding heeft. En er zijn maar een paar plekken op deze aarde waar die geologische conditie bestaat.'

Ik vroeg natuurlijk: 'En waar is dat?'

'Nou, een van die plekken is waar de Russische zender, Zev genaamd, staat – ten noordwesten van Moermansk, vlak bij de poolcirkel. Een andere plek met de vereiste voorwaarden ligt hier in de VS. Onze twee zenders staan in de Wisconsin Transmitter Facility – WTF – en de Michigan Transmitter Facility – MTF, en ze delen beide dezelfde geologische formatie, die het Laurentische Schild wordt genoemd.'

'En dat is het?'

'Nou ja, wat betreft de bestaande zenders. Maar de Britse marine had er bijna eentje gebouwd tijdens de Koude Oorlog, op een geschikte plek in Schotland, Glengarry Forest genaamd. Maar om uiteenlopende politieke en praktische redenen is dat niet doorgegaan.'

Kate noch ik zei enige tijd iets, en toen zei Kate samenvattend: 'Dus er zijn maar drie ELF-zenders op de hele wereld?'

Overste Nasseff maakte weer een grapje en antwoordde: 'De laatste keer dat ik ze geteld heb wel, ja.'

Nou, dacht ik bij mezelf, *dan zou ik nog maar eens tellen, overste.*

Kate en ik keken elkaar even aan, maar geen van ons beiden stelde de voor de hand liggende vraag over andere geschikte en mogelijk hier in de nabijheid liggende locaties. We wisten dat we die vraag heel voorzichtig zouden moeten inkleden, om niet de kans te lopen dat overste Nasseff straks bij de koffie langs zijn neus weg zou zeggen dat Corey en Mayfield naar ELF-zenders in de Adirondack Mountains hadden geïnformeerd.

John Nasseff legde ons zwijgen uit als teken dat we klaar waren met het beslag leggen op zijn tijd en vroeg: 'En, heb ik jullie een beetje kunnen helpen?'

Kate antwoordde: 'Ja, bedankt. Maar nog één vraagje. Jij zegt toch impliciet dat het ook voor een privépersoon mogelijk is om een ELF-zender te bouwen?'

John Nasseff zat waarschijnlijk al aan zijn lunch te denken, maar antwoordde: 'Jazeker. Iemand zou er eentje in zijn kelder of zijn garage kunnen bouwen. De technologie is tamelijk simpel en sommige componenten kun je waarschijnlijk zo in de winkel kopen, en wat niet direct verkrijgbaar is, kan gemaakt of gekocht worden als je het geld ervoor hebt. Het echte probleem is de locatie van de *antenne* en de *grootte* van de antenne.'

'Waarom is dat een probleem?'

'Het is namelijk geen verticale standaardantenne. Een ELF-antenne is in wezen een lange kabel, of kabels. Deze kabels zijn bevestigd aan een soort telefoonpalen, gewoonlijk in een grote cirkel, en ze zijn kilometers lang.'

Dat klonk als iets wat ik onlangs gezien had. Ik vroeg: 'Waarom is dat zo moeilijk... of duur?'

'Nou, het is in ieder geval duur,' antwoordde Nasseff, 'als de overheid ze aanlegt.' Hij lachte hartelijk en ging toen verder. 'Zoals ik al zei, gaat het allemaal om geologie en geografie. Ten eerste moet je een locatie zien te vinden waar de rotsbodem geschikt is, en dan moet je een voldoende groot stuk van een dergelijk terrein in bezit zien te krijgen.'

'En dan?'

'Nou, dan span je je kabels, die uiteindelijk de voeding van je antenne zijn. Die kabels moeten soms wel een lengte van ettelijke honderden kilometers hebben – in een cirkel, om ruimte te besparen – of, als de geologische omstandigheden perfect zijn, zou je ook kunnen volstaan met, zeg, tachtig kilometer of minder.'

Kate zei: 'Die geologische invalshoek begrijp ik niet helemaal.'

'O, tja... Wacht, ik zoek het even op. Oké. Vereist voor het bouwen van een ELF-zender is een gebied waar maar enkele meters zand of morene kiezelgrond is. Daaronder moet zich een basis van stollingsgesteente bevinden, of van metamorfe... wat staat daar verdomme?' Hij spelde het. 'G-N-E-I-S.'

Ik zei: 'Ik hoop dat dat niet de lanceercode is.'

Hij grinnikte. 'Dat zal wel een soort gesteente zijn, neem ik aan. Eens even kijken... gebieden met heel oude, van voor het Cambrium daterende bergketens, zoals het Laurentische Schild, waar onze ELF-zenders staan... Het Kola-schiereiland in Rusland, waar zij hun zender hebben staan... die plek in Schotland waar de Britten hun ELF-zender wilden bouwen... een plek bij de Oostzee... nou ja, nu heb je een idee.'

Ik hoorde hem niet zeggen 'De Adirondeck Mountains', en ik luisterde toch heel goed.

Hij ging verder. 'Dus als iemand een ELF-station zou willen bouwen, moet hij naar een van die gebieden, daar genoeg land opkopen, zijn telefoonpalen in het gesteente drijven en er antennes tussen spannen, in een cirkel. Hoe beter de geologische condities, hoe korter de bedrading hoeft te zijn om eenzelfde zendkracht te krijgen. Dan wordt de antennedraad verbonden met een dikke koperen aardkabel die langs één of meer telefoonpalen naar een boorgat in het lage-geleidingsgesteente loopt. Een krachtige elektrische generator – en dat is pas echt een dure grap – voedt de antennekabels vervolgens en de stroom loopt door de draden en verdwijnt dan via de koperen aardkabel in het gesteente. En *dan* wordt de aarde zelf de antenne. Volg je me nog?'

Ik antwoordde: 'Helemaal.'

Ik denk niet dat hij me geloofde en hij zei: 'Dit is voor mij ook nogal technisch allemaal. Maar het lijkt erop dat als je maar voldoende stroom kunt opwekken – duizenden kilowatts – en als je antenne eenmaal goed is gespannen, de radiozender zelf niet moeilijk te maken is en dan kun je zoveel ELF-golven uitzenden als je maar wilt.' Hij voegde eraan toe: 'Alleen luistert er helaas niemand.'

Ik zei: 'De onderzeeërs luisteren.'

'Alleen als ze toevallig op de frequentie zitten waarop jij uitzendt. De Russen zenden uit op 82 herz, en wij zelf op 76 herz. En zelfs al zouden de onderzeeërs iets opvangen, dan zou hun ELF-ontvanger het signaal waarschijnlijk weigeren.'

'Hoezo?'

'Omdat, zoals ik al zei, militaire signalen via de computer worden gecodeerd. Gecodeerd als ze verzonden worden, en gedecodeerd bij ontvangst. Anders,' zo legde hij uit, 'kan elke gek – zoals jij opperde – theoretisch gezien de Russische en Amerikaanse nucleaire vloot de stuipen op het lijf jagen. En bijvoorbeeld een Derde Wereldoorlog starten.'

Ik wist precies wat hij bedoelde, ook zonder dat expliciete voorbeeld.

Kate was inmiddels gaan staan. 'Heeft iemand ooit zoiets geprobeerd?' vroeg ze.

Overste Nasseff gaf daar geen antwoord op, dus stelde ik de vraag nog een keer.

Hij reageerde met een eigen vraag. 'Zijn jullie iets van plan of zo?'

Ik wist wat er ging komen en ik wilde niet dat hij een drielettercode naar het Pentagon zou sturen met de mededeling: 'Controleer Corey en Mayfield.' Dus zei ik tegen hem: 'Nou, zoals je misschien weet, zitten wij bij de sectie Midden-Oosten. Meer kan ik er niet over zeggen.'

Hij dacht daarover na en zei toen: 'Tja... die mensen zouden de betreffende technologie kunnen bezitten of verkrijgen... maar ik denk niet dat er in die landen een geologisch gezien geschikt gebied voorhanden is.'

'Dat is goed nieuws,' zei ik. Maar dit ging natuurlijk helemaal niet over onze vrienden in het Midden-Oosten. Ik vroeg het hem nog één keer. 'Heeft ooit iemand – in het verleden – geprobeerd een nepsignaal naar onze onderzeevloot te sturen?'

'Ik heb geruchten in die richting gehoord.'

'Wanneer? Hoe? Wat is er gebeurd?'

'Nou... als je dat gerucht mag geloven, ontving onze onderzeevloot zo'n vijftien jaar geleden gecodeerde ELF-berichten, maar de computers aan boord van de onderzeeërs konden de legitimiteit ervan niet verifiëren, dus werden ze geweigerd.' Hij ging verder. 'En toen de commandanten van de onderzeeërs contact opnamen met hun bases in Pearl Harbor en Norfolk, kregen ze te horen dat er vanuit Wisconsin – Michigan was toen nog niet gebouwd – geen berichten van dien aard waren verstuurd.' Hij zweeg even en voegde er toen aan toe: 'Het leek erop dat een of andere... entiteit nepberichten verstuurde, maar de beveiligingsmechanismes werkten en geen van de onderzeeboten nam actie op basis van die berichten.'

Ik vroeg: 'Wat voor actie? Wat stond er in die berichten?'

'Lanceren.'

Het was even stil in de kamer, maar toen vroeg Kate: 'Kunnen het de Russen zijn geweest die die berichten hebben verzonden?'

'Nee. Om te beginnen hadden de Russen tot 1990 nog geen eigen ELF-zender, en zelfs als dat wel zo was geweest, dan was het toch zeer onlogisch om Amerikaanse onderzeeërs opdracht te geven raketten te lanceren gericht op hun eigen land.'

Daar was ik het mee eens en ik vroeg: 'Wie was het dan?'

Hij antwoordde: 'Hoor eens, dit kan heel goed een van die twijfelachtige Koude-Oorlogverhalen zijn die het onderzeebootpersoneel en communicatiemensen aan hun vriendinnetjes en barvriendjes vertelden.'

'Dat is waar,' zei ik. 'Zo'n verhaal is algauw een stevige pakkerd of een gratis biertje waard. Maar het zou ook waar kunnen zijn.'

'Dat zou kunnen.'

'Dus,' zei ik, 'hebben we het aantal ELF-zenders kennelijk verkeerd geteld. Ik tel er inmiddels vier.'

Het bleef even stil, maar toen antwoordde hij: 'Nou, vijftien, zestien jaar geleden was er in wezen maar één ELF-station in de wereld – dat van ons in Wisconsin. Zols ik al zei was Michigan nog niet gebouwd, en Zev ook niet. Dat is ook de reden dat ik denk dat dit verhaal nergens op slaat. Wie zou nou een ELF-zender bouwen en gebruiken met het doel een atoomoorlog te beginnen?'

Ik dacht dat mijn gestoorde ex-schoonvader daar best toe in staat zou zijn, maar hij was te gierig om geld uit te geven. Dus opperde ik: 'De Chinezen? Je weet wel, ons vertellen dat we raketten op Rusland moeten afschieten en dan lekker toekijken hoe wij elkaar vernietigen.'

'Tja, dat is een mogelijkheid. Maar als dat uit zou komen, zouden de Amerikanen en Russen wel eens kunnen beslissen om hen uit wraak plat te gooien. Dat is wel een heel gevaarlijk spelletje.'

Dat was het, en als je een land was dat zelf het slachtoffer zou kunnen worden, wat voor zowel China als Rusland gold, zou je je wel twee keer bedenken. Als je daarentegen een rijke, gestoorde einzelgänger in de bergen was, zou je je misschien wel willen amuseren met een ELF-zender. Ik zei tegen overste Nasseff: 'Je zei dat deze ELF-golven kunnen worden onderschept, dus ik neem aan dat je dan ook kunt achterhalen waarvandaan ze worden uitgezonden.'

'Dat is op zich niet zo'n gekke veronderstelling, maar het antwoord is nee. Bedenk dat de aarde zelf de antenne wordt, dus de signalen lijken van overal vandaan te komen.'

'Een soort kosmische boodschap?'

'Nou... het zou meer zoiets zijn als het trillen van de grond bij een aardbeving. Het signaal lijkt echt overal om je heen te zijn.'

'Dus er is geen enkele manier om de oorsprong van een ELF-signaal te traceren?'

'Niet op de manier waaraan jij denkt. Maar ELF-ontvangers kunnen een globaal idee krijgen van waar de berichten vandaan komen, door de effectieve kracht van de uitzending te meten. Zoals bij alle energiebronnen geldt dat hoe verder je van de bron afzit, hoe zwakker het signaal wordt. Zo kwamen we ook achter die Russische ELF-zender. We vermoedden al wel dat de Russen zo'n zender hadden om met hun onderzeeërs te communiceren, dus plaatsten we een ontvangststation op Groenland en dat station ving krachtige signalen op. Na een tijdje waren we in staat vast te stellen dat de zender op het schiereiland Kola moest staan, en spionagesatellieten bevestigden dat. Maar dat lukte alleen omdat de Russen voortdurend bleven uitzenden terwijl wij naar de originele bron op zoek waren.'

Ik verwerkte dat en vroeg toen: 'Is de marine er ooit in geslaagd te achterhalen waar die nepsignalen vandaan kwamen?'

'Ik heb geen idee. Hoewel ik vermoed van niet, want anders zou iedereen bij de communicatieafdeling er van gehoord hebben, officieel dan wel onofficieel.' Hij voegde er ter herinnering aan toe: 'Maar nogmaals, die nepuitzendingen hebben misschien wel nooit plaatsgevonden.'

Nou, ik dacht van wel en ik vermoedde dat overste Nasseff dat ook dacht. En ik wist ook waar ze vandaan kwamen.

Hij ging over op een wat luchtiger onderwerp. 'Nou ja, godzijdank is de Koude Oorlog verleden tijd.'

'Zeg dat wel.'

'Verder nog iets?' vroeg hij.

Ik dacht aan Mikhail Putjov. 'Is die extreem lage frequentietechnologie ook iets waar atoomfysici zich mee bezighouden?'

'Nee, totaal niet. De meesten weten er waarschijnlijk minder van dan jij.'

'Ja, maar ik ben inmiddels ook een expert op dat gebied. Niemand gaat mij nog een ELF-golfoven aansmeren.'

'Waarom,' vroeg overste Nasseff, mijn grap negerend, 'zou ELF de afdeling Midden-Oosten van de ATTF zorgen kunnen baren?'

Kate en ik keken elkaar even aan en ze schreef op mijn blocnote: 'Jij bent de brokkenpiloot.'

Bedankt, Kate. Ik antwoordde tegen overste Nasseff: 'Nou, gezien wat jij ons net hebt uitgelegd, zitten we misschien eh... op de verkeerde golflengte, om het zomaar te zeggen.' Ik grinnikte even, om het effect te versterken, en legde toen uit: 'We werken namelijk aan een zaak betreffende die milieuactivisten, het Earth Liberation Front. ELF. Verkeerde ELF. Sorry.'

Officier en gentleman als hij was, verwaardigde overste Nasseff zich niet op deze nonsens te reageren.

Kate, die weet hoe je geen vraag moet stellen die de ondervraagde persoon een hint kan geven, zei tegen Nasseff: 'John, ik heb nog eens naar mijn aantekeningen gekeken en volgens mij heb jij gezegd dat de enige geschikte plek in de VS voor een ELF-antenne en -zender het geologische gebied in Wisconsin en Michigan is, het gebied dat het Laurentische Schild wordt genoemd. Heb ik dat goed begrepen?'

Hij had lullig kunnen doen en vragen wat dat met het Earth Liberation Front te maken had, maar hij antwoordde: 'Dat klopt wel zo'n beetje, ja... Wacht eens even... Hier zie ik nog een plek in de VS waar je een ELF-zender zou kunnen plaatsen.'

Noch Kate noch ik vroeg waar dat was, maar John Nasseff gaf zelf het antwoord al. 'Jullie staan er op dit moment als het ware bovenop.'

37

We zaten in de serre, die werd verwarmd door de zon die door de grote ramen naar binnen viel. Buiten vielen bladeren, zwommen eenden in de vijver en waggelden vette Canadese ganzen zonder hun paspoort over het gazon.

We waren elk verdiept in onze gedachten, die waarschijnlijk dezelfde waren. Ten slotte zei Kate: 'Madox heeft een grote elektrische generator en een ELF-antenne op zijn terrein, en hij heeft waarschijnlijk ergens in zijn huis een zender. Misschien in zijn atoombunker...'

Ik probeerde de situatie wat op te vrolijken. 'Dus jij denkt dat Madox naar olie zoekt?'

Ze was niet in de stemming voor mijn humor en vroeg: 'Denken wij dat Madox degene was die vijftien jaar geleden die ELF-berichten naar de onderzeeërs heeft gestuurd?'

'Dat denken wij.'

'Maar *waarom*?'

'Laat me even nadenken. Hé, hij probeerde een thermonucleaire oorlog te starten.'

'Ja, dat begrijp ik ook. Maar *waarom*?'

'Ik neem aan dat hij gewoon een paar dobbelstenen gooide, zijn vingers kruiste en op de goede afloop hoopte.'

'Dat is krankzinnig.'

'Precies. Maar *hij* vond van niet.' Ik zei tegen haar: 'Jij bent misschien nog te jong om je dat te herinneren, maar er waren in die dagen mensen in dit land – en de heer Madox was er daar ongetwijfeld eentje van – die als eerste op de knop wilden drukken; dan had je het maar gehad. Ze geloofden echt dat ze de Sovjets in hun slaap konden verrassen en dat de sovjettechnologie en hun wapensystemen inferieur waren, en dat wij het wel zouden overleven, wat ze ook naar ons teruggooiden.' Ik voegde eraan toe: 'Radioactieve neerslag wordt schromelijk overschat.'

'Volkomen gestoord.'

'Ja, maar gelukkig is het allemaal niet doorgegaan.' Ik dacht even na en zei: 'Madox had kennelijk toegang tot de militaire ELF-codes en besloot daar gebruik van te maken. De technologie om de zender en de antenne te bouwen is, zoals we gehoord hebben, niet geheim en zo'n twintig jaar geleden besefte Madox ineens dat hij het juiste stuk land moest hebben en begon hij in de Adirondack Mountains rond te kijken.' Ik voegde eraan toe: 'De beste investering die hij ooit had gedaan.'

Ze knikte bedachzaam. 'Ja, zo zal het inderdaad gegaan zijn... maar het werkte niet.'

'Nee, godzijdank niet, anders zaten we er nu niet over te praten.'

'Waarom heeft het niet gewerkt?'

Ik speelde even met die vraag en antwoordde: 'Als je het mij vraagt heeft hij onderschat hoe complex de computers waren die onmiskenbaar onderdeel uitmaken van de gecodeerde ELF-berichten. En op een gegeven moment werd hij door een handlanger bij de marine gewaarschuwd dat als hij bleef proberen de lanceercode te kraken, de overheid een grootscheepse actie zou beginnen om de bron van die nepuitzendingen te vinden, en dan zou op een gegeven moment de FBI op de Custer Hill Club binnenvallen. Dus gaf hij zijn interessante hobby op.'

'Of misschien is God echt tussenbeide gekomen.'

Ik overwoog dat even en zei: 'Ik twijfel er niet over dat Bain Madox geloofde dat God aan zijn kant stond.'

'Nou, dat was dus niet zo.'

'Kennelijk niet. Maar wat is ondertussen het verband tussen ELF en Mikhail Putjov, voormalig Russisch atoomfysicus en momenteel professor aan het MIT en huisgast van de heer Madox?'

Kate dacht daar even over na en antwoordde toen: 'Misschien... misschien dat Madox dit keer gaat proberen om onze onderzeeërs raketten te laten lanceren tegen vooraf vastgelegde doelen in het Midden-Oosten, China of Noord-Korea.'

Dat moest ik even verwerken, en toen zei ik: 'Dat lijkt weer op de Bain Madox die we kennen. Interessante mogelijkheid. Maar dat verklaart nog steeds de aanwezigheid van Putjov niet.'

Kate dacht daarover na, en waarschijnlijk ook over zaken waarvan ze gisteren nog niet kon dromen dat ze erover zou nadenken. Ze vroeg mij, of zichzelf: 'Waar is die kerel verdomme mee bezig?'

'Ik denk dat hij plan B heeft gelanceerd, alhoewel ik geen idee heb wat dat is, behalve dat het een versie is van plan A, dat vijftien jaar geleden niet werkte.'

Ik keek op mijn horloge en kwam overeind. 'Wat jij nu moet doen, Kate, is online gaan en kijken of er nog meer over die ELF-golven te vinden is. En google ook Mikhail Putjov, en als je toch bezig bent, ook maar gelijk Bain Madox.'

'Oké...'

'En dit is belangrijk – breng voor half zeven die laptop terug naar Wilma.'

Ze glimlachte zuinigjes en vroeg: 'Mag ik ook naar eBay?'

'Nee, je mag niet naar eBay. Oké, vervolgens bel je de FAA en vraag je de vluchtplannen voor Madox' twee jets op. De registratienummers van de vliegtuigen zitten in je aktetas. Dat kan wel wat tijd kosten, als ik op mijn ervaringen met de federale bureaucratie af mag gaan, maar wees volhardend en charmant – '

'Waarom denk je dat dit belangrijk is?'

'Ik heb echt geen idee. Maar ik wil graag weten waar Madox die vliegtuigen heeft heengestuurd, voor het geval het *wel* belangrijk wordt.' Ik voegde eraan toe: 'Ik wil ook dat je die passagierslijsten en huurcontracten nog eens bestudeert. En bel Putjovs huis en werk en kijk of iemand weet waar hij uithangt.'

'Oké... maar wat doe jij eigenlijk als ik hiermee bezig ben?'

'Het is tijd voor mijn hazeslaapje.'

'Grappig, hoor.'

'Nou, om precies te zijn, ga ik een paar boodschappen doen. Ik ga wat te eten kopen, plus wat andere spulletjes die niet in die vijfenzeventig piek lijken inbegrepen. En wat je verder nog maar wilt.'

Ze deelde me mee: 'We hoeven niets te kopen, John. Zodra we al deze informatie hebben ingezameld, gaan we terug naar de stad.' Ze voegde eraan toe: 'Ik boek wel een vlucht vanaf Adirondack Regional Airport, of vanaf een ander vliegveld hier in de buurt.'

'Kate, ik denk niet dat we voldoende informatie hebben om een kaartje "verlaat de gevangenis zonder te betalen" te verdienen.'

'Ik denk van wel.'

'Nee. Ik denk dat er mensen in Washington zitten die minstens zoveel weten als wij nu.'

'Waarom hebben ze dan Harry die surveillance op de Custer Hill Club laten doen?'

Goeie vraag. En er kwamen diverse antwoorden bij me op. 'Nou, misschien had het te maken met die bijeenkomst dit weekend. Maar verder weet ik het ook niet.'

'John, ik denk dat Harry zijn opdracht heeft uitgevoerd. Ik denk dat ze wilden dat hij werd gepakt.'

Dat dacht ik al steeds, en nu dacht Kate het ook. 'Daar lijkt het wel op.'

'Maar *waarom* wilden ze dat hij werd gepakt?'

'Dat is de grote vraag. Een mogelijk antwoord is dat ze Bain Madox wilden laten weten dat hij in de gaten werd gehouden. Ze zullen niet hebben verwacht dat Madox de surveillant die hij zou pakken gelijk ook maar zou vermoorden.'

'Waarom zouden het ministerie van Justitie en de FBI Madox willen laten weten dat hij onder surveillance stond?'

'Soms gebruik je, in het politiewerk, een surveillance om een verdachte op stang te jagen. Soms, bij rijke en machtige mensen, gebruik je haar als een vorm van hoffelijkheid, of een waarschuwing. Je weet wel, zoiets als: houd er mee op voordat je ons allemaal in een onmogelijke positie brengt.'

Kate kwam overeind en liep op me af. Ze zei: 'Jij had het ook kunnen zijn.'

Ik hoopte zelf dat ik zo slim was geweest om de opdracht te vergeten zodra ik de situatie in ogenschouw had genomen. Harry daarentegen was een simpele ziel die altijd al te veel vertrouwen had gesteld in zijn bazen, en die braaf orders opvolgde.

Ze vroeg me: 'Als jij gelijk hebt, denk je dan dat deze surveillance Madox zo bang heeft gemaakt dat hij heeft opgegeven waar hij mee bezig was?'

'Ik denk dat een man als Madox niet zo gauw ergens van onder de indruk is. Hij is een man met een missie en hij heeft al minstens één moord begaan op weg naar de voltooiing van die missie.'

'Eentje waarvan wij weten.'

'Precies. En ik ben er tamelijk zeker van dat wat er dit weekend is gebeurd precies het tegengestelde effect heeft van waar Washington op hoopte. In feite is Bain Madox' tijdsschema ingekort tot ongeveer vierentwintig uur. Misschien iets meer, misschien iets minder.'

'Het zou kunnen zijn dat hij beseft dat het spel uit is en dat hij van plan is het land te ontvluchten. Dat zouden de meeste mensen in ieder geval doen.'

'Ik weet vrijwel zeker dat hij niet is als andere mensen. Maar controleer maar waar zijn jets zich bevinden.'

Ze knikte en zei: 'Oké, maar als jij echt denkt dat hij doorgaat met wat hij van plan is, en als je niet terug wilt naar de stad, dan moeten we de dichtstbijzijnde federale officier van justitie om een huiszoekingsbevel voor de Custer Hill Club vragen.'

'Liefje, ik denk dat het enige bevel dat je bij een rechtbank zult vinden, het bevel is om Kate Mayfield en John Corey te arresteren.'

'Laten we dan naar Schaeffer gaan, om te kijken of hij een huiszoekingsbevel kan krijgen via een plaatselijke openbare aanklager.'

'Kate, niemand zal een huiszoekingsbevel uitschrijven met de naam van Bain Madox erop, gebaseerd op wat wij te vertellen hebben. We hebben gewoon meer bewijzen nodig.'

'Zoals?'

'Nou, bijvoorbeeld wat haren en vezels uit het huis van Madox die overeenkomen met wat er op Harry's lichaam en kleren is gevonden. Dat is het forensische bewijsmateriaal dat Madox' huis met Harry verbindt, en Harry met Madox, die in het huis was.'

'Oké... maar hoe krijg je vezels uit de Custer Hill Club in handen zonder huiszoekingsbevel?'

'Op dezelfde manier als ik zou doen bij een onderzoek naar de moord op meneer Huppeldepup, die naar vermoedt voor het laatst levend gezien is in het huis van de heer Smith.'

'Wat bedoel je...?'

'Ik ga naar de Custer Hill Club om de heer Madox een bezoekje te brengen.'

'Ik wil niet dat je daarheen gaat.'

'Waarom niet? Dat is wat ik bij elk ander moordonderzoek zou doen in dit stadium. Er dienen zich geen nieuwe bewijzen aan en we zitten op dood spoor, dus moet ik terug naar de hoofdverdachte om met hem te praten.'

'Dan ga ik met je mee.'

'Nee, dat ga je niet. Ik heb jou nodig om de details uit te werken die we nodig hebben om onze zaak te onderbouwen... die we nodig hebben om een huiszoekingsbevel te kunnen krijgen.' Eerlijk gezegd hadden we daar helemaal geen tijd meer voor, maar het klonk goed.

'Nee,' zei ze ferm. 'Je gaat daar niet alleen heen.' Ze keek me aan. 'Het kan gevaarlijk zijn.'

'Het is niet gevaarlijk. Ik ga niet naar het kasteel van Dracula. Ik ben een federale agent die wat informatie wil.'

'Hij heeft al een federale agent vermoord.'

Sterk punt. Maar ik antwoordde: 'En daar heeft hij hopelijk spijt van. En als dat niet zo is, zal hij het nog wel krijgen.' Ik liep terug naar de woonkamer en trok mijn leren jack aan.

Kate volgde me en trok ook haar jasje aan.

Dit was een van die momenten die vroegen om de juiste combinatie van doortastendheid en tederheid. Ik nam haar in mijn armen en zei: 'Ik heb je hier nodig. We zitten wat krap in het personeel vandaag. Ik kan dit echt zelf wel af.'

'Nee.'

'Ik denk dat ik meer kans maak dat hij me ontvangt als ik alleen ben.'

'*Nee.*'

'Ik zal me melden bij Schaeffers surveillanceteam op de kruising. Oké? Ik zal zeggen dat ze me een uur moeten geven en als ik dan nog niet terug ben, moeten ze de cavalerie sturen. Oké?'

Dat leek een goed argument en ze leek minder vastbesloten om met me mee te gaan.

Ik besloot met: 'Hou contact met Schaeffer. En bel ook Het Punt om te kijken wie er achter ons aanzit. Zeg maar dat we aan het winkelen zijn in Lake Placid en dat, als meneer Griffith belt, hij ons daar kan vinden. En herinner Jim eraan dat Sonny DeMott me een jasje en das zou lenen voor het diner.'

'Is dat zo?'

'Ik weet zeker dat hij dat graag zou doen. Het is gewoon om ze een beetje om de tuin te leiden.' Ik voegde eraan toe: 'Doe maar net of je mij bent.'

Ze glimlachte en zei toen: 'Ik wil dat je je gsm aanzet.'

'Kate, geen gsm's. Als je dat ding aanzet, staat Liam Griffith binnen het uur voor je neus.'

'John... dit is *niet* de manier waarop wij werken.'

'Zo af en toe, schat, moet je de regels een beetje oprekken.'

'Zo af en toe? Bij de vorige zaak heb je precies hetzelfde gedaan.'

'Is dat zo? Nou, dat heeft dan in ieder geval goed uitgepakt. O ja, en kijk ook even of je een pizza kunt laten bezorgen.'

We liepen naar de deur en Kate zei: 'Wees alsjeblieft voorzichtig.'

'Geen ansjovis.'

We zoenden elkaar en weg was ik, op naar Dracula's kasteel.

38

Ik vond een kleine supermarkt in de buitenwijken van Canton. Of misschien was het wel het centrum, dat was moeilijk te zeggen. In ieder geval ging ik er naar binnen en kocht wat ik nodig had voor mijn missie, te weten een pak negerzoenen met roomvulling en een klein rolletje stevig klittenband.

De man achter de kassa wist een kortere route terug naar Colton, een afstand van zo'n vijftig kilometer. Ik vroeg hem ook waar de sportzaak was en hij legde me uit hoe ik moest rijden.

Ik stapte weer in de auto en dacht na over mijn volgende stap. Het was even na enen, wat betekende dat ik vóór 14:00 voor de poort van de Custer Hill Club zou staan als ik niet onderweg zou stoppen voor een doos 9mm-kogels en een paar extra magazijnen. Ik bedoel, als ik Madox' kop van zijn romp wilde schieten, had ik meer dan genoeg ammo in mijn magazijn met vijftien kogels, plus nog eentje in de kamer.

Als ik me daarentegen een weg naar buiten zou moeten schieten, zou ik misschien een paar kogels tekortkomen. Bij munitie geldt de stelregel dat je altijd maar beter meer kunt hebben dan je nodig hebt, want als je minder hebt dan nodig, pakt dat meestal niet goed uit.

Ik had trouwens achteraf gezien beter niet samen met Kate onze munitie kunnen controleren, want die zou zich nu natuurlijk afvragen of ik een frontale aanval op de Custer Hill Club in gedachten had. Ik was daar zelf nog niet uit, maar het was wel een optie.

Maar goed, ik besloot dat mijn eerste prioriteit nu de Custer Hill Club was, om te kijken wat Madox nu eigenlijk in zijn schild voerde. En mocht ik meer munitie nodig hebben, dan kon ik altijd nog een keuze maken uit de ruime voorraad geweren die Madox daar had.

Ik begon te rijden en zette de radio aan, die afgestemd stond op een talkshow in het Frans, live uit Quebec.

Ik had geen idee waar ze het over hadden, maar iedereen leek zich ergens heel druk over te maken en ik ving woorden op als 'Irak', 'Amerika', 'Bush' en 'Hoessein'.

De melodieuze Franse taal bezorgde me hoofdpijn, dus ging ik op zoek naar een nieuwszender die iets wist te melden over een jachtincident, maar het enige wat ik tegenkwam, waren dj's en reclameboodschappen. Uiteindelijk vond ik een countryzender en hoorde ik Hank Williams 'Your Cheatin' Heart' kwelen. Waarom ik van deze muziek houd, is me een raadsel en het is dan ook een geheim dat ik maar met weinig mensen deel.

Het weer was nog steeds goed en de landweg was redelijk, met weinig verkeer, dus ik schoot lekker op.

Ik opende de doos met negerzoenen en werkte de eerste naar binnen, en direct daarna een tweede. Een ware traktatie.

Ik liet mijn gedachten de vrije loop en luisterde naar Hank, die nu 'Hey, Good Lookin'' zong.

Ten eerste was Kate redelijk veilig in Wilma's B&B, als ze tenminste geen aanval van plichtsgevoel kreeg en Walsh of Griffith belde.

Mevrouw Mayfield is heel wat snuggerder dan ze misschien overkomt en ik hoopte dat ze in haar post-9/11-stemming was en besefte dat er iets heel vreemds aan de gang was in New York en Washington en dat ze daar voorlopig met niemand over zou moeten bellen.

Ten tweede leek majoor Schaeffer de laatste keer dat ik hem sprak aan onze kant te staan. Maar dat kon heel snel veranderen. Of misschien had hij wel nooit echt aan onze kant gestaan. Als een state trooper mij in mijn Enterprise-auto zou aanhouden, zou ik daar het antwoord op hebben voordat ik bij de Custer Hill Club was.

Ten derde, Tom Walsh. Hij was niet echt op de hoogte van wat er dan ook aan de hand was en hij zat nu mogelijk in de problemen omdat hij de werkelijk meest foute agenten hierheen had gestuurd om aan de zaak van de vermiste Harry Muller te werken. Nou, als dat zo was, kreeg hij wat hij verdiende. Aan de andere kant had hij oorspronkelijk mij hier gewild in plaats van Harry Muller. Wat zat daar eigenlijk achter?

Ten vierde, Liam Griffith, de Executeur. Ik herinnerde me dat hij een vriend was van mijn aartsvijand, de gelukkig voortijdig overleden Ted Nash, CIA-agent, en zoals de Arabieren zeiden: elke vriend van mijn vijand is mijn vijand. Vooral als het allebei klootzakken waren. Ik moest deze knaap zien te ontlopen totdat ik de macht had hem onderuit te halen.

En *last but not least*, de heer Bain Madox, die kennelijk al een keer had geprobeerd om een atoomoorlog te starten om te zien hoe dat zou uitpakken. Ik bedoel, dit was zo onwezenlijk dat ik moeite had het te bevatten. Maar al die kleine puzzelstukjes die ik inmiddels zelf had verzameld, inclusief de ontmoeting met de meneer in kwestie, leken in die richting te wijzen. Ik dacht dat Madox misschien te veel James Bond-films had gezien tijdens zijn vormende jaren, en dat hij zich wat te veel identificeerde met de gestoorde maniakken die daarin voorkwamen.

Bain Madox was echter geen filmboef met een buitenlands accent; hij was een echte Amerikaanse jongen, een oorlogsheld, en een succesverhaal. Zeg maar een Horatio Alger met een thermonucleaire doodswens.

Maar zoals mijn therapeut zou zeggen, als ik die had gehad: 'John, dat gedoe met thermonucleaire oorlogen is verleden tijd; we moeten naar de toekomst kijken.' Precies. Het probleem was nu om erachter te komen waar Bain mee bezig was in dat grote huis om zijn eerdere mislukking om te zetten in een succes.

Ik sloeg bij Colton af naar Route 56 en reed even later het slaperige dorpje South Colton binnen. En daar stond Rattige Rudy te kletsen met een knaap in een pick-up.

Ik kon de verleiding niet weerstaan en reed het benzinestation binnen. 'Hé, Rudy!'

Hij zag me en kwam op mijn auto af kuieren. Ik zei: 'Ik ben weer verdwaald.'

'O ja? Hé, hoe gaat het met je?' Hij merkte op: 'Je hebt een andere auto.'

'Nee hoor, het is precies dezelfde.'

'Weet je dat zeker? Gisteren had je nog een Taurus.'

'Is dat zo? Hé, heb je meneer Madox nog gesproken, gisteravond?'

'Eh, ja, daar wilde ik het nog met je over hebben. Hij wilde me helemaal niet spreken.'

'Dat was anders wel wat hij mij vertelde.'

'Weet je dat zeker?'

'Dat is wat hij zei.' Ik voegde eraan toe: 'Sorry dat ik hem heb verteld dat jij zei dat ik vooraf mijn geld moest vragen.'

'Ja, nou ja, ik heb geprobeerd het hem uit te leggen, maar dat leek hij alleen maar grappig te vinden.'

'O. Zei hij verder nog wat?'

'Nou... hij zei dat jij me voor de gek had gehouden. Hij zei dat je een linkmiegel was. En een herrieschopper.'

'Ik? Is dat mijn dank voor het maken van de ijsmachine?'

'Hij zei dat er niets aan de hand was met zijn ijsmachine.'

'En wie geloof jij? Mij of hem?'

'Eh... nou ja, dat doet er niet toe.'

'De waarheid doet er altijd toe.' Ik vroeg: 'Heeft hij nog steeds gasten over de vloer?'

Rudy haalde zijn schouders op. 'Ik heb niemand gezien. Maar er stond wel een auto voor zijn huis en ik dacht dat het de jouwe was. Een blauwe Taurus.'

'Ik heb een witte Hyundai.'

'Ja, nu wel. Maar gisteren had je een blauwe Taurus.'

'Juist. Hé, is er hier vandaag nog iemand van Madox wezen tanken?'

'Nee. Wil je zelf tanken?'

'Nee, dit ding loopt op rijstwijn. Is er hier nog iemand gestopt om de weg naar Madox' huis te vragen?'

'Nee... Nou, er is hier wel een kerel uit Potsdam geweest die vroeg of hij mijn wegenkaart even mocht bekijken.'

'Waarom?'

'Hij had wel een routebeschrijving naar de Custer Hill Club, maar wilde die nog even controleren. Ik zei dat hij dan niets aan mijn kaart aan de muur had, dus controleerde ik zijn routebeschrijving en gaf hem wat herkenningspunten die hij moest volgen.'

Er zijn allerlei manieren om nieuwsgierige vragen te stellen en ik vroeg: 'Was het een lange, magere kerel met een krulsnor die in een rode Corvette reed?'

'Nee, het was een monteur van Potsdam Diesel.'

Dat overviel me nogal en ik zat bijna verlegen om woorden. 'O... juist. Charlie van Potsdam Diesel. De generatorman.'

'Ja. Maar volgens mij heette hij Al... Ja. Dit is het jaargetijde waarin je je dieselgenerator moet laten nakijken. Afgelopen november... of misschien was het december, hebben we hier die sneeuwstorm gehad en viel overal de stroom uit.'

'Juist ja... en, is Al daar nog?'

'Weet ik niet. Dat was denk ik een uur geleden en ik heb hem hier niet meer voorbij zien komen. Hoezo? Ben je naar hem op zoek?'

'Nee... zomaar...'

'Waar moet je naartoe?'

'Hè?'

'Je zei dat je verdwaald was.'

'Nee...' Ik vroeg aan Rudy: 'Heb je meneer Madox mijn bericht nog doorgegeven? Je weet wel, dat ik zo'n goede schutter was?'

Rudy keek nu wat ongemakkelijk. 'Ja... dat leek hij minder grappig te vinden.'

'O? Wat zei hij dan?'

'Niet veel. Hij vroeg me alleen het nog een keer te herhalen.'

'Oké... nou, ik moet er weer eens vandoor.'

Ik reed de weg weer op en ging op weg naar de Custer Hill Club.

Potsdam Diesel.

De generatoren stonden op het punt te worden opgestart en al snel daarna zou de zender gaan warmdraaien en de antenne gaan zoemen en ELF-golven tot diep in de ingewanden van de aarde sturen. En ergens op deze verknipte planeet stond een ontvanger die deze signalen zou oppikken.

Grote goden.

39

Ik reed te hard voor het bospad en de Hyundai vloog af en toe een stukje door de lucht.

Voor me uit zag ik het kruispunt waar McCuen Pond Road in noordelijke richting naar het poorthuis van de Custer Hill Club liep, maar ik zag niemand op een schop leunen en ik zag ook geen pas gerepareerde gaten in de weg.

Ik stopte bij de T-kruising en keek het bospad af, en daarna McCuen Pond Road.

Ik leek de enige aanwezige te zijn.

Dit had veel weg van die scène in *The Godfather* waarin Michael naar het ziekenhuis gaat om te kijken hoe het met Pop gaat, om daar te ontdekken dat iemand de politiebewaking had opgedoekt en dat de huurmoordenaars onderweg waren. *Mama mia.*

Ik bleef zo een minuutje zitten, wachtend tot er een surveillanceknaap uit de bosjes tevoorschijn zou springen. Maar ik was echt alleen. Dus wat was er aan de hand met Schaeffer? Hank? Maat van me? Hallo?

Goed... de tijd verstreek, dus draaide ik McCuen Pond Road op en ging op weg naar het poorthuis.

Ik minderde vaart, keurig volgens het bord, stopte vervolgens bij de verkeersdrempel, pakte mijn Glock en stopte die in de zak van mijn jack.

Het hek gleed open en een knaap in camouflagekleding kwam op me af. Toen hij dichterbij kwam, zag ik dat het dezelfde bewaker was met wie ik de vorige keer te maken had gehad, wat mooi was. Of ook niet. Ik probeerde me te herinneren of ik hem had afgezeken. Kate herinnert zich altijd wie ik heb afgezeken en dat vertelt ze me dan.

Ik draaide mijn raampje omlaag en de knaap leek me te herkennen, ondanks mijn nieuwe auto. Hij dreunde hetzelfde zinnetje op als vorige keer: 'Waar kan ik u mee van dienst zijn?'

'Ik wil de heer Madox spreken.'

'Verwacht hij u?'

'Hoor eens, Junior, laten we die shit nu maar achterwege laten. Je weet wie ik ben en je weet ook dat hij me niet verwacht. Doe dat stomme hek open.'

Hij leek me zich nu definitief te herinneren – mogelijk omdat ik dezelfde kleren aan had, maar waarschijnlijk gewoon omdat ik een arrogante lul ben. Hij zei, nogal onverwacht: 'Rijd maar door tot aan het hek.' Hij voegde eraan toe: 'Hij verwacht je trouwens wel.' En daarna glimlachte hij.

Wat aardig. Alleen jammer dat het geen echt vriendelijke glimlach was. Ik reed tot aan het hek en zag in mijn achteruitkijkspiegel Junior in zijn walkietalkie praten.

Het hek gleed verder open en terwijl ik er doorheen reed, kwam een andere man uit het poorthuis en stak zijn hand op. Ik beantwoordde zijn groet met een Italiaans saluut, meerderde vaart en reed over de oprijlaan naar het huis.

Ik zag opnieuw de telefoonpalen en de drie zware kabels die van de ene naar de andere paal liepen – en wat gisteren nog een beetje vreemd had geleken, leek nu verdacht veel op een ELF-antenne. Tenzij ik er natuurlijk volkomen naast zat. Ik had een dosis Bain Madox nodig om mijn verdenkingen en conclusies te staven.

Voor me uit doemde een zwarte Jeep op en de chauffeur zwaaide naar me, wat heel aardig was, dus zwaaide ik terug en toeterde terwijl hij opzij schoot, de greppel in.

Voor me stond de vlaggenmast, waaraan de Stars and Stripes wapperde, met daaronder de gele wimpel van het Zevende Cavalerie. Ik had ooit ergens gelezen dat de wimpel betekende dat de commandant op het terrein was, dus El Supremo was beslist thuis.

Ik reed rond de vlaggenmast, stopte onder de portico, stapte uit, deed mijn auto op slot en liep de trappen op. De voordeur was niet op slot en ik liep het atrium in en keek omhoog naar het balkon.

Er was niemand te zien en ik herinnerde me dat het huispersoneel vrijaf had na het driedaagse weekend, wat maar weer eens bewees dat de heer Madox een verlichte ondernemer was, of een man die graag alleen wilde zijn.

Aan de muur was generaal Custer nog steeds bezig met zijn laatste slag en het viel me nu op dat er op de lijst boven het schilderij een groothoeklens zat die het hele vertrek bestreek. Mogelijk had ik dat de eerste keer onbewust ook al gezien en misschien dat daar mijn stomme grap over die heilige makreel vandaan kwam. Misschien ook niet.

Ik liep wat dichter op het schilderij toe, alsof ik het wilde bestuderen, en toen nog dichterbij, totdat ik zo dicht bij de muur stond dat de lens me niet meer kon zien.

Ik keek nog een keer omhoog naar het balkon, haalde toen mijn rolletje klittenband uit mijn zak, pulkte het papier er vanaf, liet het op het tapijt vallen en rolde het er met mijn voet overheen. Toen raapte ik het weer op en deed het terug in mijn zak. Als die stomme hond hier had rondgelopen, had ik hem ook bewerkt met dat klittenband.

Ik hou vooral van forensisch bewijsmateriaal als anderen het voor me verzamelen, analyseren en de resultaten aan mij rapporteren. Maar soms moet je het zelf doen. Ik dacht niet dat er nog tijd zou zijn om op een forensisch onderzoek te wachten, maar misschien vond iemand het rolletje klittenband in mijn zak, mocht ik in een jachtongeluk verzeild raken.

Ik hoorde een geluid achter me en toen ik me omdraaide, zag ik Carl de trap af komen. We maakten oogcontact en ik kon niet zeggen of hij me met dat klittenband bezig had gezien.

Carl bleef op de laatste trede staan, keek me aan en vroeg: 'Bent u hier om meneer Madox te spreken?'

'Ik ben hier niet om jou te spreken, Carl.'

Daar reageerde hij niet op. 'U hoort *naar* het huis en *in* het huis geescorteerd te worden.'

'Ja, ik weet het. De verzekering. Moet ik het misschien nog een keer overdoen?'

Ik geloof niet dat hij me mocht en hij was waarschijnlijk nog steeds kwaad over die café au lait die hij had moeten maken.

Hij zei: 'U heeft geluk dat meneer Madox op dit moment ontvangt.'

'Wát ontvangt? Kosmische boodschappen?'

'Hij ontvangt bezoekers.'

Ik keek naar Carl die, zoals me bij mijn vorige bezoek al was opgevallen, een grote kerel was. Hij was niet zo jong meer, maar hij zag er fit uit en wat hij aan jeugdigheid ontbeerde, werd ongetwijfeld meer dan goed gemaakt door zijn ervaring. Ik kon me hem dan ook heel goed voorstellen terwijl hij het riempje van de verrekijker om Harry's nek draaide en hem op zijn knieën overeind hield terwijl zijn baas een kogel door Harry's ruggengraat joeg.

Ik heb een aantal stoere oude oorlogsveteranen gekend en je verwacht dat ze nog steeds stoer zijn, en waarschijnlijk zijn ze dat ook, ergens diep vanbinnen. Maar de meesten hebben toch een soort zachtheid over zich, alsof ze willen zeggen: 'Ik heb gedood. Maar ik wil niet opnieuw doden.'

Carl daarentegen gaf me de indruk dat hij daar een PS aan toe zou voegen. 'Tenzij me wordt opgedragen te doden.'

Hij zei: 'De heer Madox is in zijn kantoor. Volg me.'

Ik volgde hem de trap op naar een foyer die uitkeek op de hal beneden.

Carl ging me voor naar een houten deur en zei: 'De heer Madox heeft vijftien minuten.'

'Ik zal hem wat langer de tijd geven.' Tenzij ik hem dood voordat mijn tijd voorbij is.

Carl klopte, opende de deur en kondigde aan: 'Kolonel, de heer Corey.'

Kolonel? Ik zei tegen Carl: '*Rechercheur* Corey. Doe nog maar een keertje over.'

Hij keek nu echt kwaad en ik dacht erover hem te vragen om een ijskoffie, maar hij kondigde aan: '*Rechercheur* Corey, meneer.'

Kolonel Madox zei: 'Bedankt, Carl.'

Ik betrad het kantoor en de deur ging achter me dicht. Ik verwachte kolonel Madox helemaal opgedoft in zijn gala-uniform te zien, maar hij stond achter zijn bureau gekleed in een spijkerbroek, een wit poloshirt en een blauwe blazer. Hij zei tegen me: 'Dit is een onverwacht genoegen... rechercheur.'

Ik antwoordde: 'Ik kreeg bij het hek anders de indruk dat ik verwacht werd.'

Hij glimlachte en zei: 'Ja, ik heb inderdaad tegen de bewaking gezegd dat u mogelijk opnieuw langs zou komen in verband met die vermiste persoon.'

Ik had daar geen commentaar op, dus stak Madox zijn hand uit en zei: 'Welkom.'

Hij gebaarde naar een stoel die voor zijn bureau stond en ik ging zitten, me afvragend of Harry hier ooit binnen was geweest.

Madox vroeg me: 'Waar is mevrouw Mayfield?'

'Ze volgt jodellessen.'

Hij grinnikte. 'En geniet u nog een beetje van uw verblijf in Het Punt?'

Ik gaf geen antwoord.

Hij zei: 'Ik heb daar zelf ook een paar keer gelogeerd, gewoon, voor de verandering. Ik vind dat meer wel mooi, want dat heb ik hier niet. Het is een goeie tent, hoewel ik het eten wat te... nou ja, Europees vind. Ik prefereer de eerlijke Amerikaanse keuken.'

Ik bleef zwijgen en hij vroeg: 'Hebben ze daar nog steeds die Franse chef, Henri?'

'Ja.'

'Een echte prima donna, maar dat zijn ze allemaal. Maar als je met hem praat, wil hij wel een simpele biefstuk voor je bakken, zonder onduidelijke sausjes, en een gepofte aardappel in de schil.'

Probeerde deze klootzak me iets duidelijk te maken? Ik wist dat ik niet moest zeggen dat Kate en ik getrouwd waren, maar ik had wel een andere gouden regel gebroken, namelijk zeggen waar ik logeerde, en nu speelde hij mogelijk een spelletje met me.

Hij leek op zijn praatstoel te zitten, zoals wel vaker gebeurt met verdachten als de politie met ze praat, en hij zei: 'Over Fransen gesproken, wat is toch hun probleem?'

'Dat ze Frans zijn.'

Hij lachte. 'O, is dat het.' Hij tikte op een krant op zijn bureau, een *New York Times*, en vroeg me: 'Heb je de voorpagina gezien? Onze loyale Franse bondgenoten lijken ons de hint te geven dat we het in Irak maar zelf moeten opknappen.'

'Ja, dat heb ik gelezen.'

'Ik heb een theorie dat ze een belangrijk deel van hun oorspronkelijke genen zijn kwijtgeraakt in de Eerste Wereldoorlog. Er zijn toen een miljoen dappere soldaten in de loopgraven gesneuveld. Dus wat bleef er over om zich voort te planten? De geestelijk en fysiek zwakkeren, de lafaards en de watjes. Wat vind je daarvan?'

Ik dacht dat hij volkomen gestoord was, maar ik antwoordde: 'Genetica is niet mijn sterkste kant.'

'Nou ja, het is maar een theorie. Aan de andere kant heb ik wel twee Franse soldaten in mijn bataljon gehad. Eentje kwam uit het vreemdelingenlegioen en de ander was een paratrooper. Ze gingen in het Amerikaanse leger om te vechten, en vechten deden ze. Ze vonden het heerlijk om Commies te vermoorden. Goeie kerels.'

'Daar gaat uw theorie.'

'Nee. Frankrijk brengt nauwelijks meer dergelijke mannen voort.

Of misschien ook wel, maar dan worden ze door hun verwijfde maatschappij uitgekotst. Ze respecteren daar het ethos van de krijger niet meer. Maar wij wel.' Hij voegde er met klem aan toe: 'Die oorlog in Irak is binnen dertig dagen voorbij.'

'Wanneer begint hij?'

'Dat weet ik niet.'

'Ik dacht dat u misschien hooggeplaatste vrienden zou hebben.'

'Nou, die heb ik ook.' Hij aarzelde en zei toen: 'Gok maar op half maart. Zo rond St. Patrick's Day.'

'Ik zeg eind januari.'

'Durft u daar honderd dollar op te zetten?'

'Zeker wel.'

We bekrachtigden de weddenschap met een handdruk en hij zei: 'Als u verliest, kom ik bij u langs.'

'Zesentwintig Federal Plaza.' We maakten oogcontact en ik zei: 'En als u verliest, kom ik *u* opzoeken.'

'Bel mijn kantoor in New York maar. Dat is niet ver van 26 Fed. Duane Street. GOCO.' Hij zei, mijmerend bijna: 'Ik zat trouwens in mijn kantoor toen de vliegtuigen het WTC binnenvlogen... Ik zal die aanblik nooit vergeten...' Hij vroeg me: 'Was u ook op kantoor? Hebt u het gezien?'

'Ik stond op het punt de Noordtoren binnen te wandelen.'

'Mijn hemel...'

'Laten we van onderwerp veranderen.'

'Oké.' Hij vroeg me: 'En, voegt mevrouw Mayfield zich nog bij ons?'

Vreemde vraag, gezien mijn opmerking dat ze een jodelklas volgde, plus dat ik slechts vijftien minuten had met Zijne Majesteit. Misschien vond hij haar aantrekkelijk, of misschien wilde hij weten of dit een valstrik was. 'Vandaag zult u het met mij moeten doen.'

'Oké... goed, ik zit hier maar wat te kwebbelen, maar ik heb nog niet eens gevraagd waarom u eigenlijk hier bent.'

Doel van mijn bezoek was het onderzoek naar een moord, maar ik wilde het daar nog niet gelijk over hebben. Dat is namelijk meestal aanleiding om je direct weer buiten de deur te zetten. Dus zei ik: 'Ik vond gewoon dat ik even moest langskomen om u te bedanken voor uw aanbod om te helpen bij het zoeken naar de vermiste persoon.'

'Nou, u bent van harte welkom. Sorry voor het slechte nieuws.'

'Ja, bedankt.' Normaal gesproken zouden we het daar nog even over hebben en zou ik hem opnieuw bedanken voor zijn burgerzin, om daarna te vertrekken. Maar ik liet het onderwerp even voor wat het was en vroeg hem: 'Vindt u het goed als ik een blik naar buiten werp?' Ik knikte naar het raam.

Hij aarzelde, maar zei toen schouderophalend: 'Als u dat leuk vindt.'

Ik stond op en liep naar het raam. Dat bleek uit te zien op de achterkant van het huis en op de nog steeds omhooglopende helling, op de top waarvan zijn zendmast stond, waaraan allerlei elektronische tentakels ontsproten, en ik vroeg me af of dat iets met zijn ELF-antenne te maken had.

Ik zag verder weg ook een aantal telefoonpalen staan en ik zag vogels landen en weer opvliegen van de drie dikke kabels. Ze leken niet te gloeien, te roken of achteruit te vliegen, en dat beschouwde ik maar als een goed teken.

Een eindje van het huis vandaan zag ik een grote schuur. De deuren waren open en binnen stonden een paar voertuigen – een zwarte Jeep, een blauw busje en een grasmaaier. Buiten de schuur stonden enkele terreinwagens geparkeerd die, naar ik aannam, werden gebruikt om over het terrein te patrouilleren. Ik verwachtte half en half dat kolonel Madox ook nog wel een paar Abrams-tanks zou hebben, maar ik zag geen sporen van rupsbanden.

Naar rechts, op zo'n honderd meter van het huis, zag ik twee langgerekte gebouwen. Ik herinnerde me van Harry's plattegrond, die ik in mijn zak had, dat het witte houten gebouw de barak was, en hij zag eruit alsof hij zo'n twintig man kon huisvesten. Het andere gebouw had de afmetingen van een huis en was opgetrokken uit brokken natuursteen, met een plaatmetalen dak en stalen luiken voor de ramen. Drie schoorstenen braakten zwarte rook uit en vlak bij de openstaande deur van het gebouw stond een bestelwagen met daarop in grote letters POTSDAM DIESEL.

Madox kwam naast me staan en zei: 'Niet echt een spectaculair uitzicht. Dat aan de voorkant is beter.'

'Ik vind dit wel interessant eigenlijk.' Ik vroeg hem: 'Waarom staan overal op uw terrein van die telefoonpalen met kabels?'

We keken elkaar even aan en hij gaf geen krimp. 'Die palen en draden verbinden de verschillende telefooncellen op en om het terrein met elkaar.'

'Werkelijk?'

'U herinnert zich toch nog wel uw tijd als straatagent en dat je toen van die politietelefooncellen had?'

'Jawel. Maar we hadden ook al sinds de jaren vijftig radio's in onze auto's, die heel wat goedkoper zijn dan een paar honderd telefoonpalen in rotsgrond.'

De heer Madox reageerde daar niet op. Hij probeerde nu waarschijnlijk te achterhalen of dit gewoon wat losse vragen waren, of dat ze ergens toe moesten leiden.

Hij zei tegen me: 'Zoals ik in de oorlog heb ontdekt, zijn radio's niet betrouwbaar. Maar goed, die telefooncellen worden toch nauwelijks meer gebruikt nu we gsm's en walkietalkies van heel hoge kwaliteit hebben.' Hij voegde eraan toe: 'De palen worden ook gebruikt om de lampen op het terrein te dragen en te voeden.'

'Juist, ja.' En de afluisterapparatuur en videocamera's. 'Hé, wat is dat witte gebouw eigenlijk?'

'De barak.'

'O, juist ja, voor uw leger. En ik zie daar ook uw wagenpark staan. Het is niet niks, allemaal.'

'Dank u.'

'En dat stenen gebouw?'

'Daar staat mijn elektrische generator in.'

'Ik zie anders *drie* schoorstenen waar rook uit komt.'

'Ja, drie generatoren.'

'Levert u soms stroom aan Potsdam?' vroeg ik.

'Ik ben een groot voorstander van overvloed.'

'Overvloed.'

'Ja. En zo denkt God er ook over. Dat is ook de reden dat wij twee ballen hebben.'

'Maar slechts één pik. Hoe zit dat?'

'Die vraag heb ik mezelf ook vaak gesteld.'

'Ja, ik ook.' Hij zou mij nu zo langzamerhand moeten vragen waarom ik al deze vragen stelde, maar dat deed hij niet. In plaats daarvan zei hij: 'Nou, bedankt dat u even langs bent gekomen. Nogmaals mijn condoleances voor... sorry – hoe heette hij ook alweer?'

'Harry Muller.'

'Ja. De mensen zouden wat voorzichtiger moeten zijn in de bossen.'

'Dat heb ik gemerkt.'

'Is er verder nog iets?'

'Ik zou graag nog een paar minuten van uw tijd hebben.'

Hij glimlachte beleefd en zei: 'Dat zei u de vorige keer ook en toen bent u nog een flinke tijd gebleven.'

Ik negeerde dat en liep weg bij het raam, waarna ik het kantoor eens wat beter in me opnam. Het was een groot vertrek met een lichte, grenen lambrisering en eiken meubilair. Op de vloer lag een oosters tapijt.

Boven Madox' bureau hing een ingelijste foto van een olietanker met op de boeg de letters GOCO BASRA. Een andere ingelijste foto liet een brandend olieveld zien.

Madox zei tegen me: 'De Golfoorlog. Of moet ik misschien zeggen de Eerste Golfoorlog?' Hij voegde eraan toe: 'Ik haat het om goede olie te zien branden, zeker als niemand me ervoor betaalt.'

Ik gaf daar geen antwoord op.

Meestal maakt mijn techniek van korte vragen en nog kortere antwoorden een verdachte onrustig, maar deze knaap was even ijskoud als een kadaver op ijs. Ik bespeurde echter toch een lichte ongerustheid in zijn manier van doen. Zo stak hij bijvoorbeeld wel een sigaret op, maar blies geen kringetjes naar het plafond.

We zeiden geen van beiden iets en ik liep naar een muur vol met ingelijste diploma's en foto's.

Het had allemaal met het leger te maken – onderscheidingen, eervolle vermeldingen en eervol ontslag, zijn benoeming tot tweede luitenant, zijn bevorderingen, enzovoort, plus een aantal foto's, meest van Madox in diverse uniformen, waarvan ongeveer een half dozijn genomen in Vietnam.

Eentje met daarop zijn gezicht in close-up bekeek ik wat nader. Zijn huid was in camouflagekleuren beschilderd en was vuil, en boven zijn rechteroog zat een verse snee waaruit bloed sijpelde. Zijn hele gezicht glansde van het zweet en zijn ogen in het donker gemaakte gezicht zagen er extra havikachtig en doordringend uit.

Hij zei tegen me: 'Deze foto's herinneren me eraan hoe gelukkig ik me mag prijzen dat ik nog hier ben.'

Nou, dacht ik, *we zullen nog wel eens zien hoe gelukkig jij je mag prijzen*. 'Ik zie drie Purple Hearts.'

'Ja. Twee kleine verwondingen, maar het derde Purple Heart was bijna postuum.'

Ik vroeg niet naar de details en hij kwam er zelf ook niet mee, behalve: 'Een kogel uit een AK-47, door mijn borst.'

Die kogel had duidelijk geen vitale organen geraakt, maar had misschien wel gezorgd voor bloedverlies in zijn hersenen.

Hij zei: 'Het was tijdens mijn derde periode daar en ik stelde mijn geluk een beetje te veel op de proef.'

'Juist.' Harry had een stuk minder geluk gehad.

'Maar zal ik je eens wat zeggen? Ik zou weer precies hetzelfde doen.'

Ik overwoog hem eraan te herinneren dat de definitie van stommiteit is dat je alsmaar weer hetzelfde doet en dan toch een andere uitkomst verwacht.

Het vreemde was natuurlijk dat, zoals mevrouw Mayfield al had gesuggereerd, Bain en ik wel iets met elkaar gemeen hadden en dat als hij niet naar alle waarschijnlijkheid mijn vriend had vermoord en hij niet probeerde de planeet over te nemen of naar de verdoemenis te helpen, ik hem waarschijnlijk wel had gemogen. Hij leek mij trouwens ook wel te mogen, ondanks mijn nieuwsgierige vragen. Maar ja, ik had ook niet een van *zijn* vrienden vermoord en ik had ook zijn plannen om de planeet met atoombommen te bestoken, of waar hij dan ook mee bezig was, nog niet in de war geschopt. Dus had hij geen reden om te denken dat ik niet deugde.

Terwijl ik de rest van de foto's bestudeerde, vroeg hij me: 'Bent u ooit gewond geraakt tijdens de uitoefening van uw functie?'

'Jawel.'

'Als militair of als politieman?'

'Bij de politie.'

Hij deelde me mee: 'Dan weet u ook hoe traumatisch dat is. Het staat zo ver van je normale, dagelijkse leven dat je niet goed kunt bevatten wat er gebeurd is.'

'Ik geloof dat ik dat heel goed begrijp.'

'Wat ik bedoel, is dat je in een gevecht – of tijdens politiewerk – wel verwacht dat je gewond kunt raken en dat je denkt dat je erop bent voorbereid. Maar als het dan echt gebeurt, kun je nauwelijks geloven dat het *jou* is overkomen.' Hij vroeg me: 'Was dat niet ook uw reactie?'

'Ik denk echt dat ik precies wist wat er gebeurde.'

'Echt? Nou ja, ieder mens reageert op zijn eigen manier.' Hij besloot nog wat verder over dit onderwerp uit te weiden en zei: 'En als je dan begrijpt wat er is gebeurd, raak je in een andere gemoedstoestand.' Hij legde het uit. 'Om met Winston Churchill te spreken: er is niets zo bevredigend als neergeschoten te worden en het te overleven.'

'Juist. Het alternatief is neergeschoten worden en sterven.'

'Dat is het punt. Het is een bijna-doodervaring en als je het overleeft, ben je daarna nooit meer dezelfde. Maar ik bedoel dat op een positieve manier. Je voelt je... euforisch... machtig. Bijna onsterfelijk. Hebt u dat ook zo ervaren?'

Ik herinnerde me de goot in West 102nd Street waarin ik lag nadat twee Latijns-Amerikaanse heren van zo'n zeven meter afstand tien schoten op me hadden afgevuurd, waarvan slechts een armzalige drie echt doel troffen, en ik herinnerde me dat ik mijn bloed vlak voor mijn gezicht in een afvoerput zag lopen.

'Hoe voelde u zich?' vroeg hij.

'Ik heb me volgens mij maanden klote gevoeld.'

'Maar *daarna*. Heeft het uw leven niet veranderd?'

'Ja. Het heeft mijn carrière beëindigd.'

'Nou,' zei hij, 'dat is inderdaad een grote verandering. Maar ik bedoel, heeft het veranderd hoe u tegen het leven aankeek? Hoe u de toekomst zag? Alsof God iets groots voor je in petto had.'

'Wat bijvoorbeeld? Nog een keer neergeschoten worden?'

'Nee... ik bedoel – '

'Want ik ben nog een keer neergeschoten.'

'Echt waar? Tijdens het werk?'

'Eh, ja, ik was in ieder geval niet op vakantie.'

'Ik dacht dat uw carrière voorbij was?'

'Ik zit nu in carrière nummer twee.' Ik voegde eraan toe: 'Een knaap uit Libië. Ik ben nog steeds naar hem op zoek.'

'Juist.' Hij leek het onderwerp maar niet te kunnen laten rusten. 'Kennelijk vat u die aanvallen op u nogal persoonlijk op.'

Je laat de verdachte praten omdat het misschien ergens toe leidt. En zelfs al laat hij niets los over de misdaad, dan leer je nog altijd iets over hemzelf. Ik antwoordde: 'Als mensen op mij schieten, ben ik geneigd dat persoonlijk op te vatten, zelfs al kennen ze me niet.'

Hij knikte en zei: 'Dat is interessant, want in een oorlogssituatie vat je het nooit persoonlijk op en je denkt er ook niet over om degene die op je schoot te gaan zoeken. Dat is wel het laatste waar je aan denkt.'

'Dus u was niet pissig op het kleine mannetje dat u volpompte?'

'Helemaal niet. Hij deed ook maar gewoon waarvoor hij betaald werd. Net als ik.'

'Dat is heel vergevingsgezind. En u komt op mij nu niet bepaald als een vergevingsgezind type over.'

Hij liet die opmerking voor wat het was en ging verder. 'Wat ik bedoel, is dat soldaten de vijand niet als individuen zien. De vijand is één grote, amorfe dreiging. Het maakt dus niet uit wie jou nou precies probeert te doden, of wie jij zelf doodt, zolang de knaap die jij doodt maar hetzelfde uniform draagt als de knaap die jou probeerde te doden.' Hij verklaarde zich nader. 'Je schiet op het uniform, niet op de man. Begrijpt u dat?'

'Tja... die Libiër heb ik nooit gezien, maar de twee Latino's die mij probeerden te doden, droegen strakke zwarte chino's, paarse T-shirts en puntige schoenen.'

Hij glimlachte en zei: 'Ik begrijp dat u niet iedereen overhoop kunt schieten die op die manier gekleed is. Maar ik kon op iedereen schieten die op de vijand leek.'

'Wat een weelde.'

Hij deelde me mee: 'Wraak is heel gezond, maar het hoeft geen persoonlijke wraak te zijn. Elke vijandige soldaat voldoet.'

'Dat is misschien toch minder gezond dan u denkt.'

'Ik ben zo vrij dat te bestrijden. Wraak zorgt voor afronding.' Hij voegde eraan toe: 'Helaas was de oorlog voorbij voordat ik de kans kreeg de score gelijk te trekken.'

Plotseling kwam de gedachte bij me op dat, mocht ik de moord op Harry aan deze knaap kunnen koppelen, zijn advocaat ontoerekeningsvatbaarheid zou bepleiten. En dat de rechter dan zou zeggen: 'Ik ben het met u eens, raadsman. Uw cliënt is volkomen gestoord.'

Ik bedacht dat deze man waarschijnlijk in een groot gat was gevallen toen de Sovjets met hun pootjes omhooglagen en er geen fatsoenlijke vijand meer over was om tegen te strijden of die moest worden gedood zodat Bain Madox het land kon redden.

En toen kwam 11 september 2001. En *dat*, daar was ik zeker van, was waar dit alles om draaide.

Hij veranderde abrupt van onderwerp en vroeg me: 'Bent u eigenlijk nog in het bos geweest?'

'Vanochtend even. Hoezo?'

'Ik vroeg me af of u nog beren had gezien.'

'Nog niet.'

'U moet toch proberen er eentje te zien voordat u teruggaat naar de stad.'

'Waarom?'

'Het is een bijzondere ervaring. Ze zijn fascinerend om naar te kijken.'

'Als ik ze op National Geographic zie, vind ik ze anders helemaal niet zo interessant.'

Hij glimlachte en zei: 'Op televisie kun je ze niet *ruiken*. De kick zit 'm in de confrontatie met een wild dier waarvan je weet dat het je kan doden.'

'Ja, dat is inderdaad nogal spannend.'

'Maar als je gewapend bent, is het vals spel. Het interessante van zwarte beren is dat je echt met ze kunt communiceren. Ze zijn gevaarlijk, maar ze zijn niet gevaarlijk. Kunt u me nog volgen?'

'Ik geloof dat ik na dat eerste "gevaarlijk" de draad ben kwijtgeraakt.'

'Nou, denk maar aan een leeuw of een lam, om maar eens twee uitersten te noemen. Met die dieren weet je precies waar je aan toe bent. Ja?'

'Klopt.'

'Maar een beer – een zwarte beer – is veel complexer. Ze zijn intelligent, ze zijn nieuwsgierig en ze zullen vaak op de mens afkomen. In vijfennegentig procent van de gevallen zijn ze alleen maar uit op een aalmoes. Maar in vijf procent van de gevallen – en het is moeilijk te zeggen wanneer – zijn ze eropuit om je te doden.' Hij deed een stap naar mij toe en zei: 'En dat is nu precies wat het zo interessant maakt.'

'Ja, heel interessant.'

'Begrijpt u waar ik heen wil? De *mogelijkheid* van de dood is er, maar de kans daarop is klein genoeg om je voor de kick tot een confrontatie te laten verleiden. Je hart bonkt, de adrenaline spuit uit je oren en je wordt heen en weer geslingerd tussen angst en vluchten. Begrijpt u?'

Ik bedoel, ik rook weliswaar geen alcohol in zijn adem, maar misschien dronk hij wodka, of snoof hij iets, of was hij echt gek. Of misschien was dit een parabel, van John en Bain.

Hij besloot met: 'Een bruine beer of een ijsbeer is weer een heel ander verhaal. Bij die beesten weet je precies wat ze in gedachten hebben.'

'Juist ja. Hoe waren de kleuren ook alweer? Bruin is...?'

'Verkeerd. Grizzly.'

'Dus zwart is – '

'Niet zo slecht.' Hij voegde eraan toe: 'De witte zijn de ijsberen. Die verscheuren je.' Hij deelde ter geruststelling mee: 'We hebben hier alleen maar zwarte beren.'

'Mooi. En ze weten zelf ook dat ze zwart zijn?'

Dat vond hij wel grappig. Hij keek op zijn horloge. 'Goed, nogmaals bedankt dat u even langs bent gekomen. Als... nou ja, als er een soort eh... fonds voor de heer Muller in het leven is geroepen, laat het me dan alstublieft weten.'

Ik dacht dat ik uit elkaar zou klappen, maar ik haalde diep adem en wist me te beheersen. Ik zou hem het liefst een kogel in zijn buik jagen en hem langzaam zien sterven terwijl ik uitlegde dat het feit dat ik op hem schoot als zeer persoonlijk kon worden opgevat en helemaal niet professioneel, en dat het ook niets te maken had met het feit dat ik ervoor betaald werd.

Hij leek te wachten tot ik afscheid zou nemen, maar ik stond daar alleen maar en hij zei: 'O ja, een wederzijdse vriend, ene Rudy, is hier gisteravond langs geweest.'

Of misschien kon ik uitleggen dat ik hem neerschoot voor God en vaderland. Ik wist niet waar hij mee bezig was, maar ik was er tamelijk zeker van dat hij moest worden tegengehouden en dat, als ik hem nu niet tegenhield, degene die dat later alsnog zou proberen, wel eens te laat kon zijn. Bain Madox zou dat begrijpen.

Hij zei: 'Rudy. Van de benzinepomp in South Colton.'

Ik stopte mijn handen in de zakken van mijn leren jack en voelde de kolf van mijn Glock in mijn rechterhand.

Madox ging verder. 'Hij leek ergens over in te zitten. Hij verkeerde in de veronderstelling dat ik u had gevraagd aan hem door te geven dat ik hem wilde spreken.'

'Heeft u dat dan niet gedaan?'

'Nee. Waarom hebt u hem dat verteld?'

Maar als ik hem hier en nu neerschoot, zou alleen hij weten waarom dat was. En misschien was dat ook wel genoeg.

Maar misschien moest ik meer te weten zien te komen. De politie en de FBI zouden sowieso meer willen weten.

'Rechercheur?'

En misschien kon ik, om heel eerlijk te zijn, niet zomaar mijn pistool trekken en een ongewapende man neerschieten. En om nog eerlijker te zijn intrigeerde de heer Bain Madox me... nee, ik was van hem onder de indruk. En er was al eens op hem geschoten – hij had een oorlog overleefd en hij was, of dacht dat althans, een patriot die gewoon verderging met zijn plicht te doen, en als ik hem vertelde dat hij in feite een psychopathische moordenaar was, zou hij geschokt zijn.

'Meneer Corey? Hallo?'

We maakten oogcontact en ik dacht dat hij vermoedde wat er door mijn hoofd speelde. Zijn blik richtte zich nu trouwens op de plek waar mijn rechterhand zich om de kolf van mijn pistool klemde.

We zeiden geen van beiden iets, maar toen zei hij tegen me: 'Waarom hebt u hem gezegd tegen mij te vertellen dat u zo'n goede schutter bent?'

'Wie?'
'Rudy.'
'Rudy?' Ik haalde nog een keer diep adem en haalde mijn hand uit mijn zak, leeg. Ik zei: 'Rudy, Rudy, Rudy. Hoe is het met Rudy?'
Hij leek te beseffen dat een cruciaal moment voorbij was en besloot het niet meer over Rudy te hebben. 'Ik zal Carl roepen om u naar buiten te brengen.' Hij liep naar zijn bureau, pakte een walkietalkie en wilde op de zendknop drukken.
Ik zei: 'Ik ben hier om een moord te onderzoeken.'
Hij aarzelde en legde toen de walkietalkie weer neer. Hij keek me aan en vroeg: 'Welke moord?'
Ik liep naar zijn bureau toe en antwoordde: 'De moord op Harry Muller.'
Hij leek gepast verbaasd en in de war. 'O... Mij is anders verteld dat het een ongeluk was. Het lichaam is gevonden... Het spijt me, ik moet u eerst mijn medeleven betuigen. Hij was een collega van u.'
'Een vriend.'
'Nou, het spijt me heel erg. Maar... Ik ben gebeld door het kantoor van de sheriff en de man aan de telefoon zei dat het lichaam van uw vriend in de bossen was gevonden en dat het als een jachtongeluk werd beschouwd.'
'Het wordt voorlopig nog als helemaal niets beschouwd.'
'Ik begrijp het... dus... er is mogelijk een misdaad in het spel.'
'Dat klopt.'
'En...?'
'Ik hoopte dat u me kon helpen.'
'Nee... het spijt me. Hoe zou ik iets kunnen weten over...?'
Ik ging in de stoel voor zijn bureau zitten en gebaarde dat hij ook moest gaan zitten.
Hij aarzelde, zich ervan bewust dat hij niet hoefde te gaan zitten om hierover te praten, en dat hij mij kon vragen om uit zijn stoel, zijn huis en zijn leven te verdwijnen. Maar dat ging hij niet doen. Hij ging zitten. Ik had technisch gesproken niet de bevoegdheid om hier een moord te onderzoeken – dat was nog steeds de taak van de staatspolitie. Maar Madox leek dat niet te weten en ik was niet van plan hem dat aan zijn neus te hangen.
We keken elkaar nog maar eens aan en die knaap knipperde echt niet één keer met zijn ogen. Verbazingwekkend. Hoe deed hij het? Zelfs kerels met glazen ogen knipperen.
Hij vroeg me: 'Waarmee kan ik u van dienst zijn, rechercheur?'

'Nou, het zit zo, meneer Madox. Harry Muller was hier, zoals u misschien wel weet, niet om vogels te kijken.'

'U zei zelf dat hij daarom hier was.'

'Dat was dus niet zo. Hij was hier om *u* in de gaten te houden.'

Hij veinsde geen verbazing of onthutsing. Hij leek erover na te denken, knikte toen en zei: 'Ik begrijp dat de overheid in mij geïnteresseerd is. Een man in mijn positie zou verbaasd zijn als de overheid *niet* in hem geïnteresseerd was.'

'O ja? En waarom denkt u dat de overheid in u geïnteresseerd is?'

'Nou... vanwege mijn contacten met buitenlandse regeringen. Olieprijzen.' Hij deelde me mee: 'Ik ben een persoonlijke vriend van de Iraakse olieminister.'

'Meent u dat? Hoe denkt hij over die hele oorlogskwestie?'

'Ik heb hem niet recentelijk gesproken, maar ik kan me voorstellen dat hij niet blij is met de ophanden zijnde invasie van zijn land.'

'Nee, dat lijkt me ook niet. Dus u denkt dat de overheid in u geïnteresseerd is vanwege... ja, wat eigenlijk?'

'Omdat mijn belangen en de belangen van de Amerikaanse overheid niet altijd synchroon lopen.'

'Juist, ja. En wiens belangen gaan in dat geval voor?'

Hij glimlachte even en antwoordde: 'Mijn land komt altijd op de eerste plaats, maar mijn land wordt niet altijd even goed vertegenwoordigd door mijn regering.'

'Ja, daar kan ik me iets bij voorstellen. Maar laten we er nu eens van uitgaan dat het de overheid aan haar reet zal roesten met welke buitenlandse regeringen u contacten hebt. Dat u zich daarin misschien vergist. Waar zouden ze dan verder nog in geïnteresseerd kunnen zijn?'

'Ik heb geen idee, meneer Corey. U misschien?'

'Nee.'

'En waarom zou rechercheur Miller van de Anti-Terrorist Task Force hierheen gestuurd worden om mij te bespioneren? Denkt de overheid soms dat ik een terrorist ben?'

'Dat weet ik niet. Wie heeft gezegd dat rechercheur Muller van de ATTF was?'

Hij aarzelde even en zei toen: 'Hij is een collega van u. En u zit bij de Task Force.'

'Klopt. U zou een goede rechercheur zijn.'

Hij stak een sigaret op, maar blies opnieuw geen kringetjes. 'Dus, wat u wilt zeggen is dat deze meneer Miller – '

'*Muller*. Rechercheur Harry Muller.'

'Goed. Rechercheur Harry Muller werd dus hierheen gestuurd om... mij te bespioneren – '

'En uw gasten.'

'En mijn gasten, en u weet niet –'

'Dat wordt een surveillance genoemd, trouwens. Spioneren klinkt zo negatief.'

Hij boog zich naar me toe. 'Wat kan het mij verdommen hoe het wordt genoemd.' Hij verloor eindelijk zijn kalmte, sloeg met zijn vuist op het bureau, verhief zijn stem en zei: 'Als deze man – rechercheur *Muller* – hierheen is gestuurd om mij en mijn gasten te... *observeren*, dan heb ik daar behoorlijk de pest over in! De overheid heeft geen recht om mijn privacy te schenden, of de privacy van mijn gasten, die niets onwettelijks hebben gedaan door op privéterrein bijeen te komen voor – '

'Ja, ja, ja, maar daar gaat het nu niet om. Waar het nu om gaat, is een moord.'

'Dat zegt *u*. De sheriff zegt dat het een ongeluk was. En al was het moord, wat heb ik daar dan mee te maken?'

Als je tegen iemand zegt dat hij een verdachte is, moet je hem zijn rechten voorlezen en ik had die verdomde kaart niet bij me, en als ik hem wel bij me had gehad en hem zou voorlezen, zou hij zeggen: 'Je hebt de verkeerde knaap voor je, rechercheur. Een momentje, dan bel ik mijn advocaat.'

Dus zei ik: 'Ik heb ook niet gezegd dat het iets met u te maken had.'

'Waarom bent u dan hier?'

'Om u de waarheid te vertellen' – wat ik trouwens beslist niet van plan was – 'denk ik dat het iets te maken zou kunnen hebben met een van uw bewakingsmensen.'

Hij trapte daar natuurlijk niet in, maar het was goed genoeg om allebei net te doen of we een gemeenschappelijk probleem hadden, zodat we ons kat-en-muisspelletje nog even konden voortzetten.

Hij leunde achterover en zei: 'Dat is... dat is onvoorstelbaar... maar... ik bedoel, heeft u daar bewijzen voor?'

'Daar mag ik niets over zeggen.'

'Oké. Maar verdenkt u iemand in het bijzonder?'

'Dat kan ik in dit stadium nog niet zeggen.' Ik verklaarde me nader. 'Als ik een verdachte zou noemen, en ik heb het verkeerd, dan kan ik de rest van mijn leven schadevergoeding betalen.'

'Juist. Maar... dan vraag ik me toch af hoe ik u kan helpen.'

'Nou, de standaardprocedure bij de FBI is dat we u verzoeken al uw werknemersgegevens ter inzage te geven, en daarna beginnen we al uw personeel te ondervragen – bewaking zowel als huispersoneel – om te proberen vast te stellen of iedereen op het tijdstip van de moord een alibi had.'

Ik ging zo nog even door en hij luisterde en zei toen: 'Ik begrijp nog steeds niet waarom u denkt dat iemand van mijn personeel een moord heeft begaan. Wat zou zijn of haar motief moeten zijn?'

'Tja, dat weet ik ook niet. Misschien was het een geval van overdreven plichtsbetrachting.'

Daar reageerde hij niet op.

'Laten we zeggen dat iemand enigszins buiten zijn boekje is gegaan. Misschien was er wat geruzie. Misschien kan wat er gebeurd is, worden geschaard onder doodslag of misschien zelfs wel wettige zelfverdediging.'

Hij dacht daarover na en zei: 'Ik vind het een verschrikkelijk idee dat een van mijn mensen zoiets zou kunnen doen. Ze zijn allemaal goed getraind en er heeft zich nog nooit iets dergelijks voorgedaan.' Hij zag er bezorgd uit. 'Denkt u dat ik, als werkgever, vervolgd kan worden wegens onrechtmatige dood?'

'Dat is niet mijn terrein. Dat zou u uw advocaat moeten vragen.'

'Dat zal ik doen.' Hij voegde eraan toe: 'Ik zei het gisteren al tegen u: rechtszaken helpen dit land naar de verdommenis.'

Ik dacht zelf dat hij gezegd had *advocaten*, maar nu hij er eentje nodig had, bleken ze toch niet zo verkeerd. Ik opperde behulpzaam: 'Ik zal het eens aan mevrouw Mayfield vragen.'

Hij gaf geen antwoord, maar maakte zijn sigaret uit en zei toen: 'Goed, ik zal u alle personeelsdossiers geven die u of wie dan ook denkt nodig te hebben.' Hij vroeg: 'Wanneer wilt u dat allemaal hebben?'

'Mogelijk morgen al.' Ik deelde hem mee: 'Er is een FBI Recherche Team onderweg hierheen.'

'Oké... ik weet niet zeker of die dossiers hier worden bewaard. Ze zouden ook op mijn kantoor in New York kunnen zijn.'

'Laat me dat even weten.'

'Hoe kan ik u bereiken?'

'Het Punt. Hoe kan ik *u* bereiken?'

'Zoals ik al zei, via mijn bewakingspersoneel.'

'Dat is in dit geval misschien toch minder handig,' zei ik.

'Dan via mijn kantoor in New York.'

'Wat dacht u van uw gsm?'

'Op mijn kantoor zit er dag en nacht iemand achter de telefoon. *Zij* bellen me wel op mijn gsm.'

'Oké. Hoe lang denkt u hier nog te blijven?'

'Dat weet ik nog niet. Hoezo?'

'Eén dag? Twee dagen? Een jaar? Wanneer vertrekt u?'

Hij was er duidelijk niet aan gewend om zo doorgezaagd te worden en hij antwoordde ongeduldig: 'Twee of drie dagen. Hoe lang blijft *u* hier?'

'Totdat de zaak is opgelost.' Ik vroeg hem: 'Waar gaat u heen als u hier vertrekt?'

'Ik... waarschijnlijk naar New York.'

'Oké. Ik zal u moeten vragen om de FBI in New York op de hoogte te stellen als u van plan bent het land te verlaten.'

'Waarom?'

'U zou een belangrijke getuige kunnen zijn in een moordzaak.'

Hij gaf geen antwoord.

'En bovendien wil ik dat u me een lijst van uw weekendgasten levert.'

'Waarom?'

'Zij kunnen ook getuigen zijn. Ze zouden bijvoorbeeld iets kunnen hebben gehoord of ons informatie kunnen verschaffen over bewakings- of huispersoneel dat zich vreemd gedroeg. Of over de gedragingen van de andere gasten.' Ik voegde er behulpzaam aan toe: 'Een soort moordmysterie in een groot landhuis. U weet wel, zoiets van... is het de heer, eh, laten we zeggen Wolf, die in de bibliotheek zat te lezen, opgevallen dat... zeg Carl, de butler, twee uur zoek was en met bloed aan zijn kleren terugkwam. Dat soort dingen.'

Geen antwoord.

Ik ging verder. 'Ik heb ook de videobanden nodig van eventuele surveillances die op het terrein of hier in huis zijn uitgevoerd. En wat ik verder nodig heb is het logboek van de bewaking, want ik ben ervan overtuigd dat u, als voormalig legerofficier, erop staat dat er een logboek wordt bijgehouden. Wie er dienst had, wanneer hun dienst begon, wanneer hij voorbij was, welke rondes ze maakten, eventuele ongebruikelijke voorvallen, enzovoort.' Ik zei nogmaals: 'Ik ben ervan overtuigd dat dit logboek en die banden bestaan.'

Hij bevestigde noch ontkende het bestaan van een logboek of videobanden.

Ik haalde mijn opschrijfboekje tevoorschijn en zei: 'Misschien dat u de namen van uw weekendgasten even uit uw hoofd kunt geven?' Ik voegde eraan toe: 'Ik dacht dat u had gezegd dat het er ongeveer zestien waren.'

De heer Madox begon zich nu zo langzamerhand wat in het nauw gedreven te voelen, een beetje zoals George Custer. Er leek geen uitweg uit deze omsingeling, maar toch vond hij er een. 'Ik ben bang dat ik u voorlopig even moet teleurstellen, rechercheur.' Hij verklaarde zich nader. 'Ik moet nog wat belangrijke telefoontjes plegen naar het Midden-Oosten, en het is al laat daar. En ik heb nog wat andere zaken die ik moet afhandelen.' Hij voegde er ter herinnering aan toe: 'Ik leid een bedrijf en vandaag is gewoon weer een werkdag.'

'Ik weet het. Ik werk aan een moordonderzoek.'

'Dat waardeer ik, maar... Weet u wat? Ik heb een idee.'

'Mooi. Wat is uw idee?'

'Waarom komt u vanavond niet terug? Dan kunnen we het nuttige met het aangename verenigen. Laten we zeggen: om zeven uur borrelen en als u daarna wilt blijven eten, prima.'

'Nou, wat dat eten betreft, dat weet ik niet. Henri heeft vanavond houtsnip op het menu.'

Hij glimlachte en zei: 'Ik denk dat ik daar wel iets beters tegenover kan stellen, en ik geef u dan ook gelijk een lijst met mijn weekendgasten.'

'Fantastisch.' Ik kon mijn rol klittenband niet op de grond laten vallen zonder uit te leggen waarom ik met een rolletje klittenband zat te spelen, dus trapte ik stiekem mijn schoenen uit en wreef met mijn sokken over het dikke Oosterse tapijt, waarvan de vezels altijd heel makkelijk te identificeren zijn.

Ik had echt heel sterk het gevoel dat Harry hier was geweest en over ongeveer twee dagen zou ik dat zeker weten. Dan zou ik terugkomen met een arrestatiebevel voor de heer Bain Madox wegens moord, of beter nog, aangezien die aanklacht misschien geen stand zou houden, zou ik hem zonder gewetensbezwaar in zijn buik kunnen schieten. Tenzij hij tegen die tijd natuurlijk ergens in Irak of waar dan ook zat te pokeren met de olieminister.

Ik vroeg hem: 'Wie kookt er vanavond?'

'Ik verzin wel iets.' Hij voegde eraan toe: 'U drinkt het liefst whisky, is het niet?'

'Klopt. Nou, dat is heel aardig van u.'

'En u neemt vanzelfsprekend ook mevrouw Mayfield mee.'

'Ik zal kijken of ze al terug is van het jodelen.'

'Mooi. En gewoon vrijetijdskleding.' Hij glimlachte: 'Geen smoking.'

'Die smoking is pas morgenavond.'

'Precies. Op woensdag en zondag.' Hij voegde er op dringende toon aan toe: 'Probeer alstublieft mevrouw Mayfield over te halen om mee te komen, en zeg haar dat ze zich geen zorgen hoeft te maken over wat ze aan moet.' Hij zei tegen me, mannen onder elkaar: 'U weet hoe die vrouwen zijn.'

'Weet ik dat? Sinds wanneer?'

We moesten daar allebei om grinniken en we voelden weer een band. Fantastisch. Ondertussen vroeg ik me af of Kate en ik hier ooit nog levend uit zouden komen. 'Is er verder nog iemand van de partij?'

'Eh... dat weet ik nog niet. Maar wij tweeën kunnen ons even terugtrekken in de bibliotheek, mochten wij nog wat zaken moeten bespreken.'

'Mooi. Ik haat het om tijdens het eten over moord te praten.' Ik vroeg hem: 'Zijn er nog weekendgasten van u aanwezig?'

'Nee, die zijn allemaal vertrokken.'

Misschien was hij Mikhail Putjov vergeten.

Hij kwam overeind en zei: 'Goed, om zeven uur aan de borrel, dan wat zaken bespreken, en daarna het diner, als u tenminste die houtsnip uit uw hoofd kunt zetten.'

'Dat zal nog niet meevallen.' Ik schoof weer in mijn schoenen, ging staan en zei: 'Hé, wat is eigenlijk *étuvée* van groentes?'

'Dat zou ik niet durven zeggen.' Hij gaf me wat adviezen. 'Eet niets wat je niet uit kunt spreken, en eet nooit iets als het een naam heeft met accenten boven de letters.'

'Goed advies.'

'Nogmaals, het spijt me van rechercheur Muller. Ik hoop echt dat mijn personeel hier niets mee te maken heeft, maar mocht dat wel zo zijn, dan kunt u verzekerd zijn van mijn volledige medewerking.' Hij voegde eraan toe: 'Ik zal zorgen dat ik de informatie heb waar u naar vroeg.'

'Bedankt. En ondertussen: mondje dicht. We willen geen slapende honden wakker maken.'

'Dat begrijp ik.'

We schudden elkaar de hand, ik verliet het kantoor en daar stond Carl, een paar meter bij de deur vandaan. Hij zei tegen mij: 'Ik zal u uitlaten.'

'Bedankt. Voor je het weet, ben je verdwaald in dit huis.'

'Daarom laat ik u ook uit.'

'Juist.' *Lulhannes.*

We liepen de trap af en ik vroeg aan Carl: 'Waar is het toilet?'

Hij gebaarde naar een deur in de gang beneden. Ik liep erheen, pakte het gastendoekje van de haak en wreef ermee over wat oppervlakken, om zo haar, huidcellen en weet ik wat voor DNA nog meer voor de forensische experts te verzamelen. Ik wou dat ik ook Madox' sigaret mee had kunnen nemen, maar dan had ik hem moeten vragen of ik de peuk als souvenir mee mocht nemen, en dat zou toch wat vreemd zijn overgekomen.

Ik propte het gastendoekje op mijn rug tussen mijn broeksband en liep weer naar buiten.

Carl liep met me mee naar de voordeur.

Ik zei tegen hem: 'Tot zes uur dan maar.'

'Zeven uur.'

Niet al te slim. Maar loyaal. En gevaarlijk.

40

Toen ik bij het poorthuis kwam, was het hek nog niet open, dus toeterde ik.

Het hek begon open te schuiven en toen ik het poorthuis bereikte, schonken de twee bewakers me een gemene blik terwijl ze met hun duimen in hun koppelriemen gehaakt naar me stonden te kijken. Als dat het beste was wat ze te bieden hadden, hoefde ik ze verder geen blik waardig te keuren, maar toch gaf ik gas, reed op hen af, gooide toen het stuur om en glipte met de Hyundai door het nog maar half geopende hek.

In mijn zijspiegel zag ik ze het grind weer bij elkaar vegen en aanstampen. Ik denk dat ze flink baalden.

Misschien was het niet nodig me als een klootzak te gedragen. Maar je kon maar beter gelijk duidelijk maken wie hier het alfamannetje was. Mensen weten graag wat hun plek in de pikorde is.

Bovendien twijfelde ik er niet aan dat een van deze mannen, of misschien wel allebei, Harry hier op het terrein in zijn kraag hadden gevat. En als zij het niet waren geweest, dan wel een paar anderen in hetzelfde uniform. Nietwaar, Bain?

Er was nog steeds nergens een surveillanceteam te bekennen en ik vroeg me af waar Schaeffer verdomme mee bezig was.

Ik reed naar Route 56 en sloeg af in noordelijke richting.

Ik draaide in gedachten nog eens mijn gesprek met Bain Madox af, wat tot enkele interessante invalshoeken leidde. Het kwam er in ieder geval op neer dat Bain en John wisten dat Bain en John een spelletje met elkaar speelden.

Maar goed, Madox had me gevraagd om te komen eten en natuurlijk was ook mevrouw Mayfield uitgenodigd.

En Madox had uit het feit dat ik nog dezelfde kleren aan had, afgeleid dat mevrouw Mayfield en ik hier nogal halsoverkop naartoe waren gekomen. Dus had hij zijn uiterste best gedaan om duidelijk te maken dat mevrouw Mayfield zich geen zorgen hoefde te maken over haar kleding. Dat was heel attent van hem – om niet te zeggen opmerkzaam. Bain Madox zou inderdaad een goede rechercheur zijn geweest.

Ik wist dat Kate zich zorgen maakte over mij en met een beetje geluk kun je drie minuten mobiel bellen zonder dat je wordt getraceerd, dus zette ik mijn telefoon aan en draaide het nummer van het vijverhuis. Kate nam op. 'Hallo?'

'Met mij.'

'Goddank. Ik begon me al zorgen – '

'Met mij is het prima. Ik kan je maar een minuutje spreken. Ik moet wat boodschappen doen en ben over ongeveer een uur terug.'

'Oké. Hoe is het gegaan?'

'Goed. Ik vertel het je wel als ik terug ben. Is het bij jou nog een beetje gelukt?'

'Ja, ik – '

'Heb je Schaeffer gesproken?'

'Ik kon hem niet bereiken.'

'Oké... hé, en die pizza?'

'Heb ik nog niet besteld. Die moet je zelf maar meenemen.'

'Heb je honger?' vroeg ik.

'Ik ben uitgehongerd.'

'Mooi. Ik heb een uitnodiging voor ons geregeld voor een etentje op de Custer Hill Club.'

'*Wat?*'

'Ik leg het wel uit als ik je zie.' Ik voegde eraan toe: 'Vrijetijdskleding.'

'Maak je een grapje?'

'Nee. Je hoeft je er echt niet speciaal voor te kleden. Borrel om zeven uur.'

'Ik bedoel – '

'Ik moet nu ophangen. Tot straks.'

'John – '

'Dag. Ik hou van je.' Ik hing op en zette mijn telefoon uit. Had ik gezegd dat we gingen eten op de Custer Hill Club? Was ik gek geworden?

Nou ja, hoe dan ook, ik naderde opnieuw Rudy's benzinepomp en daar was Rudy, die zoals gewoonlijk met een klant stond te praten. Ik stopte er en riep: 'Rudy!'

Hij keek op, kwam op me af en zei: 'Alweer terug?'

'Waarvandaan?'

'Van... Dat weet ik toch niet. Waar zou je heengaan?'

'Ik heb geprobeerd bij meneer Madox de zaken voor jou weer wat glad te strijken.'

'O ja? Ik zei toch dat ik met hem gepraat had. Hij was al niet kwaad meer.'

'Jawel, hij was nog steeds pisnijdig. Maar goed, ik heb goed nieuws en slecht nieuws. Wat wil je eerst horen?'

'Eh... het goede nieuws.'

'Het goede nieuws is dat hij niet langer kwaad op je is. Het slechte nieuws is dat hij hier aan de overkant een GOCO-benzinestation gaat openen.'

'Hè? Hij gaat *wat*? O tjeez. Dat kan hij niet doen.'

'Dat kan hij wel en dat zal hij ook.'

Rudy keek naar het kale terrein aan de overkant van de straat en ik was ervan overtuigd dat hij het al helemaal voor zich zag: acht glanzende nieuwe pompen, schone toiletten en plattegronden van het park.

Ik zei tegen hem: 'Een beetje concurrentie kan geen kwaad. Dat hoort bij Amerika.'

'O, shit.'

'Hé, Rudy, ik wil je iets vragen.'

'Hè...?'

'Ik moet een karkas van een hert ophalen. Heb jij misschien iets groters wat ik om kan ruilen tegen deze Koreaanse grasmaaier?'

'Hè?'

'Alleen voor vanavond. En ik geef je honderd piek voor de moeite.'

'Hè?'

'En je krijgt hem met een volle tank weer terug.'

'Wil je benzine?'

Ik reed de Hyundai tot achter de benzinepomp, uit het zicht, en binnen vijf minuten had ik een deal met Rudy, die er nog steeds uitzag alsof hij door een muilezel tegen zijn hoofd was geschopt. Hij zag niet eens dat de sleuteltjes van de Hyundai niet in het contactslot zaten, zoals ik had gezegd.

Mijn afscheidswoorden tegen hem waren: 'Je mag hier niet met Madox over bellen. Dat maakt het alleen maar erger. Ik praat wel met hem.'

'Dat kan hij niet maken. Ik stap naar de rechter.'

Rudy's grotere voertuig bleek trouwens een aan alle kanten gedeukt Dodge-busje waarvan het interieur eruitzag alsof er tijdens een gevecht om voedsel een benzinetank was ontploft. Maar hij reed als een zonnetje.

Ik zette mijn tocht voort en in Colton reed ik de binnenweg naar Canton voorbij en nam de lange route via Potsdam.

Als je op de vlucht bent voor de posse, moet je vaak van paard wisselen, je laatste paard een kogel door het hoofd jagen en nooit twee keer hetzelfde pad volgen.

Ik bereikte Canton en vond Scheinthal's Sporting Goods, waar ik een doos .40-patronen voor Kate kocht, en een doos 9mm voor mijzelf. Iedereen in de rechtshandhaving zou eigenlijk hetzelfde kaliber moeten gebruiken, net als in het leger, maar dat terzijde. Ik kocht ook vier extra magazijnen voor de Glock. De eigenaar, mevrouw Leslie Scheinthal, wilde dat ik me identificeerde en ik liet haar mijn rijbewijs zien, en niet mijn officiële legitimatie.

Ik moest hoognodig andere sokken hebben, want de oude waren sinds kort forensisch bewijsmateriaal, dus kocht ik een paar wollen sokken, die zeer geschikt waren om nog meer tapijtvezels en haren in meneer Madox' eetkamer en bibliotheek te verzamelen.

Natuurlijk zou al dit bewijsmateriaal nogal zinloos zijn als Madox een slaappil in onze drankjes deed of ons met een verdovingspistool beschoot en we dood wakker werden, net als Harry. Er was natuurlijk ook nog de mogelijkheid van een mooi, ouderwets vuurgevecht.

Wat dat laatste betreft, bedacht ik dat er een situatie kon ontstaan waarbij Kate en ik onze wapens moesten afstaan. Ik was niet van plan dat zonder slag of stoot te laten gebeuren, maar feit was dat we een soort legerkamp betraden en het is nu eenmaal moeilijk onderhandelen met tien man die een geweer op je gericht houden. Ik was ervan overtuigd dat Harry ook iets dergelijks had meegemaakt.

Dus keek ik nog eens goed rond in de sportzaak, op zoek naar iets wat niet door een metaaldetector zou worden opgespoord en wat ook een fouillering zou doorstaan, en wat in een gespannen situatie toch nuttiger zou zijn dan, zeg, een paar wollen sokken.

Mevrouw Scheinthal, een aantrekkelijke jongedame overigens – hoewel me dat natuurlijk niet opviel – vroeg me: 'Kan ik u misschien ergens mee helpen?'

'Tja... dat is nogal een lang verhaal...' Ik bedoel, ik wilde haar niet opzadelen met een verhaal over mijn gastheer en zijn privéleger dat me onder schot hield en me mijn pistool afnam, waarna ik een geheim wapen nodig zou hebben om ze te doden, enzovoort. Dus zei ik: 'Ik eh... ik heb wat survivalspullen nodig.'

'Noem eens iets.'

'Ik weet het niet, Leslie. Wat heb je zoal?'

Ze ging me voor naar een gangpad en zei: 'Nou, hier ligt een en ander. Maar alle kampeerspullen zijn in wezen survivalspullen.'

'Niet als je weet hoe mijn ex kampeerde, met een enorme caravan en een schoonmaakster.'

Leslie glimlachte.

Ik keek rond en probeerde te bedenken wat ik in hemelsnaam het huis binnen kon smokkelen zonder de metaaldetector te alarmeren. Aanvalshandgranaten hebben bijna geen metaal, dus vroeg ik haar: 'Heb je ook aanvalshandgranaten?'

Ze begon te lachen. 'Nee. Waarvoor zou ik die moeten hebben?'

'Ik weet het niet. Misschien om te vissen. Je weet wel, net als vissen met dynamiet.'

Ze deelde me mee: 'Dat is verboden.'

'Meen je dat? Dat doe ik in Central Park altijd.'

'Kom op, John.'

Ze leek me wel te willen helpen, alleen was ik zelf niet zo behulpzaam. Ze zei: 'Dus je wilt kamperen, ja?'

'Klopt.'

'Heb je dan een winteruitrusting?'

'Wat is dat?'

Ze lachte weer. 'Het kan hier 's nachts flink koud worden, John. Dit is geen New York.'

'Weet ik. Daarom heb ik ook deze wollen sokken gekocht.'

Dat leek ze wel grappig te vinden. Ze zei: 'Nou, je hebt winterkampeerspullen nodig.'

'Ik heb niet echt veel geld bij me, en mijn ex heeft mijn creditcard gestolen.'

'Heb je dan tenminste een geweer?'

'Nee.'

'Nou, dan mag je wel uitkijken voor de beren. Ze zijn in dit jaargetijde nogal onvoorspelbaar.'

'Dat ben ik ook.'

'En denk niet dat je veilig bent met die proppenschieters van je. De laatste kerel die geprobeerd heeft een beer met een pistool tegen te houden, ligt nu als kleedje in een berenhut.'

'Juist. Grappig, hoor.'

'Ja. Niet grappig dus. Maar goed, als er beren rond je kampement opduiken, op zoek naar voedsel, moet je op potten en pannen slaan – '

'Ik heb geen potten en pannen. Daarom heb ik die granaten ook nodig.'

'Nee. Weet je wat jij nodig hebt?'

'Nee, wat dan?'

'Je hebt een toeter met perslucht nodig.'

Ze pakte een blik van de plank en ik vroeg haar: 'Is dat een blikje chili con carne?'

'Nee – '

'Perslucht. Snap je 'm?'

'John – alsjeblieft. Nee, dit is een... nou ja, toeter.' Ze legde het uit. 'Dit jaagt ze meestal wel op de vlucht en je kunt hem ook gebruiken om aan te geven dat je in nood bent. Twee keer lang en één keer kort. Oké? Hij kost maar zes dollar.'

'O?'

'En dit...' Ze pakte een doos van de plank en zei: 'Dit is een BearBanger-pakket.'

'Een wat?'

'Nou, zeg maar een seinpistool. Oké? Kijk, hier staat het. De lichtpatronen gaan zo'n veertig meter de lucht in en zijn overdag tot op dertien kilometer te zien, en 's nachts tot op vijfentwintig kilometer.'

'Juist...' In mijn hoofd ging nu ook een lichtje op en ik zei: 'Ja, dat zou wel eens handig kunnen zijn.'

'Mooi. Oké, wanneer je zo'n patroon afschiet, ontstaat er een knal van honderdvijftien decibel. Dat zou die beren in hun broek moeten doen je-weet-wellen van angst.'

'Juist. Dan gaat die beer dus met zijn broek omlaag de bossen in.'

Ze grinnikte. 'Ja. Hier.' Ze gaf me de doos en ik maakte hem open. Hij leek te bestaan uit een lanceerapparaat ter grootte van een penlight, en ook met dezelfde vorm, plus zes BearBanger-patronen met de afmeting van een AA-batterij. Dat zo'n klein apparaat zo'n herrie kon maken...

Leslie zei: 'Je stopt gewoon de patroon hierin, drukt op dat balpenachtige knopje en de lichtkogel schiet de lucht in. Oké? Maar probeer niet op je gezicht te richten.' Ze lachte.

Ik had ook niet *mijn* gezicht in gedachten wanneer en als ik dit ding zou moeten afvuren.

Ze ging verder. 'En richt hem ook niet op de beer. Oké? Je zou de beer kunnen verwonden of een bosbrand veroorzaken. En dat zou je toch niet willen, neem ik aan.'

'Nee?'

'Nee. Oké, je krijgt een fel licht dat gelijkstaat aan... wat staat hier? Ongeveer vijftienduizend kaars.' Ze glimlachte. 'Als ik hem zie of hoor, kom ik je zoeken.' Ze voegde eraan toe: 'Dit ding kost dertig dollar. Oké?'

'Oké.'

'Dus je neemt de toeter en de BearBanger?'

'Ja... ik neem trouwens twee BearBangers.'

'Heb je gezelschap?'

Nee, maar dit is een prachtig verjaardagscadeau voor mijn neefje van vijf.'

'Nee, John. Nee. Dit is geen speelgoed. Dit is een knaller voor volwassenen. Je moet er zelfs een ATV-formulier voor invullen.'

'Wat is dat nou weer?'

'Alcohol, tabak en vuurwapens.'

'Werkelijk?' Ik pakte nog een BearBanger-pakket en terwijl we naar de kassa liepen, bedankte ik in stilte die stomme beren dat ze me hadden geholpen een probleem op te lossen.

Leslie gaf me een formulier van het Bureau voor Alcohol, Tabak en Vuurwapens, waarin ik moest onderschrijven dat ik de BearBangers alleen voor ongediertebestrijding zou gebruiken.

Nou, dat kwam heel dicht bij mijn beoogde doel, dus ondertekende ik het formulier.

Op de toonbank stond een doos met energierepen en ik kocht er eentje voor Kate. Ik had er ook twee kunnen nemen, maar ik wilde haar een beetje hongerig houden voor het diner.

Leslie vroeg: 'Is dat alles?'

'Jawel.'

Ze sloeg de munitie, de toeter, de sokken, de energiereep en twee BearBangers aan.

Ik betaalde haar met mijn laatste restje contant geld en kwam twee dollar te kort, dus ik wilde de energiereep weer teruggeven, maar Leslie zei: 'Die hou ik nog van je tegoed.' Ze gaf me haar visitekaartje en opperde: 'Kom morgen nog even langs en kijk of je nog iets nodig hebt. Ik accepteer ook cheques, en er zijn twee geldautomaten in de stad.'

'Bedankt, Leslie, en tot morgen.'

'Ik hoop het.'

Ik ook.

Ik liep terug naar Rudy's busje en ging op weg naar Wilma's B&B.

Beren. Madox. Nuke. ELF. Putjov. Griffith.

Asad Khalil, de Libische terrorist met het scherpschuttersgeweer, leek ineens niet meer zo belangrijk.

41

Om 16:54 reed ik de lange oprijlaan naar Wilma's B&B op. Ik zag een vrouw door het raam van het huis naar buiten gluren en dat zal ongetwijfeld Wilma zijn geweest die op haar UPS-minnaar wachtte, en ze vroeg zich waarschijnlijk af wie die kerel in dat busje was.

Ik stopte voor het vijverhuis, pakte mijn plastic tassen van Scheinthal's Sporting Goods, stapte uit en riep: 'Je woudloper is terug.'

Kate deed de deur open en ik ging naar binnen. Ze vroeg me: 'Waar heb je dat busje vandaan?'

'Van Rudy.' Ik legde het haar uit. 'Het is belangrijk om af en toe van voertuig te wisselen als je voortvluchtig bent.'

Ze gaf daar geen commentaar op. 'Hoe is het gegaan? Wat zit er in die tassen?'

'Het is prima gegaan, hoewel Bain nog steeds niet de juiste pillen slikt. Ik zal je laten zien wat ik gekocht heb.'

Ik leegde de inhoud van de twee tassen op de keukentafel. 'Schone sokken voor mij, wat extra munitie en magazijnen voor ons – '

'Waarom – ?'

'En een toeter en twee BearBangers – '

'Twee *wat*?'

'Jaagt beren op de vlucht *en* is een signaal dat je in de problemen zit. Niet verkeerd, hè?'

'John – '

'Hé, je had die sportzaak moeten zien. Nooit geweten dat er zoveel camouflagespullen op de markt waren. Hier, een energiereep.'

'Heb je iets te eten meegenomen?'

'Ik heb een mueslireep gegeten.' Of waren het negerzoenen?

Ik ging op de keukenstoel zitten en trok mijn schoenen uit, en vervolgens mijn sokken. Ik zag dat er tapijtvezels onder zaten, en minstens één lange haar, waarvan ik hoopte dat hij van Bain Madox, Kaiser Wilhelm of Harry Muller afkomstig was. Ik zei: 'Dit is uit Madox' kantoor en ik heb het rare gevoel – eigenlijk meer de hoop – dat Harry in dezelfde stoel heeft gezeten als ik.'

Ze knikte.

Ik stopte de sokken in een plastic zak, scheurde vervolgens een bladzij uit mijn notitieboekje, noteerde daarop de tijd, datum, methode en vindplaats van de monsters en stopte hem in de zak.

Vervolgens haalde ik de rol klittenband uit mijn zak, verwijderde de papieren beschermlaag, pulkte het eerste laagje klittenband eraf, dat vol zat met vezels, en legde aan Kate uit: 'Dit is van het tapijt in de hal.'

Ik drukte het klittenband voorzichtig tegen de binnenkant van de plastic zak en zei: 'Ik heb ooit de sandwich met ham uit de keuken van een verdachte meegepikt' – ik begon de gegevens van het klittenband te noteren en vertelde verder. 'Ik had zodoende genoeg DNA om hem aan de misdaad te koppelen... maar zijn advocaat betwistte de rechtmatigheid van het bewijsmateriaal – *gestolen*, zonder huiszoekingsbevel – en ik moest zweren dat de verdachte mij de half opgegeten sandwich had *aangeboden*...' Ik rolde de zak op en vroeg aan Kate: 'Heb jij plakband bij je?'

'Nee, maar het zal hier wel ergens liggen. En wat gebeurde er toen?'

'Wanneer? O, dat bewijsmateriaal. Nou, die advocaat zaagt mij door over de onwaarschijnlijkheid dat de verdachte mij een half opgegeten sandwich zou hebben aangeboden en ik sta twintig minuten in de getuigenbank en leg uit hoe het was gegaan en waarom ik die sandwich in mijn zak had gestopt in plaats van hem op te eten.' De rechter was onder de indruk van mijn gelul en bekrachtigde dat de hamsandwich als bewijsmateriaal kon worden toegelaten.' Ik voegde eraan toe: 'De advocaat ging over de rooie en beschuldigde mij ervan dat ik loog.'

'Nou, het was toch ook een leugen?'

'Het was een grijs gebied.'

Ze besloot daar niet verder op in te gaan en vroeg: 'Volgde er een veroordeling?'

'Het recht had zijn loop.'

Ik vond het gastendoekje onder in de tweede zak en zei tegen Kate: 'Deze komt uit het kleinste kamertje op de begane grond en ik heb hem gebruikt om er wat stof mee af te nemen.' Terwijl ik de gegevens van het gastendoekje noteerde, zei ik: 'Deze valt in de categorie van de hamsandwich. Werd mij *aangeboden* om de handdoek mee te nemen of heb ik hem ontvreemd zonder huiszoekingsbevel? Wat denk jij?'

'Het is niet aan mij om daar een uitspraak over te doen. Dat weet jijzelf het beste.'

'Juist...' Ik schreef op het briefje en sprak ondertussen hardop: 'Mij aangeboden door Carl, een werknemer van de verdachte, toen hij merkte dat het... wat? Klem zat tussen mijn rits?'

'Misschien moet je daar nog even over nadenken.'

'Goed. Ik maak dit later wel af. Oké, dus met enig geluk komen sommige van deze vezels en haren van Custer Hill overeen met die welke op Harry aangetroffen zijn, terwijl omgekeerd ook wat vezels en haren van Harry op de Custer Hill Club kunnen zijn achtergebleven en nu met dit andere spul vermengd zijn.'

Kate had weinig commentaar, behalve: 'Goed werk, John.'

'Dank je.' Ik voegde eraan toe: 'Ik was een goede rechercheur.'

'Dat ben je nog steeds.'

Slik.

Ze zei: 'Ik denk dat we nu voldoende forensisch materiaal en andere bewijzen hebben om Tom Walsh te bellen en daarna zo snel mogelijk naar New York terug te keren.'

Ik negeerde die suggestie en liet haar mijn nieuwe wollen sokken zien. 'We gaan proberen nog wat meer bewijsmateriaal in dat huis te verzamelen.' Ik vroeg haar: 'Wat voor sokken heb jij aan?'

Ze gaf geen antwoord, maar vroeg: 'Meen je het serieus, van die uitnodiging om daar te gaan eten?'

'Jawel.' Ik stopte de rol klittenband terug in mijn zak. 'Hoe vaak komt het nu helemaal voor dat de verdachte van een moord je te eten uitnodigt?'

'Nou, de Borgia's deden niet anders.'

'O ja? Wie waren dat? Maffia zeker?'

'Nee, dat was Italiaanse adel die hun dinergasten placht te vergiftigen.'

'Echt? En die gasten bleven gewoon komen? Dat is behoorlijk stom.'

'Je hebt gelijk.'

Ze trok het papier van de energiereep en ik vroeg: 'Zal ik eerst een hapje nemen, om te kijken of hij vergiftigd is?'

'Nee, maar als je honger hebt, zal ik hem met je delen.'
'Ik bewaar mijn trek voor het diner.'
'Ik ga daar niet heen.'
'Liefje, hij heeft je nadrukkelijk uitgenodigd.'
'En jij gaat ook niet.' Ze zei tegen me: 'Vertel me waar jij en Madox het over gehad hebben.'
'Oké, maar bel eerst Wilma.'
'Waarom?'
'Zeg tegen haar dat ze haar laptop voor half zeven vanavond terug heeft en vraag om een rolletje plakband.'
'Oké.' Ze liep naar het bureau en ik liep blootsvoets naar de bank, want ik wilde mijn nieuwe sokken niet bezoedelen in Wilma's B&B.
Kate pakte de telefoon en ik zei tegen haar: 'En vraag aan Wilma of ze je onmiddellijk wil bellen als je echtgenoot in de witte Hyundai komt aanrijden.'
Ik dacht dat Kate zou gaan zeggen dat ik een infantiele idioot was, maar ze glimlachte en zei: 'Oké.' Ze had een vreemd gevoel voor humor.
Kate belde en kreeg Wilma aan de lijn en bedankte haar voor de laptop en beloofde hem voor 18:30 terug te brengen. Toen zei Kate: 'Zou ik u om nog twee gunsten mogen vragen? Ik heb een rol plakband nodig en ik wil daar graag voor betalen. Dank u. O, en als u mijn echtgenoot voorbij ziet komen in zijn witte Hyundai, zou u me dan onmiddellijk willen bellen?' Kate glimlachte toen Wilma iets zei. Kate legde uit: 'Het is gewoon een vriend, meer niet, maar... ja.'
'Zeg haar dat je genoeg plakband wilt hebben om polsen en enkels vast te binden, en vraag of ze slagroom heeft.'
'Een momentje, alstublieft – ' Ze dekte de hoorn af met haar hand en zei, een lach onderdrukkend: 'John – '
'En bel ons ook als er andere voertuigen richting het vijverhuis gaan.'
Kate keek me opnieuw aan, knikte en zei tegen Wilma: 'Mijn echtgenoot zou in een andere auto kunnen rijden. Dus als u wat voor auto dan ook richting ons huis ziet rijden – ja, dank u.'
Kate hing op en zei tegen mij: 'Wilma opperde dat mijn vriend zijn bestelbusje beter kan verplaatsen en ze herinnerde me eraan dat ons huisje ook een achteruitgang heeft.'
We moesten beiden flink grinniken over de hele toestand en dat was precies wat we nodig hadden. Kate zei: 'Alsof ik niet weet hoe je een vent door de achterdeur moet laten verdwijnen.'

'Hé.'

Ze glimlachte en zei toen, ernstiger: 'Ik neem aan dat Wilma nu onze uitkijkpost is.'

'Ze is gemotiveerd.'

Kate knikte. 'Soms heb je nog niet van die slechte ideeën.'

'Ik ben ook gemotiveerd.'

Maar goed, we besloten alsnog wat te knuffelen en te kussen en toen deelde Kate mee: 'Ik heb een vlucht voor ons tweeën geboekt naar LaGuardia, morgenochtend om half negen vanaf Syracuse. Dat was de eerste beschikbare vlucht die ik kon vinden.'

Ik wilde daar op dit moment niet over redetwisten. 'Ik hoop niet dat je je creditcard gebruikt hebt.'

'Ze accepteerden geen cheques via de telefoon.'

'Nou, als je op het vliegveld bent, zeg Griffith dan gedag van me.'

'John, ze kunnen nooit zo snel creditcardgegevens loskrijgen... nou ja... we kunnen ook vanavond naar Toronto rijden. Er zijn een heleboel vluchten vanaf Toronto naar New York en Newark.'

'We gaan *geen* internationale grenzen over.' Ik vroeg: 'Oké, hoe ben jij gevaren?'

Ze sloeg haar notitieboekje open op het bureau. 'Oké. Om te beginnen kon ik, zoals gezegd, majoor Schaeffer niet bereiken. Ik heb twee keer gebeld en een boodschap achtergelaten dat ik hem opnieuw zou bellen. Maar ik geloof niet dat hij met *mij* wil praten. Misschien dat jij meer geluk hebt.'

'Ik zal het straks proberen.' Ik ging op de bank liggen en zei: 'Er was geen surveillanceteam bij McCuen Pond Road, althans, niet dat ik heb gezien.'

'Misschien hielden ze zich verborgen.'

'Mogelijk. Maar misschien heeft majoor Schaeffer het gehad met ons.'

'En je bent toch naar binnen gegaan.'

'Ik heb een berichtje gekerfd in een berkenboom.'

Ze ging onverstoorbaar verder. 'Ik heb de passagierslijsten, vluchtreserveringen en huurautocontracten doorgenomen. Er sprongen geen namen uit, behalve dan Paul Dunn en Edward Wolffer. En natuurlijk Mikhail Putjov. Ze wierp een blik op haar notities en zei: 'Er waren nog een paar andere namen die bekend *klonken*, maar misschien was dat omdat ik dat wilde.' Ze voegde eraan toe: 'James Hawkins bijvoorbeeld. Zegt die naam jou iets? En kom niet met de opmerking dat hij op het derde honk stond bij de Yankees.'

'Oké, daar stond hij ook niet. Heb je Hawkins gegoogled?'

'Heb ik gedaan. Er *zit* een James Hawkins bij de verenigde chefs van staven. Een luchtmachtgeneraal. Maar ik kan niet zeggen of het dezelfde kerel is.'

'Nou... als hij naar de Custer Hill Club ging, zou dat wel eens zo kunnen zijn. Heeft hij een auto gehuurd?'

'Nee. Hij is op zaterdag uit Boston aangekomen, om negen uur vijfentwintig 's ochtends, en hij is weer vertrokken met de vlucht van twaalf uur vijfenveertig zondagmiddag, terug naar Boston, met een aansluitende vlucht naar Washington.'

'Oké... als hij naar de Custer Hill Club is geweest, werd hij waarschijnlijk opgehaald door het busje.' Ik voegde eraan toe: 'Interessant trouwens dat Madox die vip's niet met zijn eigen jets liet invliegen. Maar ik neem aan dat hij en ook zij niet zo direct met elkaar in verband wilden worden gebracht. En dat is altijd enigszins verdacht.'

Kate antwoordde: 'Het is vaak alleen maar een kwestie van regeringsmensen die geen dure geschenken of gunsten van rijke mensen willen. Het is een ethische kwestie.'

'Dat is zo mogelijk nog verdachter,' zei ik. 'Dus Madox heeft misschien ook een hoge militair op bezoek gehad. Een luchtmachtgeneraal.'

'Ik vraag me af of deze gasten van Harry wisten, en van wat er met hem gebeurd is...'

Ik kon me niet voorstellen dat dergelijke mensen zich met een moord zouden inlaten. Aan de andere kant, als de inzet maar hoog genoeg was, was alles mogelijk. 'Heb je verder nog iets uit die vliegveldinfo kunnen afleiden?'

'Nee, dat is het wel zo'n beetje. Wat die tientallen andere namen betreft, daar zouden we een heel team op moeten zetten om te kijken wie die mensen zijn en of ze bij Madox op bezoek zijn geweest.'

Ik zei: 'Ik hoop dat onze collega's daar al mee bezig zijn. Maar de resultaten zullen we wel nooit te weten komen.'

Daar reageerde ze niet op. Ze zei: 'Vervolgens ben ik op internet gegaan en heb Bain Madox gegoogled, en er blijkt verrassend weinig over hem bekend.'

'Dat is helemaal niet zo verrassend.'

'Nee, misschien niet. Het meeste van wat ik gevonden heb, zijn bedrijfsgegevens – zijn functie als president-directeur en grootste aandeelhouder van Global Oil Corporation. En zelfs dat maar mondjesmaat. En ook nauwelijks persoonlijke gegevens – niets over zijn ex-vrouw of kinderen – slechts een stuk of zes citaten uit eerdere publicaties en niet één ongepubliceerd citaat of commentaar, van wie dan ook.'

'Kennelijk is hij in staat om blogs en andere informatie van derden gewist te krijgen.'

'Ja, daar lijkt het op.' Ze raadpleegde haar notities en ging verder. 'Het enige nog een beetje interessante is dat ongeveer vijftig procent van zijn olie- en gasholdings, en zijn halve tankervloot, in bezit zijn van niet nader genoemde belangengroepen in het Midden-Oosten.'

Ik dacht daarover na, en ook over wat Madox me had verteld over zijn vriendje, de Iraakse olieminister. Dat betekende dat hij, net als vrijwel alle westerse oliemaatschappijen, wat hielen moest likken in de Zandbak. Maar aangezien Madox me niet zo'n hielenlikker leek, zou hij misschien bezig kunnen zijn met een plan om zijn partners voor eens en voor altijd te elimineren.

Kate ging verder. 'Daarna ben ik op het internet op zoek gegaan naar ELF.' Ze deelde me mee: 'Er is niet veel meer dan wat John Nasseff ons al heeft verteld, behalve dan dat de Russen hun ELF-systeem op een andere manier gebruiken dan wij.'

'Ja, ze hebben nu eenmaal meer letters in hun alfabet.' Ik geeuwde en luisterde naar het knorren van mijn maag.

'Er is nog een verschil.' Ze raadpleegde opnieuw haar aantekeningen. 'Moet je dit horen – de VS zenden, zoals wij hebben ontdekt, ELF-berichten naar de onderzeevloot om aan te geven dat er iets aan de hand is, maar de Russen sturen in tijden van verhoogde spanning een *doorlopend* bericht naar hun atoomonderzeeërs, dat in feite zegt: "Alles in orde". Als dat positieve bericht ophoudt, betekent dit dat er een nieuw, dringend bericht onderweg is, en als dat bericht niet aankomt binnen de tijd die het een ELF-bericht normaliter kost om een onderzeeër te bereiken, wordt die radiostilte opgevat als een teken dat het ELF-station is vernietigd en de onderzeeërs zijn dan gerechtigd hun raketten af te vuren op vooraf bestemde doelen in de VS, of China, of waar dan ook.'

'Jeez, ik hoop dat ze hun elektriciteitsrekening op tijd betalen.'

'Ja, ik ook.' Kate ging verder. 'Dat is ook de reden dat onze ELF-ontvanger op Groenland in staat was het Russische ELF-signaal vanaf het Kola-schiereiland uit de lucht te plukken – omdat ze dat aanhoudende "Alles in orde"-signaal uitzonden tijdens een periode van verhoogde spanning die trouwens, volgens het betreffende artikel, door onszelf is opgeroepen om de Russen zover te krijgen dat ze hun doorlopende bericht uitzonden, waardoor wij weer in staat waren de ELF-zender op Kola te lokaliseren.'

'Wauw. Wat zijn wij toch slim. En blij dat de Koude Oorlog voorbij is.'

'Ja, inderdaad. Maar dat bracht me aan het denken over Madox, die ooit toegang had tot de Amerikaanse ELF-codes, en dus misschien ook de Russische ELF-codes kende.' Ze voegde eraan toe: 'Volgens dit artikel – dat trouwens is geschreven door een Zweed – is de Russische coderingssoftware niet zo geavanceerd of moeilijk te kraken als die van ons, dus het kan zijn dat Madox voor zijn ELF-berichten de frequentie van de Russen wil gebruiken en dat hij gaat proberen nepsignalen naar de Russische onderzeevloot te sturen dat ze hun raketten af moeten vuren op... China, of het Midden-Oosten of aan wie hij op dit moment ook maar een hekel heeft.'

Ik dacht daarover na. 'Ik neem aan dat als de Russische codes inderdaad makkelijker te kraken zijn dan de onze, dat een mogelijkheid is.' Ik voegde eraan toe: 'Dezelfde Custer Hill ELF-zender, andere atoomonderzeeërs. Nog meer interessant ELF-materiaal?'

'Alleen dat de Indiërs erover denken ook een ELF-zender te bouwen.'

Ik ging rechtop zitten en vroeg: 'Waar hebben zij die in vredesnaam voor nodig? Om tomahawks te lanceren? Ze hebben toch al hun casino's?'

'Niet de indianen, John. De *Indiërs*.'

'O...'

'Ze zijn bezig met een eigen atoomonderzeevloot. En datzelfde geldt voor de Chinezen en de Pakistanen.'

'Dat is niet zo best. En als het een beetje tegenzit, volgen daarna de postbodes en dan kunnen we het helemaal vergeten.'

Kate deelde mee: 'De wereld is gewoon veel gevaarlijker geworden dan tijdens de Koude Oorlog, toen het alleen wij tegen zij was.'

'Juist. Wat is de gemiddelde prijs van een huis in Potsdam?'

Dat leek ze zich niet te herinneren en ze zat verzonken in gedachten aan het bureau. Toen zei ze: 'Ik heb ook nog wat... minder goed nieuws gevonden.'

'Slecht nieuws dus?'

'Ja.'

'Wat dan?'

'Daar ben ik nog niet helemaal uit. Laten we eerst nog even verder praten over wat we al weten, dan hebben we misschien een context.'

'Komt je moeder soms op bezoek?'
'Dit is niet iets om grapjes over te maken.'
'Oké. Wat staat er nu op het programma?'
'Mikhail Putjov.'

42

'Mikhail Putjov,' zei ik. 'Geen spoor van hem op de Custer Hill Club. Hoe zit het met zijn huis of kantoor?'

'Ik heb eerst zijn kantoor gebeld, maar zijn secretaresse, mevrouw Crabtree, zei dat hij daar niet was, dus zei ik dat ik arts was en dat het om een serieuze medische aangelegenheid ging.'

'Dat is een goeie. Die heb ik nog nooit gebruikt.'

'Het werkt altijd. Maar goed, mevrouw Crabtree werd wat toeschietelijker en vertelde me dat dr. Putjov niet op zijn werk verschenen was, niet had gebeld en dat haar telefoontjes naar zijn gsm direct naar de voicemail werden doorgeschakeld. Ze had ook Putjovs vrouw gebeld, maar mevrouw Putjov wist ook niet waar haar man uithing.' Kate voegde eraan toe: 'Kennelijk heeft Putjov aan niemand verteld waar hij heenging.'

'Heb je Putjovs mobiele nummer gekregen?'

'Nee. Dat wilde mevrouw Crabtree me niet geven, maar ze gaf me wel haar privénummer en ik heb haar mijn piepernummer gegeven.' Kate voegde eraan toe: 'Mevrouw Crabtree klonk nogal bezorgd.'

'Oké, dus Mikhail is zomaar weggebleven van het MIT. En thuis?'

'Hetzelfde. Mevrouw Putjov stond bijna te grienen. Ze zei dat zelfs als Mikhail bij zijn maîtresse was, hij altijd even belde om te zeggen dat hij niet thuiskwam.'

'Een goede echtgenoot, dus.'

'John, doe niet zo lullig.'

'Het was maar een grapje. Dus Mikhail is niet alleen niet op zijn werk verschenen, hij is gewoon helemaal zoek.'

'Nou, in ieder geval wat betreft zijn vrouw en secretaresse. Maar hij zit waarschijnlijk nog steeds op de Custer Hill Club.'

Ik schudde mijn hoofd. 'Als dat zo was, had hij gebeld. Een man in zijn situatie, met FBI-chaperons, verdwijnt niet zomaar, om vervolgens zijn vrouw, gezin of kantoor voor de vraag te stellen of ze de FBI niet moeten bellen. Dat is wel het laatste wat Putjov wil.'

Kate knikte en vroeg toen: 'Dus...?'

'Nou,' zei ik, 'kennelijk vertrekt niet iedereen die de Custer Hill Club betreedt in dezelfde conditie als waarin ze arriveerden.'

'Daar lijkt het op, ja.' Ze zei: 'Jij bent daar twee keer geweest. Wil je het nog een keer proberen?'

'Driemaal is scheepsrecht.'

Ze negeerde dat en vervolgde: 'Dus ik heb "Putjov, Mikhail" gegoogled en vond wat door hem gepubliceerde artikelen en stukken die andere natuurkundigen over hem geschreven hadden.'

'Vinden ze hem aardig?'

'Ze respecteren hem. Hij is een beroemdheid in de wereld van de atoomfysica.'

'Dat is mooi. Waarom hangt hij dan rond bij Bain Madox?'

'Er *zou* een professionele band tussen die twee kunnen bestaan. Hoewel het net zo goed een persoonlijke band kan zijn, voor zover wij weten. Misschien zijn het gewoon vrienden.'

'Waarom heeft hij dan niet tegen zijn vrouw verteld dat hij daar heenging?'

'Dat is de hamvraag. Maar goed, het enige dat we zeker weten, is dat een atoomfysicus genaamd Mikhail Putjov te gast was op de Custer Hill Club en nu zoek is. Al het andere is pure speculatie.'

'Dat is waar. Hé, heb je Het Punt nog gebeld?'

'Ja. Er waren twee dringende boodschappen van Liam Griffith om contact met hem op te nemen.'

'Dringend voor wie? Niet voor ons. Heb je gezegd dat we in Lake Placid waren om elandgeweien te kopen?'

'Ik heb tegen Jim gezegd dat hij tegen iedereen die ons wilde spreken moest zeggen dat we voor het diner in Het Punt werden verwacht.'

'Mooi. Dat houdt Griffith misschien een beetje koest, tot hij in Het Punt arriveert en merkt dat hij is beetgenomen.' Ik vroeg: 'Heeft Walsh nog gebeld?'

'Nee.'

'Zie je wel? Onze baas heeft ons laten vallen. Aardige kerel.'

'Ik denk dat wij hem hebben laten vallen, John, en nu betaalt hij met gelijke munt terug.'

'Nou ja, wat kan mij het ook schelen. Wie heeft er verder nog gebeld?'

'Majoor Schaeffer heeft naar Het Punt gebeld, zoals jij had geopperd. Zijn bericht aan jou was: "Je auto is teruggebracht naar Het Punt. Sleutels bij de balie".'

'Dat is aardig. Hij is vergeten het surveillanceteam ter plekke te houden, maar hij is niet vergeten zich in te dekken tegenover de FBI.'

'Heeft iemand je wel eens verteld dat je nogal cynisch bent?'

'Schat, ik ben twintig jaar lang politieman in New York geweest. Ik ben een realist.' Ik voegde er ter herinnering aan toe: 'Volgens mij hebben we dit soort gesprekken al eens eerder gehad. Oké, wat verder nog.'

Ze liet haar favoriete gespreksonderwerp los en zei: 'Een man genaamd Carl – klinkt me bekend in de oren – heeft gebeld en een boodschap achtergelaten die luidde: "Het diner gaat door". Jim vroeg naar details, maar Carl zei dat meneer Corey de details al kende en of hij alsjeblieft ook mevrouw Mayfield mee wilde nemen, zoals afgesproken.' Ze voegde eraan toe: 'Dus Madox heeft zijn naam niet genoemd, en verder ook niets wat hem in verband zou kunnen brengen met onze verdwijning.'

'Wat voor verdwijning?'

'Onze verdwijning.'

'Waarom ben je altijd zo wantrouwig?'

'John, alsjeblieft.' Ze ging verder. 'We hadden ook drie voicemailboodschappen in onze kamer.'

'Griffith en wie nog meer?'

Kate raadpleegde haar aantekeningen. 'Liam Griffith zei, om drie uur negenenveertig, opgewekt: "Hé, jongens, ik had gedacht jullie eerder te ontmoeten. Bel me even als je dit hoort. Ik hoop dat alles goed is".'

Ik lachte en zei: 'Wat een klootzak. Hoe stom denkt hij dat we zijn?' Ik voegde er snel aan toe: 'Sorry, dat klonk misschien wat cynisch – '

'Op de tweede voicemail werd gevraagd of we een massage wilden hebben – '

'Ja.'

'De laatste voicemail is van Henri, die heel lief klinkt en vraagt wat voor soort mosterd je op je... worstenbroodjes wilt.'

'Zie je wel? En jij geloofde me niet.'

'John, we hebben dringender zaken aan ons hoofd dan – '

'Heb je hem teruggebeld?'

'Dat heb ik, om ze in de veronderstelling te laten dat we inderdaad naar Het Punt terugkomen.'

'Wat heb je tegen Henri gezegd? Franse mosterd, hoop ik?'

'Jawel. Hij is echt heel charmant.'

'Hij wilde mij zijn houtsnip laten zien.'

Dat negeerde ze. 'Ik heb ook voor ons beiden een massageafspraak gemaakt, voor morgenochtend.'

'Heerlijk. Ik kijk ernaar uit.'

'We gaan dat niet meemaken.'

'Dat is waar. Nou, ik vind het vervelend om Henri teleur te stellen na alle moeite die hij zich heeft getroost, maar het spijt me niet dat ik het borreluur met Liam Griffith mis.'

Kate zag er wat moe uit, of misschien bezorgd, en ik moest haar wat zien op te peppen, dus zei ik: 'Je hebt fantastisch werk geleverd. Je bent de beste partner die ik ooit heb gehad.'

'Ik ben je baas.'

'O ja. De beste baas die ik ooit heb gehad. Oké, de FAA – '

De telefoon ging en ik zei tegen Kate: 'Verwacht jij een telefoontje?'

'Nee.'

'Misschien is het Wilma. Je echtgenoot komt eraan.'

Ze aarzelde en nam toen toch maar de telefoon op. 'Hallo?' Ze luisterde en zei toen: 'Bedankt. Ja... Ik zal het tegen hem zeggen. Bedankt.'

Ze hing op. 'Het was inderdaad Wilma. Het plakband hangt aan onze deur. Ze zegt dat mijn vriend zijn busje weg moet zetten.'

We schoten in de lach, maar we waren allebei duidelijk heel gespannen. Ik liep naar het raam, controleerde de omgeving, opende toen de deur en haalde een grote rol plakband binnen.

Ik ging aan de keukentafel zitten en begon de geïmproviseerde zakken met bewijsmateriaal dicht te plakken, precies zoals het volgens het boekje hoorde. Ik zei tegen haar: 'Vertel eens over de FAA.'

Ze gaf geen antwoord, maar vroeg in plaats daarvan: 'Waarom halen we niet gewoon de Hyundai bij Rudy op, stoppen deze zakken met bewijsmateriaal erin en rijden naar New York?'

'Heb je een pen? Ik moet een handtekening op dat plakband zetten.'

'We kunnen om ongeveer...' Ze keek op haar horloge en zei: 'Tussen drie en vier vannacht kunnen we terug zijn op 26 Fed.'

'Ga jij maar. Ik blijf hier. Hier gebeurt het en hier moet ik zijn. Een pen, alsjeblieft.'

Ze pakte een pen uit haar tas en gaf die aan mij. '*Wat* gebeurt er eigenlijk?'

'Dat weet ik niet, maar als het gebeurt, zal ik er zijn.' Ik zette mijn handtekening op het plakband en zei: 'Het is eigenlijk ook beter om ons op te splitsen voor het geval dat... Oké, jij rijdt met Rudy's busje naar Massena, huurt daar een *andere* auto en gaat terug naar New York.'

Ze ging op de stoel naast me zitten, pakte mijn hand en zei: 'Laat ik je eerst alles vertellen wat ik heb ontdekt, dan besluiten we daarna wat we doen.'

Dit klonk alsof ze een aas in haar mouw had, waarschijnlijk dat slechte nieuws waar ze het over had gehad. Wat het ook was, het drukte op haar.

Ik zei: 'De FAA. Slecht nieuws?'

'Het goede nieuws is dat het me is gelukt wat informatie los te krijgen. Het slechte nieuws is de informatie zelf.'

43

'De FAA,' begon Kate. 'Zoals jij al voorspelde, was het een zware klus. Maar uiteindelijk gaf iemand bij de FAA me de tip om het regionale Flight Service Station – het FSS – in Kansas City te bellen, waar die twee GOCO-jets zondagochtend vanaf Adirondack Regional Airport zijn geland.'

'Mooi. Wat had het FSS in KC te melden?'

'Nou, ze zeiden dat de twee vliegtuigen waren geland, hadden bijgetankt, nieuwe vluchtplannen hadden ingediend en weer waren vertrokken.' Ze keek in haar aantekeningen. 'Eén Cessna Citation, met als piloot Tim Black, met de registratie N2730G, vloog naar Los Angeles. De ander, bestuurd door Elwood Bellman, met registratie N2731G, vloog naar San Francisco.'

'Is dat zo?' Dat verbaasde me nogal. Ik was ervan overtuigd dat één of beide jets van Madox terug zou vliegen naar Adirondack Regional Airport, zodat Madox aan boord kon springen en er snel vandoor kon gaan, mocht dat nodig zijn. 'En dat waren de uiteindelijke bestemmingen?'

'Tot een uur geleden in ieder geval wel, ja. Ik heb het FSS in LA en San Francisco gebeld en er waren geen nieuwe vluchtplannen doorgegeven.'

'Oké... maar waarom vlogen ze naar Los Angeles en San Francisco?'

'Dat moeten we zien uit te vinden.'

'Precies. En we moeten er ook achter zien te komen waar die twee piloten in die steden verblijven, zodat we met ze kunnen praten.'

'Ik had diezelfde gedachte, en ik heb ontdekt dat privévliegtuigen gebruikmaken van wat Fixed Base Operations wordt genoemd – FBO's – om arriverende en vertrekkende vliegtuigen te begeleiden. Ik ontdekte voorts dat op LAX de GOCO-jets Garrett Aviation Service als hun FBO gebruiken en op SFO gebruiken ze een bedrijf genaamd Signature Flight Support. Ik heb de beide FBO's dus gebeld en gevraagd of ze wisten waar de GOCO-piloten en copiloten konden zijn. Ik kreeg te horen dat een piloot soms een lokaal nummer achterlaat, meestal een hotel, waar ze indien nodig kunnen worden bereikt, of hun mobiele nummer. Maar dit keer niet. De enige contactinformatie die deze FBO's hadden wat betreft de piloten, was het GOCO-kantoor op Stewart International Airport in Newburgh, New York, waar GOCO haar thuisbasis heeft.'

'En? Heb je die mensen gebeld?'

'Ja, ik heb naar Stewart gebeld, maar ik kon natuurlijk niet zeggen dat ik van de FBI was, en niemand wilde me ook maar enige informatie over de twee bemanningen geven.'

'Heb je ze verteld dat je arts was en dat beide piloten en copiloten zo goed als blind zijn?'

'Nee, maar ik zal jou laten bellen en kijken wat jij te weten komt.'

'Misschien later.' Ik vroeg: 'Wat zijn de namen van die copiloten?'

'Vreemd genoeg hoeft in de vluchtplannen de naam van de copiloot niet vermeld te worden.'

De Federal Aviation Administration had na 9/11 dus nog steeds de wet op de privéluchtvaart niet aangescherpt. Maar dat wist ik eigenlijk al.

Kate zei: 'Het vluchtplan vermeldt het aantal personen aan boord, en beide vliegtuigen hadden twee inzittenden. Piloot en copiloot.'

'Oké... dus die vliegtuigen landden op LAX en SFO, zonder passagiers, en staan daar sinds zondagavond geparkeerd, en er zijn geen nieuwe vluchtplannen ingediend, en ik neem aan dat piloot Black en piloot Bellman en hun onbekende copiloten nu genieten van die twee mooie steden terwijl ze wachten op verdere instructies.'

'Daar lijkt het inderdaad op.'

Ik overdacht alles nog eens en concludeerde dat het misschien niets te betekenen had en volkomen normaal was. Gewoon vier piloten die zonder passagiers over het continent vlogen, daarbij honderden liters brandstof per uur verstokend, terwijl hun baas met zijn tankers nieuwe olie aanvoerde. Ik vroeg aan Kate: 'Komt dit op jou vreemd over?'

'Ja, in mijn wereld komt dat vreemd over. Maar we kennen hun wereld niet.' Ze deelde me mee: 'Een van de FBO-mensen in San Francisco opperde bijvoorbeeld dat die vliegtuigen misschien gehuurd waren door iemand die iemand anders in SF wilde ophalen.'

'Denk jij dat een man als Madox zijn privéjets verhuurt om een paar dollar extra te verdienen?'

'Kennelijk zijn er rijken die dat doen. Maar er is meer.'

'Daar hoopte ik al op.'

Kate ging verder. 'Ik heb ene mevrouw Carol Ascrizzi gesproken, die werkt voor Signature Flight Support in San Francisco, en zij vertelde me dat haar was gevraagd de piloot en de copiloot in het bedrijfsbusje naar de taxistandplaats bij de vertrekhal te brengen.'

Dit leek me niet ongebruikelijk of belangrijk, maar ik kon aan de stem van mevrouw Mayfield al horen dat het dat wel was. 'En?'

'En mevrouw Ascrizzi zei dat GOCO, net als de meeste grotere maatschappijen, bijna altijd al van tevoren een auto met chauffeur boekt om de bemanning te vervoeren. Ze vond het daarom vreemd dat de piloot en copiloot een taxi vanaf de vertrekhal moesten nemen. Dus, vertelde mevrouw Ascrizzi, die het beste voor heeft met haar klanten, dat ze had aangeboden die knapen naar hun hotel te brengen.' Kate voegde eraan toe: 'Kennelijk logeren deze bemanningen meestal in een hotel bij het vliegveld, waar ze korting krijgen. Maar de copiloot zei tegen haar, bedankt, maar we gaan de stad in en nemen een taxi.'

'Oké... wist ze ook waar ze heengingen?'

'Nee, dat hebben ze niet gezegd.'

Wat natuurlijk de reden kon zijn dat ze een taxi hadden genomen en niet het hun aangeboden busje, en waarom er geen auto voor hen klaarstond. 'Oké, verder nog iets?'

'Ja, ze vertelde me dat deze twee knapen – piloot en copiloot – twee grote, zwartleren koffers bij zich hadden. De koffers zaten dicht met hangsloten en hadden wieltjes, en ze waren heel zwaar, zo zwaar dat er twee man voor nodig waren om ze in het busje te laden.'

'Oké. Groot en zwaar. Hangslot en wieltjes.' Ik zei: 'Ik neem aan dat dat de lading was die Chad op het vliegveld hier heeft gezien. En nu is die uitgeladen in San Francisco, en naar ik aanneem ook in LA.' Kate leek verder niets met deze informatie te kunnen, dus zei ik behulpzaam: 'Misschien hadden die mannen hun vrouw of vriendin als verstekeling aan boord en zat in die koffers voor twee dagen kleding voor de dames.'

Ze vroeg: 'Hoe krijg je het toch voor elkaar om zelfs in een gesprek over luchtvracht een seksistische opmerking te plaatsen?'

'Sorry.' Dat was nog niet zo eenvoudig. 'Ik speculeerde maar wat.' En om nog wat verder te speculeren, zei ik: 'Wat anders... goud? Twee dode lichamen? Wat?'

'Misschien moest je eerst eens nadenken alvorens iets te zeggen.'

'Oké. Wat zei Carol Ascrizzi? Was ze wantrouwig? Gedroegen de piloot en copiloot zich verdacht of zenuwachtig?'

'De piloot en de copiloot gedroegen zich, althans volgens mevrouw Ascrizzi, volkomen normaal. Ze maakten grapjes over het gewicht van de koffers en over het feit dat GOCO geen auto voor hen had gereserveerd. De copiloot flirtte wat met mevrouw Ascrizzi en zei tegen haar dat hij hoopte haar woensdag weer te zien, als ze weer van het vliegveld zouden vertrekken.'

'Oké... vertrekken waar naartoe?'

'De copiloot zei dat hun uiteindelijke bestemming LaGuardia was, maar hij zei niet welke stops ze onderweg nog zouden maken. De piloot had Signature Flight Support opdracht gegeven ervoor te zorgen dat het vliegtuig woensdag om twaalf uur met volle tanks klaarstond voor vertrek.'

'Oké... dus de piloot en de copiloot kwamen heel normaal over op mevrouw Ascrizzi, maar de lading niet.' Ik dacht daarover na en zei: 'Dus de lading werd in twee privéjets naar LA en San Francisco gevlogen, in plaats van in eentje, terwijl die steden toch vlak bij elkaar liggen.'

'Klopt.'

'En de piloot heeft Signature Flight Service in San Francisco opdracht gegeven om het toestel gereed te maken voor een vertrek op woensdagmiddag twaalf uur met bestemming LaGuardia, maar naar jouw verhaal te oordelen, hadden ze nog geen vluchtplan bij de FAA ingediend.'

'Klopt ook. Maar dat is niet ongebruikelijk. Vluchtplannen, zo heb ik ontdekt, moeten vlak voor vertrek worden ingediend, zodat er rekening kan worden gehouden met het weer, het overige vliegverkeer enzovoort.'

'Dat klinkt logisch.'

'Sorry dat ik je paranoia niet kan voeden.'

'O, maak je daar maar geen zorgen om. Ik heb nog genoeg in voorraad. Om maar eens wat te noemen – de geheime bestemming van de piloot en copiloot in San Francisco.'

'Hoezo geheim?'

'Nou, er stond geen auto voor hen klaar, wat een papieren spoor zou achterlaten, plus dat ze de kans voorbij lieten gaan om gebruik te maken van het hun aangeboden busje, en dat nadat ze die twee koffers vol stenen of wat dan ook in het busje hadden geladen, die ze er vervolgens weer uit moesten halen bij de taxistandplaats, om ze daar vanwege de grootte van de koffers in *twee* taxi's te laden voor hun ritje naar de stad. Lijkt je dat logisch?'

'Nee. Dus heb ik Garrett Aviation Service op LAX gebeld, waar ik ene Scott aan de lijn kreeg die navraag deed terwijl ik aan de telefoon was en uiteindelijk met zo'n beetje hetzelfde verhaal op de proppen kwam – twee grote zwarte koffers en met het bedrijfsbusje naar de taxistandplaats.'

'Aha. Dus kennelijk hadden deze vier knapen dezelfde instructies gekregen – om een *taxi* te nemen naar waar ze dan ook heen moesten met die twee koffers.'

'Daar heeft het veel van weg.'

'Dus hadden die twee bemanningen volgens mij een *geheime* bestemming of bestemmingen in LA en San Francisco, en daarom namen ze ook elk een eigen taxi, wat veel moeilijker te traceren is. De volgende vraag is: heeft dit iets te maken met Bain Madox' krankzinnige plan om keizer van Noord-Amerika te worden, of wat hij dan ook van plan is? Of is dat niet relevant?'

'Ik denk dat het beslist relevant is.'

'Is dit het slechte nieuws?'

Ze antwoordde: 'We hebben meer context nodig. Vertel mij nu eerst maar eens over jouw gesprek met Madox.'

'Oké. En krijg ik daarna het slechte nieuws?'

'Ja. Tenzij je het zelf al hebt uitgevogeld voordat we klaar zijn met de andere agendapunten.'

'Dat is een uitdaging. Oké, weet ik alles wat nodig is om het slechte nieuws te raden?'

'Je bent op het punt waar ik was toen ik het vermoedde. Toen vond ik nog één stukje informatie dat bevestigde waar ik al bang voor was.'

'Oké. Wauw.'

Ik dacht erover na, en er begon zich iets te vormen in mijn hoofd, maar voordat de stukjes op hun plaats konden vallen, zei Kate: 'Jouw beurt. Custer Hill. Bain Madox.'

Alle wegen leiden naar Custer Hill en Bain Madox.

44

Ik zakte onderuit op de bank en Kate ging in een gemakkelijke stoel zitten. Ik zei: 'Goed. Om te beginnen verwachtte Bain Madox me al half en half.' Ik voegde eraan toe: 'Grote geesten zitten vaak op dezelfde golflengte.'

Ik vind het heerlijk om Kate haar ogen ten hemel te zien slaan. Het staat zo lief. Ik ging verder. 'Het huispersoneel lijkt verdwenen, maar de bewaking is nog aanwezig, en dat geldt ook voor Carl.'

Ik gaf Kate een soort briefing van mijn bezoek aan Bain Madox, inclusief het gewauwel over gewond raken tijdens acties en Madox' vreemde obsessie met beren. Ik zei tegen haar: 'Maar misschien dat deze onderwerpen niet triviaal waren. Madox kan het allegorisch bedoeld hebben.'

'Het klinkt mij anders meer als machogelul in de oren.'

'Oké, dat ook. Wat echter belangrijker is, is dat ik de heer Bain Madox officieel heb meegedeeld dat hij een belangrijke getuige in een moordonderzoek is.' Ik vertelde haar over mijn onzinverhaal dat ik een van zijn bewakers ervan verdacht Harry's moordenaar te zijn. 'Dus we hebben hem nu behoorlijk klem zitten.'

Kate memoreerde: 'Het vermoorden van een federaal agent is geen federaal misdrijf.'

'Nou, dat zou het wel moeten zijn.'

'Maar dat is het niet.' Ze deelde me mee: 'Het valt binnen de jurisdictie van de staat New York. Dat betekent dus majoor Schaeffer.' Ze vroeg: 'Leer je dat je studenten op het John Ouwehoer Instituut niet?'

'Ja, ik *doceer* het. Ik breng het niet in praktijk. Ik heb mezelf trouwens ingedekt door het woord aanslag te gebruiken, wat wel een federaal misdrijf is.' Ik voegde eraan toe: 'Madox is geen advocaat. Hij is een verdachte.'

'Maar hij *heeft* een advocaat.'

'Ga nou niet op alle slakken zout leggen.'

Ze keek me wat vermoeid aan, maar gaf zich toen gewonnen. 'Ik neem aan dat dit een goeie zet was. Nodigde hij je toen ook zo ongeveer uit voor het diner?'

'Ja, inderdaad.' Ik voegde eraan toe: 'Hij zal dan wat van de door mij gevraagde informatie klaar hebben liggen.'

'Juist ja. En nu zul je officieel aan majoor Schaeffer en Tom Walsh moeten doorgeven wat je gedaan hebt.'

'Dat zal ik ook doen.'

'Wanneer?'

'Later.' Ik vertelde wat Madox en ik verder zoal besproken hadden, maar ik zei niets over het moment dat ik de klassiek simpele oplossing voor een ingewikkeld probleem had overwogen. Ik wilde tegen mijn vrouw en partner zeggen: 'Net zoals Madox het probleem Harry Muller met een half ons lood heeft opgelost, zo had ik ook het hele Madox-probleem kunnen oplossen in minder tijd dan het me kostte de rol klittenband van het tapijt op te rapen.' Maar dat zei ik niet.

Ik zei echter wel: 'Madox heeft zijn medeleven uitgesproken betreffende Harry, hoewel hij zich Harry's naam niet meer kon herinneren.'

Kate keek me aan.

Ik zei: 'Madox wilde weten of er een fonds was waar hij wat geld in kon storten.'

Ze bleef me aankijken en ik denk dat ze vermoedde dat ik erover had gedacht het recht in eigen hand te nemen, wat wel vaker gebeurt als er een agent wordt vermoord.

Kate zei tegen me: 'Ik heb Harry's vriendin gebeld, Lori Bahnik.'

Dat overviel me nogal, maar ik besefte ook dat ik dat inmiddels zelf had moeten doen. 'Dat was aardig van je.'

'Het was geen gemakkelijk gesprek, maar ik heb haar verzekerd dat wij alles zullen doen om dit tot op de bodem uit te zoeken.'

Ik knikte.

'Lori deed je de groeten. Ze is blij dat jij deze zaak onderhanden hebt.'

'Heb je gezegd dat ik niet langer op deze zaak zit?'

'Nee, dat heb ik niet verteld.' Kate staarde me aan en zei: 'Het laatste wat ik heb gehoord, is dat jij en ik op deze zaak zitten.'

We keken elkaar aan en wisselden een korte glimlach uit. Ik veranderde van onderwerp. 'Nou ja, waar het om gaat bij Bain Madox, is dat hij zich nu onder druk gezet voelt en dat hij misschien iets wanhopigs, of doms, of slims doet.'

'Ik denk dat hij al alledrie gedaan heeft door jou te eten te vragen.'

'*Ons*, liefje. En ik denk dat je gelijk hebt.'

'Ik *weet* dat ik gelijk heb. Dus waarom hem niet gewoon in de kaart gespeeld en daar komen opdraven? Of misschien iets slims doen, bijvoorbeeld *niet* op komen dagen.' Ze vroeg: 'Mag ik nu Tom Walsh bellen?'

Ik negeerde dat en ging verder met mijn briefing. 'Ik heb ook eens goed de achterkant van Madox' huis kunnen bekijken, toen ik in zijn kantoor op de eerste verdieping was.' Ik deelde haar mee: 'Er staat daar een barak die groot genoeg is om twintig tot dertig man te huisvesten, alhoewel ik denk dat per keer niet meer dan de helft dienst heeft. En verder staat er nog een stenen gebouw met drie rook uitbrakende schoorstenen, waarvoor een bestelbus van een onderhoudsbedrijf voor dieselgeneratoren staat geparkeerd.'

Ze knikte opnieuw en zei: 'Het wordt zo langzamerhand tijd deze informatie te delen. Ik zal Tom bellen en jij belt majoor Schaeffer.'

'Oké. Laat mij eerst Hank Schaeffer bellen, dan hebben we daarna meer te bepraten met Tom Walsh.'

Ik stond op, liep naar de telefoon op het bureau en belde met behulp van mijn telefoonkaart het hoofdkwartier van de staatspolitie in Ray Brook.

Majoor Schaeffer was te spreken voor rechercheur Corey en hij vroeg me: 'Waar zit u?'

Ik drukte op de meeluisterknop en antwoordde: 'Dat weet ik niet zeker, maar ik kijk nu naar een menu in het Frans.'

Majoor Schaeffer vond dat niet grappig. 'Hebt u mijn bericht doorgekregen dat uw Hertz-auto bij Het Punt staat?'

'Jawel. Bedankt.'

Hij deelde me mee: 'Uw vriend, Liam Griffith, is niet blij met u.'

'Hij kan doodvallen.'

'Moet ik dat aan hem doorgeven?'

'Dat doe ik zelf wel. Trouwens, ik ben naar de Custer Hill Club geweest en ik heb daar geen surveillanceteam gezien.'

'Nou,' antwoordde hij, 'ze zijn er wel geweest. Ik heb ze teruggetrokken naar Route 56 omdat die zwarte Jeep daar alsmaar rondreed. En ik heb ook nog een team op het bospad, voor het geval er iemand via achterafweggetjes arriveert.'

'Oké.' Ik vroeg: 'Heeft uw surveillanceteam nog iets nieuws te melden?'

'Er is niemand op de Custer Hill Club gearriveerd, behalve u zelf in een witte Hyundai van Enterprise, plus nog een busje van Potsdam Diesel.' Hij gaf me de details van mijn aankomst en vertrek en vroeg: 'Wat moest u daar in vredesnaam?'

'Daar kom ik nog op. Is dat busje alweer vertrokken?'

'Vijf minuten geleden in ieder geval nog niet. Niemand heeft verder het terrein verlaten, dus ik neem aan dat die Putjov er ook nog is.' Hij vroeg me: 'Heeft u enig teken van zijn aanwezigheid daar gezien?'

'Nee, totaal niet.' Ik vroeg hem: 'Ben ik gevolgd nadat ik de Custer Hill Club had verlaten?'

'Nee.'

'Waarom niet?'

'Omdat ik direct gebeld werd door mijn surveillancewagen, die me vertelde dat het een huurauto van Enterprise was, en dat de huurder ene John Corey was, en ik heb hem gezegd dat u aan de zaak werkte.'

'Oké.' Als dat waar was, had de staatspolitie dus niet gezien dat ik bij Rudy's benzinepomp van wagen was gewisseld. En als het niet waar was, reed ik nu rond in een bij hen bekend busje. Maar dat deed er alleen toe als ik majoor Schaeffer niet vertrouwde, en daar was de jury nog niet uit. Bovendien denk ik echt dat ik het wel had gemerkt als ik achtervolgd werd.

Majoor Schaeffer vroeg nogmaals: 'Wat moest u daar?'

'Ik probeerde me een idee te vormen van de verdachte en ik heb forensisch bewijsmateriaal verzameld.'

'Wat voor forensisch materiaal?'

'Haren en tapijtvezels.' Ik legde uit wat ik had gedaan.

Majoor Schaeffer luisterde en vroeg toen: 'Waar is dat materiaal nu?'

'In mijn bezit.'

'Wanneer bent u van plan het aan mij te overhandigen?'

'Nou, volgens mij is er eerst die kwestie over jurisdictie die moet worden opgelost.'

'Nee, die is er niet. Moord is een staatsmisdrijf.'

Ik zei, ter herinnering: 'U hebt het niet als een moord geclassificeerd.'

Er viel een stilte terwijl majoor Schaeffer de consequenties van zijn ontwijkende gedrag overdacht. Ten slotte zei hij: 'Ik zou u kunnen arresteren wegens het achterhouden van bewijsmateriaal.'

'Dat zou u kunnen, maar dan zult u me eerst moeten vinden.'
'Ik kan u vinden.'
'Nee, want ik ben hier echt goed in.' Ik zei: 'Ik zal erover nadenken wat het beste voor dit onderzoek is, en het beste voor mij en mijn partner.'
'Denk niet te lang na.' Hij vroeg me: 'Wat had Madox te melden?'
'We hebben het over beren gehad.' Ik voegde eraan toe: 'Ik heb Bain Madox officieel op de hoogte gesteld dat hij getuige was in een onderzoek naar een mogelijke moord.' Ik legde uit hoe ik dat had gedaan en besloot met: 'Hij zal nu vrijwillig of onvrijwillig moeten meewerken en dat legt wat extra druk op hem.'
Schaeffer antwoordde: 'Ja, ik begrijp hoe dat werkt, rechercheur. Bedankt.' Hij vroeg me: 'Sinds wanneer is een moord in de staat New York een federaal misdrijf?'
'Sinds wanneer is Harry Mullers dood een moord?'
Majoor Schaeffer was duidelijk niet blij met mij of mijn methodes, dus gaf hij geen antwoord op mijn vraag, maar deelde me mee: 'Madox zal nu misschien moeten meewerken aan het onderzoek, maar u zult hem nooit meer zonder zijn advocaat zien.'
Ik vroeg me af of Madox' advocaat ook bij het diner aanwezig zou zijn. Ik besloot trouwens tegen Schaeffer niets te vertellen over mijn uitnodiging om bij Madox te komen eten tot ik goed en wel onderweg was naar Custer Hill. Ik bedoel, ik moest hem wel laten weten waar ik zat, voor het geval er problemen zouden optreden. Maar ik wilde het hem niet te snel laten weten, omdat hij en Griffith anders misschien deel zouden gaan uitmaken van het probleem door me te arresteren.
Hij zei: 'Oké, ik heb een en ander voor u gedaan, en u voor mij, en ik denk dat we nu wel zo'n beetje quitte staan.'
'Nou, eigenlijk zou ik u om nog een paar gunsten willen vragen.'
'Stuur ze me maar schriftelijk toe.'
'En dan ben ik vervolgens u weer wat schuldig.'
Geen reactie. Ik denk dat hij kwaad was. Toch zei ik: 'Over diesels gesproken, bent u er ooit achter gekomen hoe groot die dieselgeneratoren op Custer Hill zijn?'
'Waarom is dat belangrijk?'
'Ik weet niet of dat het is. Het zal eigenlijk wel niet. Maar ik zag dat gebouw daar – '
'Ja, dat heb ik ook gezien toen ik daar ging jagen.'
Ik deed er enkele ogenblikken het zwijgen toe en toen zei hij: 'Ik

heb een van mijn mensen naar Potsdam Diesel laten bellen, maar mijn man had het verkeerd begrepen of de man daar op kantoor heeft het dossier niet goed gelezen.'

'Wat wilt u daarmee zeggen?'

'Nou, mijn man zei dat ze hem verteld hadden dat die generatoren tweeduizend kilowatt produceerden.' Hij zweeg even en zei toen: 'Elk afzonderlijk. Man, daar kun je een kleine stad mee van stroom voorzien. Het zal wel twintig kilowatt geweest zijn – of hoogstens tweehonderd. Of misschien twintigduizend *watt*.'

'Maakt dat verschil?'

'Ja, dat merk je wel als je je pik in een stopcontact steekt.' Hij liet dat onderwerp verder voor wat het was en zei: 'Ik zou u graag een advies geven.'

'Oké.'

'U zit hier niet voor uw eigen lol in. Dit is een teamprestatie. Sluit u weer aan bij het team.'

Kate stak instemmend haar hand op.

Ik zei tegen majoor Schaeffer: 'Daar is het nu wat laat voor.'

'U en uw vrouw zouden naar het hoofdkwartier moeten komen. *Nu*.'

Het is altijd prettig je zo welkom te voelen en het is heel verleidelijk om eraan toe te geven, maar ik vertrouwde mijn familie niet langer, dus zei ik: 'Volgens mij hebt u daar al alle federale agenten die u nodig heeft.'

Hij bood aan: 'Ik wil u ergens ontmoeten waar u zich... veiliger voelt.'

'Oké. Ik zal u nog laten weten waar u ons kunt ontmoeten.'

Voordat hij kon antwoorden hing ik op en keek Kate aan, die zei: 'John, ik denk dat we – '

'Discussie gesloten. Nieuw onderwerp. Potsdam Diesel.' Ik pakte de telefoon en draaide het nummer van Potsdam Diesel, waarvan ik het nummer me nog van het bestelbusje herinnerde.

Een jongedame nam op. 'Potsdam Diesel. Met Lu Ann. Wat kan ik voor u doen?'

Ik drukte weer op de meeluisterknop. 'Hoi, Lu Ann. Joe hier, de huismeester van de Custer Hill Club.'

'Ja, meneer.'

'Ik heb Al hier, die de generatoren nakijkt.'

'Is er een probleem?'

'Nee, maar zou je er even het dossier bij kunnen halen?'

'Een moment alstublieft.'

Er klonk muzak door de hoorn en ik zei tegen Kate: 'Al die watts, wat moet je ermee, maar majoor Schaeffer dacht dat zesduizend... wat waren het? Megawatts?'

Kate antwoordde: 'Kilowatt. Duizend watt is één kilowatt. Zesduizend kilowatt is zes *miljoen* watt. Een gloeilamp gebruikt gemiddeld vijfenzeventig watt.'

'Wauw. Dat is wel erg veel – '

Lu Ann was terug. 'Ik heb het dossier hier. Wat wilde u weten?'

'Nou, stel dat de stroom uitvalt en de generatoren het werk moeten overnemen, kan ik dan morgen wel toost en koffie maken?'

Ze lachte en zei: 'U zou toost en koffie voor heel Potsdam kunnen maken.'

'O ja? Hoeveel *kilowatt* heb ik dan?'

'Oké, u hebt drie zestien-cilinderdieselmotoren, die elk in staat zijn de bijbehorende generator op te voeren tot tweeduizend kilowatt.'

Kate en ik keken elkaar aan.

Ik zei tegen Lu Ann: 'Meen je dat? Hoe oud zijn deze generatoren? Wordt het geen tijd ze te vervangen?'

'Nee. Ze werden geïnstalleerd in... 1984... maar met het juiste onderhoud zouden ze voor eeuwig mee moeten gaan.'

'Maar hoeveel kost een nieuwe?'

'O... Dat weet ik niet precies, maar in 1984 kostten ze $245.000.'

'Per stuk?'

'Ja, per stuk. Tegenwoordig... nou ja, een stuk meer.' Ze vroeg me: 'Is er een probleem met het onderhoud?'

'Nee, Al doet het prima. Ik kan hem hier vandaan zien zweten. Wanneer is hij klaar?'

'Nou... we hebben alleen Al en Kevin... er is hier pas op zaterdag over gebeld en we hebben het echt heel druk... U weet dat u extra betaalt omdat het een haastklus is?'

Kate en ik keken elkaar nogmaals aan. Ik zei tegen Lu Ann: 'Dat is geen probleem. Doe er trouwens nog maar duizend dollar bovenop voor Al en Kevin.'

'Dat is heel genereus van u – '

'Dus wat denk je? Nog een uurtje of zo?'

'Ik weet het niet. Wilt u dat ik ze bel, of wilt u zelf met ze praten?'

'Bel ze maar. Hoor eens, we hebben hier een groot diner vanavond, dus misschien kunnen ze beter een andere keer terugkomen.'

'Wanneer wilt u dat ze terugkomen?'

'Eenendertig november.'
'Oké... o... ik zie hier dat november maar dertig dagen – '
'Daar bel ik je nog over. Geef ondertussen die jongens een belletje en zeg dat ze af kunnen taaien. Ik blijf aan de lijn.'
'Een moment, alstublieft.'
De telefoon begon nu om onduidelijke reden 'De Blauwe Donau' te spelen en ik zei tegen Kate: 'Ik had dit een uur geleden moeten doen.'
'Beter laat dan nooit.' Ze voegde eraan toe: 'Zes*duizend* kilowatt.'
'Tja. Waarom luister ik naar dit walsje?'
'Je staat in de wacht.'
'Zullen we dansen – ?'
Lu Ann kwam weer aan de telefoon en zei: 'Nou, ik heb goed nieuws. Ze zijn klaar en ze zijn hun spullen aan het inpakken.'
'Fantastisch.' *Shit.*
'Kan ik verder nog iets voor u doen?'
'Bidden voor de wereldvrede.'
'Oké... dat is aardig.'
'Lu Ann, een prettige avond nog.'
'Jij ook, Joe.'
Ik hing op en zei tegen Kate: 'In het bestaan van de wereld is dit de eerste keer dat een onderhoudsploeg voortijdig klaar is.'
'Madox had die knapen toch niet laten vertrekken. Maar goed, als we er nog niet van overtuigd waren dat we naar een ELF-antenne keken, dan heeft deze informatie ons toch wel over de streep gehaald.'
'Ik was er al van overtuigd. Dit is de definitieve bevestiging.' Ik voegde eraan toe: 'Als je vanavond ineens het zilverwerk ziet opgloeien, geef me dan een seintje.'
'John, we gaan niet – '
'Wat is er op tegen om daar te gaan eten?'
'Denk aan dood, verscheuring, verdwijning, echtscheiding.'
'Dat kunnen we wel aan.'
'Ik heb een beter idee. Laten we in dat busje stappen en naar Manhattan rijden. *Nu.* We bellen onderweg Tom Walsh – '
'Vergeet het maar. Ik ga niet op die verdomde snelweg via mijn gsm met Tom Walsh zitten bellen terwijl hier de hel losbarst. In feite is de werkelijke reden dat we vanavond naar de Custer Hill Club gaan niet dat diner, of om meer bewijzen te verzamelen, maar om vast te stellen of we de heer Bain Madox kunnen en moeten arresteren wegens de moord op – sorry, de aanslag op – federaal agent Harry Muller.'

Ze dacht daarover na en antwoordde toen: 'Ik denk dat we nog niet genoeg bewijzen hebben, of gerede vermoedens om – '

'Die bewijzen zullen me worst wezen. We hebben trouwens de bewijzen. Ze zitten in deze zakken. En de gerede vermoedens zijn de som van alles wat we hebben gezien en gehoord.'

Ze schudde haar hoofd en zei: 'Een arrestatie op grond van wat voor federale aanklacht dan ook – en zeker bij een man als Bain Madox – zou prematuur zijn en zal ons pas echt in de problemen brengen.'

'Daar zitten we toch al tot onze nek in.' Ik voegde eraan toe: 'We moeten die schoft vanavond nog arresteren. Voordat hij gaat doen wat hij van plan is. Wat dat ook moge zijn.'

Ze zei niets en ik dacht dat ik haar had overtuigd. 'Oké, kom dan nu maar met dat slechte nieuws.' Ik voegde er op wat vriendelijker toon aan toe: 'Dan kan ik een rationele beslissing nemen over wat ik daarna moet doen.'

Ze zei: 'Ik dacht dat je daar inmiddels zelf wel achter was gekomen.'

'Als dat zo was, had ik het wel gezegd. Wacht even.' Ik dacht tien volle seconden na en er leek zich een idee te vormen, maar ik had te veel dingen aan mijn hoofd, dus vroeg ik: 'Dierlijk, mineraal of plantaardig?'

Ze liep naar het bureau en trok, nog steeds staand, de laptop naar zich toe. 'Ik zal je wat laten zien.'

45

Kate sloeg een paar toetsen aan op de laptop en er verscheen een pagina met tekst op het scherm. Ze zei: 'Dit is een ongepubliceerd artikel over Mikhail Putjov van tien jaar geleden.'

Ik keek naar het scherm. 'Ja? En?'

Ze draaide de computer in mijn richting en zei: 'De auteur is een knaap genaamd Leonid Tsjernov, ook een Russische atoomfysicus die in de VS woont. Dit artikel is verschenen als een soort brief aan collega-natuurkundigen waarin hij Putjovs genie aanprijst.'

Ik zei niets.

Ze ging verder. 'En hier' – ze scrolde omlaag – 'schrijft Tsjernov, en ik citeer: "Putjov is op dit moment redelijk tevreden met zijn aanstelling als docent en vindt zijn werk uitdagend en bevredigend. Hoewel men zich zou kunnen afvragen of hij hier evenveel uitdaging vindt als toen hij nog op het Kurchatov Instituut aan het Sovjet miniaturisatieprogramma werkte".' Ze keek me aan. 'Einde citaat.'

'Miniaturisatie van wat?'

'Van nucleaire wapens. Nucleaire landmijnen bijvoorbeeld. Maar ook nucleaire kofferbommen.'

Het kostte me een halve seconde om het te begrijpen, maar toen had ik ook het gevoel alsof ik een trap in mijn maag had gekregen. 'Mijn hemel...' Ik staarde als verdoofd naar het opflikkerende computerscherm, terwijl mijn hoofd tolde van alles wat we inmiddels hadden gehoord, ontdekt, wisten en vermoedden.

'John, ik denk dat er twee nucleaire kofferbommen in Los Angeles zijn, en twee in San Francisco.'

'Goeie god!'

'Ik weet niet wat de uiteindelijke bestemming van die wapens is, en of Madox' vliegtuigen die koffers naar de uiteindelijke bestemming of bestemmingen zullen vliegen, of ze misschien in een schip worden geladen, of – '

'We moeten die vliegtuigen aan de grond zien te houden.'

'Is al voor gezorgd. Ik heb mijn vriend Doug Sturgis gebeld, het waarnemend hoofd van ons bureau in LA, en heb hem verteld dat hij die twee vliegtuigen in de gaten moet houden voor het geval de piloten weer komen opdagen, of beslag moet leggen op de vliegtuigen omdat ze bewijsmateriaal vormen in een federale zaak die dringend is en van de hoogste importantie.'

Ik knikte. Haar 'vriend' Doug was volgens mij een vriendje uit de tijd dat ze nog in LA gestationeerd was, enkele jaren geleden. Ik had het genoegen gehad deze malloot te ontmoeten toen Kate en ik in Californië achter Asad Khalil hadden aangezeten – en ik twijfelde er niet aan dat dat mietje zich in alle bochten zou wringen om zijn oude maatje Kate te gerieven.

Toch begreep ik nog steeds niet hoe Kate met één enkel telefoontje naar een simpel waarnemend hoofd in LA iets tot een grote zaak kon bestempelen. Ik bedoel, de wegen van de FBI blijven voor mij ondoorgrondelijk, hoewel ik toch ergens een hiërarchie vermoedde.

Ik vroeg haar ernaar en ze antwoordde: 'Wat ik heb gedaan – dit om Tom Walsh te omzeilen – was om Doug te vragen, nee, te smeken om dit als een anonieme tip betreffende een terroristische dreiging te behandelen.' Ze deelde me mee: 'Dat maakt de bal trouwens sneller aan het rollen, als Doug zegt dat de tip geloofwaardig klonk.'

'Juist. En dat doet hij?'

'Hij zei van wel.' Ze voegde eraan toe: 'Ik heb uitgelegd dat ik... en jij... wat aan geloofwaardigheid hadden ingeboet bij de ATTF, maar dat ik deze uiterst betrouwbare informatie had en dat het dringend was en dat het binnen zijn jurisdictie viel en – '

'Oké, ik begrijp het. En hij is je maatje, dus zal hij zijn nek voor je uitsteken.'

'Hij zou zijn nek voor niemand uitsteken, maar hij moet wel reageren op een geloofwaardige terroristische dreiging.'

'Juist. Ik neem aan dat hij weet dat jij geloofwaardig bent.'

'Kunnen we nu weer verder?'

'Jawel. Ik wilde alleen even weten of dit in goede handen is en of het niet in iemands postbakje voor morgen zit.'

Ze ging verder. 'Ik heb Doug ook de namen gegeven van Tim Black en Elwood Bellman en ik heb hem gezegd dat Black mogelijk in een hotel in Los Angeles zit, en Bellman in San Francisco en dat we de piloten zo snel mogelijk moeten zien te vinden.' Ze voegde eraan toe: 'Ik heb hem doorgegeven dat ik ze ervan verdenk nucleaire kofferbommen bij zich te hebben.'

Ik knikte. Dat was duidelijk de juiste handelwijze. 'Werd zijn interesse daardoor gewekt?'

Ze negeerde me en ging verder. 'Hij beloofde onmiddellijk een klopjacht in LA te beginnen en het bureau in San Francisco te bellen, en hij zou het doorgeven aan alle plaatselijke politiekorpsen in beide steden en hun voorsteden. Hij zal ook met zijn baas in LA gaan praten, en ze zullen allebei de directeuren in Washington en New York bellen en deze tip melden. Doug zal bevestigen dat hij gelooft dat dit een geloofwaardige tip is, dit gebaseerd op de bijzondere aard van de informatie enzovoort, en hij zal doorgeven welke actie hij onderneemt.'

'Mooi. Maar als blijkt dat de vier koffers zijn gevuld met pornoblaadjes voor Madox' Arabische vrienden, neemt Doug daar dan de verantwoording voor? Of zal hij dan jouw naam noemen?'

Ze keek me aan en vroeg: 'Denk je dan dat ik me vergis?'

Ik dacht even na en antwoordde: 'Nee, ik denk dat je gelijk hebt. Vier atoombomkoffers. Ik ga daarin mee.'

'Mooi. Dank je.' Ze ging verder. 'Ik heb Doug gezegd dat hij moest verzoeken om een verhoogde dreiging van binnenlands terrorisme.'

'Dat zou het kantoor in LA toch van hun surfplanken moeten krijgen.' Ik voegde eraan toe: 'Hoewel dit natuurlijk niet echt een binnenlandse dreiging is.'

'Nee. En Bain Madox is geen terrorist... nou ja, misschien ook wel. Maar ik wist niet zo gauw hoe ik een complot om vier nucleaire kofferbommen het land uit te smokkelen moest classificeren, dus zei ik tegen Doug: "Behandel het als een verhoogde binnenlandse dreiging, zolang wij geloven dat de koffers nog in LA en San Francisco zijn".'

'Goeie zet.'

'De FBI in beide steden neemt contact op met alle plaatselijke taxibedrijven om te kijken of hun chauffeurs zich misschien herinneren dat ze op LAX en SFO een mannelijke passagier op de taxistandplaats hebben opgepikt die een grote, zwartleren koffer bij zich had. Maar of dat wat oplevert, is de vraag, want zoals je weet zijn veel van die taxichauffeurs buitenlanders en die praten niet graag met de politie of de FBI.'

Dat was niet bepaald een politiek correcte uitspraak voor een federale werknemer, maar als de spanning toenam, moesten zelfs de Feds terugvallen op de realiteit.

Ze ging verder. 'We hebben een beter signalement van de koffers dan van de piloten en copiloten. Ik heb daarom aan Doug gevraagd om de FAA te bellen en de foto's van Black en Bellman naar de FBI in LA San Francisco te laten mailen. En vervolgens hoorde ik tot mijn stomme verbazing dat op het brevet van piloten geen foto's staan.'

'Ongelooflijk. Weer zo'n onthutsend voorbeeld van de post-9/11-stupiditeit van de FAA.'

'Dus heb ik de FAA-adressen van de piloten gebruikt om hun rijbewijzen, met foto, op te vragen. Black woont in New York, Bellman in Connecticut.'

'Je hebt tijdens mijn afwezigheid niet stilgezeten.'

'Ik kreeg het pas echt druk toen ik me realiseerde dat we hier mogelijk met nucleaire kofferbommen te maken hebben.'

'Juist. En hoe gaat het met Doug?'

'Ik had het te druk om hem dat te vragen. Maar je moest de groeten van hem hebben.'

'Dat is aardig.' Val dood. 'Kon hij het waarderen dat jij hem vertelde wat hij moest doen?'

'John, ik had de informatie, en ik had erover nagedacht, en hij was... nou ja, perplex. Dus ja, hij waardeerde mijn inspanningen.'

'Mooi.' Ik herinnerde me nu ook dat hij nogal onbenullig overkwam.

Ik dacht na over deze nieuwe en opwindende ontwikkeling en mijn hersens probeerden alle invalshoeken, overeenkomsten en mogelijkheden te doorzien. Ik zei tegen Kate: 'Als die piloten naar een hotel zijn gegaan en als dit een of andere geheime Madox-missie is, waar het veel op lijkt, hebben die vier kerels waarschijnlijk onder een valse naam ingecheckt.'

Ze knikte. 'Maar we hebben de echte naam van de twee piloten, dus zal de FBI al heel snel de foto's van hun rijbewijs binnen hebben, als ze die al niet hebben.' Ze deelde me mee: 'Doug vraagt het regionale kantoor in Kingston, New York, of ze een agent naar het GOCO-kantoor op Stewart Airport willen sturen om te kijken wie de copiloten waren.'

'Slim bedacht.' Het zag er naar uit dat dit deel van het probleem in goede handen was, maar ik vermoedde dat het vinden van de vier piloten niet gemakkelijk zou zijn, vooral niet als Madox ze opdracht had gegeven zich gedekt te houden, hun mobiele telefoon niet op te nemen, in hun hotelkamer te blijven en valse identiteitsbewijzen te gebruiken.

Kate zei: 'Helaas kunnen die kofferbommen – als dat is wat ze vervoeren – inmiddels al in andere handen zijn overgegaan.'

'Het *zijn* kofferbommen. Noem het beestje nou maar gewoon bij de naam.'

'Oké, oké. Madox zal ze naar ergens in het buitenland willen vervoeren. Ik gok op het Midden-Oosten, of een ander islamitisch land.' Ze vervolgde met: 'Ik heb Garrett Aviation Service teruggebeld en kreeg een knaap aan de lijn die zei dat een Cessna Citation geen oceaanoversteek kon maken, tenzij hij eerst naar Alaska vloog, vervolgens naar de Aleoeten, dan Japan, enzovoort.' Ze verklaarde: 'Dat zou een heleboel bijtanken betekenen, om nog maar te zwijgen over alle douanecontroles onderweg. Ik denk dus dat we die mogelijkheid kunnen doorstrepen.'

Ik knikte en probeerde dit allemaal te verwerken. Madox' Cessna Citations waren op zondagavond geland in LA en San Francisco. De piloten en copiloten hadden geen lokaal adres achtergelaten, maar hadden doorgegeven dat ze woensdag – morgen – weer zouden vertrekken, met bestemming New York. En ik was ervan overtuigd dat de piloten dat ook echt van plan waren, en dat ze dat misschien ook zouden doen. Ondertussen bleef de vraag: waar was hun lading? Waarschijnlijk niet langer in hun bezit.

Ik zei tegen Kate: 'Ik denk dat Madox een van zijn eigen olietankers gaat gebruiken – of al gebruikt heeft – om die atoombommen ergens heen te brengen. *Dat* is de reden dat zijn vliegtuigen in steden met een zeehaven zijn geland.'

Kate knikte. 'Ik ben tot dezelfde conclusie gekomen en heb Doug gevraagd om in beide havens schepen en containers te doorzoeken, te beginnen met de schepen van de GOCO-vloot.' Ze voegde er nogal overbodig aan toe: 'Dat is een enorme klus. Maar als ze snel de NEST-teams kunnen inschakelen, plus de mensen van de havenbeveiliging, die ook gammastralen- en neutronendetectors hebben, zouden we geluk kunnen hebben.'

'Dat is waar... maar ze moeten niet alleen schepen en containers controleren, maar ook pakhuizen en vrachtwagens... en misschien worden die atoombommen wel vervoerd in een of ander vrachtvliegtuig.'

'Ze gaan ook alle vliegvelden in de regio controleren.'

'Oké. Maar het blijft zoeken naar een speld in een hooiberg.'

'Deze spelden zijn radioactief en we hebben daarom een goede kans ze te vinden.'

'Misschien, als ze nog steeds in LA en San Francisco zijn. Maar hier is een voor de hand liggender scenario – de kofferbommen zijn al overzee of door de lucht op weg naar hun uiteindelijke bestemming. Ik bedoel, het is al bijna twee dagen geleden dat ze aan de Westkust zijn gearriveerd.'

'Daar kun je gelijk in hebben, maar we moeten toch in die steden gaan zoeken, voor het geval ze daar nog wel zijn.' Ze voegde eraan toe: 'Het zal makkelijker zijn de piloten te vinden, zeker als ze morgen op LAX en SFO komen opdagen.'

'Goed. Oké, dit is waar het om draait met die piloten. Het zou leuk zijn als we ze vonden, maar ik denk niet dat de FBI de koffers nog in hun bezit zal aantreffen. De piloten zullen echter weten waar ze de koffers hebben afgegeven, of misschien wie ze heeft opgepikt. Maar daar zal het spoor waarschijnlijk eindigen.' Ik voegde er ter verduidelijking aan toe: 'Helaas zijn we hier ongeveer achtenveertig uur te laat mee en de volgende keer dat die kofferbommen opduiken, zal dat zijn in de vorm van vier paddenstoelenwolken boven de Zandbak.'

Kate bleef enkele ogenblikken zwijgend en beweginglooss staan. 'Mijn god, dat hoop ik niet.'

'Tja.' Nou ja, het leek erop dat Kate en hoe heette hij ook alweer in LA hadden gedaan wat ze in zo korte tijd konden en dat ze het goed hadden gedaan – hoewel dit natuurlijk ook weer geen hogere wiskunde was of, toepasselijker in dit geval, atoomfysica. Het was standaard politie- en FBI-werk en het zou de vier piloten opleveren, en mogelijk nog wat informatie over de kofferbommen. Het probleem was echter – zoals al steeds bij deze zaak – tijd. Madox was de wedstrijd begonnen ver voordat het bezoekende team zelfs maar aanwezig was en hij had al punten gescoord nog voor zijn tegenstanders op het veld stonden.

Maar er was misschien ook nog wat goed nieuws. Een zwakke schakel in deze nucleaire ketting. Ik zei tegen Kate: 'De ELF-zender. *Daarmee* gaat hij die bommen tot ontploffing brengen.'

Ze knikte. 'Daar ging dat ELF dus over. Elke bom moet een ontvanger voor extreem lage frequentie hebben, die is verbonden met het ontstekingsmechanisme. De ELF-golven kunnen, zoals wij hebben ontdekt, de hele wereld over en dringen in alles door. Dus als de bommen zijn waar Madox ze wil hebben, verstuurt hij van hieruit de code en binnen een uur bereikt het signaal de ontvangers in de koffers, waar ter wereld ze ook zijn.'

'Precies. Dus het lijkt erop dat die klootzak zijn geavanceerde ELF-station bijna twintig jaar geleden heeft gebouwd om nepberichten naar de Amerikaanse atoomonderzeeërs te sturen teneinde de Derde Wereldoorlog te beginnen. Maar dat werkte niet, dus heeft hij nu een andere manier bedacht om zijn investering eruit te halen.'

Kate knikte en zei: 'Het begint nu allemaal op zijn plek te vallen.'

'Precies... en Putjov was de knaap die deed wat hij moest doen om ervoor te zorgen dat die kofferbommen via ELF-golven tot ontploffing kunnen worden gebracht.'

'Ik heb via internet ook ontdekt dat miniatuuratoomwapens regelmatig onderhoud nodig hebben, dus dat was nog een neventaak van Putjov.'

'Wijlen dr. Putjov.'

Kate knikte.

Ik vroeg, retorisch: 'Waar heeft Madox die nukes verdomme vandaan?' Vervolgens beantwoordde ik mijn eigen vraag. 'Ik denk dat ze te koop zijn bij onze nieuwe vrienden in Rusland – wat ook de reden is dat Madox een Rus inhuurde. Shit, ik kon zelfs nog geen fatsoenlijke Zweedse monteur voor mijn oude Volvo vinden en die klootzak van een Madox heeft een Russische atoomfysicus om zijn atoombommen af te stellen.' Ik voegde eraan toe: Als je maar geld hebt, dan kan alles.'

'Geld en krankzinnigheid zijn geen goede combinatie.'

'Daar zeg je wat. Oké... dus we mogen aannemen dat binnen een paar dagen vier steden flink in de problemen komen... of misschien al binnen een paar uur – islamitische steden. Mee eens?'

'Mee eens. Wat kunnen we verder nog concluderen?'

Ik dacht erover op wie Madox zijn vizier zou kunnen richten. Maar de mogelijke doelen waren gewoon te talrijk. En het hing er ook min of meer vanaf of deze atoombommen per boot, per vliegtuig of via een combinatie daarvan werden vervoerd. Ik zag deze knaap er zomaar voor aan Mekka of Medina te bombarderen, maar misschien ging het alleen maar om een zakelijk geschil en had hij olieraffinaderijen uitgekozen in landen die hem voor het hoofd hadden gestoten. Maakte dat wat uit trouwens?

Kate zei: 'Goed, ik denk dat ik alles heb gedaan wat binnen mijn bereik lag, en Doug zal dat nu ook doen.'

'Ja...' Ik keek op mijn horloge. 'Het kantoor in LA heeft nu in ieder geval wat omhanden voordat vanavond hun aerobicklasje begint.'

'John – '

'Maar om nog eens terug te komen op het onderwerp wie wat weet en sinds wanneer – Washington weet hier beslist iets van. Ze zijn alleen vergeten het ons te vertellen.'

Geen commentaar van speciaal agent Kate Mayfield.

'Dat is de enige logische verklaring voor Harry's opdracht.' Ik voegde eraan toe: 'Het ministerie van Justitie, en daarmee de FBI in Washington, weet wat Madox van plan is. Ja?'

'Ik weet het niet. Maar zoals ik al zei is dit iets veel groters dan jij besefte toen je je neus in een onderzoek van Justitie stak.'

'Ik geloof dat we het daar beiden wel over eens zijn.' Ik zei tegen Kate: 'Ik heb twee samenzweringstheorieën voor je: één, de regering weet wat er op Custer Hill gaande is en Harry was het spreekwoordelijke lam dat werd geofferd om de FBI een excuus te geven bij Madox binnen te vallen en hem te arresteren. Maar ik heb nog een betere – de regering weet wat zich op Custer Hill afspeelt en Harry was het offerlam dat daarheen werd gestuurd om Madox en zijn vrienden tot actie te bewegen, zodat ze de trekker zouden overhalen wat die bommen betreft.'

Kate schudde haar hoofd. 'Dat is onzinnig.'

'O ja? Heb jij dan al SWAT-teams van de FBI gezien die de Custer Hill Club binnenstormen?'

'Nee... maar... die wachten misschien op het juiste moment – '

'Als dat zo is, hebben ze misschien wat te lang gewacht.' Ik bracht haar in herinnering: 'Harry was zaterdagochtend op de Custer Hill Club. Madox' bijeenkomst met zijn vrienden vond op zaterdag en zondag plaats. Putjov verscheen op zondagochtend om die bommen af te stellen. Madox' vliegtuigen landden zondagavond aan de Westkust. Maandag was waarschijnlijk de dag dat de bommen onderweg gingen naar de Zandbak. Vandaag is het dinsdag en Potsdam Diesel is klaar met het onderhoud aan de generatoren.' Ik concludeerde: 'Vanavond of morgen is het vuurwerk.'

Kate gaf geen antwoord.

'En Madox doet dit niet in zijn eentje. Het was geen toeval dat onder zijn weekendgasten twee, mogelijk drie en misschien nog wel meer hoogwaardigheidsbekleders zaten. Verdomme, wie weet zaten de directeuren van de FBI en de CIA er wel bij.' Ik voegde eraan toe: 'Maar misschien gaat het nog wel verder dan dat.'

Ze dacht daar even over na en zei toen: 'Oké... maar doet het er op dit moment toe wie er verder nog bij betrokken kan zijn, of wie hiervan afweet? Punt is dat als dit is wat het lijkt, mijn beslissing om de FBI in LA te bellen de juiste was – '

'Ik neem aan dat je tegen je vriend niets hebt gezegd over Madox, ELF, of waar je vandaan belde of – ?'

'Nee... omdat... ik hier eerst met jou over wilde spreken. Want stel dat ik het nu eens helemaal bij het verkeerde eind heb? Ik bedoel, als je er goed over nadenkt, zou er voor dit alles ook best een heel andere verklaring kunnen zijn – '

'Kate, je vergist je niet. *Wij* vergissen ons niet. *Harry* vergiste zich niet. Het is allemaal volkomen helder. Madox, nuke, ELF. Plus Putjov.'

'Ik weet het. Ik weet het. Oké, dus moeten we nu contact opnemen met Tom Walsh en *hem* officieel laten doorgeven aan het hoofdkwartier van de FBI wat de bron van deze informatie is – ik... en jij – en waar we deze informatie op baseren – '

'Goed.' Ik keek opnieuw op mijn horloge en zag dat het 18:10 was. 'Doe dat. Ondertussen moet ik naar een etentje.'

Ze stond op en zei: 'Nee. Er is geen enkele reden om daarheen te gaan.'

'Liefje, Madox is bezig zijn ELF-zender uitzendgereed te maken, ondertussen wachtend op een of ander bericht dat zijn kofferbommen zijn waar ze verondersteld worden te zijn. Vervolgens zal een ELF-golf zich langzaam een weg banen over het land, de Stille Oceaan – of misschien de andere kant op, over de Atlantische Oceaan – tot hij wordt opgepikt door de ELF-ontvangers in die vier koffers.' Ik voegde eraan toe: 'Er zullen miljoenen mensen sterven en er zal een radioactieve wolk over de planeet waaien. Het minste dat ik kan doen is proberen dit bij de bron af te kappen.'

Ze dacht daarover na en zei toen: 'Dan ga ik met je mee.'

'Nee, jij gaat de cavalerie oproepen en ze richting Custer Hill Club sturen – zonder huiszoekingsbevel of gerede vermoedens of meer van dat gelul – door naar waarheid te vertellen dat zich een federale agent op dat terrein bevindt die in levensgevaar verkeert.'

'Nee – '

'Bel Walsh, bel Schaeffer, bel als het moet de plaatselijke sheriff en bel Liam Griffith en zeg hem waar hij John Corey kan vinden. Maar geef me wel dertig minuten voorsprong.'

Ze gaf geen antwoord.

Ik liep naar de keukentafel, laadde mijn twee Glock-magazijnen met 9mm-patronen en schoof de twee BearBangers in het borstzakje van mijn overhemd, naast mijn pen. Ten slotte trok ik mijn nieuwe sokken aan, die ineens niet meer zo belangrijk leken. Ik kon ook zo gauw geen toepassing voor mijn toeter bedenken, maar ik nam hem toch maar mee, voor het geval de claxon van Rudy's busje niet werkte.

Terwijl ik daarmee bezig was, zat Kate op de laptop te bonken en ik vroeg haar: 'Wat ben je aan het doen?'

'Ik stuur een e-mail aan Tom Walsh met de boodschap dat hij contact op moet nemen met Doug in LA en dat ik de bron van de informatie ben.'

'Verstuur hem pas als je bericht van mij hebt gehad.' Ik voegde eraan toe: 'Ik hoop dat Walsh vanavond zijn e-mail controleert.'

'Meestal wel.'

Wat dat mailen betreft, de FBI kent nog steeds alleen maar interne, 'veilige' e-mail, dus kon Kate, hoe ongelooflijk het ook klinkt, niet mailen naar Walsh' FBI-adres en kon ze ook verder niemand op het kantoor bereiken of een cc sturen, naar de wachtcommandant bijvoorbeeld. Ze moest het bericht dus versturen naar Walsh' persoonlijke e-mailadres, in de hoop dat hij daar regelmatig naar keek. En dat een jaar na 9/11.

Ik zei tegen haar: 'Oké, ik bel je via mijn gsm als ik in de buurt van de Custer Hill Club ben.'

'Wacht even. Oké, het bericht staat in de wachtlijst en wordt om zeven uur verzonden.' Ze zette de laptop uit, legde hem op de keukentafel en trok toen haar suède jack aan. 'Wie rijdt er?'

'Aangezien ik de enige ben die daarheen gaat, neem ik aan dat ik ook rijd.'

Ze stopte de doos met .40 munitie in haar tasje, samen met de twee magazijnen, pakte toen de laptop en liep naar de deur. Ik pakte haar bij de arm en vroeg: 'Waar dacht jij heen te gaan?'

Ze bracht me in herinnering: 'Jij zei dat Madox speciaal naar mij vroeg, schat. Jij wilde dat ik meeging, dus ga ik mee.'

Ik deelde mee: 'De situatie is veranderd.'

'Dat is hij zeker. Ik heb hier alles gedaan wat ik kon.' Ze voegde eraan toe: 'Jij hebt me twee dagen van hot naar her gesleurd en nu wil ik ook de lol hebben. Bovendien ben je je tijd aan het verdoen.' Ze rukte zich los, opende de deur en liep naar buiten. Ik volgde.

Het was inmiddels donker en koud. Terwijl we naar het busje liepen, zei ik tegen Kate: 'Ik waardeer je bezorgdheid om mij, maar – '

'Dit heeft voor de verandering nu eens meer met mijzelf te maken dan met jou.'

'O...'

'Ik werk niet voor jou. Jij werkt voor mij.'

'Nou ja, technisch gesproken – '

'Jij rijdt.'

Ze stapte in het busje en ik gleed achter het stuur en reed naar het huis van Wilma.

Kate zei: 'En ik maak me ook zorgen om jou.'

'Bedankt.'

'Jij hebt leiding nodig.'

'Ik weet niet – '

'Stop hier.'

Ik stopte voor het huis van Wilma en Ned, en Kate zei: 'Hier. Breng Wilma's laptop terug. Ze heeft nog tien minuten voordat haar veiling sluit.'

Ik had geen idee wat dat betekende, maar het klonk belangrijk, dus pakte ik de laptop, stapte uit en belde aan.

De deur ging open en daar stond Wilma. Ze zag er ook uit als een Wilma en ik zou niet graag een potje met haar armdrukken.

Ze bekeek me van top tot teen, wierp toen een blik op het busje en zag Kate. Ze deelde me mee: 'Ik wil hier geen problemen.'

'Nee, ik ook niet. Oké, hier is uw laptop. Bedankt.'

'Wat zeg ik als de echtgenoot haar komt opzoeken?'

'Gewoon de waarheid vertellen.' Ik zei tegen haar: 'Wilt u me een plezier doen? Als we morgenochtend nog niet terug zijn, wilt u dan majoor Hank Schaeffer bellen op het hoofdkwartier van de staatspolitie in Ray Brook. Oké? Vertel hem maar dat John wat spullen voor hem heeft achtergelaten in huize Vijver.' Ik voegde eraan toe: 'Veel geluk met de veiling.'

Ze keek op haar horloge, zei: 'O, mijn god,' en deed de deur dicht.

Ik liep terug naar het busje en we gingen op weg.

Kate was bezig haar twee magazijnen te laden en merkte op: 'Wel erg goedkoop, dit busje.'

'Vind je?' Ik vertelde haar van mijn gesprekje met Wilma, en Kate antwoordde: 'We zijn voor morgenochtend terug.'

Dat was optimistisch.

Het klokje op het dashboard wees 15:10 aan, wat mogelijk niet helemaal klopte. Mijn horloge stond op 18:26 en we zouden keurig te laat zijn voor de borrel.

Ik had het vreemde gevoel dat ergens nog een andere klok tikte.

46

Onder het rijden vroeg ik aan Kate: 'Wat heb je in die e-mail aan Walsh gezet?'

'Wat ik je verteld heb.'

'Ik hoop niet dat je hebt doorgegeven dat we op weg waren naar de Custer Hill Club, voor cocktails en een diner.'

'Dat heb ik wel gedaan.'

'Dat was anders niet de bedoeling. Nu worden me misschien door de meute onderschept – of zijn ze daar eerder dan wij.'

'Nee, dat zal niet gebeuren. Ik zei toch al dat ik de e-mail naar een internetdienst heb verstuurd die hem pas later zullen doorsturen? Om zeven uur om precies te zijn.'

'Daar heb ik nog nooit van gehoord.'

'Dat is speciaal verzonnen voor situaties als deze, en voor mensen zoals jij.'

'Goh, wat aardig.'

Ze verklaarde zich nader. 'Jij wilt op de Custer Hill Club zijn voordat iemand weet dat we daarheen op weg zijn, ja? En tegen de tijd dat Tom dat bericht leest, hebben wij hopelijk al wat dingen opgelost. Klopt dat?'

'Klopt.'

'En dan zijn wij helden.'

'Precies.'

'Of dood.'

'Je moet niet zo negatief denken.'

'Wil je misschien omdraaien?'

Ik keek uit het raam. 'Hoezo? Heb ik een afslag gemist?'

'John, zou het zo langzamerhand geen tijd worden dat je tot inkeer komt?'

'Nee, daar is het nu niet het juiste tijdstip voor. Ben je meegegaan om me de les te lezen, of om me te helpen?'

'Om je te helpen. Maar als je nu naar het hoofdkwartier van de staatspolitie zou rijden, zou ik je heel slim vinden.'

'Nee, je zou me zien als een ruggengraatloze schijtluis zonder ballen.'

'Niemand zou jou ooit zo noemen. Maar soms, nu bijvoorbeeld, moet je eieren voor je geld kiezen.'

'Die uitdrukking is door zo'n schijtluis bedacht. Hoor eens, ik ben niet gek, maar dit is *persoonlijk*, Kate. Dit heeft met Harry te maken. Plus dat er ook nog een element van tijd meespeelt.' Ik legde het uit. 'Dat ELF-station is opgestart, of zal dat binnenkort zijn, en ik zou niet weten wie er sneller op de Custer Hill Club zou kunnen zijn dan wij, want *wij* zijn daar uitgenodigd.'

'Misschien. Misschien ook niet.'

'Waar geen misschien aan te pas komt, is dat ik een stuk van die schoft wil voordat alle anderen zich op hem storten.'

'Dat weet ik. Maar ben je bereid het risico te nemen van een mogelijk nucleair incident, alleen maar om je persoonlijke vendetta te bevredigen?'

'Hé, jij hebt toch die e-mail op de wachtlijst gezet?'

Ze merkte op: 'Ik kan majoor Schaeffer en Liam Griffith *nu* bellen.'

'Dat doen we vlak voordat we bij de Custer Hill Club zijn. We kunnen nu nog eventjes geen stoorzenders gebruiken.'

Daar reageerde ze niet op. Ze vroeg: 'Denk jij dat Madox vanavond nog dat ELF-signaal gaat uitzenden?'

'Ik weet het niet. Maar we moeten ervan uitgaan dat onze uitnodiging iets met zijn tijdschema te maken heeft.' Ik opperde: 'Zet de radio aan en kijk of er al nieuws is over nucleaire explosies. Als dat zo is, kunnen we wat langzamer gaan rijden en hoeven we ons niet meer druk te maken dat we misschien te laat voor het eten zijn.'

Ze zette de radio aan, maar er gebeurde niets. 'Hij doet het niet.'

'Misschien hebben de ELF-golven de AM- en FM-zenders weggedrukt. Probeer het ELF-kanaal.'

'Niet grappig.'

Ik zat inmiddels op Route 56, richting South Colton en ik haalde de sleuteltjes van de Hyundai uit mijn zak en stopte ze in haar hand. Ik zei: 'Ik stop zo meteen bij Rudy's benzinepomp en daar neem jij de Hyundai en rijdt ermee naar het hoofdkwartier van de staatspolitie.'

Ze opende het raampje en gooide de sleuteltjes naar buiten.
'Dat gaat me vijftig piek kosten.'
'Oké, John, we zijn er over ongeveer twintig minuten. Laten we van de gelegenheid gebruikmaken om te bespreken wat we kunnen verwachten en wat we moeten zeggen en doen. We zouden bovendien wat noodplannen moeten verzinnen, en vaststellen wat precies ons doel is als we daar zijn.'
'Je bedoelt een strategie?'
'Ja, een strategie.'
'Oké. Ik dacht eigenlijk dat we gewoon maar wat zouden improviseren.'
'Dat dacht ik niet.'
'Goed... nou, om te beginnen, laat geen metaalscan toe. En al zeker geen fouillering.'
'Dat spreekt voor zich.'
'Ik bedoel, ik betwijfel of hij dat zal proberen, tenzij hij alle pretenties als zouden wij zijn gasten zijn, laat vallen.'
'En als dat gebeurt?' vroeg Kate.
'Nou, als ze om onze wapens vragen, dan tonen wij onze wapens *en* onze badges.'
'En als er tien man een geweer op ons gericht houden?'
'Dan spelen we het officieel en zeggen dat ze allemaal onder arrest staan. En laten we niet vergeten om tegen Madox te zeggen dat de hele B Troop-barak van de staatspolitie van New York weet waar we zijn. Dat is de aas die we achter de hand houden.'
'Dat weet ik. Maar voorlopig weet niemand nog dat we daarheen op weg zijn. En als het Madox geen donder kan schelen dat anderen weten waar we zijn? Wat als Hank Schaeffer daar in de keuken voor kok speelt en de sheriff onze drankjes mixt? Wat als – ?'
'Maak Madox nou niet groter dan hij is. Hij is slim, rijk, machtig en meedogenloos. Maar hij is geen Superman, liefje.' Ik voegde eraan toe: '*Ik* ben Superman.'
'Oké, Superman, waar moeten we nog meer aan denken om onszelf gezond en in leven te houden?'
Ik adviseerde haar: 'Vraag niet om een daiquiri of andere dingen waar mee geknoeid kan zijn. Drink wat hij drinkt. En hetzelfde geldt voor het eten. Wees voorzichtig. Denk aan de Borgia's.'
'Denk jij maar liever aan de Borgia's. Ik zweer je, John, jij zou nog chili con carne en hotdogs eten als je *wist* dat ze vergiftigd waren.'
'Lijkt me heerlijk om zo te sterven.' Ik ging verder met mijn brie-

fing. 'Oké, onze houding. Dit is een sociaal gebeuren, gekoppeld aan het onplezierige gegeven van een federaal onderzoek. Dus gedraag je daarnaar.'

'Hoe doe ik dat?'

'Ik bedoel, de juiste combinatie van beleefdheid en doortastendheid.' Ik ging verder. 'Madox houdt van whisky. Probeer in te schatten hoe nuchter hij is. Als hij weinig drinkt, kun je dat beschouwen als een teken dat het hommeles is.'

'Ik begrijp het.'

We bespraken nog wat meer etiquetteproblemen die misschien niet in de standaardwerken voorkwamen.

Toen we daarmee klaar waren, stapte Kate over op survivallessen. 'Vertel me eens wat meer over die BearBangers.'

'Hé, die zijn echt gaaf.' Ik gaf haar er een en vertelde hoe ze hem moest laden en afvuren. Daarna besprak ik het mogelijke gebruik als laatste toevluchtswapen als we van onze hardware werden ontdaan. Ik zei: 'Misschien dat ze bij een fouillering over het hoofd worden gezien omdat ze nogal op penlights lijken. Maar je zou hem natuurlijk voor de zekerheid in je kruis kunnen steken.'

'Oké. Mag ik ook zeggen waarin je de jouwe kunt steken?'

'Nee, dit is serieus.'

We doorliepen wat mogelijke scenario's, wat vluchtplannen en mogelijke actieplannen.

Ik zei tegen haar: 'Mijn oorspronkelijke plan – waar ik nog steeds achter sta – was om daar ergens via dat hek naar binnen te gaan en één of twee van die antennepalen om te halen, en/of de generatoren uit te schakelen.'

Daar reageerde ze niet op.

Ik ging verder. 'Dat is een heel directe oplossing voor het ELF-probleem. *Dat* is namelijk de zwakke schakel in Madox' plan om die kofferbommen tot ontploffing te brengen. Ja?'

'En als er nu eens geen kofferbommen zijn? Als er nu eens geen ELF-station is?'

'Dan bieden we onze excuses aan voor de schade en beloven we de palen en de generatoren te vergoeden.'

Ik liet dat even op haar inwerken terwijl we verder reden, maar Kate zei niets, dus pakte ik mijn plattegrond van het terrein van de Custer Hill Club en legde die op haar schoot.

Ze keek ernaar. 'Hoe kom je daaraan?'

'Heb ik van Harry gekregen.'

'Heb je hem uit het mortuarium meegenomen?'
'Hij was nog niet geïnventariseerd – '
'Jij hebt *bewijsmateriaal* ontvreemd?'
'Hou nou eens op met die FBI-onzin. Ik heb hem *geleend*. Dat wordt zo vaak gedaan.' Ik tikte op de kaart op haar schoot en zei: 'Er loopt een oud bospad voor houthakkers aan de oostkant van het terrein en dat eindigt bij het hek en gaat daarna weer verder. Oké, we nemen dat pad, rijden dat hek kapot en zo'n honderd meter verder kruisen we dan dit pad hier dat langs alle palen loopt. Zie je?'
Ze keek niet naar de plattegrond maar naar mij.
Ik ging verder. 'Dus we rijden langs dat pad, rammen de eerste de beste paal die we tegenkomen. De paal valt om, de kabels knappen en het ELF-station is uit de lucht. Wat vind je ervan?'
'Nou, behalve dat het een krankzinnig plan is, denk ik niet dat dit busje in staat is een van die palen uit de rotsgrond te stoten.'
'Ja hoor, dat lukt best. Daarom heb ik ook dit busje geleend.'
'John, ik ben opgegroeid op het platteland van Minnesota. Ik heb busjes en zelfs vrachtwagens tegen die palen zien botsen, en de palen winnen meestal.'
'Ja? Ik kan het nauwelijks geloven.'
'En zelfs als de paal breekt, blijven de draden meestal heel en hangt de paal daar maar wat in de lucht.'
'Meen je dat nou? Ik had met je moeten praten voordat ik me hiermee lekker maakte.'
'En als de draden wel knappen en dit busje raken, worden wij geroosterd.'
'Dat is waar. Slecht idee.' Ik ging verder. 'Oké, als je op die plattegrond kijkt, zie je het generatorhuis. Zie je het? Daar.'
'Let op de weg.'
'Oké, goed, dit zal niet meevallen, want het huis is uit natuursteen opgetrokken, met stalen deuren en luiken. Maar het zwakke punt zijn de schoorstenen.'
'Was dat niet het verhaal van de drie kleine biggetjes?'
'Ja, maar wij gaan niet door die schoorsteen omlaag. We klimmen vanaf dit busje naar het dak, proppen onze jacks in de schoorsteenpijpen, wat die stomme wolf ook had moeten doen, en vervolgens kan de rook niet meer weg en houden de generatoren ermee op.'
'Ik zie drie schoorstenen en twee jacks.'
'Er ligt een deken achter in het busje, plus nog genoeg andere rotzooi om zes schoorstenen mee te vullen. Wat vind je ervan?'

'Nou, theoretisch gezien zou het moeten kunnen. Heb je ook rekening gehouden met tien of twintig bewakers met terreinwagens en geweren?'

'Ja. Daarom heb ik nu juist die extra munitie aangeschaft.'

'Natuurlijk. Dus laten we ervan uitgaan dat het werkt, of niet werkt. Melden we ons daarna nog steeds bij de voordeur voor het diner?'

'Dat hangt af van de afloop van het vuurgevecht met de bewakers. Dat zien we wel als het zover is.'

'Het klinkt bijna als een plan. Waar is dat bospad?'

Ik kreeg het idee dat ze sarcastisch werd. Er zijn voordelen en nadelen aan het werken met een vrouwelijke partner. De dames willen nog wel eens praktisch en voorzichtig voor de dag komen. De mannen zijn eerder dom en roekeloos, wat misschien ook de reden is dat er minder mannen dan vrouwen op deze wereld rondlopen.

Ik zei: 'Nou ja, het was maar een idee.' Ik voegde eraan toe: 'Ik had het bedacht voordat we voor het diner werden uitgenodigd.'

'Ik snap niet hoe jij lang genoeg hebt kunnen leven om mij te ontmoeten.' Ze voegde eraan toe: 'Ik had gehoopt dat de evolutie en de natuurlijke selectie het probleem van mensen als jij hadden opgelost.'

Ik was beslist niet van plan daarop te reageren.

Ze ging verder. 'Maar je hebt wel een belangrijk punt aangesneden. Het ELF-systeem. De zwakste schakel van het ELF-station zijn niet de palen, draden of de generator. Dat is de zender.'

'Dat is waar.'

'Ik neem aan dat de zender in het huis zelf staat.'

'Dat lijkt me heel waarschijnlijk. Hij staat daar veilig en is verborgen voor de buitenwereld.'

'Precies. Hij zou in de kelder kunnen staan. In de atoombunker.'

Ik knikte. 'Zou heel goed kunnen.'

'Dus als je Madox' ELF-station onklaar wilt maken, dan moeten we *daar* zijn.'

'Absoluut.' Ik opperde: 'Jij verontschuldigt je dat je even naar het toilet moet – waarvan Madox weet dat zoiets wel vijftien tot twintig minuten kan duren – zoekt de zender en slaat hem aan gruzels.'

'Oké. En jij kunt mij dekken door die BearBanger in je reet te stoppen en hem af te vuren.'

Mevrouw Mayfield leek vanavond ongewoon humeurig. Het zou wel haar manier zijn om met stress om te gaan.

Ik zei tegen haar: 'Zoals ik al eerder opmerkte, is de ware reden van dit bezoek niet het gezellige etentje – we gaan daarheen om Bain Madox te arresteren wegens... geef me eens een federaal misdrijf dat we kunnen gebruiken.'

'Kidnapping. Hij heeft Harry eerst moeten kidnappen voordat hij hem kon doden.'

'Juist. Kidnapping en doodslag. De staat zal hem aanklagen wegens moord.'

'Klopt.'

Als Madox me trouwens op de een of andere manier zou provoceren, zou hij zich helemaal geen zorgen meer hoeven maken over een proces. Ik zei tegen Kate: 'Toch handig om met een advocate getrouwd te zijn.'

'Jij hebt nu eenmaal voortdurend een advocaat nodig, John.'

'Inderdaad.'

'En trouwens, om iemand te arresteren, heb je nog wel iets meer nodig dan je verdenkingen.'

'Als we hem vanavond *niet* arresteren,' zei ik, 'neem jij dan de verantwoordelijkheid voor de vier nucleaire explosies morgen? Of *vanavond*?'

'Nee... maar nog afgezien van de juridische consequenties is een arrestatie op de Custer Hill Club sowieso niet eenvoudig.' Ze voegde er ter verduidelijking aan toe: 'Wij zijn maar met zijn tweeën, en zij met velen.'

'Wij vertegenwoordigen de wet.'

'Dat weet ik, John, maar – '

'Heb je dat rode kaartje bij je om hem zijn rechten voor te lezen?'

'Ik denk dat ik dat zo langzamerhand wel uit mijn hoofd kan.'

'Mooi. Heb je ook handboeien?'

'Nee. Jij wel?'

'Niet bij me.' Ik zei: 'We hadden dat plakband mee moeten nemen. Misschien heeft Madox de boeien nog die hij bij Harry gebruikt heeft. Of misschien trap ik hem gewoon voor zijn ballen.'

'Je hebt er nogal vertrouwen in.'

'Ik ben heel gemotiveerd.'

'Mooi. Dan nog wat... waarom hebben we eigenlijk die BearBangers nodig? We hebben toch onze wapens en politiepenningen?'

'Eh, tja...'

'Inderdaad, tja. Oké, John, ik doe mee. Maar breng ons niet in een situatie waar we niet meer uit kunnen komen.'

Dat had ik waarschijnlijk al gedaan, maar ik zei: Wees gewoon alert, scherp en wees overal op voorbereid – net als bij elke riskante arrestatie. Wij zijn de wet, hij is de misdadiger.'

Ze had drie woorden voor me: 'Denk aan Harry.'

Ik keek haar aan en zei: 'Kate, dat is precies de reden dat wij dit op eigen houtje doen. Ik wil dit echt zelf oplossen. Alleen ik. En jij, als je wilt.'

We keken elkaar aan en ze knikte. 'Rijden.'

Kate leek wat bezorgd over de komende avond, maar ze leek zich er ook op te verheugen. Ik ken dat gevoel heel goed. We doen dit werk niet voor het geld. We doen het vanwege de opwinding en voor momenten als deze.

Plicht, eer, vaderland, waarheid en gerechtigheid zijn prima. Maar dat kun je ook vanachter je bureau doen.

Uiteindelijk trek je met je pistool en je penning het veld in met als enig doel de confrontatie met de slechteriken. De vijand. Er is geen andere reden om naar de frontlinie te gaan.

Kate begreep dat. Ik begreep het. En over ongeveer een uur zou Bain Madox het ook begrijpen.

47

We passeerden Rudy's inmiddels donkere benzinepomp en reden verder naar het nationale park.

We naderden Stark Road en zagen een wagen van het elektriciteitsbedrijf met knipperende lichten langs de weg staan en ik was ervan overtuigd dat het een surveillancewagen was. Ik minderde snelheid om er zeker van te zijn dat hij ons Stark Road in zag rijden.

Terwijl we onze weg vervolgden door de tunnel van bomen, zei ik tegen Kate: 'Oké, bel de staatspolitie maar en zeg dat ik majoor Schaeffer moet spreken, en dat het dringend is.'

Kate pakte de gsm uit haar tas, zette hem aan en zei: 'Ik heb geen bereik.'

'Wat bedoel je? Madox' zendmast staat hoogstens zes kilometer hier vandaan.'

'Ik heb geen bereik.'

Ik pakte mijn eigen gsm en zette die aan. Geen bereik. 'Misschien moeten we toch nog wat dichterbij zijn.' Ik gaf haar mijn telefoon.

Ik reed het houthakkerspad op en Kate, die nu met beide telefoons in haar handen zat, zei: 'Nog steeds geen bereik.'

'Oké...' We naderden McCuen Pond Road en ik minderde vaart en deed mijn grote licht aan in de hoop een surveillancevoertuig te zien, maar er stond er geen op de kruising.

Ik sloeg linksaf op McCuen Pond Road en keek op mijn horloge. Het was 18:55. Een paar minuten later waren we bij de lampen en waarschuwingsborden van het Custer Hill-toegangshek. Ik vroeg aan Kate: 'Bereik?'

'Geen bereik.'

'Hoe kan dat nou?'

'Ik weet het niet. Misschien is er een probleem met Madox' zendmast. Of misschien heeft hij hem uitgeschakeld.'

'Waarom zou hij dat doen?'

'Laat me even nadenken.'

'O... ja. Het is echt een paranoïde klootzak.'

'Een slimme paranoïde klootzak.' Ze vroeg me: 'Wil je omkeren?'

'Nee. En laat de telefoons aanstaan.'

'Oké, maar geen mens zal ons signaal hier kunnen oppikken zolang de zendmast uit de lucht is.'

'Het kan een tijdelijke storing zijn.' Maar dat betwijfelde ik. Nu we dan eindelijk gelokaliseerd wilden worden, waren we onbereikbaar. Nou ja, dat kon er ook nog wel bij.

Ik minderde vaart bij de verkeersdrempel en stopte toen bij het stopbord. Het hek gleed tot op een kiertje open en ik zag mijn favoriete bewaker in het lamplicht van de ingang. Hij kwam op ons af en ik stopte mijn Glock tussen mijn broeksband. Ik zei tegen Kate: 'Wees alert.'

'Oké. Vraag hem of je zijn vaste telefoon mag gebruiken om aan de staatspolitie door te geven dat we op de Custer Hill Club zijn.'

Ik negeerde haar sarcasme en keek hoe de bewaker op zijn gemak op ons af kwam lopen. Ik zei tegen Kate: 'Nou ja, we zijn in ieder geval opgemerkt door het surveillanceteam op de hoofdweg.'

'Daar ben ik van overtuigd, Rudy.'

'O... o, shit. Dat was behoorlijk stom.'

Ze had kwaad of kritisch kunnen worden, maar ze klopte op mijn hand en zei geruststellend: 'We hebben allemaal onze zwakke momenten, John. Ik had alleen liever gezien dat je daar dit moment niet voor uitgekozen had.'

Ik gaf geen antwoord, maar gaf mezelf in gedachten wel een klap in mijn gezicht.

De neonazi was nu bij het busje en ik draaide het raampje omlaag. Hij leek verbaasd mij te zien in Rudy's busje. Hij keek naar Kate en zei tegen ons: De heer Madox verwacht u.'

'Weet je dat zeker?'

Hij gaf geen antwoord en stond daar maar, en ik zou hem het liefst een klap in zijn stompzinnige gezicht hebben gegeven. Ik zag nu ook zijn naamplaatje. Pappie en mammie hadden hun kleine jongen de naam Luther gegeven. Lucifer konden ze waarschijnlijk niet spellen. Ik vroeg hem: 'Zijn er nog meer mensen uitgenodigd voor het diner, Lucifer?'

'Luther. Nee, alleen jullie twee.'

'*Meneer.*'

'Meneer.'

'En mevrouw. Laten we het nog een keer proberen.'

Hij haalde diep adem om te laten zien dat hij zich probeerde te beheersen en zei toen: 'Alleen u, meneer, en u, mevrouw.'

'Goed zo. Blijf oefenen.'

'Ja, meneer. U kent de weg, meneer. Wilt u dit keer alstublieft langzaam en voorzichtig rijden. *Meneer.*'

'Val dood.' Ik reed op naar het hek, dat nu helemaal openstond.

Kate vroeg: 'Wat bedoelde hij met "dit keer"?'

'O, hij en die maat van hem' – ik minderde vaart bij het poorthuis en gaf een hengst op de toeter die de andere bewaker een meter deed opspringen – 'probeerden zich vanmiddag voor mijn wielen te gooien.' Ik reed het terrein op.

'Waarom deed je dat? Ik schrok me rot.'

'Kate, die twee schoften en hun maten waren de kerels die Harry op zaterdag in zijn lurven hebben gepakt. En er kunnen er best ook een paar geholpen hebben toen hij op zondag werd vermoord.'

Ze knikte.

'We zien die knapen allemaal weer terug in de rechtbank.'

Ze merkte op: 'We zien ze waarschijnlijk allemaal het komende halfuur.'

'Mooi. Dat scheelt de belastingbetaler weer wat geld.'

'Kalm een beetje.'

Ik gaf geen antwoord.

Terwijl we verder reden over de lange, bochtige oprijlaan draaiden de bewegingssensoren op de lantaarnpalen met ons mee.

Op het gras onder een van de lampen zag ik iets wat op een grote houtversnipperaar leek, wat me deed denken aan de maffia-uitdrukking over hun vijanden die ze door de hakselaar halen. Ik moest daar om de een of andere reden altijd om lachen, en ik glimlachte.

Kate vroeg: 'Wat is er zo grappig?'

'Ben ik vergeten.' Minder leuk was dat er zich geen bomen of dode takken op het gazon bevonden.

Normaal gesproken zorg je in dit soort situaties altijd dat je hulptroepen achter de hand hebt. Maar de situatie was verre van normaal. De ironie was dat we ons verborgen hadden gehouden voor de ATTF, Liam Griffith, de FBI en de staatspolitie – en dat nu ik wilde dat iedereen wist waar we waren, alleen Madox dat wist.

Als ik echt paranoïde wordt, zoals nu, ga ik denken dat de CIA erbij betrokken is. En waarom zouden ze er ook *niet* bij betrokken zijn, afgaande op wat hier allemaal gebeurde.

Kate vroeg me: 'Waar zit je aan te denken?'

'De CIA.'

'Juist. Dit zal uiteindelijk ook hun wel aangaan.'

'Dat zal het zeker.' En toch zie of hoor je ze zelden. Daarom vindt iedereen ze ook zo spookachtig, en als je ze al ziet, is dat meestal op het eind. Zoals nu bijvoorbeeld.

Ik zei tegen Kate: 'Om eerlijk te zijn zie ik de hand van Ted Nash hierin.'

Ze keek me aan. 'Ted Nash? John, Ted Nash is dood.'

'Ik weet het. Ik wilde het je alleen nog een keertje horen zeggen.'

Ze vond dat zo te zien niet grappig, maar ik wel.

Vóór ons, op het grind bij het huis, wapperden als vanouds de Amerikaanse vlag en de wimpel van het Zevende Cavalerie, verlicht door twee schijnwerpers.

Ik zei tegen Kate: 'Een wimpel of banier betekent dat de commandant aanwezig is.'

'Dat weet ik. Heb je mijn wimpel aan het bed nooit gezien?'

Ik glimlachte en we pakten elkaars hand vast. Ze zei tegen me: 'Ik ben enigszins... bezorgd.'

Ik zei, ter geruststelling: 'We zijn niet alleen. We hebben de macht en het gezag van de Amerikaanse regering achter ons staan.'

Ze keek over haar schouder en zei: 'Ik zie anders niemand, John.'

Ik was blij te merken dat ze haar gevoel voor humor nog had. Ik kneep even in haar hand en stopte voor het huis. 'Honger?'

'Uitgehongerd.'

We stapten uit en beklommen de treden naar de voordeur. Ik belde aan.

48

Carl deed open en zei tegen ons: 'De heer Madox verwacht u.'

Ik antwoordde: 'En jij ook een goedenavond, Carl.'

Ik weet zeker dat hij wilde zeggen 'Val dood', maar dat deed hij niet en hij ging ons voor naar het atrium. Hij zei: 'Ik zal uw jassen aannemen.'

Kate antwoordde: 'Die houden we bij ons.'

Carl leek daar niet blij mee, maar zei: 'De cocktails worden geserveerd in de bar. Wilt u me volgen?'

We liepen door de deur naast de trap en wandelden naar de achterkant van het huis.

Het was stil hier binnen en ik zag, hoorde of voelde geen andere aanwezigen.

Ik had nog steeds mijn Glock tussen mijn broeksband zitten, maar hij werd aan het zicht onttrokken door mijn overhemd en jack. Mijn privé .38 zat in mijn enkelholster. Kate had haar Glock in haar jaszak gestopt en zoals de meeste, zo niet alle FBI-agenten, had ze geen tweede wapen – behalve dan de BearBanger ergens in haar spijkerbroek. Mijn BearBanger zat als een penlight in mijn borstzak. Mijn twee extra magazijnen zaten in mijn jack en de vier van Kate zaten in haar handtas en jasje. We hadden genoeg munitie voor een beer, of voor Bain.

Ik verwachtte geen rare toestanden zolang we in beweging waren – en ik vermoedde ook dat Madox ons toch op zijn minst gedag wilde zeggen en de situatie wilde inschatten voordat hij iets deed.

Wat dat laatste betreft, vroeg ik me af of hij zou kiezen voor een machoaanpak, zoals een gewapende confrontatie. Of zou hij de minder directe benadering kiezen, zoals een pilletje in onze drankjes, gevolgd door een korte trip door de hakselaar?

Als Madox zijn leger op ons af zou sturen, gokte ik erop dat niet al zijn bewakers betrouwbare moordenaars waren, dus misschien hadden we alleen te maken met Madox, Carl en twee of drie andere knapen.

Een wat positievere maar waarschijnlijk onrealistischere gedachte was dat er helemaal geen vergiftiging of schietpartij op de Custer Hill Club zou plaatsvinden en dat Bain Madox, geconfronteerd met ons bewijsmateriaal, zich zou realiseren dat het spel over was en de moord op federaal agent Harry Muller zou bekennen, om ons vervolgens naar de ELF-zender te brengen. Zaak gesloten.

Ik keek even naar Kate, die er kalm en zelfverzekerd uitzag. We maakten oogcontact en ik glimlachte en gaf haar een knipoog.

Ik bekeek ook Carls gezicht nog eens goed. Meestal kun je aan het gezicht of de lichaamstaal aflezen of iemand weet dat er iets onplezierigs staat te gebeuren. Carl leek niet gespannen, maar hij was ook niet helemaal op zijn gemak.

Carl bleef staan voor een dubbele deur, waarop BAR stond. Hij klopte, opende de deur en zei tegen ons: 'Na u.'

'Nee,' zei ik, 'na *jou*.'

Hij aarzelde, maar ging toen toch naar binnen en gebaarde naar links, waar de heer Bain Madox achter een mahoniehouten bar stond. Hij rookte een sigaret en luisterde naar de telefoon – een vaste lijn, zag ik, en geen gsm.

Aan de andere kant van het schemerige vertrek bevond zich een brandende haard, met rechts daarvan twee dichtgetrokken gordijnen die mogelijk een raam verborgen, of een paar openslaande deuren die op de tuin uitkwamen.

Ik hoorde Madox zeggen: 'Oké, ik heb gezelschap. Bel me later terug.' Hij hing op, glimlachte en zei: 'Welkom. Kom binnen.'

Kate en ik lieten onze blik even snel door het vertrek dwalen en volgden toen elk ons eigen pad langs het meubilair naar de bar. Ik hoorde de deur achter ons dichtgaan.

Madox drukte zijn sigaret uit. 'Ik wist niet zeker of jullie Carls bericht naar Het Punt hadden gekregen en ik hoopte dat jullie het niet waren vergeten.'

Kate en ik waren nu bij de bar en ik zei: 'We hebben ons erg op deze avond verheugd.'

Kate voegde eraan toe: 'Bedankt voor de uitnodiging.'

We gaven elkaar een hand en Madox vroeg: 'Wat kan ik voor jullie inschenken?'

Ik was blij dat hij niet zei: 'Noem je vergif maar', en ik vroeg: 'Wat drinkt u zelf?'

Hij wees naar een fles op de bar en antwoordde: 'Mijn eigen merk single malt, die u gisteren erg lekker vond.'

'Mooi. Doe mij die dan maar – puur graag.' *Voor het geval je het sodawater of de ijsblokjes hebt vergiftigd.*

Kate zei: 'Maak er maar twee van.'

Madox schonk twee whisky's in kristallen glazen en schonk zichzelf toen ook nog eens bij, uit dezelfde fles, wat misschien zijn beleefde manier was om te laten zien dat de whisky ons niet fataal zou worden.

Madox had woord gehouden en was gekleed in dezelfde vrijetijdskleren die hij vanmiddag ook aan had – blauwe blazer, wit poloshirt en een spijkerbroek. Dus Kate en ik zouden ons niet opgelaten hoeven voelen als we hem arresteerden.

Hij hief zijn glas en zei: 'Geen plezierige aangelegenheid, maar goed, op betere tijden.'

We klonken en we dronken. Hij slikte, ik slikte. Kate slikte.

Ik kon het donkere vertrek in de barspiegel zien en er bleken nog een paar geopende deuren aan het einde van het vertrek die uitkwamen op wat op een kaart- of spelletjeskamer leek.

Achter de bar, links van de planken met drank, bevond zich verder nog een smalle deur die waarschijnlijk naar een opslagruimte of wijnkelder leidde. Er waren eigenlijk veel te veel deuren in dit vertrek, plus nog eens gordijnen voor wat een deur naar buiten zou kunnen zijn. En ik sta niet graag in een bar met mijn rug naar het vertrek, met een knaap achter de bar die plotseling uit het zicht kon verdwijnen. Dus opperde ik: 'Waarom gaan we niet bij de open haard zitten?'

Madox zei: 'Goed idee.' Hij kwam achter de bar vandaan terwijl Kate en ik naar een groepje van vier leren fauteuils bij de haard liepen.

Voordat hij ons een stoel kon aanwijzen, zaten Kate en ik al in tegenover elkaar staande stoelen, zodat Madox zelf een van de stoelen tegenover de open haard moest nemen, met zijn rug naar de gesloten dubbele deuren. Van waar ik zat, kon ik de open deuren naar de kaartkamer zien en Kate kon de bar met de smalle deur zien.

Nu ik mijn stoel min of meer geclaimd had, stond ik op en liep naar de gordijnen rechts van de open haard, en zei: 'Mag ik?', ze ondertussen opentrekkend. Er zaten inderdaad twee openslaande deuren achter, die op een donker terras uitkwamen.

Ik liep terug naar mijn stoel en merkte op: 'Mooi uitzicht.'

Madox gaf geen commentaar.

We hadden nu in principe alle posities gedekt en ik wist zeker dat Bain Madox – een voormalig infanterieofficier – onze zorgen over mogelijke vuurlijnen kon waarderen.

Madox vroeg ons: 'Willen jullie je jack niet uittrekken?'

Kate antwoordde: 'Nee, bedankt, maar ik heb het nog steeds een beetje koud.'

Ik gaf geen antwoord en het viel me op dat hij ook zijn blazer niet uitdeed, waarschijnlijk om dezelfde reden dat wij onze jacks aan hielden. Ik zag nergens een bobbel, maar ik wist dat hij iets bij zich droeg, ergens.

Ik bekeek de kamer nog eens. Hij straalde meer de sfeer uit van een herenclub dan van een blokhut in de Adirondacks. Op de vloer lag een duur uitziend Perzisch tapijt en verder was het een en al mahonie, groen leer en blinkend koper. Er waren nergens dode dieren te zien en ik hoopte dat dat zo bleef.

Madox zei: 'Dit vertrek is een exacte replica van dat in mijn New Yorkse appartement, wat weer een kopie is van een Engelse club.'

Ik vroeg: 'Is dat niet wat verwarrend na een paar borrels?'

Hij glimlachte beleefd en zei toen: 'Goed, laten we ter zake komen.' Hij wendde zich tot mij. 'Ik heb het dienstrooster van de bewakingsploeg die hier in het weekend dienst had en ik zal zorgen dat u dat voor uw vertrek heeft.'

'Mooi. En uw huishoudelijk personeel?'

'Ik heb een complete lijst van het personeel dat hier in het weekend gewerkt heeft.'

'En het logboek van de bewaking en de videotapes?'

Hij knikte. 'Allemaal gekopieerd.'

'Fantastisch.' Bleef dus over de netelige vraag over zijn rijke en beroemde weekendgasten. 'Hoe zit het met de lijst van uw weekendgasten?'

'Daar moet ik nog over nadenken.'

'Wat valt daarover na te denken?'

'Nou, de namen van die mensen gaan zoals u begrijpt niet iedereen aan.' Hij voegde eraan toe: 'Wat naar ik aanneem ook de reden was dat de overheid meneer Muller hierheen stuurde om die namen via... slinkse wegen te bemachtigen. En nu wilt u dat ik u die namen vrijwillig geef.'

Ik zei, ter herinnering: 'Harry Muller is dood en dit is inmiddels een onderzoek naar zijn overlijden.' Ik voegde eraan toe: 'U zei vanmiddag dat u die namen voor ons zou hebben.'

'Daar ben ik me heel wel van bewust, en ik heb mijn advocaat gebeld, die me vanavond terug zal bellen. Als hij me zegt dat ik die namen moet geven, heeft u ze vanavond nog.'

Kate zei: 'Als hij anders adviseert, kunnen we die informatie ook via een dagvaarding opeisen.'

Madox antwoordde: 'Dat is voor mij misschien ook wel de beste manier om u die namen te overhandigen.' Hij verklaarde zich nader. 'Dan kan ik mijn gasten recht in de ogen kijken.'

Natuurlijk was dat allemaal gelul, bedoeld om ons te laten denken dat dit een serieus probleem voor hem was. Waar hij ondertussen echt mee bezig was, was het ELF-signaal naar de Zandbak en hoe hij Corey en Mayfield het handigst in die hakselaar kon krijgen.

Hij deelde ons mee: 'Mijn advocaat heeft me verteld dat de federale overheid geen jurisdictie heeft als het om moord in afzonderlijke staten gaat.'

Ik liet het aan Kate over om daarop te antwoorden, en ze zei: 'Alle aanklachten wegens moord die uit dit onderzoek voortkomen, zullen door de staat New York ingediend worden. Ondertussen onderzoeken wij de verdwijning van een federaal agent en zijn mogelijke kidnapping, wat wel een federaal misdrijf is, plus de mogelijke mishandeling van de overledene.' Ze vroeg aan Madox: 'Wilt u dat ik met uw advocaat spreek?'

'Nee. Ik twijfel er niet aan dat de regering van de Verenigde Staten dezer dagen voor elk misdrijf wel een federale wet weet te vinden die daarop van toepassing is, al was het maar verkeerd oversteken.'

Speciaal agent Mayfield antwoordde: 'Deze zaak lijkt me toch van een wat ander kaliber.'

Madox liet die opmerking voor wat hij was, dus veranderde ik van onderwerp om iedereen wat op zijn gemak te stellen. 'Goeie whisky.'

'Bedankt. Help me eraan herinneren dat ik u voor vertrek een fles meegeef.' Hij zei tegen Kate: 'Er zijn niet veel vrouwen die van single malt houden.'

'Op 26 Fed ben ik gewoon een van de jongens.'

Hij glimlachte en antwoordde: 'Dan hebben ze op 26 Fed allemaal een bril nodig, volgens mij.'

Goeie ouwe Bain. Een mannenman en een vrouwenman. Echt een psychopathische charmeur.

Maar goed, Madox had het idee dat we onze zaken hadden afgehandeld en ging verder met zijn charmeoffensief richting mevrouw Mayfield. 'Hoe was uw jodelles?'

Kate leek enigszins van haar stuk door die vraag, dus zei ik behulpzaam: '*Yoga*-les.'

'O...' zei de heer Madox. 'Ik dacht dat u *jodel*les had gezegd.' Hij grinnikte en zei tegen Kate: 'Mijn gehoor is niet meer wat het geweest is.'

Kate keek mij aan. 'Het was een nuttige les.'

Madox vroeg haar: 'Wat vindt u van Het Punt.'

'Heel prettig.'

'Ik hoop dat jullie blijven eten. Ik heb meneer Corey beloofd dat ik met iets beters zou komen dan Henri.'

Kate antwoordde: 'We waren wel van plan te blijven dineren, ja.'

'Mooi. En aangezien er hier verder toch niemand is, en niemand het hoeft te weten, zou u hier ook kunnen blijven overnachten.'

Ik wist niet of hij daarmee ook mij bedoelde, maar ik antwoordde: 'Misschien dat we u daar wel aan houden.'

'Mooi. Het is nog een flinke rit terug naar Het Punt – vooral als u een en ander gedronken heeft, wat u trouwens te weinig doet.' Hij glimlachte naar me en weidde nog wat verder over het onderwerp uit. 'Bovendien rijdt u in een auto waar u niet vertrouwd mee bent.'

Ik reageerde niet.

Hij ging verder: 'Laat eens kijken – gisteren had u een Taurus; vanochtend had u een Hyundai en vanavond heeft u Rudy's busje. Heeft u nu eindelijk iets naar uw zin gevonden?'

Ik haat wijsneuzen, behalve als ik het zelf ben. Ik zei tegen hem: 'Ik wilde u net vragen of u me geen Jeep wilt lenen.'

Hij reageerde daar niet op, maar vroeg: 'Waarom verandert u zo vaak van auto?'

Om hem te verwarren met de waarheid, zei ik: 'We zijn op de loop voor de wet.'

Hij grinnikte.

Kate zei: 'We hebben wat problemen gehad met onze twee huurauto's.'

'Aha, is dat het. Ik weet anders zeker dat ze u wel een andere hadden gegeven – wel mooi trouwens van Rudy, om zijn busje aan u uit te lenen.' Hij keerde terug naar het onderzoek. 'Ik heb wat inlichtingen ingewonnen en die verdenking van moord van u is nog niet doorgedrongen tot het kantoor van de sheriff.' Hij deelde ons mee: 'Daar zien ze het nog steeds als een ongeluk.'

Ik merkte op: 'Dit onderzoek valt niet onder de plaatselijke politie. Wat wilt u er eigenlijk mee zeggen?'

'Niets. Het is gewoon een observatie.'

'U kunt de juridische aspecten van deze zaak misschien beter aan ons overlaten.'

Hij gaf geen antwoord en hij leek ook niet beledigd door deze sneer. Hij wilde ons kennelijk duidelijk laten merken dat hij meer wist dan hij hoorde te weten – inclusief, mogelijk, dat rechercheur Corey en FBI-agent Mayfield nauwelijks contact hadden met hun collega's en dat ook zo wilden houden door elke twaalf uur van auto te wisselen.

Ik wist niet of Bain Madox dat echt wist, maar hij wist beslist dat wij binnen vijftien tot twintig kilometer van hier geen mobiele telefoontjes hadden gepleegd.

We deden er enkele minuten het zwijgen toe – het haardvuur knetterde, de whisky en de kristallen glazen flonkerden in de gloed – en toen zei Madox tegen Kate: 'Ik heb meneer Corey mijn leedwezen betuigd en dat wil ik tegenover u ook graag doen. Was meneer Muller ook een vriend van u?'

Kate antwoordde: 'Hij was een gewaardeerde collega.'

'Nou, het spijt me echt heel erg. En ik vind het heel vervelend dat meneer Corey denkt dat iemand van mijn bewakingspersoneel bij de dood van de heer Muller betrokken zou kunnen zijn.'

'Dat denk ik ook. En wat dat vervelende gevoel van u betreft, misschien kunt u zich voorstellen hoe de kinderen van rechercheur Muller zich zullen voelen als ze horen dat hun vader niet alleen dood maar misschien wel vermoord is.' Ze keek haar gastheer strak aan.

Madox beantwoordde de blik, maar gaf geen antwoord.

Kate ging verder. 'En de rest van zijn familie en vrienden en collega's. Bij moord kan verdriet heel snel omslaan in woede.' Ze deelde onze gastheer mee: 'Ik ben verdomde kwaad.'

Madox knikte langzaam. 'Daar kan ik in komen. En ik hoop oprecht dat geen van mijn bewakingsmensen erbij betrokken is, maar mocht dat zo zijn, dan wil ik zelf ook dat deze persoon zijn gerechte straf krijgt.'

Kate zei: 'Dat zal ook gebeuren.'

Ik opende een nieuwe mogelijkheid en zei: 'Het zou zelfs iemand van uw huispersoneel geweest kunnen zijn... of een van uw gasten.'

Hij antwoordde: 'U dacht eerst dat het iemand van de bewaking was. En nu klinkt het alsof u maar wat aan het vissen bent.'

'Ik ben aan het jagen.'

'Nou ja, wat dan ook.' Hij vroeg me: 'Kunt u misschien ook toelichten waarom u denkt dat iemand van mijn personeel – of gasten – is betrokken bij wat u als een moord ziet?'

Ik denk dat we allemaal wisten dat we het eigenlijk over Bain Madox hadden – en ik kreeg op de een of andere manier het idee dat het hem geen barst kon schelen.

Toch hoopte ik dat wat inside-information over deze zaak hem misschien onrustig zou maken, dus zei ik tegen hem: 'Oké, om te beginnen heb ik overtuigende bewijzen dat rechercheur Muller op uw terrein is geweest.'

Ik keek naar Madox, maar hij vertoonde geen enkele reactie.

Ik ging verder. 'Ten tweede lijkt forensisch onderzoek uit te wijzen dat rechercheur Muller zelfs in dit huis is geweest.'

Opnieuw geen reactie.

Oké, klootzak. 'En drie – wij moeten aannemen dat rechercheur Muller door uw bewakingspersoneel in hechtenis is genomen. We hebben ook bewijzen dat zijn camper oorspronkelijk dichter bij uw club stond en daarna ergens anders heen is verplaatst.' Ik legde dat tot in de details uit.

Nog steeds geen reactie, behalve dan een knikje, als om te zeggen dat hij het allemaal best interessant vond.

Ik vertelde de heer Bain Madox iets over onze bevindingen en legde uit waarom wij dachten dat de moord door minstens twee personen moest zijn gepleegd – eentje die de camper van het slachtoffer reed, de ander in een eigen voertuig dat, zo zei ik, wel eens een Jeep kon zijn geweest, of een terreinwagen, dit gebaseerd op twee verschillende bandensporen, die we trouwens helemaal niet gevonden hadden, maar dat kon hij nooit zeker weten.

Ik loog dat een voorlopig toxicologisch rapport melding maakte van een krachtig verdovend middel in het bloed van het slachtoffer, en vervolgens beschreef ik hoe ik dacht dat de feitelijke moord had plaatsgevonden – een verdoofd slachtoffer dat met behulp van het riempje van de verrekijker in knielende positie werd gehouden, enzovoort.

Madox knikte opnieuw alsof dit nog steeds interessant was, zij het ook wat abstract.

Als ik al een reactie had verwacht – geschoktheid bijvoorbeeld, ongeloof, onrust of verbazing – dan werd ik behoorlijk teleurgesteld.

Ik nam een slok whisky en keek hem aan.

Het was stil in het vertrek en het enige geluid kwam van het knisperen van de open haard, maar toen zei Madox: 'Ik ben onder de indruk dat u in zo korte tijd zoveel bewijsmateriaal heeft weten te verzamelen.'

Ik deelde hem mee: 'De eerste achtenveertig uur zijn altijd van cruciaal belang.'

'Ja, dat heb ik vaker gehoord.' Hij vroeg me: 'Wat is precies het verband tussen dat forensische bewijsmateriaal en dit huis?'

'Als u het echt wilt weten, ik heb toen ik hier was tapijtvezels plus haren van mensen en honden verzameld en die kwamen overeen met wat er op de kleren en het lichaam van rechercheur Muller is gevonden.'

'Werkelijk?' Hij keek me aan en zei: 'Ik herinner me niet dat ik u daar toestemming voor heb gegeven.'

'Maar dat zou u wel gedaan hebben.'

Hij liet dat voor wat het was en zei: 'Dat lab heeft wel heel snel gewerkt.'

'Dit is een moordonderzoek. Het slachtoffer was een federaal agent.'

'Oké... dus uit die vezels...?'

Ik gaf hem een spoedcursus vezelanalyse. 'De vezels op het slachtoffer komen overeen met die welke hier zijn aangetroffen. De hondenharen zullen waarschijnlijk blijken van uw hond afkomstig te zijn; kom, hoe heet hij ook weer...'

'Kaiser Wilhelm.'

'Juist, ja. En de mensenharen die op het lichaam van rechercheur Muller zijn aangetroffen, plus wat er verder nog aan DNA wordt gevonden op de kleren of het lichaam van het slachtoffer, zullen ons naar de moordenaar of de moordenaars leiden.'

We maakten oogcontact en hij knipperde nog steeds niet, dus zei ik: 'Met uw hulp kunnen we een lijst maken van iedereen die hier in het weekend was, om vervolgens haar en DNA-monsters van iedereen af te nemen, en wat vezels van kleding, zoals bijvoorbeeld van die camouflage-uniformen die uw bewakingspersoneel draagt. Kunt u me nog volgen?'

Hij knikte.

'Over uw leger gesproken: waar en hoe heeft u die knapen eigenlijk gerekruteerd?'

'Het zijn allemaal gewezen militairen.'

'Juist, ja. Dus mogen we aannemen dat ze allemaal ervaring hebben met het gebruik van wapens en andere vormen van geweld.'

Hij deelde me mee: 'Wat belangrijker is, is dat ze allemaal heel gedisciplineerd zijn. En zoals iedere militair zal beamen, heb ik liever tien gedisciplineerde en goed getrainde mannen dan duizend ongetrainde en ongedisciplineerde manschappen.'

'Niet te vergeten loyaal en gemotiveerd door een nobel doel.'

'Dat spreekt voor zich.'

Kate vroeg aan onze gastheer: 'Hoeveel bewaking loopt er hier vanavond eigenlijk rond?'

Hij leek de onderliggende gedachte te begrijpen en glimlachte flauwtjes, zoals graaf Dracula zou doen als zijn gasten informeerden: 'Hoe laat gaat de zon hier eigenlijk op?'

Madox antwoordde: 'Ik geloof dat er vanavond tien man dienst hebben.'

Er werd op de deur geklopt en toen hij openging, verscheen Carl met een trolley met daarop een grote, met een deksel afgedekte schaal.

Carl zette het dienblad op de koffietafel en haalde het deksel eraf.

En daar, op een zilveren schaal, lagen tientallen worstenbroodjes, de korst licht gebruind, precies zoals ik ze het liefste had. In het midden van de schaal stonden twee kristallen kommen – in de ene zat een dikke, donkere mosterd en in de andere een dunne, kotsgele mosterd.

Onze gastheer zei tegen ons: 'Ik moet u iets bekennen. Ik heb Henri gebeld en hem gevraagd of u misschien bepaalde voorkeuren wat betreft het eten had uitgesproken en – voilà.' Hij glimlachte.

Dat was niet de bekentenis waarop ik had gehoopt en dat wist hij, maar dit was toch ook niet verkeerd.

Carl vroeg: 'Is er verder nog iets van uw dienst?'

Madox antwoordde: 'Nee, maar –' hij keek op zijn horloge – 'kijk eens hoe het met het diner staat.'

'Ja, meneer.' Carl vertrok en Madox zei: 'Geen houtsnip vanavond – gewoon een simpele biefstuk met friet.' Hij wendde zich tot mij: 'Tast toe.'

Ik ving Kate's blik op en ze dacht duidelijk dat ik geen weerstand kon bieden aan zo'n worstenbroodje, vergiftigd of niet. En ze had gelijk. Ik kon het aroma van de korst en de van rundvlees gemaakte hotdogs *ruiken*.

In elk ervan zat een cocktailprikker – rood, blauw en geel – dus het enige wat ik moest doen, was raden welke kleur voor veilige worstjes stond. Ik koos blauw, mijn favoriete kleur, en pakte er eentje die ik vervolgens in de donkere mosterd doopte.

Kate zei: 'John, je zou je honger beter voor het diner kunnen bewaren.'

'Ach, een paar kan geen kwaad.' Ik stopte het broodje in mijn mond. Het smaakte fantastisch – heet, stevige korst, pittige mosterd.

Madox zei tegen Kate: 'Neem gerust ook wat.'

'Nee, dank u.' Ze wierp me een bezorgde blik toe en zei tegen hem: 'Maar gaat u gerust uw gang.'

Madox pakte ook een worstenbroodje met een blauwe prikker, maar koos voor de gele mosterd. Dus misschien had ik de verkeerde mosterd gekozen.

Ik voelde me trouwens prima en pakte er nog eentje, dit keer voor de zekerheid maar met de gele mosterd.

Madox kauwde, slikte en zei: 'Niet slecht.' Hij koos een rode prikker en bood het broodje aan Kate aan. 'Weet u het zeker?'

'Ja, bedankt.'

Hij at hem zelf op, dit keer met de donkere mosterd. Dus nam ik er ook nog een.

Hotdogs deden me denken aan Kaiser Wilhelm. Vreemd eigenlijk dat hij niet aan de voeten van zijn baasje lag.

Honden waarschuwen hun baas, en iedereen trouwens, dat er iemand aankomt – en ik had sterk het gevoel dat Madox niet wilde dat Kate of ik de aanwezigheid van iemand anders buiten die deuren zou bespeuren.

Bovendien, als Kaiser Wilhelm hier was geweest, had ik hem minstens tien van die worstjes gevoerd om te kijken of hij om zou vallen of dat Madox me tegen zou houden.

Maar misschien zocht ik er wel te veel achter. Die neiging heb ik nu eenmaal als mijn bloedhondeninstinct is gewekt.

Ik vond dat het tijd werd de graad van onbehaaglijkheid nog wat op te voeren, dus zei ik tegen Madox: 'Ik moet u ook een bekentenis doen. U kent het verhaal van de Borgia's, neem ik aan?'

Hij knikte.

'Nou, nadat u ons hier had uitgenodigd, kregen we dat toxicologische rapport betreffende Harry Muller onder ogen, met die hoge doses verdovende middelen in zijn bloed. En Kate was nogal eh... bezorgd over... nou ja, u weet wel.'

Madox keek eerst naar mij, en toen naar Kate, en toen weer naar mij en zei: 'Nee, dat weet ik niet.' Hij voegde er kortaf aan toe: 'En misschien wil ik het ook wel niet weten.'

Ik ging verder. 'Ik neem aan dat dit in de categorie onopgevoede gasten valt, maar Kate... en ik geloof ik ook... maken ons zorgen dat u misschien... een personeelslid heeft dat toegang heeft tot krachtige verdovende middelen, en dat dit de persoon kan zijn geweest die ze aan het overleden slachtoffer heeft toegediend.'

De heer Madox had daar geen commentaar op, maar hij stak wel een sigaret op zonder te vragen of iemand daar bezwaar tegen had.

Ik keek Kate even aan en ze leek zich minder op haar gemak te voelen dan Bain, die vooral beledigd leek.

Om hem wat op te vrolijken nam ik nog maar een worstenbroodje – blauwe prikker, gele mosterd – en stopte die in mijn mond. 'Aan de andere kant,' ging ik verder, 'lijkt het erop dat rechercheur Muller werd verdoofd door middel van een verdovingspijltje, gevolgd door twee injecties om de verdoving te laten voortduren.' Ik keek naar Madox, maar er was geen reactie. 'Dus misschien kunnen we een pil in de whisky of druppels in de mosterd vanavond uitsluiten.'

Madox nam een slok whisky, nam een haal van zijn sigaret en vroeg me toen: 'Suggereert u dat iemand hier probeert u te... verdoven?'

'Ach,' zei ik, 'ik borduur gewoon wat voort op het bewijsmateriaal dat we hebben gevonden.' Ik maakte een grapje om de lucht wat op te klaren. 'Veel mensen zeggen dat ik wel enige verdoving kan gebruiken en misschien zou het me ook wel goed doen – als het tenminste niet wordt gevolgd door een kogel in mijn rug.'

Madox bleef rustig kringetjes blazen in zijn mooie groenleren stoel, maar toen keek hij Kate aan en zei tegen haar: 'Ik denk dat als u dat gelooft, het diner niet echt een feest zal worden.'

Heel goed, Bain. Ik mocht die knaap echt. Jammer dat hij moest sterven of, als hij geluk had, de rest van zijn leven zou doorbrengen op een heel wat minder comfortabele plek dan hier.

Kate besloot in de aanval te gaan. 'Ik ben geïnteresseerd in Carl.'

Madox keek haar strak aan en zei toen: 'Carl is mijn oudste en meest betrouwbare werknemer en vriend.'

'Dat is ook de reden dat ik in hem ben geïnteresseerd.'

Madox antwoordde scherp: 'Dat staat bijna gelijk aan een beschuldiging jegens mij.'

'Misschien hadden rechercheur Corey en ik u moeten mededelen dat niemand die in het weekend hier was, boven verdenking staat. En dat geldt ook voor u.'

Normaal gesproken zou Madox ons nu zeggen dat we dat diner verder konden vergeten en ons vragen te vertrekken. Maar dat deed hij niet, want hij was net zomin klaar met ons als wij met hem.

In feite is dit het punt waarop je de drempel over bent en nu begin je de transitie van de onbekende verdachte naar de persoon met wie je spreekt. Hopelijk heeft de verdachte dan al iets belastends gezegd, of gaat hij dat doen als je hem begint af te blaffen. Is dat niet het geval, dan moet je vertrouwen op het bestaande bewijsmateriaal en goede ingevingen. Het eindigt er allemaal mee dat ik iets zeg van: 'Meneer Madox, ik arresteer u wegens de moord op federaal agent Harry Muller. Wilt u alstublieft met ons meekomen.'

Vervolgens neem je de betreffende knaap mee naar het bureau en sluit je hem op. In dit geval zou ik hem mee moeten nemen naar het hoofdkwartier van de staatspolitie, wat majoor Schaeffer heel blij zou maken.

Over Schaeffer gesproken, ik begon zo langzamerhand te vermoeden dat zijn surveillanceteam ons toch niet naar de Custer Hill Club had zien gaan en als ze het wel hadden gezien, en het ook hadden gerapporteerd, dan had Schaeffer besloten er niets mee te doen. En waarom zou hij ook? Belangrijker was dat ik voor me zag hoe Tom Walsh naar de tv zat te kijken in plaats van Kate's e-mail aan hem te lezen. Ik had het bange voorgevoel dat de cavalerie voorlopig niet zou arriveren, als die al ooit zou komen. Dus waren we op onszelf aangewezen wat die arrestatie betrof.

Deze zaak stelde ons echter voor unieke problemen, zoals bijvoorbeeld het privéleger van de verdachte, en voor vertrouwde problemen, zoals de status van de verdachte als een rijk en machtig man.

En dan was er, los van de moord, nog het vermoeden dat de verdachte was betrokken bij een samenzwering om ergens een paar atoombommen tot ontploffing te brengen. En dat was mijn meest urgente zorg, en het viel bovendien binnen de jurisdictie van Kate en mij.

Met dat in gedachten werd het zo langzamerhand tijd nucleair te gaan en ik zei tegen Bain Madox: 'Over gasten gesproken, u had een gast die zondag is gearriveerd en kennelijk nog niet is vertrokken. Houdt hij ons tijdens het diner gezelschap?'

Madox stond plotseling op en liep naar de bar. Hij schonk zich nog eens in en zei toen: 'Ik geloof niet dat ik begrijp waarover – of over wie – u het heeft.'

Ik vond het niet prettig hem achter me te hebben, dus stond ik ook op en gebaarde naar Kate dat ze hetzelfde moest doen. Terwijl ik me omdraaide naar de bar, zei ik tegen Madox: 'Dr. Mikhail Putjov. Atoomfysicus.'

‘O, Michael. Die is vertrokken.’

‘Waarheen?’

‘Ik heb geen idee. Hoezo?’

‘Nou, als hij niet hier is,’ zei ik, ‘schijnt hij vermist te worden.’

‘Wie mist hem?’

‘Zijn gezin en zijn kantoor.’ Ik deelde hem mee: ‘Putjov mag zijn woonplaats niet verlaten zonder de FBI te vertellen waar hij heengaat.’

‘Werkelijk? Waarom is dat?’

‘Ik geloof dat dat in zijn contract staat.’ Ik vroeg: ‘Is hij een vriend van u?’

Madox leunde met zijn glas in de hand tegen de bar en leek diep in gedachten verzonken.

Ik vroeg: ‘Dat is toch niet zo’n moeilijke vraag?’

Hij glimlachte en zei toen: ‘Nee, ik sta te bedenken wat ik zal antwoorden.’ Hij keek naar mij en toen naar Kate. ‘Dr. Putjov en ik hebben een professionele relatie.’

Het verbaasde me min of meer dat hij dat zei, maar ik denk dat we allemaal beseften dat het tijd werd om eerlijk te zijn en open te staan voor elkaars behoeften en gevoelens. Daarna konden we elkaar omhelzen en even lekker uithuilen voordat ik hem arresteerde of neerschoot.

Ik vroeg: ‘Wat voor *soort* professionele relatie?’

Hij maakte een wegwuivend gebaar. ‘Ach, John – mag ik je John noemen?’

‘Natuurlijk, Bain.’

‘Mooi. Dus, wat voor *soort* professionele relatie? Is dat de vraag? Oké, hoe kan ik dat nu eens het beste omschrijven...’

Ik opperde: ‘Je zou kunnen beginnen met het miniaturiseren van atoomwapens.’

Hij keek me aan, knikte en zei: ‘Ja, dat is een goed begin.’

‘Oké, en kan ik daar dan kofferbommen aan toevoegen?’

Hij glimlachte en knikte opnieuw.

Nou, dit ging makkelijker dan ik had verwacht, wat misschien niet zo’n goed teken was trouwens, maar ik ging toch verder. ‘Nog twee weekendgasten dan maar – Paul Dunn, adviseur van de president betreffende de binnenlandse veiligheid, en Edward Wolffer, onderminister van Defensie.’

‘Wat is er met hen?’

‘Zij zijn hier geweest – klopt dat?’

'Klopt.' Hij voegde eraan toe: 'Nu begrijp je misschien waarom ik niet wil dat hier mensen rondgluren.'

'Het is niet verboden beroemde en machtige vrienden voor het weekend uit te nodigen, Bain.'

'Bedankt voor de tip. Punt is dat het niemand wat aangaat.'

'Maar in dit geval kan het mij wel degelijk aangaan.'

'Ja, John, daar kon je wel eens gelijk in hebben.'

'Ik *heb* gelijk. En verder James Hawkins, luchtmachtgeneraal en lid van de verenigde chefs van staven. Die was hier ook, ja?'

'Ja.'

'Wie verder nog?'

'O, nog een stuk of tien andere mannen die geen van allen van belang zijn voor de zaak waar we het over hebben. Behalve dan Scott Landsdale. Hij is de CIA-verbindingsman voor het Witte Huis.' Hij voegde eraan toe: 'Dat is geheime informatie, dus die mag deze kamer niet verlaten.'

'Oké...' Ik had die naam nog niet, maar het zou me zeer teleurgesteld hebben als er geen CIA-knaap betrokken was geweest bij... nou ja, wat dan ook. Ik zei: 'Jouw geheim is bij ons in goede handen, Bain.'

Madox legde tegen Kate en mij uit: 'Die vier man vormen mijn Uitvoerend Comité.'

'Wat voor Uitvoerend Comité?'

'Van deze club.'

'Juist. En waar hebben jullie het zoal over gehad?' vroeg ik.

'Over Project Groen en Vuurstorm.'

'Juist. Hoe staat het daarmee?'

'Prima.' Hij keek op zijn horloge en ik op het mijne. Het was 19:33 en hopelijk was Walsh inmiddels bezig zijn persoonlijke e-mails te lezen. En hopelijk zouden ook de state troopers nu snel arriveren. Maar daar rekende ik maar niet al te veel op.

Madox zei: 'Goed, dan heb ik nu wat vragen voor *jullie*. Zijn jullie vanavond alleen?'

Ik liet een goede imitatie van een lach horen. 'Ja hoor.'

'Nou ja,' zei hij, 'dat doet er op dit moment ook niet toe.'

Dat wilde ik niet horen.

Hij vroeg: 'Hoe ben je hier allemaal achter gekomen?'

Ik was blij dat ik kon antwoorden: 'Harry Muller. Hij schreef ons een briefje in de voering van zijn broekzak.'

'O... nou, dat was slim.'

Ik zei tegen hem: 'Val dood.'

Hij negeerde dat volkomen en vroeg me: 'Heb je ooit van Vuurstorm gehoord?' Hij gaf me een hint. 'Hoogst geheim overheidsprotocol.'

'Om eerlijk te zijn, Bain, lees ik niet al mijn memo's uit Washington.' Ik keek naar Kate, die met haar rug naar de open haard stond, haar hand in de zak met haar pistool, en ik vroeg haar: 'Kate, heb jij wel eens van Vuurstorm gehoord?'

'Nee.'

Ik draaide me weer om naar Madox, haalde mijn schouders op en zei: 'Ik ben bang dat we dat memo gemist hebben. Wat stond er in?'

Hij leek wat ongeduldig te worden en antwoordde: 'Het zou niet in een *memo* staan, John. Ik denk dat jullie al bijna alles weten wat je nodig hebt, dus zet die luie hersens van je in werking en verwacht niet dat ik alles voorkauw.'

Ik zei tegen Kate: 'Hij noemt ons lui. En dat na al het werk dat we hebben gedaan.'

Madox gaf aan ons beiden toe: 'Jullie lijken inderdaad die moordzaak te hebben opgelost en je bent dichter bij dat andere dan ik had verwacht. Nu moet je alleen nog de resterende stukjes op zijn plaats zien te krijgen.'

'Oké.' Ik liep naar de tuindeuren en deed ze open.

Het was een mooie avond en een heldere, halfvolle maan stond bijna recht boven ons en verlichtte de open ruimte achter het huis.

In de verte zag ik het metalen dak van het generatorgebouw en de drie rook uitbrakende schoorstenen. Ik zag ook twee terreinwagens en een zwarte Jeep die langzaam rondreden, alsof ze het gebouw bewaakten.

Ik zei tegen Madox: 'Ik zie dat de dieselmotoren draaien.'

'Dat klopt. Ik heb ze net laten nakijken.'

Ik wendde me af van de dubbele deuren en liep terug naar waar Madox nog steeds tegen de bar geleund stond. 'Zesduizend kilowatt.'

'Klopt. Wie heeft je dat verteld? Potsdam Diesel?'

Ik gaf geen antwoord op zijn vraag. 'Waar is de ELF-zender?'

Hij leek niet verrast en antwoordde: 'Ik ben niet echt onder de indruk dat jullie hebben uitgevogeld dat dit een ELF-station is. Iedereen kan dat bedenken – de generatoren, de kabels, de locatie hier in de Adirondacks – '

'Waar is de zender, Bain?'

'Die zal ik jullie laten zien. Later.'

Ik zei tegen hem: '*Nu* zou anders een prima moment zijn.'

Hij negeerde dat en we namen elkaar op. Hij zag er niet uit als een man met serieuze problemen. Hij vroeg me: 'En, ben je nog tot ontbutsende conclusies gekomen?' Hij wendde zich tot Kate. 'Kate? Een eureka-moment?'

Kate zei tegen hem: 'Er zijn met jouw twee vliegtuigen vier nucleaire kofferbommen naar LA en San Francisco gevlogen.'

'Klopt. En?'

Ze ging verder. 'En jouw ELF-zender zal een signaal versturen om die kofferbommen tot ontploffing te brengen zodra ze op hun plek van bestemming zijn aangekomen.'

'Nou... je bent warm.'

Ik begon een beetje moe te worden van dit gezeik, dus zei ik tegen Madox: 'Het spel is uit, maat. Ik arresteer je wegens de moord op federaal agent Harry Muller. Draai je om, leg je handen op de bar en spreid je benen.' Ik zei: 'Kate, dek me.' Ik stapte op Madox af, die niet deed wat ik hem opgedragen had.

Ik hoorde Kate zeggen: 'John...'

Ik keek achterom en zag Carl bij de deur staan, met een geweer op Kate gericht.

Aan de overkant van het vertrek, in de deuropening naar de spelkamer, stond nog een man. Hij hield een M16 in de aanslag.

Een derde man liep door de terrasdeuren naar binnen en richtte een M16 op mij.

Toen ze allebei de kamer inliepen, zag ik dat de man die uit de spelkamer was gekomen, Luther was, en de knaap van het terras was de bewaker bij het poorthuis die ik met mijn toeter aan het schrikken had gemaakt.

Ik keek achterom naar Madox en zag dat hij een grote Army Colt .45 Automatic op mijn gezicht gericht hield.

Nou, ik kon niet zeggen dat ik dit niet had zien aankomen, maar het leek toch wat onwerkelijk.

Toen zei Madox tegen ons: 'Jullie wisten dat je hier niet levend uit zou komen.'

49

Kate en ik maakten oogcontact en ze zag er niet bang uit; ze leek eerder kwaad. Misschien op mij.

Madox zei: 'Goed, jullie allebei, op je buik op de grond.' Hij voegde er voor de zekerheid aan toe: 'Eén verkeerde beweging en jullie zijn er geweest.' Alsof we dat zelf niet begrepen.

Dus gingen we met ons gezicht omlaag op de vloer liggen, wat de correcte procedure was om gevangenen te ontwapenen, zowel bij de politie als in het leger. We hadden duidelijk te maken met mensen die wisten wat ze deden.

Ik hoorde Madox zeggen: 'Kate, jij eerst. Wapens. Langzaam. John, houd je gezicht tegen het tapijt gedrukt. Waag het zelfs niet om adem te halen.'

Ik kon niet zien wat er gebeurde, maar ik meende het geluid te horen van een laars of schoen die Kate's Glock over het tapijt schopte, en ik hoorde Madox zeggen: 'Draag je altijd je wapen in je zak?'

Ze gaf geen antwoord en Madox ging verder. 'Dat heeft je echt geholpen.' Toen vroeg hij haar: 'Nog meer wapens?'

'Nee.'

'Waar is je holster?'

'Onder aan mijn rug.'

Hij beval: 'Pak haar holster, doe haar horloge af, trek haar schoenen, haar sokken en haar jack uit en controleer haar met de metaaldetector.'

Ik hoorde hoe alles werd uitgetrokken en opzij gegooid en toen zei Madox: 'Fouilleer haar.'

Vervolgens hoorde ik Kate zeggen: 'Blijf met je poten van mijn lijf.'

Madox zei: 'Wil je dat we je uitkleden of zullen we het bij fouilleren houden?'

Geen reactie. Toen zei Luther: 'Schoon.'

Madox beval: 'Draai je om.'

Ik hoorde dat ze zich omdraaide en een paar seconden later maakte de metaaldetector een brommend geluid en Carl vroeg: 'Wat is dat?'

Kate antwoordde: 'Mijn riem en de rits van mijn gulp, grapjas. Wat dacht je anders dat het was?'

Madox zei: 'Doe haar riem af.'

Ik weet niet of ze haar nog verder controleerden, maar ik hoorde geen gebrom, dus de BearBanger was niet ontdekt.

Madox zei: 'Carl, beklop haar.'

Ik kon niet zien waar hij haar beklopte, maar ze zei tegen Carl: 'Vind je het lekker?'

Een paar seconden later zei Carl: 'Schoon.'

Ik wist niet *waar* Kate die BearBanger had verborgen, maar óf hij was aan de aandacht ontsnapt óf ze hadden hem gevonden en wisten niet wat het was.

Madox zei tegen de andere bewaker: 'Derek, doe haar de enkelboeien om.'

Ik hoorde metalige geluiden toen de boeien werden dichtgeklikt en op slot gedaan, en toen zei Madox: 'Jouw beurt, John. Je kent de routine. Eerst je pistool.'

Nog steeds op mijn buik liggend bracht ik mijn hand onder mijn borst, alsof ik mijn pistool wilde pakken, en trok ik de BearBanger uit mijn borstzak en legde die onder mijn buik op het tapijt.

Madox was kennelijk tot vlak achter me gelopen, tot vlak bij mijn voeten. 'Haal het niet in je hoofd om de held uit te hangen, want dan is je vrouw dood.' Hij voegde eraan toe: 'Ja, ik weet dat ze je vrouw is.'

'Val dood.' Ik trok mijn Glock uit mijn broeksband en schoof hem over het tapijt.

'Wat verder nog? En niet liegen, John, of ik schiet een .45 in je kont.'

'Enkelholster. Linkerkant.'

Iemand trok mijn broek omhoog en pakte mijn holster en .38-revolver.

Toen trokken twee knapen mijn schoenen, sokken en leren jack uit en deden mijn horloge af. Madox zei: 'Controleer hem met de detector.'

Een van de mannen, ik geloof Luther, liep om me heen met de detector, maar er ging niets af.

Madox zei: 'Fouilleer hem.'

Iemand klopte langs mijn benen, pakte mijn portefeuille en bevoelde toen mijn rug. Luther meldde: 'Schoon.'

Ik zei: 'Bain, Luther heeft me in mijn kont geknepen.'
Luther vond dat niet leuk en zei: 'Houd je bek, *meneer*.'
'Je hoort te kloppen, niet te knijpen.'
Ik voelde een zware laars tegen mijn rechterribbenkast belanden terwijl Luther schreeuwde: 'Klootzak!'
Madox waarschuwde Luther: 'Doe dat *nooit* zonder mijn toestemming.'
Nadat ik weer wat op adem was, kon ik de verleiding niet weerstaan om te zeggen: 'Toch niet *zo* gedisciplineerd, Bain.'
Madox zei: 'Stil jij.' Hij deelde me mee: 'Dat sarcasme van jou bevalt me helemaal niet.' Hij beet me toe: 'Omdraaien!'
Ik moest me op mijn rug rollen zonder de BearBanger onder mijn buik bloot te geven. Dus in plaats van simpel op mijn zij te gaan liggen en door te rollen, deed ik net of ik nog last had van die trap tegen mijn ribben en gaf een redelijke imitatie ten beste van een aangespoelde walvis die spartelt op het droge. Ik bleef in ieder geval op dezelfde plek op het tapijt liggen, maar nu met de BearBanger onder mijn rug.
Ik kon Madox nu zien, vlak bij mijn voeten, en Carl die naast Kate stond en zijn geweer op haar gericht hield.
Luther stond rechts van me, met de detector, waarmee hij in zijn hand sloeg alsof het een knuppel was die hij overwoog op mijn hoofd te laten neerkomen.
De andere bewaker, Derek, stond ergens waar ik hem vanuit mijn liggende positie niet kon zien, maar ik nam aan dat hij zich weer achter mijn hoofd had opgesteld en de M16 op me gericht hield.
Het enige goede nieuws was dat Madox, om welke reden dan ook, nog niet geschoten had.
Hij leek te voelen wat ik dacht en zei tegen me: 'Als je je afvraagt waarom ik al deze tijd en moeite verspil aan jullie twee, dan is het antwoord dat ik wat informatie van jullie nodig heb. En bovendien wil ik geen bloed op dit Perzische tapijt.'
Beide redenen klonken aannemelijk.
Madox beval: 'Doe je riem af.'
Ik maakte de gesp los, trok de riem door de lusjes en gooide hem van me af.
'Madox zei: 'Doe hem de boeien om,' en Derek zei: 'Doe je benen omhoog.'
Ik deed mijn benen omhoog en Derek deed er de enkelbanden om en draaide ze op slot. Ik was verbaasd over het gewicht ervan en ik liet mijn benen onder luid gerinkel van de ketenen weer zakken.

Luther trok de pen uit mijn borstzak en ging toen met de detector over mijn lichaam. Mijn rits bracht hem ook aan het brommen, dus stak Luther het geval in mijn broek en zei: 'Weinig kloten, kolonel.'

Daar moest iedereen even om grinniken, behalve Kate en ik.

Ik bedacht dat ik iedereen in dit vertrek tegen me in het harnas had gejaagd – mogelijk zelfs inclusief Kate – en dat, hoewel ze zich tot nu toe behoorlijk professioneel hadden gedragen, het heel snel heel persoonlijk kon worden. Dus besloot ik, ook ter wille van mijn vrouw, te proberen mijn mond houden.

Ik keek naar Kate, die ongeveer drie meter bij me vandaan lag, ook op haar rug en ook met enkelboeien om. We maakten oogcontact en ik zei tegen haar: 'Zodra ze hier binnenvallen, zal alles goed komen.'

'Ik weet het.'

Natuurlijk was het geen kwestie van 'zodra', maar van 'als'.

Madox blafte: 'Kop dicht. Jullie spreken alleen als je iets gevraagd wordt.' Hij zei tegen Luther: 'Fouilleer hem nog een keer.'

Luther controleerde me op nogal ruwe wijze en stak zelfs zijn duim in mijn testikels, waarna hij zei: 'Schoon.'

Madox liep naar de bar en begon onze jacks, identiteitspapieren, schoenen en riemen te onderzoeken. Vervolgens leegde hij de inhoud van Kate's tasje op de bar en bekeek alle afzonderlijke voorwerpen. Hij zei tegen ons: 'Ik tel zes volle magazijnen. Dachten jullie dat je in een vuurgevecht verwikkeld zouden raken?'

De andere drie idioten lachten.

Ik kon me niet inhouden en zei: 'Val dood.'

Madox deelde me mee: 'Dat zei je vriend Harry ook steeds. Val dood. Val dood. Hebben jullie ook nog iets *intelligents* te melden?'

'Ja. Je staat nog steeds onder arrest.'

Dat vond hij wel grappig en hij zei: 'Jij ook.'

Madox richtte zijn aandacht weer op onze spullen op de bar en ik zag hem de batterijen uit onze mobiele telefoons halen en vervolgens mijn pen controleren. Hij had nog steeds Kate's BearBanger niet gevonden, dus ik hoopte dat ze die nog had.

Madox zei: 'Kijk, hier hebben we rechercheur Mullers politiepenning. John, waarom heb jij die bij je?'

'Om hem aan zijn familie te geven.'

'Juist, ja. En wie gaat *jouw* penning aan je familie geven als je dood bent?'

'Is dat een retorische vraag?'

'Dat zou je wel willen.'

Hij had nu onze notitieboekjes en ik wist dat hij mijn aantekeningen niet kon lezen omdat niemand, inclusief ikzelf, mijn handschrift kan ontcijferen. Maar hij zei tegen Kate, die een keurig handschrift heeft: 'Ik zie dat je logisch kunt denken. Dat is zeldzaam voor een vrouw.'

Ze antwoordde, natuurlijk: 'Val dood.'

Hij negeerde dat en bladerde door haar notitieboekje. 'Kate, weet iemand dat je hier bent?'

'Alleen de FBI en de staatspolitie, die nu onderweg hierheen zijn.'

'Als er iets dergelijks op het hoofdkwartier van de staatspolitie stond te gebeuren, zou ik het weten.'

Dat was niet wat we wilden horen.

Hij vroeg mij: 'John, wat weten ze op 26 Fed?'

'Alles.'

'Dat denk ik niet.'

'Vraag er dan niet naar.'

'Men heeft gezien dat jij met Harry sprak, op vrijdagmiddag, toen jullie allebei in de lift stapten in 26 Fed. Waar hadden jullie het over?'

Ik wilde *beslist* niet horen dat Bain Madox een bron had binnen 26 Federal Plaza.

'John?'

'We hadden het niet over ons werk.'

'Oké... Ik zit een beetje krap in mijn tijd, John, dus misschien kunnen we dit later voortzetten.'

'Later lijkt mij prima.'

'Maar ik zal later niet meer zo aardig zijn.'

'Je bent *nu* al niet zo aardig, Bain.'

Hij lachte en zei: 'Er staat je nog wat te wachten, vriend.'

Ik adviseerde hem: 'Ga jezelf afrukken.'

Hij stond inmiddels recht boven me en keek met die haviksogen op me neer alsof hij in de lucht hing en een gewond dier op de grond zag.

Hij zei tegen me: 'Er zijn twee soorten ondervraging. Ik weet niet hoe het met jou staat, John, maar ik geef zelf toch de voorkeur aan de variant zonder bloed en gebroken botten en gegil om genade.' Hij wendde zich van me af en zei: 'En hoe denk jij daarover, Kate?'

Ze gaf geen antwoord.

Hij ging nog even door over dat onderwerp. 'Er zijn ook twee manieren om door de hakselaar te gaan – dood of levend.' Hij deelde ons mee: 'Putjov ging er dood doorheen, want dat was gewoon een noodzakelijke moord. Maar jullie tweeën maken me kwaad. Maar goed, als jullie meewerken, geef ik jullie mijn woord van eer dat je een snelle, barmhartige dood zult sterven via een kogel door het hoofd, alvorens jullie door de hakselaar te halen en als voedsel aan de beren te geven. Oké? Afgesproken? John? Kate?'

Ik dacht altijd dat een afspraak voor beide partijen voordeel moest opleveren, maar om wat tijd te winnen, zei ik toch maar: 'Afgesproken.'

'Mooi.' Madox zei: 'Oké, jullie vroegen me of je mijn ELF-zender mocht zien, dus zal ik hem laten zien.'

'Nou,' zei ik, 'ik ben ook al tevreden met die lijst van je personeel en je gasten, hoor. Geef me die en we zijn hier weg.'

'John, dit is niet grappig.'

Het was Madox die dat zei, maar het had net zo goed Kate kunnen zijn.

Ik zag en hoorde alle vier de mannen door het vertrek bewegen en toen zei Madox: 'Oké, meneer en mevrouw Corey, jullie kunnen overeind komen. Handen op het hoofd.'

Ik ging zitten en mijn gezicht vertrok van de pijn in mijn ribben, die inmiddels niet denkbeeldig meer was. Ik plaatste mijn hand achter mijn rug om me op te drukken, zorgde ervoor dat de BearBanger in mijn handpalm zat en stopte hem achter tussen mijn onderbroek, waarna ik opstond. Tot nu verliep alles wat dat betreft naar wens.

Ik draaide me om naar Kate, die al stond en naar mij keek. Ik zei tegen haar: 'We zullen straks dan toch die beren onder ogen moeten komen.'

Ze knikte.

Madox zei: 'Bek dicht.' Hij keek op zijn horloge en zei tegen Carl: 'We gaan.'

Carl beval: 'Volg me. Drie meter tussenruimte.'

Carl ging op weg naar de geopende deuren van de spelkamer en Madox zei tegen ons: 'Lopen. Handen op je hoofd.'

We volgden Carl.

Ik had nog nooit met enkelboeien om gelopen en hoewel er wat speling in zat, was het toch moeilijk de ene voet voor de andere te zetten, zodat ik me voelde als een gevangene in een ploeg dwangarbeiders. Bovendien begon het metaal nu al mijn blote enkels te schaven.

En dan zakte ook nog mijn riemloze broek af, zodat ik hem af en toe moest ophalen, wat Luther weer deed schreeuwen: 'Handen op je hoofd!'

Ik zag dat Kate, die voor me liep, veel moeite had met lopen en bijna viel. Maar haar strakke jeans bleef wel zitten en ze hield haar handen op haar hoofd.

Ik wist niet wie mij volgde, dus keek ik over mijn schouder en zag Madox op zo'n drie meter achter me, zijn Colt .45 in zijn hand, bungelend langs zijn zij.

Luther sloot de rij, met zijn M16 in de aanslag. Derek, het toeterslachtoffer, was in de bar achtergebleven om onze spullen te verzamelen.

Madox zei tegen me: 'De volgende keer dat je je omdraait, zit er een derde oog in je voorhoofd. Begrepen?'

Ik dacht te begrijpen waar hij op doelde.

Dus was de heer Bain Madox, naar nu bleek, toch niet zo charmant, welgemanierd of zelfs maar beschaafd als hij had geleken. Helaas kwamen we daar wat laat achter. Toch had ik hem, geloof ik, liever zo – de fluwelen handschoenen uit, geen pretenties meer, en wat belangrijker was, hij nam ons mee naar de ELF-zender.

Carl bleef midden in de spelkamer staan en Madox zei: 'Halt.'

Kate en ik deden wat ons gezegd werd en ik keek om me heen. Aan één muur hing een groot dartboard met daarop een kleurenfoto van Saddam Hoesseins gezicht als doelwit.

Madox zei: 'Je vroeg me wanneer de oorlog zou beginnen. Nou, de operationele datum is 15 maart – maart roert zijn staart, je weet wel. Maar ik ga wat eerder beginnen. Binnen een uur.'

'Gaan we eerst nog aan tafel?'

Dat vond in ieder geval Luther wel grappig.

Madox, die nu voor me liep, leek wat gespannen, of misschien gewoon verdiept in wat komen ging, en reageerde niet op mijn vraag.

Carl had in ieder geval zijn geweer over zijn schouder gelegd en ik kon het eens goed bekijken. Het was een Browning automatisch geweer, zo te zien met een kaliber van 18,5 mm, en je kon er vijf kogels mee afvuren zo snel als je de trekker kon overhalen en op je voeten kon blijven staan. Voor Carl zou dat geen probleem zijn.

Madox' Colt .45 Automatic had zeven kogels in het magazijn en eentje in de kamer. Het wapen was berucht onzuiver, maar als een stompe .45 kogel je raakte, waar dan ook, ging je naar de hemel, en zoals mijn dienstmaten vroeger zeiden: 'Het is de val die dodelijk is.'

Luthers M16 was weer iets heel anders. Heel accuraat op de middellange afstand en als Luther de volautomatische versie had, kon hij twintig kogels met stalen mantel op je afvuren in minder tijd dan nodig was om te zeggen: 'Mijn hemel, ik ben dood.'

Maar we waren in ieder geval Derek de toeterjongen kwijt, die nu waarschijnlijk een afspraak had met een oorarts, en dus hadden Kate en ik met nog maar drie man te maken. Dat waren echter niet de gebruikelijke doorsnee straatschoffies – zoals bijvoorbeeld mijn Latinovriendjes die zo ongeveer hun ogen dichtdeden toen ze op mij schoten, of de meneren uit het Midden-Oosten die volgens mij niet echt hun best doen iemand te raken als ze hun AK-47 afvuren.

Hoe het ook zij, deze drie mannen hadden niet alleen een militaire achtergrond, maar Kate en ik waren geboeid, riemloos, blootsvoets en in een kleine ruimte.

Het kwam er al met al op neer dat dit niet het juiste moment was om de BearBanger te gebruiken. En ik hoopte dat Kate dat begreep.

Bovendien moesten we naar die ELF-zender.

Ik zag dat Carl zijn hand onder de grote, ronde kaarttafel stak. Vervolgens stapte hij achteruit en zag ik de tafel omhoogkomen. Ik hoorde het gezoem van een elektromotor terwijl de tafel alsmaar hoger rees, samen met het ronde tapijt eronder en de vloer daar weer onder. Ik zag nu ook de hydraulische zuil die alles omhoogbracht, en toen de tafel, het tapijt en het vloerdeel zo'n anderhalve meter van de grond waren, stopte hij en was er een gat in de vloer met een doorsnee van ongeveer een meter twintig.

Carl ging op de vloer zitten, met zijn benen bungelend in het gat, om vervolgens te verdwijnen. Al snel daarna scheen er licht uit het donkere gat.

Madox zei: 'Kate, jij eerst.'

Ze aarzelde en hij liep snel op haar af, pakte haar arm beet en trok haar naar de opening in de vloer.

Ze viel bijna vanwege de boeien en ik zei tegen Madox: 'Hé, rustig aan, klootzak.'

Hij keek mij aan en zei: 'Nog één woord van jou en ze heeft pas echt iets om over te klagen. Begrepen?'

Ik knikte.

Madox hield Kate's arm vast en manoeuvreerde haar naar de rand van de opening. Hij zei: 'Het is een wenteltrap. Houd de leuning vast en ga snel naar beneden.'

Kate ging op de grond zitten en pakte een touw vast dat aan de onderkant van de omhooggekomen vloer zat, waarna ze in het gat verdween.

Madox gebaarde dat ik naar de opening moest komen. 'Naar beneden.'

Ik voelde hoe Luther me een duw gaf en ik realiseerde me dat dit stuk onbenul te dicht bij me stond voor zijn eigen veiligheid, en Madox schreeuwde tegen hem: 'Ga achteruit, idioot!'

Ik zei tegen Madox: 'Ik zal hem heus geen kwaad doen, hoor.'

Terwijl ik naar het gat schuifelde, liep Madox, die geen idioot was, bij me weg en richtte zijn Colt. 'Stop.'

Ik bleef staan.

Een paar seconden later hoorde ik Carls stem: 'Kom maar.'

Madox deelde me mee: 'Kate is beneden en Carl heeft zijn geweer op haar hoofd gericht. Misschien handig om te weten.' Hij wees naar de opening. 'Naar beneden.'

Ik ging op de vloer zitten en liet mezelf, voeten en boeien eerst, in het gat zakken tot ik de eerste trede voelde. Ik wist dat als Kate en ik daar onder de grond zaten, niemand hierboven ons ooit nog zou vinden.

Madox zei: 'Lopen, John. De tijd dringt.'

Ik liep de wenteltrap af, die om de hydraulische zuil heen draaide. Het was niet makkelijk met die boeien om, maar mijn handen waren vrij, dus hield ik beide leuningen vast en gleed min of meer naar beneden.

Over mijn handen gesproken, als Madox van plan was ons op zeker moment ook handboeien om te doen, zou ik in actie moeten komen voordat dat gebeurde. Ik wist dat Kate dat ook besefte.

Het was ongeveer zeven meter naar de vloer beneden, de hoogte van een gebouw van twee verdiepingen, en ik nam bijna voetstoots aan dat dit de schuilkelder wel zou zijn.

Onder aan de wenteltrap bevond zich een rond, betonnen vertrek, verlicht door kale neonlampen.

Tegenover de laatste tree, ongeveer drie meter ervandaan, bevond zich een glimmende stalen kluisdeur, die verzonken lag in de betonnen muur.

Achter me zei Carl: 'Op je buik.'

Ik draaide me om en zag Carl aan het andere eind van het ronde vertrek. Hij hield zijn geweer op Kate gericht, die op haar buik op de grond lag.

Dit had een goed moment kunnen zijn om in actie te komen, maar voordat ik een beslissing kon nemen, zette Carl zijn geweer tegen Kate's hoofd en schreeuwde: 'Drie! Twee – !'

Ik ging op de koude betonnen vloer liggen en Carl schreeuwde: 'Alles veilig!'

Ik hoorde Madox langs de wenteltrap omlaag rennen alsof hij dat al vaker had gedaan.

Hij zei: 'John, ik denk dat een van jullie moet vertrekken.'

Ik gaf geen antwoord.

Er gingen enkele seconden voorbij en ik hoorde Luthers laarzen op de trap, daarna het geluid van de hydraulische zuil en ten slotte een lichte bonk toen de tafel en de vloer weer op hun plaats zakten.

Luther was nu ook beneden en Madox zei tegen hem: 'Open de deur.'

Ik hoorde het wiel van de kluisdeur klikken, gevolgd door een licht gepiep toen de zware deur openzwaaide.

Madox zei tegen me: 'John, wat je ook doet of probeert, Kate zal de eerste zijn die wordt neergeschoten.' Hij zei tegen Carl en Luther: 'Begrepen? Als Corey iets probeert, schiet je Kate neer. Ik neem meneer Corey wel voor mijn rekening.'

Carl en Luther antwoordden beiden: 'Ja, meneer.'

Toen zei Madox waarschuwend: 'Jullie stellen mijn geduld op de proef en ik loop al bijna tien minuten achter op mijn schema. Dus ofwel, je gedraagt je en doet wat er gezegd wordt, en snel, of ik schiet een van jullie neer, zodat we weer wat kunnen inlopen op het schema. Begrepen?'

'Ik heb het begrepen.'

'Mooi. Je vrouw vindt je toch al geen held, dus probeer dat ook niet te zijn.'

'Goed advies.'

Het volgende wat ik hoorde, was Madox die zei: 'Kate. Ga staan. Handen op je hoofd.'

Ze kwam overeind en Madox beval: 'Volg Carl.' Daarna tegen mij: 'John. Staan. Handen op je hoofd. Volg op zeven meter.'

Ik ging staan, legde mijn handen op mijn hoofd en zag nu een grote canvaszak op de vloer liggen. Hij was gedeeltelijk open geritst en ik kon de mouw van mijn leren jack zien. Kennelijk had Derek Luther al onze spullen gegeven en zo was er geen enkel spoor meer van onze aanwezigheid op de Custer Hill Club – behalve dan Rudy's bestelbusje, waar ze zich ook van zouden ontdoen.

Madox zag waar ik naar keek en zei tegen me: 'Ze zullen zelfs je DNA niet terugvinden in de berenstront.' Hij gebaarde naar de deur. 'Lopen.'

Ik ging door de kluisdeur, die zat ingebed in ongeveer één meter beton.

Madox, achter me, zei: 'Welkom in de schuilkelder.'

Luther vormde de achterhoede en ik hoorde de kluisdeur dichtgaan en op slot gedaan worden.

Ik had het gevoel dat we weer onder het achterterras waren, diep in het gesteente, en niet verbonden met de kelder of het huis. Ik had ook het gevoel dat niemand daarboven ons ooit zou vinden.

50

We waren nu in een brede gang met betonnen wanden, geschilderd in een lichtgroen dat op ongeveer tweederde van de hoogte van drie meter overging in hemelsblauw. Het plafond was bekleed met matglazen panelen waarachter felpaarse lampen brandden – groeilampen naar ik aannam, hoewel ik geen vegetatie zag, behalve dan het akelige jaren tachtig kunstgras op de vloer.

Ik denk dat iemand de illusie had willen scheppen dat je buiten op een zonverlichte weide liep die toevallig op een ondergrondse betonnen gang leek.

Madox zei, enigszins overbodig: 'Je wordt verondersteld te denken dat je bovengronds bent.'

Ik vroeg: 'Zijn we dat dan niet?'

Hij gaf geen antwoord op mijn vraag. 'Een ideetje van mijn gestoorde ex.' Hij voegde eraan toe: 'Ze had een irrationele angst voor een atoomoorlog.'

'Raar mens.'

Hij leek in een wat betere stemming en hij gebaarde naar een geopende deur rechts van ons die toegang gaf tot iets wat op een kinderkamer leek. 'De kinderen waren nog jong toen en zij dacht dat dit ze goed zou doen.'

Ik merkte op: 'Die groeilampen zouden kunnen helpen, maar hun afspraken met vriendjes zouden wat beperkt zijn.'

Hij besteedde geen enkele aandacht aan mij en leek tegen zichzelf te praten. 'Ze heeft wel twintig keer *On the Beach* gezien, en *Dr. Strangelove*, en ik denk niet dat ze zich realiseerde dat de ene film serieus was en de andere galgenhumor.' Hij voegde eraan toe: 'Die films hebben ervoor gezorgd dat ze maandenlang bij een therapeut liep.'

Ik kreeg de indruk dat Bain Madox nogal wat te stellen had gehad met de obsessie van zijn ex met de nucleaire holocaust en misschien probeerde hij dat nu te verwerken door zelf maar een atoomoorlog te beginnen. Ik was ervan overtuigd dat mevrouw Madox de eerste was die hij zou bellen als dit allemaal voorbij was.

Kate en ik bewogen ons ondertussen langzaam voort door de gang en elke keer als ik mijn broek ophees, gilde Luther: 'Handen op je hoofd,' waarop ik antwoordde: 'Val dood.'

Ik hoorde ventilatoren draaien, maar toch was de lucht bedompt en stonk het een beetje.

Aan beide kanten van de doorgang waren geopende deuren die uitzicht boden op gemeubileerde kamers – slaapkamers, een zitkamer, een keuken, een lange eetkamer met gelambriseerde wanden, zware gordijnen, een systeemplafond en een dik tapijt. Achter een gesloten deur hoorde ik duidelijk stemmen, tot ik me realiseerde dat dit een radio of tv was – dus misschien was er hier beneden nog iemand.

Madox, die weer in zichzelf praatte, zei: 'Ze heeft een fortuin uitgegeven aan de aankleding van deze bunker. Ze wilde de halveringstijd van de fall-out uitzitten in de stijl die ze gewend was.'

Hij was in een soort trance, dus viel ik hem niet in de rede.

Hij zei: 'Aan de andere kant is dit eigenlijk wel een handige ruimte. Om te beginnen voor mijn ELF-zender – en het is ook een prima plek om mijn kunstschatten, goud en contant geld op te bergen.' Hij maakte een grapje. 'De laatste belastinginspecteur die hier rond kwam neuzen, zit nog steeds in een van die kamers hier opgesloten.'

Dat is een goeie, Bain. Deze plek had trouwens meer weg van de Führerbunker, maar misschien was dit niet het juiste tijdstip om die vergelijking te maken.

We bereikten het einde van de gang, die minstens vijftig meter lang moet zijn geweest, en Carl deed een stalen deur van het slot, opende hem en deed het licht aan.

Madox zei: 'Kate, volg Carl. John, stop.'

Kate verdween door de deur en ik bleef staan.

Carl riep: 'Oké.'

Madox zei: 'John, volgen.'

Ik werd een beetje moe van die hondachtige bevelen, maar het was niet de moeite daarover te klagen nu we zo dicht bij... het einde waren.

Ik ging het vertrek binnen en zag dat Kate weer op de vloer lag.

Carl stond tegen de muur aan de overkant en hield zowel Kate als mij onder schot.

Madox beval: 'John, op je buik.'

Ik ging met mijn gezicht naar beneden op een duur blauw tapijt liggen. Beroepsmatig gezien bewonderde ik de militaire precisie van Carl en Bain en hun behandeling volgens het boekje van twee gevangenen die weliswaar geboeid waren, ongewapend en in de minderheid, tegenover drie gewapende mannen, maar van wie ze begrepen dat ze gevaarlijk konden zijn.

Nadeel was dat die knapen me geen centimeter speelruimte gaven om iets te proberen.

Enkelboeien gebruiken in plaats van handboeien was iets waar je over kon twisten, maar ik begreep waarom Madox tot nu toe de voorkeur aan enkelboeien had gegeven.

De enige echte fout die ze tot nu toe hadden gemaakt, was het niet vinden van de BearBangers, wat ook de reden was dat de politie gevangenen altijd helemaal uitkleedde en ook de lichaamsholten controleerde. Nu we in de bunker waren, zou dat best wel eens Madox' volgende stap kunnen zijn, plus de handboeien – en dat zou voor ons het teken zijn om in actie te komen.

Ondertussen leken Madox en Carl aandacht te hebben voor andere zaken dan ons, maar ik ving een glimp op van Luther bij de deur met zijn op ons gerichte M16. De canvaszak zag ik niet. Die had Luther kennelijk ergens onderweg opgeborgen. De enige wapens in dit vertrek waren dus die welke wij op ons gericht zagen.

Over wapens gesproken: Carls keuze voor een automatisch geweer in een kleine ruimte was ook heel professioneel – kogels uit krachtiger wapens hadden de neiging om dwars door mensen heen te gaan en ongewild ook andere mensen te raken, om vervolgens af te ketsen en gevaarlijk te worden voor de schutter zelf.

In feite was hier beneden Luthers wapen bijna even gevaarlijk voor hemzelf als voor ons. Toch had ik liever niet dat hij op ons vuurde.

Wat Madox' Colt .45 betrof, die was oké in een beperkte ruimte met metselwerk. Hij zou van dichtbij een groot gat in je maken en de uittreedsnelheid was meestal niet fataal voor iemand achter het beoogde slachtoffer. En als de stompe kogel een muur raakte, zou hij eerder uit elkaar spatten dan ricocheren.

Toen ik dit allemaal had geanalyseerd, was mijn conclusie dat Kate en ik het eigenlijk wel konden vergeten. De BearBangers werden in gedachten kleiner en kleiner.

Madox zei: 'Op je knieën. Handen op je hoofd.'

Ik bracht mezelf in geknielde positie, met mijn handen op mijn hoofd, en zag Kate hetzelfde doen. We zaten ongeveer drie meter bij elkaar vandaan in de schemerig verlichte ruimte en we maakten oogcontact. Ze liet haar blik zakken naar waar ze de BearBanger had verstopt, ergens in haar spijkerbroek of panties en waarschijnlijk achter de rits. Ze keek me weer aan en ik schudde nauwelijks merkbaar mijn hoofd. *Niet het juiste moment.* Ik wilde eraan toevoegen: *Je zult het weten als het zover is.*

Toen mijn ogen een beetje aan het schemer gewend waren, bekeek ik het vertrek eens wat beter.

Madox zat met zijn rug naar ons toe aan een soort elektronische console die tegen de verste muur stond. Ik nam aan dat dit de ELF-zender was. Eureka. Maar wat nu?

Luther stond nog steeds bij de deur en hield Kate en mij onder schot.

Carl was niet zichtbaar, maar ik hoorde hem achter ons ademen.

Het vertrek zelf was een spaarzaam gemeubileerd en functioneel uitziend kantoor. Dit was duidelijk Bains nucleaire commandopost, van waaruit hij de hele dag telefoontjes kon plegen om te kijken of er daarbuiten nog iemand in leven was na de Grote Klap. Hij had waarschijnlijk ook een telex, zodat hij kon zien hoe zijn aandelen defensie en olie het deden.

Ik had in de jaren zeventig en tachtig nooit begrepen waarom mensen een nucleaire holocaust zouden willen overleven. Ik bedoel, ik had, met uitzondering van wat blikjes chili con carne en bier, nooit langetermijnplannen voor na de bom gemaakt.

Maar eerlijk is eerlijk, dit was niet Bains idee geweest, maar vooral dat van zijn vrouw. Ik vroeg me af wat er van haar geworden was. De hakselaar?

Ik zag trouwens ook dat er tegen de gelambriseerde muur rechts van de console drie flatscreen monitors op zwenkarmen zaten. Ze leken nieuw en niet op zijn plaats in deze tijdmachine uit 1980.

Links van de console stond een rij van zes oudere tv's die allemaal aan waren, maar het was moeilijk de flikkerende zwartwitbeelden te ontcijferen. Ik realiseerde me dat dit bewakingsmonitors waren en ik kon nu ook op een van de schermen het poorthuis zien, en vervolgens een beeld van het huis, gezien vanaf het poorthuis, dat weer veranderde in een beeld van het generatorhuis, enzovoort.

Madox zou dus weten wanneer de cavalerie arriveerde, en Kate en ik ook. Maar voorlopig zag alles daar buiten in Custer Hill-land er nog heel kalm en vredig uit.

Een steeds terugkerende, onplezierige gedachte was dat zelfs al zouden de staatspolitie en de FBI door dat hek komen binnenvallen en de deuren van het huis intrappen, ze ons hier beneden nog niet zouden vinden.

En zelfs al herinnerde Schaeffer zich dat er ergens een schuilkelder zou moeten zijn, dan zou hij die waarschijnlijk in het souterrain zoeken en hij zou dan heel goed een of ander vertrek daar voor de schuilkelder aan kunnen zien.

Hij zou in ieder geval van zijn leven niet de hydraulische vloer onder de kaarttafel ontdekken, en als dat wonder boven wonder toch mocht lukken, zou het uren duren om een explosieventeam te laten komen om die kluisdeur weg te blazen.

Wauw. We zaten aan alle kanten in de knel. Er was slechts één manier om hier uit te komen, en dat was de manier die ik vanmiddag al had moeten kiezen – deze schoft en zijn maten moesten sterven, hier en nu, voordat ze ons zouden doden en voordat Madox die vier atoombommen in de Zandbak tot ontploffing bracht.

Madox draaide rond in zijn stoel en vroeg me: 'Begrijp je wat er gebeurt, John?'

'Ik denk dat we mogen vaststellen dat jij een ELF-signaal gaat versturen naar de vier ontvangers die zijn verbonden met de nucleaire ontstekingsmechanismen in de vier kofferbommen.'

'Correct.' Hij voegde eraan toe: 'Ik ben trouwens al met de uitzending begonnen.'

Shit.

Hij zei: 'Kom wat dichterbij. Op je knieën. Kom op.'

Kate en ik schuifelden op onze knieën naar hem toe tot Carl, achter ons, riep: 'Stop.'

We stopten.

Madox vroeg: 'Zien jullie die drie kleine vensters?'

We keken naar de plek die hij aanwees: een zwarte doos boven op de console. Op het eerste venster in de doos draaide een duizelingwekkende hoeveelheid rode led-letters voorbij en Madox zei: 'Ik heb de eerste letter verstuurd van de drielettercode die de vier bommen tot ontploffing zal brengen.' Hij verklaarde zich nader. 'Ik had ook een tijdklok op de vier kofferbommen kunnen plaatsen, maar dan zou ik geen controle meer hebben over het tijdstip van de ontploffing. Dus heb ik gekozen voor deze methode, met mijn ELF-zender, die perfect is voor deze taak, en honderd procent zeker.' Hij voegde eraan toe: 'Eindelijk krijg ik waar voor mijn geld met dat ELF-station.'

Ik zei tegen hem: 'Weet je wel, Bain, dat je met die ELF-golven naar olie kunt zoeken?'

Hij glimlachte en zei: 'Ik zie dat je je huiswerk gedaan hebt.' Hij deelde me mee: 'Ik hoef geen olie te zoeken. Ik weet al waar die zit en de huidige eigenaren staan op het punt een atoombom op hun kop te krijgen.'

'Waarom doe je dit?'

Hij keek me aan en antwoordde: 'Aha, de waaromvraag.' Hij stak een sigaret op. 'Waarom? Omdat ik mijn buik verdomme vol heb van die reeks karakterloze presidenten die alleen maar de kont van die Arabieren kussen. Daarom.'

Ik bedacht dat hij zelf waarschijnlijk ook de kont van een of andere Arabier had moeten kussen en dat dit zijn wraak was. Ik bedacht ook dat ik maar beter met hem mee kon praten en zei: 'Weet je, Bain, Kate en ik maken de gevolgen daarvan dagelijks in ons werk mee. Illegale moslimimmigranten die worden behandeld alsof ze Allah zelf zijn, vermoedelijke terroristen die een leger aan advocaten achter zich hebben en dreigen ons aan te klagen wegens valse beschuldigingen.' Ik ging nog even door met mijn litanie over de problemen op het werk, maar vreemd genoeg leek Madox daar nauwelijks in geïnteresseerd. Ik besloot met: 'Ik begrijp je frustraties, maar vier atoombommen in de Zandbak gooien zal het probleem niet oplossen. Dat zal het alleen maar erger maken.'

Hij lachte, wat me nogal vreemd voorkwam.

Toen draaide hij opnieuw om in zijn stoel en drukte op een paar toetsen op zijn toetsenbord. Hij legde uit: 'Elke letter moet worden gecodeerd met een vierlettercode.'

'Juist,' zei ik instemmend. 'Kunnen we erover praten?'

Hij leek me niet te horen en had zo te zien al zijn aandacht bij de code en bij iets wat hij hoorde door een koptelefoon die hij even tegen zijn oor hield.

Ik zag dat het eerste venster in de zwarte doos geen voorbijschietende letters meer liet zien en dat het vaststond op een felrode 'G'.

Kate sprak. 'Als de staatspolitie en de FBI hier arriveren, zullen ze je generatoren en antennepalen vernietigen.'

Madox speelde nog steeds met zijn elektronica en antwoordde zonder zich om te draaien: 'Kate, ten eerste zijn ze nog niet eens uit het hoofdkwartier vertrokken, wat een uur gaans van hier ligt. Ten tweede hebben ze echt geen idee wat hier gaande is. En ten derde – ook al zouden ze hier binnen de komende dertig minuten binnenvallen, dan zijn ze nog te laat.' Hij voegde eraan toe: 'Dit zal allemaal binnen twintig minuten voorbij zijn.'

Ik zag dat in het tweede venster in de zwarte doos nu ook rode letters voorbijschoten.

Madox draaide zich om in zijn stoel en zei tegen ons: 'De tweede letter wordt verzonden en de vier ontvangers in de kofferbommen zullen die over ongeveer vijftien minuten oppikken.'

Ik dacht dat hij ons misschien op het verkeerde been wilde zetten wat betreft de tijd die we nog hadden, dus om hem te laten zien dat we ons huiswerk hadden gedaan, zei ik: 'Ongeveer dertig minuten.'

'Nee, vijftien. Zo lang duurt het voordat elke opeenvolgende ELF-golf San Francisco en Los Angeles bereikt.'

'Het Midden-Oosten,' corrigeerde ik hem. 'Dertig minuten.'

'*Nee*,' zei Madox ongeduldig. 'Je begrijpt het nog steeds niet – wat trouwens goed nieuws voor mij is.'

Kate vroeg: 'Wat begrijpen we niet?'

'Project Groen en Vuurstorm.'

Madox draaide weer rond in zijn stoel en bekeek de elektronische getallen, waarna hij opmerkte: 'De generatoren blijven zesduizend kilowatt afgeven.' Hij legde zijn hand op het toetsenbord. 'Het enige wat ik nu nog moet doen, is de codering voor de laatste letter van de drielettercode intypen.'

Terwijl hij dat zei, bevroor de tweede letter op de zwarte doos tot een 'O'. Er stond nu dus 'G-O'.

Hij zag het ook en zei: 'We hebben een G en een O. Dus wat is het codewoord? Ik weet het niet meer. G-O-B? G-O-T?' Hij lachte over zijn schouder naar ons. 'G-O-C-O? Nee, te veel letters. Help me eens, John? Kate? God, alsjeblieft, maak dat ik het me weer herinner... ah! Dat is het. G-O-D.'

De man had er duidelijk lol in, ook al raakte hij helemaal kierewiet.

Hij typte op zijn toetsenbord en op het laatste venster begonnen letters voorbij te tollen.

Hij draaide zich weer naar ons om en zei: 'Wat er gebeurt, is dat mijn coderingssoftware met succes de letters G en O via ELF-golven naar de vier ontvangers heeft gestuurd, wat is bevestigd door de G en de O op de zwarte doos. Maar zoals jullie weten duurt het enige tijd voordat deze golven ook echt de ontvangers bereiken en voordat die ontvangers de zaak hebben gedecodeerd. Kunnen jullie me volgen?'

Volgens mij kon het hem totaal niets schelen of wij het begrepen, tenzij hij probeerde te achterhalen wat wij wisten, dus zei ik: 'Dat kunnen we volgen.'

'Echt?' Hij deelde ons mee: 'Ik heb een zich herhalende en zichzelf corrigerende code gebruikt die continu wordt verzonden, tot de lettervolgorde is bereikt die de zaak in gang zet. Met andere woorden: D-O-G zal niet werken. Alleen G-O-D kan een explosie veroorzaken. Begrijp je?'

Ik zei, ter herinnering: 'Vergeet niet je isotopen te activeren.'

'M'n... wat?' Hij keek me aan alsof *ik* gek was en zei toen: 'Dit is hetzelfde softwaresysteem dat de marine gebruikt voor hun onderzeebotenvloot. Maar misschien wisten jullie dat al. Weten jullie ook van mijn bescheiden experiment in de jaren tachtig?'

Kate antwoordde: 'Dat weten we. En dat geldt voor iedereen bij de FBI.'

'Werkelijk? Ach, wat jammer nou. Maar op dit moment niet relevant. Maar goed, als de zwarte doos G-O-D weergeeft, zullen ongeveer vijftien minuten later de vier ontvangers de volledige lettercode in de juiste volgorde binnen hebben. GOD. En als er geen verandering is in het continu uitgezonden signaal, zullen na twee minuten de vier ontvangers een elektronische puls naar de vier ontstekingsmechanismen sturen, die aan de ontvangers gekoppeld zijn, en dan hebben we vier mooie atoomexplosies. Met dank aan dr. Putjov.'

Noch Kate noch ik had behoefte daarop te reageren.

Madox stak nog een sigaret op en keek naar de zwarte doos terwijl in het laatste venster de letters voorbijtolden. Toen bleef de letter D voor staan en stond er op de drie vensters 'GOD'. Madox, die dacht dat dit naar hem verwees, zei: 'Alle drie de letters worden nu dus in een vast patroon naar de andere kant van het land gestuurd.'

Ik begreep nog steeds niet waarom hij 'naar de andere kant van het land' zei, of misschien begreep ik het heel goed maar wilde ik het niet weten.

Madox drukte op een paar knoppen op de console en er verschenen vier groene led-cijfers – 15:00 – op een groot scherm. Vervolgens drukte hij op een andere knop en nu begonnen de nummers af te tellen. Hij zei tegen ons: 'Het is moeilijk te zeggen hoe lang het precies zal duren voordat de ELF-golf op de juiste manier is gedecodeerd door de ontvangers, maar met die vijftien minuten zal ik er niet ver naast zitten. Daarna zullen de ontvangers zoals gezegd deze letters precies twee minuten moeten vasthouden, om er zeker van te zijn dat ze de zichzelf corrigerende code correct lezen. En dan' – hij klapte in zijn handen – 'BOEM!'

Ik zag het aankomen, maar die arme Luther deed het bijna in zijn broek.

Madox vond het kennelijk heel grappig allemaal, dus herhaalde hij het nog drie keer. BOEM! BOEM! BOEM! Maar de verrassing was weg en niemand sprong nog op.

Ik bedoel, deze knaap was volkomen gestoord en ik hoopte dat Carl en Luther dat ook begrepen. Ik wist zeker dat Harry het op zeker moment had begrepen en misschien dat Carl en Luther zich herinnerden wat er met Harry was gebeurd.

Ik concentreerde me op de aftelklok, die inmiddels op 13:36 stond, vervolgens op 13:35, enzovoort, op weg naar de nucleaire extase voor Bain Madox.

Madox stak met zijn nog brandende sigaret een volgende aan, keek op zijn horloge en vervolgens naar de aftelklok, controleerde wat instrumenten en wierp toen een blik op de zes bewakingsmonitors.

Madox leek in een manische toestand en ik begreep dat dit zijn beloning was voor jaren werk en plannen maken.

Ik daarentegen had niet veel omhanden, behalve dan met mijn handen op mijn hoofd op mijn knieën zitten kijken en luisteren. Ik bedoel, het is natuurlijk best opwindend om naar het aftellen van een atoomexplosie te kijken, maar ik was toch meer iemand van de actie.

Daarover gesproken: Carl bevond zich nog steeds achter ons, dus naar mijn BearBanger grijpen, die inmiddels nog wat verder omlaag in mijn onderbroek was gezakt, was geen optie. Ik zou de BearBanger er misschien wel uit krijgen, maar ik zou dood zijn voordat ik erachter was welke kant boven moest.

Kate had een betere kans om het ding uit haar spijkerbroek te halen voordat Carl of de onbenullige Luther het in de gaten had. En ik kon aan haar gespannen houding zien dat ze dat overwoog.

Ze hield Luther zoveel als mogelijk zonder op te vallen in de gaten, maar Carl konden we niet zien en ik had geen idee hoe goed hij ons in de gaten hield. Daar kwam nog bij dat steeds als Luther wat afwezig dreigde te raken, Madox plotseling ronddraaide in zijn stoel om tegen ons te praten.

Dat deed hij trouwens op dit moment ook weer. 'Jullie denken waarschijnlijk dat ik gek ben.'

Ik antwoordde: 'Nee, Bain, we *weten* dat je gek bent.'

Hij begon te glimlachen, maar realiseerde zich toen dat zijn manschappen aanwezig waren en hij wilde niet dat ze verkeerde ideeën kregen, dus werd hij serieus, net alsof hij bij zijn volle verstand was, en zei tegen mij: 'Er is niet één belangrijke figuur in de wereldgeschiedenis die niet voor gek werd verklaard. Caesar, Attila, Djengis Khan, Napoleon, Hit– Nou ja, misschien was die niet helemaal in evenwicht. Maar je begrijpt wat ik bedoel.'

'Ik begrijp dat als jij denkt dat je Napoleon bent, je misschien eens met iemand moet praten.'

'John, ik ben gewoon wie ik ben.'

'Dat is een goed begin, Bain.'

Hij deelde ons mee: 'Ik geloof niet dat jullie waarderen wat ik doe.' Hij begon daarop een hele tirade over grote mannen die de loop van de geschiedenis hadden veranderd, inclusief ene koning Jan van Polen, die Wenen van de Turken had bevrijd en daar geen enkele beloning voor kreeg. Ik bedoel, wie kan dat nu iets schelen, Bain?

Ondertussen stond de klok nu op 11:13 en telde vrolijk verder af.

Kate maakte gebruik van het feit dat Madox even zweeg om een sigaret op te steken en vroeg: 'Wat is Vuurstorm?'

Hij blies een paar kringetjes en antwoordde toen: 'Dat is een uiterst geheim overheidsprotocol dat in werking treedt als en zodra Amerika wordt aangevallen met een massavernietigingswapen of -wapens. Het is het enige verstandige en goede dat we gedaan hebben sinds MAD – gegarandeerde wederzijdse vernietiging.'

Kate vroeg vervolgens: 'Wat heeft dat te maken met... met wat er nu gebeurt?'

Hij keek haar door de rook heen aan en zei: 'Dus je weet het echt niet, hè?'

Ik had de indruk dat als we enkele van die vragen verkeerd zouden beantwoorden – als hij dacht dat we geen idee hadden – we Putjov eerder sneller dan later zouden volgen, dus antwoordde ik: 'We zijn wel gebriefd, maar – '

'Mooi. Vertel maar.'

'Oké... nou... Vuurstorm is een geheim overheidsprotocol dat in werking treedt – '

'John, wat ben je toch een idioot.' Hij zei: 'Ik zal het *jou* vertellen.' Hij begon aan een uitleg van Vuurstorm die ik angstaanjagend maar tegelijkertijd vreemd geruststellend vond. Het meest angstaanjagende was dat Bain Madox de details kende van een geheim dat tot de meest gevoelige van het land behoorde.

De klok stond inmiddels op 9:34 en terwijl Madox verder sprak, zag ik hem verspringen naar 9:00 en vervolgens 8:59.

Het meeste van wat hij zei, ving ik ook op en toen hij begon aan een opsomming van de islamitische steden die zouden worden gebombardeerd als Vuurstorm werd geëffectueerd, dacht ik dat hij een orgasme zou krijgen.

Ik bedoel, hij was volkomen uitzinnig en ik hoopte dat hij erin zou blijven of zo.

Toen hij begon over het eventuele bombarderen van de Aswandam, werd hij zo mogelijk nog opgewondener, gooide zijn armen in de lucht en zei: 'Miljarden liters water. Het hele Nassermeer en de Nijl zullen Egypte wegvagen en zestig miljoen lijken in de Middellandse Zee spoelen.'

Mijn hemel. Bain. En dan wil je nog beweren dat je niet gek bent.

Hoe meeslepend dit ook allemaal mocht zijn, toch vielen me twee dingen op. Eén: Madox had zijn Colt .45 in de binnenzak van zijn blauwe blazer gestoken; en twee: Luther leek wat bezorgd, alsof dit allemaal nieuw voor hem was. Hij stak zelfs een sigaret op, wat je in diensttijd niet geacht wordt te doen. Vooral als dat betekent dat je tijdens het gehannes met je sigaret en aansteker je geweer aan je schouder laat bungelen.

Het begon trouwens behoorlijk rokerig te worden in het vertrek en ik stond op het punt op te merken dat meeroken niet erg gezond voor ons was, maar dan zou Bain er ongetwijfeld op wijzen dat langetermijndenken voor Kate en mij niet zoveel zin had.

De klok stond op 7:28.

Ergens in het vertrek ging een telefoon en dat bleek Madox' gsm, die hij nu uit zijn zak haalde. Hij zei: 'Madox', luisterde toen even en bevestigde: 'Project Groen loopt', gevolgd door: 'Kaiser Wilhelm', die kennelijk ook in het project zat of, waarschijnlijker, een code was die betekende dat alles oké was en dat hij – Madox – niet bedreigd werd.

Madox luisterde opnieuw en antwoordde toen: 'Goed.' Hij keek op de aftelklok en zei in zijn gsm: 'Ongeveer vijf of zes minuten, plus nog twee minuten voor de bevestiging. Ja, dat is goed. Wat eten ze?' Hij luisterde, lachte en zei: 'Misschien dat ik jullie wel behoed voor een lot erger dan de dood. Oké. Mooi. Bedankt, Paul.' Hij voegde eraan toe: 'God zegene ons allemaal.' Hij hing op en zei tegen mij: 'Jij zult dit wel kunnen waarderen, John. De president en zijn gasten krijgen vanavond de Franse keuken voor hun kiezen – gepocheerde zalmforel met sauce hollandaise. Eh, waar was ik gebleven?'

Ik zei: 'Sorry, Bain. Ik heb geloof ik niet helemaal goed opgelet, maar – '

'O, sorry. Dat was Paul Dunn. De speciale assistent van de president voor de nationale veiligheid.' Hij legde het uit. 'Ze dineren vanavond met een klein gezelschap in het Witte Huis. Dat is mooi, want dan kunnen de president en zijn vrouw snel worden geëvacueerd. Samen met Paul.'

'Is het eten zo slecht?'

Madox lachte en zei: 'Je bent eigenlijk best wel grappig.' Hij stopte de gsm weer in zijn zak. 'Voor jullie informatie: ik heb hier beneden een gsm-antenne en mijn zendmast is ook weer geactiveerd, maar helaas voor mijn niet-betalende klanten staat het systeem nu op spraakvervorming.' Hij vroeg me: 'Waar was ik gebleven?'

'Zestig miljoen lichamen die in de Nijl drijven.'

'O ja. Het grootste verlies aan levens in de geschiedenis van de mensheid. En dan hebben we het nog niet eens over de honderd miljoen of meer moslims die verkoold raken bij nog eens honderd nucleaire explosies.'

Ik kon het nog steeds niet helemaal volgen. Ik begreep wat Vuurstorm was – wat trouwens nogal extreem klonk als vergelding voor een door terroristen in Amerika tot ontploffing gebrachte atoombom – maar wie was ik om daar een oordeel over te vellen? Wat ik niet begreep was hoe Madox, door vier islamitische steden te bombarderen, Vuurstorm in gang dacht te zetten... en toen begreep ik het. Het waren geen vier *islamitische* steden. Het waren twee *Amerikaanse* steden. De steden waar de bommen zich op dit moment bevonden – LA en San Francisco. *Goeie genade*. Ik keek naar Kate, die zo wit zag als een geest.

Madox griste een afstandsbediening van zijn console en zette de drie flatscreen-tv's aan.

Het eerste scherm lichtte op en ik zag een nieuwszender waarop een weervrouw naar een landelijke weerkaart wees. Madox zei: 'Washington', en drukte op een knop om het geluid weg te drukken.

Het tweede scherm toonde een andere nieuwszender waarop een kerel de sportuitslagen voorlas. Madox merkte op: 'San Francisco', waarna hij ook op die tv het geluid wegdrukte.

Het derde scherm toonde twee nieuwslezers die druk zaten te praten tegen een achtergrond van een skyline bij daglicht, en het duurde enkele seconden voordat ik me realiseerde dat dit het centrum van Los Angeles was. Madox luisterde enkele seconden en keek toen op zijn horloge. 'Oké, het is hier zeven uur zesenvijftig, dus is het aan de westkust vier uur zesenvijftig.' Hij keek op zijn aftelklok die nu stond op 4:48, 4:47, 4:46, 4:45 –

Hij zei: 'Dus we hebben vijf of zes minuten voordat de laatste letter de ontvangers bereikt. En vervolgens nog twee minuten voor de bevestiging.' Hij zweeg even. 'GOD.'

Ik schraapte mijn keel en zei tegen hem: 'Ben je...? Ik bedoel, ben je...?'

'Zeg het maar, John.'

'Waar ben je verdomme mee bezig?'

'Zie je dat niet dan?'

Ik gaf geen antwoord, en Kate ook niet.

Hij zakte wat onderuit in zijn draaistoel, sloeg zijn benen over elkaar en stak nog een sigaret op. 'Project Groen. Dat is de naam van mijn plan om Vuurstorm te initialiseren. Vat je 'm? Vier nucleaire kofferbommen – twee in LA, twee in San Francisco.' Hij voegde eraan toe: 'Ze hebben me tien miljoen gekost, plus onderhoud.'

Madox wierp weer een blik op de klok. 'Ze gaan allemaal binnen zes minuten de lucht in.' Hij draaide zich naar ons om en zei: 'Daarna zal als vergelding Vuurstorm worden opgestart en zullen die islamitische klootzakken van de aarde weggevaagd worden vanwege wat ze Los Angeles en San Francisco hebben aangedaan – ' Hij zweeg abrupt, alsof hem net iets te binnen schoot en toen zei hij: 'O ja, ik zou bijna vergeten dat *ik* San Francisco en Los Angeles opblaas.' Hij lachte.

Goeie genade. Ik zei tegen hem: 'Bain, in hemelsnaam, je kunt niet – '

'John, houd je bek. Je lijkt Harry wel. En bedenk terwijl je je mond houdt eens hoe mooi dit eigenlijk is. Project Groen. Vuurstorm. Waarom groen? Omdat...' Hij keek naar de platte schermen. 'Zie je die dunne balk onder aan het scherm van die zender uit LA? Wat wil dat zeggen? Alarmniveau oranje. Weet je wat die balk in de nabije toekomst zal aangeven? Groen. Een permanent groen. Snap je? Je zult nooit meer gefouilleerd worden op het vliegveld... Nou ja, jullie zullen sowieso nooit meer een vliegveld *zien*.'

Hij ratelde nog wat door en ik keek naar de nieuwsuitzendingen uit LA en San Francisco, in de hoop een aanwijzing te zien dat er een gevaarlijke samenzwering was ontmaskerd. Maar de nieuwslezers waren al bezig hun papieren bij elkaar te rapen. Ik hoopte – bad letterlijk – dat de beide piloten en copiloten in die steden waren gevonden. Maar de kans dat alle vier die knapen nu al gevonden zouden zijn, was zo goed als nihil.

Ik zei tegen Madox: 'Bain, de regering zal weten dat *jij* het was, en niet de terroristen die – '

'John, zelfs al komen ze erachter, dan zou het nog te laat zijn. Vuurstorm is op een haar na geactiveerd.'

'Bain, ze zullen je hier komen halen – '

'Zal ik je eens wat zeggen? Dat kan me geen donder schelen, zolang ik maar weet dat de islamitische wereld in puin ligt. Ik vind het niet erg een martelaar voor mijn land te zijn, voor mijn overtuiging – '

'Ben je verdomme gek geworden? Je staat op het punt miljoenen Amerikanen te vermoorden, en miljoenen onschuldige moslims – '

'John, houd je bek verdomme.' Hij keek snel naar Carl en Luther en zei toen tegen mij: 'Het doel heiligt de middelen.'

'Nee, dat is *niet* –'

Hij verhief zijn stem. 'Dat is wél zo! We hebben het hier over het scheppen van een Nieuwe Wereld. Begrijp je dat dan niet?'

'Ik moet naar de wc.'

Madox keek Kate aan. 'Wat?'

'Ik moet plassen. Alsjeblieft, ik kan het niet meer ophouden. Ik wil niet... in mijn broek plassen, hier – '

Madox leek geërgerd, dacht even na en zei toen: 'Nou, ik wil ook niet dat je de boel bevuilt, zeker niet gezien dat slecht werkende luchtzuiveringssysteem hier.' Hij instrueerde Carl: 'Houd haar in de gaten.'

Carl beval Kate: 'Op handen en voeten. Omdraaien.'

Kate deed wat haar werd opgedragen en toen zei Carl: 'Hierheen.'

Ik kon haar niet meer zien, maar ik hoorde Carl de vloer oversteken, en daarna hoorde ik achter me een deur opengaan.

Madox keek wat er gebeurde, net als Luther, die opnieuw zijn pakje sigaretten tevoorschijn haalde.

Carl zei tegen Kate: 'Ga je gang. Ik ga die deur niet dichtdoen.'

Het moment was daar. Carl hield Kate in de gaten, met zijn rug naar mij toe, en Madox verdeelde zijn aandacht tussen zijn klok, die nu op 3:26 stond, zijn bewakingsmonitoren, waarop nog steeds niets gebeurde, en zijn flatscreen-tv's, waarop nog steeds nieuwsuitzendingen bezig waren.

Luther had alleen maar oog voor de geopende wc-deur.

Ik draaide mijn hoofd om en keek achter me. Carl stond bij de deur met zijn geweer op zijn heup en gericht op Kate, die ik voor de toiletpot kon zien staan terwijl ze haar broek losknoopte en vervolgens haar rits omlaag deed.

Ik wist niet wat Carl dacht te gaan zien, maar het zou iets heel anders zijn dan hij verwachtte.

Madox zei: 'John, je hoeft niet te kijken hoe je vrouw piest. Draai je naar mij om.'

Ik wendde me af van wat een heel heldere flits zou worden, hield mijn adem in en sloot mijn ogen. Ik was erop voorbereid, maar toen het gebeurde, pieste ik bijna zelf in mijn broek.

Een oorverdovende explosie vulde de ruimte. Het vertrek werd op hetzelfde moment verlicht door een verblindende flits die ik zelfs door mijn gesloten oogleden heen kon zien, en ik hoorde Carl gillen van de pijn.

Ik zat nu op de grond, met mijn BearBanger in mijn hand, maar de kamer was vol rook en ik kon Madox of Luther niet zien en ik hoopte dat ze mij ook niet zagen. Ik had al besloten dat Luther met zijn M16 het grootste gevaar vormde, dus richtte ik de BearBanger op de plek waar ik enige beweging bespeurde en vuurde.

Opnieuw vulde een enorme explosie het vertrek toen de fakkel als een rode laserstraal uit de BearBanger schoot en explodeerde tegen de muur – of tegen Luther.

Het maakte niet uit of ik hem geraakt had of niet, want inmiddels was iedereen half blind, doof en volkomen van slag.

Ik draaide om mijn as en dook over de vloer naar waar ik Carl op zijn rug zag liggen. Ik tastte in het rond naar zijn geweer, maar kon het niet vinden.

Toen riep Kate iets, maar ik kon haar niet horen.

Ik keek naar haar en zag dat ze het geweer al had.

Op het tapijt laaiden vlammetjes op van de BearBanger-patronen en ik zag ook een bank die in brand stond.

Ik ving een glimp op van Carls gezicht – of wat daarvan over was – en daarna dook ik in elkaar en ging op Madox af, die ik nu kon zien, op de vloer naast zijn draaistoel, rondkruipend en duidelijk gedesoriënteerd, maar nog zeker niet uitgeschakeld. Ik nam een te grote stap voor mijn ketting, viel voorover en schuifelde op handen en voeten verder.

Voordat ik Madox kon bereiken, stond Luther op en bracht zijn geweer naar zijn schouder. Hij wilde me net volpompen met kogels, toen het geluid van een geweerschot de kamer vulde en Luther de zwaartekracht leek te ontkennen, van zijn voeten getild werd en tegen de muur knalde.

Voordat hij viel, vuurde Kate nog een tweede keer en Luthers onderkaak verdween.

Ik dook opnieuw op Madox af, die nu op één knie zat en me aankeek met zijn Colt .45 in de hand.

Hij begon het wapen omhoog te brengen en Kate gilde: 'Geen beweging! Geen beweging! Laat vallen! Laat vallen of je bent er geweest!'

Er was één lang moment waarin Bain Madox zijn opties overwoog. Kate hielp hem een besluit te nemen door een gat in het plafond boven zijn hoofd te schieten. Nog voordat het pleisterwerk op hem neerdaalde, liet hij de revolver vallen.

De tijd leek even tussen ons in te hangen terwijl Madox en ik, allebei op onze knieën, elkaar van anderhalve meter afstand aankeken. Kate stond ongeveer drie meter verder, het geweer op Madox' hoofd gericht.

Het vertrek rook naar verbrande explosieven en er hing een blauwe rook in de lucht. Mijn gezichtsvermogen kwam langzaam terug, maar overal waar ik keek dansten nog zwarte vlekken. Wat mijn gehoor betrof, ik had de geweerknallen gehoord, maar ze leken van veraf te komen en als er al andere geluiden in de kamer klonken, dan hoorde ik ze niet.

Ik kwam langzaam overeind, zocht mijn evenwicht en raapte toen Madox' .45 van het tapijt op. Vervolgens liep ik naar Luther, die tegen de muur naast de deur zat. Hij was niet dood, maar zou willen dat hij dat wel was als hij het zonder onderkaak overleefde. Kate's eerste schot had zijn arm verbrijzeld, maar zijn geweer hing nog steeds aan de riem voor zijn borst, dus trok ik het bij hem vandaan en zette de veiligheidspal om, waarna ik het geweer over mijn schouder hing.

Kate had naar Madox gebaard dat hij op het tapijt moest kruipen, waar hij nu met zijn gezicht in de dikke, blauwe stof lag wat, zo wist ik uit eigen ervaring, geen pretje was.

Ik keek naar de aftelklok en zag dat we nog twee volle minuten hadden tot aan 00:00.

Ik moest dit volgens het boekje doen, om er zeker van te zijn dat er niemand over was die voor Kate of mij een gevaar kon betekenen. Dus liep ik naar Carl, die nog steeds in leven was en die ook wat delen van zijn gezicht had zitten op plaatsen waar ze niet thuishoorden.

Ik begon hem te fouilleren, maar tot mijn stomme verbazing ging hij als Frankenstein op de laboratoriumtafel rechtop zitten, en ik deinsde achteruit.

Ik keek hoe hij overeind kwam. Hij was duidelijk blind – niet tijdelijk verblind, maar afgaand op de brandplekken rond zijn ogen, voorgoed blind. Desalniettemin stak hij zijn hand in zijn jack en haalde er een Colt .45 Automatic uit.

Ik wilde zeggen: 'Laat vallen!', maar dan zou hij weten in welke richting hij moest schieten, dus nam ik, omdat de tijd drong, een moeilijke beslissing en schoot een .45-kogel door zijn voorhoofd.

Hij was te groot om van zijn voeten gelicht te worden en viel als een gevelde boom achterover.

Kate zei: 'Achtenvijftig seconden.'

Ik liep op Madox af, die naar Carls lichaam staarde, en vroeg hem: 'Hoe zet je dat ding stil?'

Hij draaide zijn hoofd naar mij om en zei: 'Val dood.'

'Heb je ook nog iets intelligents te zeggen? Kom op, Bain. Help me. Hoe zet ik hem uit?'

'Dat kun je niet. En waarom zou je het ook willen? John, *denk* hierover *na*.'

Ik moet eerlijk zijn en toegeven dat ik erover had nagedacht. Ik bedoel, God sta me bij, maar ik dacht er echt over het te laten gebeuren.

Kate riep: 'Veertig seconden.'

Ik kwam weer bij mijn positieven en probeerde me te herinneren wat Madox over het ELF-signaal had gezegd. Hij had het gehad over een aanhoudend signaal en een periode waarin de code moest worden geverifieerd, dus dacht ik dat als ik de ELF-golf zou stoppen, hier in de zender, dat dan de ontvangers geen signaal naar de bommen konden sturen. Elektronica is niet mijn sterkste kant, maar destructie wel en er was niets te verliezen, behalve dan twee steden, dus stapte ik achteruit en zei tegen Kate dat ze dat ook moest doen.

De klok stond nu op :15, maar ik meende van Bain begrepen te hebben dat de ELF-golf en de decodering een minuut of twee sneller of langzamer de ontvangers zouden kunnen bereiken en de twee-minutenperiode kon wat mij betreft al ingegaan zijn – of zelfs afgelopen.

Ik wierp een blik op de drie tv-schermen, maar er gebeurde niets ongewoons in San Francisco, Los Angeles of Washington.

Kate zei: 'John.'

Ik volgde haar blik en zag dat de aftelklok inmiddels op 00:00 stond en op de zwarte doos flitsten nu de woorden 'GOD-GOD-GOD.'

Ik bracht de Colt .45 omhoog en richtte op de ELF-zender.

Madox was overeind gekomen en zat nu op zijn knieën voor de zender, alsof hij hem wilde beschermen. Hij stak zijn handen op en schreeuwde: 'John! Niet doen! Laat het gebeuren. Ik smeek je. Red de wereld. Red Amerika – '

Ik vuurde drie kogels op de zender af, over Madox' hoofd heen, en toen voor de zekerheid ook nog drie in de rest van de elektronische console. Daarna schoot Kate de laatste twee kogels uit het geweer in de rokende elektronica.

De lichtjes, cijfers en instrumenten gingen knipperend uit en de grote metalen console rookte en vonkte. Het woord 'GOD' knipperde nog één keer en doofde toen ook uit.

Madox had zijn hoofd omgedraaid en keek naar de stervende ELF-zender. Daarna draaide hij zich naar mij om, vervolgens naar Kate en toen weer naar mij en hij zei, bijna fluisterend: 'Je hebt alles verpest. Je had het kunnen laten gebeuren. Waarom ben je zo stom?'

Ik had een paar mooie antwoorden voor hem klaar, over plicht, eergevoel en vaderland en ook: 'Als ik zo stom ben, waarom heb ik dan je revolver?' Maar ik kwam direct ter zake en zei: 'Dit is voor Harry Muller', en schoot mijn laatste kogel door zijn hoofd.

51

We vonden de sleutel in Carls zak en maakten onze boeien los. We vonden ook zijn Colt .45 op de vloer en Kate stopte hem tussen haar broeksband.

Kate en ik stonden zij aan zij in de rokerige kamer, net zo sprakeloos als de drie tv-schermen waar we naar keken. Mijn hart bonkte en ik wist zeker dat dat ook voor haar gold.

Na een paar minuten reclame – zonder dringende laatste berichten of schermen die zwart werden in LA en San Francisco – zei ik tegen Kate: 'Ik geloof dat alles in orde is.'

Ze knikte.

Ik vroeg haar: 'Is ook alles goed met *jou*?'

'Met mij is het prima... Ik ben alleen... overweldigd.'

Ik liet een paar minuten verstrijken en zei toen tegen haar: 'Dat was goed werk.'

'*Goed*? Ik deed het verdomme fantastisch.'

'Uitstekend werk.' Ik vroeg: 'Hé, waar had je die BearBanger verstopt?'

'Dat wil je niet weten.'

'Juist.'

Na weer een paar minuten stilte vroeg ze me: 'Kun je dit geloven? Kun je *geloven* wat Madox wilde gaan doen?'

Ik keek naar de elektronische console en zei: 'Wanhopige momenten vragen om wanhopige maatregelen.'

Ze zweeg weer even en zei toen: 'John... ik dacht daarnet heel even... een minuutje maar... dat je aarzelde.'

Ik dacht daarover na. 'Eerlijk?'

'Geef maar geen antwoord.'

Maar ik moest iets zeggen, dus zei ik: 'Het gaat toch wel een keer gebeuren.'

'Zeg dat niet.'

Ik probeerde het met een grapje. 'Waarom blijven we hier niet een paar jaar zitten?'

Ze gaf geen antwoord.

Ik wierp een blik op Bain Madox, die nog steeds geknield zat, maar nu met zijn hoofd achterover geworpen en rustend op de rand van zijn consoletafel. Die grijze haviksogen stonden wijd open, zo star en emotieloos als altijd. En afgezien van dat rode gaatje in zijn voorhoofd kon je nauwelijks zien dat hij dood was, wat nogal griezelig was.

Kate zag me naar hem kijken. 'Je deed wat je moest doen.'

We wisten allebei dat dat niet waar was. Ik deed wat ik *wilde* doen.

Ik wendde mijn blik af van Madox en keek naar de zes bewakingsmonitoren, maar ik zag niets, behalve dan een bewegende schaduw in het poorthuis waarvan ik aannam dat het Derek was. Toen zag ik een Jeep langs de voorkant van het generatorhuis rijden.

Ik zei tegen Kate: 'Ze rijden daar nog rond, en er is nog steeds niemand van het hoofdkwartier van de staatspolitie gearriveerd.'

Ze knikte. 'Nou ja, dan moeten we hier nog maar even blijven.'

Ik vond het geen prettig idee om nog veel langer in dit vertrek te blijven, niet met die twee lijken op de vloer en dat rokende tapijt, plus de stank van verbrande elektronica.

Bovendien zat Luther te gorgelen en ik herkende dat geluid. Ik kon niet veel voor hem doen, maar ik vond dat ik toch iets moest proberen, dus keek ik om me heen op zoek naar een vaste telefoon, zodat ik de staatspolitie kon bellen voor een ambulance. Mogelijk konden ze dan ook gelijk nog wat state troopers meesturen om Derek te arresteren en wie er verder nog gearresteerd moest worden, en ons hier als de donder vandaan te halen.

Kate bleef naar de drie tv's staren en wierp tussendoor een blik op een klok aan de muur. 'Ik geloof echt dat alles oké is.'

'Ja.' Ik zag nergens een telefoon en ik dacht erover een andere kamer te proberen, en dat herinnerde me aan het vertrek met de gesloten deur met daarachter het geluid van een tv.

Ik bedoel, ik was nog steeds wat trillerig van de BearBangers, maar ik had wel wat alerter mogen zijn.

Bovendien was mijn gehoor nog niet helemaal teruggekeerd, en dat gold ook voor Kate, dus hadden we helemaal niet gehoord dat er iemand door de gang was komen aanlopen, en ik merkte pas dat we niet langer alleen waren toen ik een stem hoorde zeggen: 'Nou, *dit* had ik toch niet verwacht.'

Ik draaide me met een ruk om en daar bij de deur stond de geest van Ted Nash. Ik was sprakeloos.

Ook Kate had zich omgedraaid en haar mond viel letterlijk open.

Eindelijk wist ik uit te brengen: 'Jij bent dood.'

Hij antwoordde: 'Ik voel me anders prima. Sorry dat ik jullie zo van streek maak.'

'Ik ben niet van streek. Ik ben teleurgesteld.'

'Wel aardig blijven, John.' Hij keek naar Kate en vroeg haar: 'Hé, hoe is het met jou?'

Ze gaf geen antwoord.

Ik *wist* dat ik de hand van de CIA in dit alles zag, maar ik had zelfs in mijn ergste nachtmerrie niet kunnen dromen dat ik Ted Nash ooit nog eens zou zien. Of misschien ook wel.

Nash bekeek de kamer, maar gaf geen commentaar op de vernielingen, het bloed dat overal zat, Luther die op nog geen meter van hem vandaan bezig was te sterven, of Carl die dood midden in de kamer lag. Ted was een koele jongen. Hij keek echter wel naar Bain Madox en zei: 'Dat is echt verdomde jammer.'

We hadden kennelijk een andere mening over de overledene.

Nash zei, niet tegen ons, maar tegen zichzelf: 'Nou, dat zal heel wat teleurgestelde mensen in Washington opleveren.'

Noch Kate noch ik reageerde daarop, maar ik dacht erover de M16 van mijn schouder te halen en hem in de aanslag te brengen.

Ik was niet helemaal paranoïde, want Ted Nash is waarschijnlijk een moordenaar, en al zeker geen grote fan van John Corey. Plus dat hij een colbertje droeg waar hij zijn rechterhand in had gestoken, zoals die mooie jongens in de modetijdschriften. Dit was de nonchalante pistool-in-mijn-binnenzakblik.

Kate zei eindelijk ook iets. 'Wat doe jij hier?'

'Ik ben aan het werk.'

'Jij... jij was in de North Tower...'

'Nou, ik was te laat, net als jij, John, en nog wat anderen.' Hij zei filosofisch: 'Is het niet grappig hoe het lot werkt?'

Ik antwoordde: 'Ja, het lot is een vat vol grappen. Wat wil je daarmee zeggen, Ted? Dat je Madox wilde tegenhouden, maar dat je opnieuw een paar minuten te laat was?'

Hij glimlachte en antwoordde: 'Ik ben hier niet om Madox tegen te houden.' Hij wierp opnieuw een blik op wijlen de heer Madox. 'Maar jij kennelijk wel.'

'Ik ben hier alleen maar omdat ik was uitgenodigd voor het diner.'

Toen, voordat we nog meer leuke opmerkingen konden uitwisselen, trok hij zijn pistool, wat een Glock bleek, net als die van mij. Hij zei: 'Jullie hebben het hier echt grondig verknald.'

'Nee, Ted. We hebben alleen maar Los Angeles en San Francisco gered.' Om er zeker van te zijn dat hij het begreep, zei ik: 'Wij zijn helden. De slechteriken zijn dood.'

Hij begon een beetje pissig te worden, zoals eigenlijk altijd als hij mij ziet, en nu hij zijn pistool getrokken had en we allemaal wisten aan welke kant hij stond wat deze toestand betrof, zei hij: 'Je hebt geen idee hoezeer je de zaak verknald hebt.' Hij keek naar mij en wierp een zijdelingse blik op Kate. 'De wereld zoals wij die kennen, stond op het punt voorgoed te veranderen. Begrijp je dat? Begrijp je het echt?'

Hij stond zich steeds meer op te winden, dus ik gaf geen antwoord op zijn onzinnige vraag.

Hij ging verder. 'Dit was het beste, meest ingenieuze, meest gedurfde en moedigste plan dat we ooit hebben bedacht. In één rottige dag – één dag, John – één rottige dag, hadden we een grote bedreiging voor Amerika kunnen wegnemen. En *jij* – jij en die *slet* daar, hebben dat verpest.'

'Hé, sorry hoor.'

Kate haalde diep adem en zei scherp: 'Ten eerste, Ted, ben ik geen slet. Ten tweede, als deze regering de islam wil vernietigen met atoomwapens, of dreigt hen te vernietigen, dan zouden ze de *ballen* moeten hebben om dat te doen zonder een terroristische aanval op twee Amerikaanse steden te veinzen, waarbij bovendien miljoenen Amerikanen gedood worden –'

'Ach, hou toch op! Wie maalt er nu om Los Angeles of San Francisco? Ik in ieder geval niet. En jullie ook niet. Kom me niet aan met dat soort morele superioriteit, Kate. We hadden hier een kans om die moslimshit tot een gelukkig einde te brengen, maar jij en die verdomde clown met wie je getrouwd bent – ' Hij keek even naar mij en zag nu pas de riem over mijn schouder en de zwarte loop van de M16 die achter mijn rug omhoogstak. Hij richtte zijn Glock op mij. 'Haal dat verdomde geweer van je schouder. Niet aanraken. Niets aanraken. Laat het op de grond zakken. *Nu!*'

Ik leunde naar links zodat de riem van mijn schouder en langs mijn arm begon te glijden, terwijl ik ondertussen probeerde te bedenken hoe ik het geweer in mijn handen kon krijgen, de veiligheidspal kon overhalen en vanaf de heup één gericht schot kon plaatsen.

Kennelijk had de heer Nash genoeg van mijn trage reactie en hij zei: 'Laat ook maar. Blijf zo staan en sterf.' Hij richtte de Glock op mijn borst. 'Niet om het een of het ander, maar ik heb aan wat touwtjes getrokken om jou hierheen te krijgen, in de hoop dat jij zou worden gedood en niet die arme Harry Muller, die je trouwens binnen drie seconden gezelschap gaat houden. En verder' – hij knikte naar Kate – 'heb ik haar geneukt.'

Ik hoorde een luide knal, maar zag geen flits uit de loop van zijn Glock komen. Hij gooide echter wel zijn pistool in de lucht. Althans, zo leek het. Zijn lichaam schoot recht naar achteren, alsof hij tegen zijn borst werd getrapt, en hij knalde tegen de muur naast Luther. Terwijl hij omlaag gleed naar de vloer, leegde Kate Carls Colt .45 op het lichaam van Ted Nash, dat elke keer dat een kogel hem raakte, heftig verkrampte.

Ik keek hoe ze de laatste drie kogels afvuurde en er was niets hysterisch of koortsigs aan de manier waarop ze schoot. Ze hield het grote automatische wapen met beide handen in een correcte greep en richtte, haalde de trekker over, haalde adem, hield die in, haalde de trekker over enzovoort. Tot de slede vastklikte in de lege positie.

Ik liep op haar af om het pistool van haar over te nemen, maar ze gooide het van zich af.

Ik zei: 'Bedankt.'

Ze bleef naar Nash' lichaam kijken, dat nu overdekt was met bloed dat uit een hoofdwond stroomde.

Ze zei: '*Geen* slet, Ted.'

Ik moest eraan denken dat woord niet te gebruiken als we ruzie hadden.

52

Ik vond een vaste telefoon en belde majoor Schaeffer die, zo bleek, totaal niet wist waar we uithingen of wat er aan de hand was.

Ik gaf hem een heel beknopte versie van het gebeurde en sprak van moord en andere ellende en vroeg hem zijn mannen langs te sturen, samen met een ambulance, de technische recherche en hijzelf.

Kate en ik onderzochten, gewapend met Luthers volledig geladen M16 en Nash' gelukkig ook nog volledig geladen Glock, de andere vertrekken in het ondergrondse verblijf, dat zo in een exemplaar van *Beter wonen in een schuilkelder* had kunnen figureren.

We vonden de canvaszak met onze spullen en raapten onszelf weer een beetje bij elkaar.

Er is niets interessants of opvoedkundigs aan het feit dat je een hulpeloze gevangene bent, zeker niet als je bewaarders psychotisch en moordzuchtig zijn, dus ik heb ook nooit goed dat gedoe over het stockholmsyndroom begrepen, waarbij de gevangene zich begint te identificeren met zijn of haar overweldiger en gaat sympathiseren met de onzin die de overweldiger gebruikt om zijn slechte gedrag goed te praten.

Zo af en toe echter sluit wat de psycho doet of zegt echt aan bij wat de gevangene toch al gelooft, of over zichzelf heeft gedacht in de donkerder uithoeken van zijn geest.

Maar genoeg daarover.

Kate en ik vonden de barruimte van de heer Madox – in wezen een kleinere versie van die boven – en ze ontkurkte een Dom Pérignon 1978, die ze in een waterglas schonk en leegdronk.

Ik vond een paar warme flesjes Carlstadt-bier, die met de jaren niet beter wordt en zelfs sinds 1984 een beetje troebel was geworden. Maar het smaakte er niet minder om.

Wat de heer Ted Nash betrof, dit was zijn tweede en hopelijk laatste opstanding uit de dood. Ik had zeven gaten in zijn lichaam geteld, wat niet slecht was voor acht schoten. Ik voelde me zelfs een beetje onnozel dat ik zijn pols controleerde en Kate vroeg me dan ook waar ik verdomme mee bezig was. Maar ik wilde er dit keer echt volkomen zeker van zijn.

En nogmaals wat Ted Nash betrof, hij was er in drie minuten in geslaagd me volkomen over de rooie te krijgen. Om te beginnen ben ik geen clown, Ted, en mijn vrouw is geen slet. En wat dat andere betrof... nou ja, gebeurd is gebeurd. Zelfs Kate kan een fout maken met mannen. Ik ben ervan overtuigd dat niet al haar vriendjes John Coreys waren.

Ze moest hebben geraden waaraan ik dacht en ze dronk nog een glas champagne leeg en zei: 'Het is nooit gebeurd. Hij loog.'

Nou ja, aan Dode Ted kon ik het niet meer vragen, dus zei ik: 'CIA-knapen liegen nu eenmaal.'

'Je kunt me maar beter geloven.'

Zij had Teds Glock, dus zei ik: 'Ik geloof je, schat.'

Zij was nog steeds de advocaat en de FBI-agent en dus deelde ze mee: 'Het eerste en het tweede schot kan ik nog uit zelfverdediging verklaren, maar die andere zes niet.'

Ik opperde: 'Laten we zeggen dat Ted jou uitdaagde om hem acht keer te raken.' Ik voegde eraan toe: 'Ik wil trouwens graag de schuld – of de eer – op me nemen voor zijn dood.'

'Bedankt, maar... ik kom er wel uit.'

We liepen de ELF-kamer weer in om de bewakingsmonitoren te controleren en we zagen Schaeffers mannen arriveren in gemarkeerde en ongemarkeerde auto's, samen met een ambulance, allemaal keurig achter elkaar op McCuen Pond Road, achter het gesloten hek.

Vreemd genoeg ging het hek niet open en de voorste wagen ramde erdoorheen.

Toen liepen twee geüniformeerde troopers het poorthuis in en een paar minuten later droegen twee verplegers een lichaam op een brancard het poorthuis uit naar de ambulance.

Kate vroeg: 'Wat is dat allemaal?'

'Ik denk dat Derek dood is.'

'Dood?'

'Ja. Madox had hem nodig om het huis op te ruimen en zich te ontdoen van het busje dat ik van Rudy heb geleend. Maar Madox wilde niet dat Derek daar met iemand over zou praten, of zou verklappen dat iedereen in de schuilkelder zat... dus liet hij iemand met Derek afrekenen.'

Kate merkte op: 'Bain Madox lijkt aan alles te denken.'

'Niet aan alles, en denken doet hij al helemaal niet meer.'

We gaven het vijftien minuten de tijd om er zeker van te zijn dat boven de grond de juiste mensen het heft in handen hadden en daarna liepen we naar de wenteltrap, vonden de knop die de hydraulische kaarttafel in beweging zette en klommen omhoog naar de spelkamer, waar we eindelijk weer frisse lucht inademden.

We hadden onze identiteitsbewijzen in de hand en we werden van de ene agent naar de andere doorgeschoven, totdat we uiteindelijk in de grote zaal belandden, waar majoor Schaeffer zijn commandopost had ingericht, met een radio en een paar troopers. Kaiser Wilhelm lag bij de haard te slapen en scheten te laten.

Schaeffer vroeg ons: 'Wat is er hier in vredesnaam aan de hand?'

Ik antwoordde: 'De moord op Harry Muller is opgelost. Bain Madox en Carl, de butler, hebben het gedaan.'

'O ja? Waar is Madox?'

'In de schuilkelder.'

'We hebben het hele souterrain doorzocht.'

Ik legde uit waar hij de schuilkelder kon vinden en voegde eraan toe: 'Er liggen daar beneden drie doden en één zwaargewonde.'

'Wie is er dood?'

'Madox, Carl en nog een andere knaap.'

'Is Madox dood? Hoe is hij gestorven?'

Ik antwoordde, enigszins ontwijkend: 'Stuur je technische recherche maar naar beneden en zet ze aan het werk. En die gewonde heeft trouwens heel snel hulp nodig.'

Schaeffer pakte zijn radiotelefoon en gaf instructies betreffende de schuilkelder.

Ik adviseerde Schaeffer ook: 'Je kunt beter die bewakers ontwapenen en in hechtenis nemen.'

'Ze zijn al ontwapend en zitten onder bewaking in hun barak.'

'Mooi.'

'Wat kunnen we hen ten laste leggen?'

'Medeplichtige of getuige van de moord op Harry. Zeg maar tegen ze dat hun baas dood is en kijk of ze dan willen praten.'

Hij knikte en zei toen tegen ons: 'Die drie dieselmotoren en generatoren draaiden op volle toeren en we hebben ze uitgezet. Weten jullie daar meer van?'

Ik antwoordde: 'Nou, Fred bleek inderdaad gelijk te hebben. Onderzeeërs.'

'Wat...?'

Kate zei: 'Sorry, majoor, dit valt onder het hoofd nationale veiligheid.'

'Werkelijk?'

Ik bracht het gesprek weer op het onderwerp moord en deelde Schaeffer mee: 'U hoeft hier niet naar Putjov te zoeken.'

'Waarom niet?'

'Nou, volgens wijlen de heer Madox heeft hij zijn gast vermoord en daarna het lichaam door de houtversnipperaar gehaald.'

'Wat?'

'Ik weet niet of het wat uitmaakt, maar Putjov verdiende niet beter. Maar daar kan ik verder niet op ingaan.' Ik opperde: 'U kunt misschien de technische recherche erop wijzen dat ze wat extra aandacht aan de houtversnipperaar moeten besteden. Als ze daar niets vinden, zou u kunnen overwegen wat berenstront te verzamelen om te kijken of daarin sporen van Putjovs DNA te vinden zijn.'

Schaeffer zei: 'Ik geloof niet dat ik u helemaal kan volgen – '

'Hé,' vroeg ik, 'wat is er met die knaap in het poorthuis gebeurd?'

'Die is dood.'

'Derek. Ja toch?'

'Dat stond op zijn naambordje.' Hij deelde ons mee: 'De mensen van de ambulance vermoeden dat hij vergiftigd is. Misschien een spierverslapper. De man spartelde als een epilepticus voordat hij stierf.'

Ik zei tegen Kate: 'Jeetje, ik hoop niet dat het de worstenbroodjes waren.'

Schaeffer antwoordde: 'We hebben geen worstenbroodjes aangetroffen, maar er stond wel een pot verse koffie in het poorthuis en deze knaap had een omgevallen beker koffie op zijn bureau liggen. Wij denken daarom dat het de koffie was. Maar dat zal bij onderzoek vanzelf blijken.'

Kate zei tegen mij: 'Madox heeft wel een vooruitziende blik.'

'Niet meer.'

Kate vroeg aan Schaeffer: 'Is de FBI hier ook?'

'Jazeker. Zij hebben hun eigen commandopost opgezet.' Hij tilde met een ruk zijn hoofd op en zei: 'In Madox' kantoor. Jullie vriend Griffith is daar ook en hij is nog steeds naar jullie op zoek.'

Kate opperde: 'Laten we ze even gedag gaan zeggen.'

'Oké.' Ik zei tegen Schaeffer: 'We spreken elkaar nog.'

Hij keek ons aan en zei: 'Jullie stinken naar rook en zien er verschrikkelijk uit. Wat is er gebeurd?'

Ik antwoordde: 'Dat is nogal een lang en vreemd verhaal. Ik zou daar graag later nog op terugkomen.'

Hij zei, ter herinnering: 'Jullie moeten hier blijven om te assisteren bij het onderzoek.'

'Tot straks.'

Ik pakte Kate bij de arm en we liepen de grote zaal uit.

We zagen een stuk of tien geüniformeerde state troopers door het huis lopen, zo te zien zonder te weten wat ze verondersteld werden te doen. Ik liet mijn ID zien en vroeg aan een van hen: 'Waar is de keuken?'

'De keuken? O... gewoon deze gang door.'

'Bedankt.' Ik ging op weg naar de keuken en Kate zei tegen me: 'We moeten Liam Griffith spreken.'

'Schaeffer zei dat hij in de keuken was.'

'In Madox' *kantoor*.'

Ik tikte tegen mijn oor. 'Wat zei je?'

We vonden de keuken, die onbemand was. Ik zag nergens voorbereidingen voor een diner en zei dat tegen Kate, die antwoordde: 'Ik denk dat het diner een smoes was, John.'

'Werkelijk? Geen biefstuk en friet dus?'

'Waarom zijn we hier?'

'Omdat ik honger heb.'

'Zal ik een kopje koffie voor je halen in het poorthuis?'

'Ja, en neem er zelf ook een.' Ik opende de grote, professionele koelkast en vond wat kaas en vleeswaren.

'Hoe kun je nu eten?' vroeg ze. 'Mijn maag draait zich om.'

'Ik heb honger.' Ik gooide de kaas en de vleeswaren op het aanrecht, liep toen naar de gootsteen en waste mezelf. Ik geloof dat ik stukjes Madox op me had.

Terwijl ik daarmee bezig was, kwam de heer Liam Griffith de keuken in en vroeg ons: 'Waar hebben jullie verdomme uitgehangen?'

Ik keek op van de gootsteen. 'Zou je me even de theedoek aan willen geven?'

Hij aarzelde en gaf hem toen toch maar. 'Wat moeten jullie hier?'

Ik droogde mijn gezicht af en antwoordde: 'We hebben de planeet gered van nucleaire verwoesting.'

'Werkelijk? En wat verder nog?'

Ik gaf de theedoek aan Kate, die nu ook naar de gootsteen liep om zich op te frissen.

Ik zei tegen Griffith: 'Nou, vervolgens hebben we een vriendje van jou gedood.' Ik pakte de cheddarkaas uit en zei: 'Ted Nash.'

De heer Griffith gaf geen antwoord, maar ik zag aan zijn gezicht dat hij me niet begreep. Ten slotte zei hij: 'Ted Nash is dood.'

'Dat zei ik, ja. Klinkt dat niet fantastisch?'

Hij kon het nog steeds niet helemaal vatten, dus ik was er behoorlijk zeker van dat Liam Griffith, wat voor een grote klootzak hij verder ook mocht zijn, geen idee had wat zich hier had afgespeeld.

Kate droogde haar handen en gezicht af. 'Hij is niet omgekomen in de noordelijke toren. Maar nu is hij echt dood.' Ze voegde eraan toe: 'Ik heb hem gedood.'

'*Wat?*'

Ik zei: 'We kunnen op dit moment verder niets over dat onderwerp zeggen. Wil je ook wat cheddarkaas?'

'Hè? Nee.' Ten slotte zei hij tegen ons: 'Zoals jullie weten, zitten jullie allebei tot je nek in de problemen. Ik heb opdracht om jullie mee terug te nemen naar de stad zodra ik jullie gelokaliseerd heb. Wat nu is gebeurd. Ik heb het genoegen jullie mede te delen dat jullie waarschijnlijk allebei een disciplinaire straf tegemoet kunnen zien, en hopelijk nog iets veel ergers.'

Enzovoort, enzovoort.

Ik moet zo ongeveer een half pond kaas en vleeswaren naar binnen hebben gewerkt terwijl hij doorratelde en ik keek een paar keer op mijn horloge om hem de hint te geven er een punt aan te draaien.

Toen hij eindelijk klaar was, vroeg hij ons: 'Wat is hier eigenlijk precies gebeurd?'

Ik antwoordde: 'Kate en ik hebben de moordenaar van Harry Muller gevonden.'

'Wie is het?'

Kate antwoordde: 'Het was Bain Madox, de eigenaar van deze club.'

'Waar is hij nu?'

Ik zei: 'In de schuilkelder. Dood.' Ik voegde eraan toe: 'Ik heb hem gedood.'

Geen reactie.

'En dat is alles wat je hoeft te weten, en alles wat wij willen vertellen.'

'Oké... dan wil ik jullie nu verzoeken met mij mee te komen.'

'Waar ga je heen, Liam?'

'Dat heb ik toch gezegd? Terug naar de stad. Er staat een helikopter klaar op het vliegveld.'

Ik deelde hem mee: 'We kunnen de plaats delict onmogelijk verlaten. Majoor Schaeffer – '

'Oké. Wij drieën zullen hier nog een uur met de staatspolitie doorbrengen, zodat jullie kunnen vertellen wat er is gebeurd. Daarna zal ik erop staan dat de politie jullie aan mij overdraagt.'

Ik keek naar Kate en ze knikte. Ik zei tegen Griffith: 'Kate en ik zullen een verklaring afleggen over de moord op Harry Muller. Alles wat jij en de staatspolitie hier verder aantreffen, is een zaak van nationale veiligheid en daarover zullen we pas praten als we terug zijn op 26 Fed. Begrepen?'

'Misschien kunnen jullie me een hint geven wat het feit dat Kate een CIA-agent heeft gedood met staatsveiligheid heeft te maken.'

Kate antwoordde: 'Liam, ik geloof niet dat jouw functie hoog genoeg is om je dat aan je neus te hangen.'

Hij keek wat pissig, maar kwam wel met een slimme opmerking: 'Ted gaf altijd hoog van je op, Kate.'

'De laatste keer dat wij elkaar spraken anders niet.'

Liam Griffith is niet achterlijk en hij zei: 'Jullie zitten ofwel tot je nek in de problemen of je krijgt een eervolle vermelding. Dus ik zal verder mijn mond houden en dan zie ik vanzelf wel wat het wordt.'

Ik antwoordde: 'Vandaag is zeker je jaarlijkse slimme dag.'

We brachten dus een uur door met majoor Schaeffer, de rechercheurs van de staatspolitie en de technische recherche en al die tijd dansten Kate en ik om de hete brij heen en tastte iedereen dus nog in het duister over wat er nu precies in de Führerbunker was gebeurd. Toen, na een heftige ruzie tussen Schaeffer en Griffith, stapten Kate en ik in Liams huurauto en begonnen aan onze rit vanaf de club, die ons langs de vlaggenmast voerde waaraan nog steeds de Amerikaanse vlag wapperde, verlicht door een schijnwerper; en onder de Stars en Stripes hing Bain Madox' wimpel van het Zevende Cavalerie.

Ja, ik had gemengde gevoelens wat betreft die knaap. De meeste waren negatief, maar... nou ja, als hij Harry niet had gedood en niet van plan was geweest een paar miljoen Amerikanen te vermoorden, inclusief Kate, mij en verder iedereen die hem in de weg stond, plus nog een paar honderd miljoen onschuldige mannen, vrouwen en kinderen... nou ja, hij was een complexe man en het zou me nog wel wat tijd kosten voor ik een definitief oordeel over hem had.

We passeerden ook de hakselaar en dat bracht me min of meer terug tot de realiteit. De grote zaken – zoals een nucleair Armageddon – waren wat abstract. Het zijn de kleine dingen, zoals de hakselaar, die je het kwaad doen doorgronden.

Goed, we vlogen per helikopter terug naar New York en tegen de tijd dat we in 26 Federal Plaza waren, zaten daar een stuk of tien mensen van het kantoor op ons te wachten, inclusief natuurlijk Tom Walsh, plus nog eens tien mensen uit Washington, allemaal met opengeslagen notitieblokken en taperecorders in de aanslag.

Tom Walsh begroette ons hartelijk met de woorden: 'Wat haalde ik verdomme in mijn hoofd om jullie tweeën daarheen te sturen?'

Ik antwoordde: 'Wat dacht je toen je Harry daarheen stuurde?'

Hij had daar geen antwoord op, dus vroeg ik hem: 'Wiens idee was het eigenlijk om *mij* daar in mijn eentje heen te sturen?'

Geen reactie.

Ik deelde hem mee: 'Dan zal ik het je vertellen. Dat was Ted Nash' idee.'

'Nash is dood.'

'Nu wel, ja, en ik niet.'

Kate zei tegen Walsh: 'Maar het had makkelijk anders uit kunnen pakken.'

Walsh keek ons beiden aan en ik kon zien dat hij probeerde te bepalen of hij verondersteld werd zich te gedragen alsof hij nergens van af wist, alsof hij kwaad was of alsof hem geen enkele blaam trof. Hij leek geen beslissing te kunnen nemen, dus ging hij naar het toilet.

Ik merkte dat er nog heel wat verwarring heerste over wat er was gebeurd en wat onze status was – helden of misdadigers – maar ik meende ook te bespeuren dat één of twee knapen uit Washington precies wisten waar dit allemaal over ging, maar dat ze dat voorlopig voor zich hielden.

We werden urenlang door teams van steeds twee man doorgezaagd in Walsh' kantoor, maar Kate en ik hielden ons behoorlijk goed terwijl we de ondervragers een verslag van uur tot uur en van gebeurtenis tot gebeurtenis gaven vanaf het moment dat we op de ochtend van Columbus Day het kantoor hier binnenliepen en met Tom Walsh spraken – inclusief onze gesprekken met Betty van Continental CommutAir en Max en Larry van de autoverhuurbedrijven, onze navraag naar Madox' jets bij de nationale verkeersleiding en vervolgens onze beslissing om naar de Custer Hill Club te gaan in plaats van naar het hoofdkwartier van de staatspolitie. Enzovoort, enzovoort.

Ik merkte dat de mensen van de FBI deels onder de indruk waren van onze doortastendheid en onze goede onderzoekstechnieken, en deels ook wat bezorgd over onze totale onbekwaamheid om orders op te volgen en op de vlucht te slaan. Ik hoopte dat ze er iets van leerden.

Ik merkte ook min of meer dat naarmate de nacht verstreek, Kate en ik de enigen waren die zich niet ergens zorgen over maakten.

De meeste FBI-ondervragers leken interessant genoeg wat ongelukkig met het feit dat Bain Madox – het meesterbrein achter de samenzwering, en de belangrijkste getuige – dood was, en dat ik hem gedood had. Ik zei natuurlijk dat het zelfverdediging was geweest, hoewel het in wezen een kwestie van genoegdoening was. Ik bedoel, het was stom geweest dat ik het had gedaan en door hem uit te schakelen had ik het onderzoek naar een samenzwering extra gecompliceerd gemaakt. Ik wou dat ik het over kon doen; natuurlijk zou ik dan weer precies hetzelfde doen, maar ik had mezelf dan eerst voorgehouden dat ik niet erg professioneel handelde.

En verder leken, als ik het me niet verbeeldde, minstens twee van de FBI-knapen uit Washington niet zo ongelukkig met het feit dat Madox niet meer zou kunnen praten.

Over het doden van CIA-agent Ted Nash door Kate hadden de FBI-mensen nauwelijks vragen of opmerkingen, wat nogal vreemd was, maar ook begrijpelijk. Ze wilden dat onderwerp pas aansnijden als ze daar van hogerhand opdracht toe kregen.

Ik vond het leuk om te zien hoe Tom Walsh zich in bochten moest wringen en ik vond het nog leuker om met mijn voeten op zijn vergadertafel te zitten terwijl Kate en ik werden ondervraagd. Tegen drieën sprak ik mijn grote verlangen naar een Chinese maaltijd uit en een FBI-agent ging op pad en vond een zaak die nog open was. Hé, je staat tenslotte niet elke dag in het middelpunt van de belangstelling, en je mag daar best een beetje je voordeel mee doen.

Er viel hier heel wat te ontrafelen en ik had geen idee waar dit heenging, of tot in welke echelons van de macht die samenzwering van Project Groen reikte. En natuurlijk zouden Kate en ik daar ook nooit achter komen.

Tegen het ochtendgloren reden twee FBI-agenten ons terug naar ons appartement en zeiden dat we maar eens flink van onze nachtrust moesten genieten, ook al was het dan al ochtend.

Eenmaal in ons appartement gingen we op het balkon staan en keken naar de zon die opkwam boven Manhattan. We herinnerden ons allebei de ochtend van 12 september 2001, toen we naar de zwarte rookwolken keken die de zon niet alleen voor ons of voor New York wegnam, maar voor het hele land.

Ik zei tegen Kate: 'Zoals wij uit ervaring weten, is elke geweldsdaad, en elke moord, een wraak voor de moord ervoor, en een excuus voor de moord erna.'

Ze knikte en zei: 'Weet je... ik wilde er eigenlijk uitstappen... uit dit werk... ergens anders heengaan... maar nu, na dit, wil ik hier blijven en doen wat ik kan...'

Ik keek haar aan en keek toen weer naar Manhattan, waar we ooit de twee torens van het WTC de lucht in zagen steken. Ik zei, tegen haar of tegen mezelf: 'Ik vraag me af of wij het nog beleven dat het alarmniveau weer op Groen gaat.'

'Ik betwijfel het. Maar als we ons best blijven doen, kunnen we voorkomen dat het naar Rood gaat.'

Uiteindelijk vond de FBI in Los Angeles en San Francisco de piloten en de copiloten, en ze vonden de kofferbommen in hun hotelkamers. In feite zat een van de copiloten op eentje ervan naar de tv te kijken toen de FBI de deur naar zijn kamer openmaakte.

Uiteindelijk bleef ik zelf zitten met een rekening van drieduizend dollar voor Het Punt, en zoals Kate al had voorspeld, was de rekenkamer doof voor wat voor uitleg dan ook, en Walsh zou voor ons zijn best niet doen, dus eten Kate en ik maar een tijdje wat minder vaak buiten de deur.

We moeten nog naar het hoofdkwartier van de FBI in Washington voor een echt volledige debriefing en voor het afleggen van officiële verklaringen en het schrijven van rapporten.

Wat betreft het Uitvoerend Comité van de Custer Hill Club is het enige nieuws tot nog toe – in kleine berichtjes in de gedrukte media vrijgegeven – dat de staatssecretaris van Defensie, Edward Wolffer, met onbetaald verlof is; Paul Dunn, de adviseur veiligheidszaken van de president, heeft ontslag genomen; en generaal James Hawkins is met pensioen.

Deze drie gebeurtenissen op zich leken niet opmerkelijk en ze veroorzaakten dan ook geen beroering in de altijd waakzame nieuwsmedia. Ondertussen wachten Kate en ik op schokkender nieuws over deze knapen, zoals bijvoorbeeld hun arrestatie. Maar voorlopig hebben Dunn, Wolffer en Hawkins de voorpagina's of het nieuws van zes uur nog niet gehaald en het zou me niet verbazen als we nooit meer iets van ze hoorden, ondanks wat Kate en ik tegen de FBI hebben verteld. Misschien zijn ze daar hun aantekeningen kwijtgeraakt.

Wat het vierde lid van Madox' Comité betreft, CIA-agent Scott Landsdale, is geen nieuws niet noodzakelijkerwijs goed nieuws. Deze knaap loopt nog steeds ergens rond en Scott zal ofwel de dans ontspringen, of, als hij echt in de problemen zit, zal niemand daar ooit iets over horen. Ik bedoel, moeten we een organisatie vertrouwen die betaald wordt om te liegen?

Wat betreft een mogelijk verwant onderwerp, de oorlog met Irak lijkt op koers en ik vertrouw op Madox' inside-information en sluit een weddenschap af op de week van 17 maart, wat volgens mijn bookmaker een nogal wilde gok is, die drie tegen één uitbetaalt. Als ik mijn inzet van duizend dollar weet te verdriedubbelen, kan ik mooi mijn rekening van Het Punt voldoen. Wat de olieaandelen betreft, zegt mijn effectenmakelaar dat de Iraakse olie na de oorlog de markt zal overstromen en dat de prijzen zullen dalen – en niet omhooggaan zoals Madox zei. Ik moet nog eens goed nadenken wie ik moet vertrouwen – mijn effectenmakelaar of Madox. Dat zal nog niet meevallen.

Iets wat we in Washington niet hoefden doen, was uitleggen hoe of waarom Kate een CIA-agent had gedood. De leidinggevende CIA-man bij de ATTF vertelde ons dat de dode man die in het huis van de Custer Hill Club werd aangetroffen niet nader geïdentificeerd kon worden en dat de CIA-agent genaamd Ted Nash, ons ooit goed bekend, op 11 september 2001 was omgekomen in de noordelijke toren. Ik was niet van plan daar tegenin te gaan en dat gold ook voor Kate.

Ik denk nog vaak aan Madox' Project Groen en ik twijfel er nauwelijks aan dat wat bijna gebeurde – een aanval op een Amerikaanse stad of steden met een massavernietigingswapen – vroeg of laat alsnog zal gebeuren. Maar nu zal ik me dan wel afvragen waar die aanval echt vandaan kwam.

En wat dat laatste betreft denk ik, zonder al te paranoïde te willen klinken, dat Kate en ik meer gezien en gehoord hebben dan voor veel mensen goed is. Ik bedoel, ik wil niet suggereren dat de CIA van plan is ons uit de weg te ruimen omdat we te veel weten, of omdat we afweten van Scott Landsdale, of omdat Kate CIA-agent Ted Nash gedood heeft. Maar je weet maar nooit, dus misschien schaffen we wel een hond aan en kijken we eerst even onder de motorkap voordat we de auto starten.

Je kunt in ons werk niet voorzichtig genoeg zijn en je moet goed weten wie je vrienden zijn en wie je vijanden, en als je dat niet weet, moet je zorgen dat je pistool geolied, geladen en onder handbereik is.

Dankwoord

Net als bij vorige romans wil ik piloot Thomas Block van US Airways (gepensioneerd) bedanken. Hij is redacteur en columnist van veel vliegtuigbladen en coauteur, samen met mij, van *Mayday*, en tevens de auteur van zes andere romans. Toms advies betreffende technische details en zijn redactionele suggesties waren zoals altijd onbetaalbaar, hoewel hij er zelf wel waarde aan toekende en me een rekening stuurde, die ik natuurlijk graag voldeed. Tom en ik hebben elkaar ongeveer vijfenvijftig jaar geleden voor het eerst ontmoet en de enige persoon die me nog langer kent, ben ikzelf.

Mijn dank gaat ook uit naar Sharon Block, Toms vrouw en voormalig stewardess bij Braniff International en US Airways, voor haar zorgvuldige lezing van het manuscript en haar uitstekende suggesties.

Ik zou ook graag mijn goede vrienden Roger en Lori Bahnik willen bedanken omdat ze me gezelschap hebben gehouden in de wildernis van de North Country en omdat ze zulke fantastische gidsen waren in de van beren vergeven bossen daar.

En opnieuw veel dank aan mijn trouwe vriend John Kennedy, politiecommissaris b.d. bij het Nassau County Police Department, voor zijn adviezen en suggesties.

Als waarschijnlijkheid en dichterlijke vrijheid botsen, wint de vrijheid het meestal, dus eventuele fouten betreffende juridische of procedurele details zijn uitsluitend aan mij toe te schrijven.

Mijn speciale dank gaat uit naar Bob Atiyeh, een privépiloot die met mij zijn kennis deelde omtrent algemene vliegprocedures, vluchtplannen, SBO's, FBO's en verder alles wat ik moest weten, maar waar ik geen benul van had.

En natuurlijk zoals altijd dank aan mijn uitstekende assistenten, Dianne Francis en Patricia Chichester. In de hemel is een speciaal hoekje ingeruimd voor assistenten van auteurs en Dianne en Patricia hebben dat ook meer dan verdiend.

En als laatste, maar ook altijd als eerste, mijn verloofde, Sandy Dillingham, die ik bedank dat ze me een nieuw leven heeft geschonken. Ik hou van je.

Er is een nieuwe trend onder schrijvers om diverse beroemdheden te bedanken voor hun inspiratie, niet-bestaande assistentie en/of wat zijdelingse verwijzingen naar het werk van de auteur. Schrijvers doen dit om zichzelf belangrijker te maken. Dus, voor het onwaarschijnlijke geval dat het zal helpen, wil ik graag de volgende mensen bedanken: de **keizer van Japan** en de **koningin van Engeland** vanwege het stimuleren van geletterdheid; **William S. Cohen**, voormalig onderminister van Defensie, omdat hij me een briefje heeft laten bezorgen met de mededeling dat hij mijn boeken graag las, wat ook geldt voor zijn baas, **Bill Clinton**; **Bruce Willis**, die me op een dag belde en zei: 'Hé, jij bent best een goede schrijver'; **Albert Einstein**, die me inspireerde tot het schrijven over atoomwapens; **Generaal George Armstrong Custer**, wiens overmoedigheid bij de Little Bighorn me iets leerde over beoordelingsvermogen; **Mikhail Gorbatsjov**, wiens moedige daden er indirect toe leidden dat mijn boeken ook in het Russisch vertaald konden worden; **Don DeLillo** en **Joan Didion**, wier boeken altijd voor en na mij op de boekenplanken staan en wier namen altijd voor en na de mijne in almanakken en Amerikaanse auteurslijsten verschijnen – bedankt voor jullie gezelschap, jongens; **Julius Caesar**, omdat hij de wereld heeft laten zien dat ongeletterde barbaren verslagen kunnen worden; **Paris Hilton**, omdat de hotelketen van haar familie mijn boeken in hun cadeauwinkels verkoopt; en ten slotte **Albert II, koning van België**, die ooit in Brussel naar me heeft gezwaaid toen de koninklijke stoet zich van het paleis naar het parlementsgebouw begaf, waarna het verkeer een halfuur vaststond, wat mij er weer toe dwong de tijd te doden met het bedenken van een plot om de koning der Belgen van zijn troon te stoten.

Om nog even serieus te worden: de volgende personen hebben genereuze schenkingen gedaan aan goede doelen, in ruil voor het feit dat hun namen zijn gebruikt voor sommige van de karakters in dit boek: James (Jim) R. Hawkins, Marion Fanelli en Paul Dunn, Carol Ascrizzi en Patty Gleason, Gary Melius en zijn vriend John Nasseff, Lori Bahnik en Leslie Scheinthal.

Veel dank voor deze altruïstische mannen en vrouwen. Ik hoop dat jullie een beetje hebben genoten van jullie alter ego's en dat jullie de wereldwijde goede doelen blijven steunen.